Nuova biblioteca di cultura   282

Giuliano Manacorda

Letteratura italiana d'oggi
1965-1985

Editori Riuniti

I edizione: aprile 1987
© Copyright by Editori Riuniti,
Via Serchio 9/11 - 00198 Roma
CL 63-3054-1
ISBN 88-359-3054-5

In copertina: Pier Paolo Pasolini, *Il mondo non mi vuole piú e non lo sa*,
pastello, 1970?

Indice

Premessa

Circa un quarto di secolo fa ci accingemmo ad una impresa di cui naturalmente non ci nascondevamo le difficoltà, quella di svolgere la *storia* della letteratura italiana soltanto nel suo ultimo scorcio. Era evidente che, in quegli inizi degli anni sessanta, il primo ostacolo che ci trovammo davanti fu di natura teorica, il dubbio sempre piú diffuso sulla legittimità del concetto stesso di storiografia nel suo senso classico di *historia rerum gestarum* (e sia pure soltanto letterarie), la possibilità stessa di annoverare quelle cose in un ordine obiettivamente logico che le connettesse in una serie di accostamenti e successioni lungo un corso in cui vengano a disporsi secondo rapporti enigmaticamente liberi e insieme necessitati. L'incrollabile convinzione che la storia sia la vera e concreta categoria entro la quale prendono vita tutte le realtà dell'uomo e del mondo con le loro complesse relazioni, e che qualunque pensiero, gesto o parola, anche se la negano o la subordinano, vengono pronunciati o compiuti all'interno di quella dimensione di cui subiscono o verificano i condizionamenti, ci assicurò sulla liceità di un'operazione che nasceva forse un po' fuori tempo rispetto alle ideologie dominanti ma che ci pareva avesse basi filosofiche solide proprio perché non contingenti.

Da quella prima difficoltà generale subito ne nasceva un'altra specifica, quella della legittimità, questa volta, dello spostare i termini del racconto storico fino a tempi recenti e recentissimi, quando — come si suol dire — manca quel distacco critico che permetta di guardare alle cose con animo sereno, e delle cose stesse si può fare non storia ma cronaca. Obiezioni certamente giustificate, alla prima delle quali cercammo di ovviare spogliandoci per quanto potemmo di personalismi, mentre per la seconda ci venne incontro una fortunata situazione che permise un'accettabile scansione storica sia pure in quei tempi brevi e vicini; riscontrammo, cioè, che alcuni momenti signifi-

5

cativi dalla fisionomia definita e dai confini discretamente riconoscibili si erano succeduti dagli anni trenta (esemplarità dell'ermetismo e della prosa d'arte) agli anni quaranta e cinquanta (dominio del neorealismo e sua crisi) agli anni sessanta (avvento delle neoavanguardie). Fu dunque abbastanza facile seguire quei binari, cercando di evitare un eccesso di schematismi, ma con la ovvia consapevolezza che non tutto poteva essere ricondotto entro il fin troppo comodo schema. Non sta a noi dire quanto tutta l'operazione sia risultata ben condotta, ma per noi che la conducevamo la presenza di quei punti fermi o di quelle svolte, visibilissime perché attuate non senza violente polemiche, costituiva un filo d'Arianna sicuro, e non diverso da quello usato dagli storiografi letterari dei secoli passati i quali, una volta accettate il piú criticamente possibile le nozioni di Rinascimento, Età barocca, Illuminismo, Romanticismo, ecc., possono poi procedere con la sensazione di un terreno ormai consolidato sotto i piedi.

Oggi che ci accingiamo a una nuova ma analoga impresa, è proprio questa sensazione che ci manca. Mentre rimane valida la risposta alla obiezione teorica generale, dobbiamo constatare — con qualche panico — l'assenza di binari su cui procedere o l'estrema difficoltà nel rintracciarli, la mancanza di momenti significativi (immediatamente testimoniata dalla inesistenza di denominazioni terminanti in «ismo») e persino di sporgenze personali di valore accertato e assoluto (ci riferiamo in particolare agli scrittori al di sotto dei sessanta anni). Di questa situazione diversa e che rende quasi disperata la pretesa di raccontare una *storia*, ci eravamo già in parte resi conto quando, a dieci anni di distanza dalla prima edizione, provvedemmo ad un aggiornamento dell'opera del '67. Come in realtà sospettavamo prima ancora di metterci al lavoro, il panorama che ci si presentò risultava ora frantumato in segmenti minimi e dai bordi frastagliati, e abitato da una popolazione molto folta ma con i tratti non sempre facilmente riconoscibili e talora cangianti. Il risultato fu che non potemmo se non registrare una siffatta realtà limitandoci in prevalenza alla pura descrizione senza avventurarci in dimensioni storiografiche piú complesse.

Ora che è passato un altro decennio, la domanda che ci poniamo è se l'operazione storiografica è diventata possibile, se la scommessa va giocata. Per una risposta è necessaria una considerazione, o un giudizio, preliminare: il panorama cosí come l'abbiamo sommariamente accennato non è mutato, anzi per lo stesso suo perdurare nel tempo si è ulteriormente complicato, è diventato piú indecifrabile nelle sue linee di svolgimento o di intreccio, nei suoi valori, nelle figure dei protagonisti. Non è solo una nostra opinione, ma è una valutazione diffusa e quasi d'obbligo, ripetuta un anno dopo l'altro da molti addetti ai lavori (e ne daremo la dovuta esemplificazione), sino al punto da entrare essa stessa nel panorama come un suo elemento, cioè come spia della coscienza con cui letterati e scrittori hanno operato in questi anni: di vivere o in un affollato deserto (o «vuoto» come si è preferito dire) o in una babele di gerghi, ma intanto di *vivere*, in un turbinio di proposte che non saranno tutte inutili, al centro di contraddizioni sfuggenti ma forse non insanabili, e insomma con la sensazione che l'eventuale mancanza di eccelsi maestri e di immortali capolavori non debba significare la morte e nemmeno la decadenza della letteratura, la quale può esistere dignitosamente anche in questa sua medietà (lasciando ai posteri giudizi di valore piú comprometenti).

Se mai, la ricerca dovrebbe spostarsi su un terreno esterno alla letteratura, per tentare di comprenderne almeno gli atteggiamenti generali e di cercarne le indirette motivazioni nelle vicende italiane segnate dai connotati tragici del terrorismo e della malavita organizzata, e da una condotta politica che nella esteriore solidità di un quarantennio presenta in realtà un continuo verminaio di polemiche, spostamenti, falsi scopi, rivalità, pseudoalleanze che scombussolano e traumatizzano quasi quotidianamente il cittadino; o nelle ancora piú tragiche vicende mondiali dominate da due aspetti insopportabili, le guerre e i conflitti interni o locali che continuano a insanguinare tante regioni del globo, e l'angoscia dell'incubo atomico. Lo scrittore non può non essersi sentito immerso in questa realtà e, con i suoi strumenti, non averla registrata in testi che spesso vi si riferiscono anche quando l'allusione non è platealmente espressa. Si tratta appunto di quel condizionamento generale di cui si diceva in principio, che non ha affatto il «realismo» come sua soluzione d'obbligo (anche se poi, nel fatto, i temi del terrorismo, della guerra e dell'atomo appaiono assai frequentemente citati) ma quella che di volta in volta il romanziere o il poeta riescono ad escogitare appunto in quelle effettive condizioni biografiche e culturali in cui è toccato loro in sorte di operare.

Ma per tornare all'attuale panorama letterario multiforme e quasi inafferrabile, esso ha suggerito o imposto al nostro lavoro alcuni modi di procedere diversi da quelli utilizzati per il periodo 1940-1965. La mancanza di un processo di eventi culturali e letterari sufficientemente unidirezionale e suddivisibile in tappe ci ha fatto rinunciare alla pretesa, dichiarata un tempo già nel titolo, di continuare a scrivere una *storia*. Entro i limiti del possibile, una certa cronologia è stata indubbiamente seguita, ma con tutte le spezzature, le anticipazioni o i ritorni resi necessari dalle complicazioni dell'anagrafe e della topografia letteraria. Inoltre, alla difficoltà di svolgere in un filo coerente il troppo aggrovigliato gomitolo di accadimenti, si sono aggiunti altri due fatti a complicare ulteriormente la sistemazione del materiale: da una parte, la compresenza di autori della terz'ultima o penultima generazione accanto a quelli dell'ultima (la cosa era già accaduta anche nella *Storia* precedente, ma l'esistenza di scansioni oggettive aveva facilitato la distribuzione e la distinzione dei nomi e delle opere); dall'altra, la trattazione già avvenuta in quella *Storia* precedente di autori che dovevano essere di nuovo trattati. Il problema era dunque quello del rapporto di quest'opera con quella di venti o dieci anni prima. Una cosa ci era chiara però fin dal principio, che, questa volta, non si trattava di un «aggiornamento», ma di scrivere un libro assolutamente autonomo che doveva tuttavia fare qualche conto con un altro libro già esistente. La soluzione è stata trovata nella limitatissima utilizzazione di alcuni brani di cui ci sarebbe parsa inutile la riscrittura (e che generalmente sono contenuti nella prima parte del volume) [1] ma in un contesto che implicitamente suggeriva il rinvio, per una notizia piú completa, al volume precedente. In altri termini, la trattazione qui parte dal 1965, ma poiché ci è parso giusto dare una sia pur succinta notizia sugli autori in campo già negli anni o decenni anteriori, si sono fatti per essi rapidi richiami sottintendendo che maggiori informazioni si sarebbero potute trovare in pagine da cui venivano qui soltanto dedotti alcuni elementi particolari [2].

Naturalmente con questo non tutti i problemi erano risolti. Se un poeta come Mario Luzi — per fare un esempio che potrebbe essere moltiplicato — appare presentissimo anche negli anni ottanta, non ci è parso il caso di frazionare la sua trattazione lasciando al lettore di fare lui i collegamenti dopo che si era imbattuto una prima volta con l'autore in un certo capitolo. Ma qui dobbiamo aggiungere — e siamo i primi noi ad essere poco soddisfatti della nostra scelta — che il criterio di collocazione dei singoli autori non ha potuto essere purtroppo uniforme. Nella mancanza di una sia pur relativa uniformità di processo storico che avrebbe reso organico il processo descrittivo, talora si è ricorsi al criterio generazionale (corretto però dal grado di incidenza dell'autore nei due decenni esaminati: Moravia, ad esempio, è piú presente di Bilenchi e quindi non rientra nei «vecchi» maestri), talora al criterio ideologico, talora al criterio che cercasse di inseguire il piú da vicino alcune linee dominanti. Si trattava di in-

---

[1] Le citazioni piú consistenti riguardano la rivista *Quindici* e *Horcynus Orca* di S. D'Arrigo.
[2] La discriminante fra l'ante e il post 1965 è segnalata dal fatto che solo delle opere successive al '65 viene data l'informazione bibliografica completa.

trodurre un po' d'ordine in un magma allo stato abbastanza amorfo, sempre pressato dal sospetto di tradire in tal modo la realtà, che se aveva come sua caratteristica la magmaticità, rischiava di sfuggirci proprio nel momento in cui si pretendeva di squadrarla; sicché la soluzione poteva essere quella di fornire il massimo delle indicazioni entro un minimo di linee portanti che facessero del libro un panorama sistematico di venti anni di letteratura e non soltanto un dizionario o una piccola enciclopedia.

E qui inevitabilmente nasceva l'ultima e forse piú grave difficoltà, la selezione dei nomi. In un paesaggio in cui, come ci è capitato altra volta di scrivere, moltissime sono le scintille ma pochi i fuochi che si scorgono a distanza, il problema di chi includere e chi escludere diventa difficilissimo e quasi angoscioso. Noi abbiamo scelto il criterio del massimo delle inclusioni (pur rendendoci conto che in tal modo rendevamo piú amare e inesplicabili le esclusioni), perché il nostro intento è, come fu per la *Storia* degli anni sessanta, dare un quadro di informazione il piú ampio e chiaro possibile. E il piú onesto, come è naturale, compatibilmente con la congerie di dati che poteva facilmente indurre in equivoci. Anzi, dichiariamo apertamente che non siamo affatto sicuri né che tutti i nomi qui presi in considerazione saranno proprio quelli di cui i nostri posteri conserveranno memoria, né che i nomi degli esclusi non possano trovare negli anni o decenni futuri un loro piú giusto posto. A noi resta solo la buona coscienza di non avere né fatto regali né compiuto vendette. Errori sí, come può sempre capitare; e ne chiediamo venia ai lettori dai quali vorremmo augurarci altrettanto benevola accoglienza quanta ne ebbe quel volume avviato circa un quarto di secolo fa.

G.M.

Parte prima

Una lunga eredità

I. I vecchi maestri

Muoiono i poeti
ma non muore la poesia. *A. Palazzeschi*

1. *I prosatori*

Alla metà degli anni sessanta sono ancora in vita e operanti scrittori protagonisti di stagioni lontane e lontanissime, ma che non avevano abbandonato il campo pur se, come inevitabile, la loro incidenza sullo svolgimento della letteratura italiana della seconda metà del secolo si era in alcuni casi assai ridotta o quasi esaurita. Scriveva ancora Giuseppe Prezzolini che nell'ultimo ventennio della sua attività, prima che la morte lo cogliesse centenario nel 1982, pubblicò addirittura una decina di volumi in cui si mostrava non del tutto estinta la vecchia vena del polemista vociano e ancor piú accentuata la vocazione di moralista e ideologo conservatore.

Quasi altrettanto fecondi continuarono ad essere Riccardo Bacchelli e Cesare Zavattini. Bacchelli, che muore nel 1985, aveva visto raccolti, dal 1958, in un progetto di ben trenta volumi (*Tutte le opere*, Mondadori) gli oltre quaranta titoli della sua lunga carriera, comprendenti romanzi, poesie, racconti, opere teatrali, prose critiche, pagine di viaggio, traduzioni. La generosità e la disponibilità della vena bacchelliana si manifestavano anche nella piú recente produzione che dal '67 vedeva ancora quattro romanzi (*Rapporto segreto*, 1967; *L'Afrodite: un romanzo d'amore*, 1969; *Il progresso è un razzo: un romanzo matto*, 1975; *Il sommergibile*, 1978) in cui tendenzialmente prevale l'accento satirico, e tre raccolte di poesie in parte già edite (*La stella del mattino*, 1971; *Bellezza e umanità*, 1972; *Giorni di vita e tempo di poesia*, 1973, tutte riunite sotto il titolo di *Versi e rime* cui dovrebbe aggiungersi il quarto libro *Favole e parabole in versi e in prosa*).

Anche la prosa di Zavattini[1] ha spaziato in campi diversi, tutta-

---

[1] E potremmo aggiungere la poesia, per il poemetto contenuto nella prima parte della biografia di Antonio Ligabue (*Ligabue*, Bompiani, 1974, dopo un'edizione romana del 1967).

13

via con prevalenza di andamento saggistico, oppure diaristico, come accadeva nella maggior parte delle *Straparole* (Bompiani, 1967) che gli permetteva di parlare di tutto e di tutti, di interloquire e anche di ammonire ma senza il cipiglio di chi intenda riprovare la condotta degli altri. Eppure il giudizio di Zavattini su questi anni della sua estrema vecchiaia è assai duro, come mostrava lo «sproloquio» *La notte che ho dato uno schiaffo a Mussolini* (ivi, 1976) con il quale egli riadottava in parte una struttura narrativa per poi articolarla in una lunga serie di osservazioni. Zavattini nulla toglieva alle colpe del fascismo ma negava ad una generazione che vive in una «spaventosa contraddizione» il diritto di giudicarlo: «Che cosa avevo fatto negli anni *dopo* per avere il diritto *allora* di sentenziarlo?». Ma quando nel 1980 si confessò in una lunga intervista (*Zavattini parla di Zavattini*, a cura di S. Cirillo, Roma, Lerici), ancora una volta frantumando il discorso attraverso le battute, i paradossi e soprattutto l'autocommento a piè di pagina condotto sulla base delle opere precedenti, riprese con intatto ottimismo la sua speranza che si possa salvare l'umanità di oggi dai suoi errori e dai suoi orrori: «perché l'uomo è sublime anche quando sbaglia».

Anche Ignazio Silone aveva continuato a pubblicare opere a prevalente carattere di testimonianza autobiografica, in cui era venuto svolgendo la sua duplice irregolare ideologia socialista e cristiana (*Uscita di sicurezza*, Vallecchi, 1965; *L'avventura di un povero cristiano*, Mondadori, 1968); ma era da ultimo tornato al romanzo con *Severina* (ivi), uscito incompleto nel 1982 quattro anni dopo la morte dell'autore, il quale vi si era ancora tormentato sulla fede cristiana perduta, sul doloroso distacco dalla Chiesa, sul contrasto tra impegno civile e impegno religioso, ma ponendo questa volta al centro dell'opera la figura di una donna, che costituiva un fatto nuovo nella narrativa siloniana.

Dal 1965 a oggi sono usciti circa quindici volumi gaddiani, dei quali più della metà postumi (Gadda è morto nel 1973): racconti, lettere [2],

---

[2] Nel 1974 sono uscite *Le confessioni di C. E. Gadda* (Milano, Pan) contenenti le lettere di Carlo Emilio al cugino Piero Gadda Conti; nel 1979 le *Lettere a «Solaria»* (Editori Riuniti), a cura dell'autore di questo volume, con sessanta lettere di C. E. Gadda ad Alberto Carocci; nel 1983 sono uscite presso Il Saggiatore le *Lettere agli amici milanesi* a cura di Emma Sassi, e, presso Adelphi, a cura di Giuseppe Marcenaro, le *Lettere a una gentile signora*; nel 1984 *L'ingegner Fantasia. Lettere a Ugo Betti* (Rizzoli), a cura di Giulio Ungarelli (Betti era stato, con Tecchi, compagno di prigionia di Gadda nel campo di Celle), e *A un amico fraterno. Lettere a Bonaventura Tecchi*, a cura di M. Carlino, il quale scrive (e l'osservazione può valere in generale): «Lo spazio del mittente prevale su quello del destinatario: Gadda epistolografo scrive di sé,

14

prose varie di critica e di costume, traduzioni³, l'abbozzo di un romanzo — per lo piú risalenti ad anni precedenti, vicini o lontani, sino alle prove giovanili. È questa una testimonianza abbastanza inconsueta e impressionante della presenza dello scrittore nella letteratura '70-80 e dell'importanza sempre crescente che egli è venuto acquistando fino a divenire un indiscusso protagonista. Quello che era per la maggior parte dei lettori l'autore di un romanzo di successo (*Quer pasticciaccio brutto de via Merulana*, 1957), ma che in realtà sin dalle collaborazioni a *Solaria* aveva rivelato un autentico genio della lingua e una demolitrice capacità critica nei confronti dei vizi della società, a partire dagli anni sessanta si è venuto sempre piú affermando come un classico del Novecento, uno dei primissimi tra i prosatori del nostro secolo, del quale occorreva conoscere o riconoscere l'intera opera. Proprio dalle pagine di *Solaria*, dove era rimasta nella sua originaria apparizione del 1931, veniva ripresa nel 1970 *La Meccanica* (Garzanti), primo approdo praticamente completo alla misura del romanzo, in cui alcune forzature lessicali e sintattiche con la presenza di elementi dialettali lombardi già anticipano le future ben piú esplosive soluzioni, e certe punte antidannunziane e antiveriste, certe esuberanze e soprattutto i già appuntiti strali inferti al campo sociale (o socialista) e politico contro la borghesia ipocrita che non sa vivere i valori che essa stessa proclama (siamo al tempo della prima guerra mondiale) — ci fanno presentire il Gadda maggiore.

Sono i caratteri che ritroviamo anche negli altri volumi che lungo gli anni settanta raccolsero testi talvolta assai lontani e quasi dispersi o dimenticati. Nel 1971 usciva, a cura di Piero Gelli, *Novella seconda* (ivi) contenente tre racconti degli anni 1928-32, di cui il piú compiuto, anche se non portato a termine, è quello che dà il titolo al volume. Gadda si era ispirato questa volta a un evento di cronaca recentissima, un matricidio reso ancor piú orrendo dal comportamento dell'assassino, ma aveva evitato la descrizione del fatto svolgendo piuttosto la serie delle cause di ordine familiare remote e prossime che avevano portato a quell'esito; e aveva spiegato il suo progetto di lavoro in una nota al testo in cui dichiarava di rifiutare l'«istrionico» e di voler «essere romanzesco, interessante, conandoyliano... ma con

del suo lavoro, dei suoi problemi, dei suoi progetti, piú di quanto non chieda e non parli del suo interlocutore».

³ Nel 1977 uscivano nel volume *La verità sospetta* (Bompiani) le traduzioni gaddiane di *Il mondo com'è* di Francisco de Quevedo, *Il viaggio di saggezza* di Alonso J. de Salas Barbadillo (già uscita nel 1941) e *La verità sospetta* di Juan Ruiz de Alarcon (uscita nel 1957); di esse scrive la curatrice Manuela Benuzzi Billeter: «Non è il caso di aspettarsi una scrittura fedele dei testi da tradurre. Questi saranno infatti per lui soltanto uno spunto per ricreare tre nuovi scritti di stampo schiettamente gaddiano, da leggersi come suoi»; e G. Contini parla di «spregiudicatezza inaudita» (*Varianti e altra linguistica*, Einaudi, 1970, p. 303).

fare intimo e logico» — come puntualmente era avvenuto nella stesura con un già sapiente disegno delle psicologie. Ma il romanzo conteneva anche, nel suo iniziale «Argomento», una precisazione sociopolitica nella quale Gadda ribadiva di essere «antisocialista» (e lo dimostrava assai bene lungo il racconto), ma coinvolgendo poi nel giudizio negativo sulla società l'Italia del fascismo [4], per allargare infine il suo pessimismo su «tutta la pasta, la vigliacca pastaccia umana, che bisognerebbe tutta bruciare e sparare o lodare e imbrodare tutta».

Tre anni dopo usciva la *Meditazione milanese* (Einaudi, 1974) a cura di G. C. Roscioni; si trattava questa volta di un abbozzo di sistema filosofico vergato in due stesure successive e mai completate nell'estate del 1928, che ha Spinoza, Leibniz e Kant quali poli di riferimento, e la riduzione della sostanza delle cose alle loro relazioni, come intendimento, ma che in realtà, con il suo andamento rapsodico, riesce a toccare argomenti di ogni genere [5]. Nel 1981 si avevano *Le bizze del capitano in congedo e altri racconti* (Adelphi), a cura di Dante Isella il quale le distingue in due sezioni, «l'una *grosso modo* autobiografica, l'altra giallo-poliziesca»; l'arco di date particolarmente ampio — dalla prima prosa scritta a Celle-Lager nell'agosto del '18 fino agli anni cinquanta e oltre — permette una visione sincronica dello sviluppo di una lingua che, partita da un sostanziale rispetto delle norme nella *Passeggiata autunnale*, arriva a quello che è stato ripetutamente definito un uso spastico della lingua, alle invenzioni, distorsioni, superfetazioni, derisioni, agli arcaismi, idiotismi, tecnicismi, insomma a tutti gli sconvolgimenti che fanno della lingua di Gadda un *unicum* inimitabile dalla violenza espressiva assoluta [6].

Lo stesso Isella pubblicava nel 1983 il *Racconto italiano di ignoto del Novecento* (Einaudi), al quale Gadda lavorò dal 1924 al 1927 lasciandolo largamente incompleto, e che può forse legittimamente essere considerato il vero ur-testo gaddiano, sia per il tema chiaramente autobiografico — la storia di Grifonetto Lampugnani che ha per-

---

[4] «l'aria di rigore morale... che tira di questi tempi, i quali sono profondamente corrotti sotto tutti gli aspetti, e vogliono parer santi, puri, rigorosi... Noi viviamo una vita fittizia e strana, oggi in Italia, dopo il 1923-24, tra la licenza, talora necessaria, che la vita moderna ci impone... e il tradizionale rigorismo cattolico-italiano-ottocentesco-post-manzoniano, fatto di paroloni... Ciò non toglie che molti rubino a man salva.»

[5] Cosí riassunti dal curatore: «dell'essere e della causa, dell'io e del male, della materia e del fine, della molteplicità e dell'atomo, della felicità e dei sensi, continuamente divagando anche da questi argomenti per affrontare temi disparatissimi come la liceità del suicidio, la temperatura della luna, la pena di morte, la strategia dell'attacco, la funzione dell'utopia, i misfatti della burocrazia. Non senza sostare, e con frequenza, su quello che sarà in tutta la sua opera il "sistema" piú studiato: "il complicatissimo sistema morale che risponde all'etichetta del mio nome"».

[6] Per tutto «il profluvio di figure retoriche e grammaticali», si veda G. C. Roscioni, *La disarmonia prestabilita*, Einaudi, 1969.

so un fratello in guerra e vive nella caotica Italia del dopoguerra e del fascismo nascente — sia per la generale intuizione che presiedeva alla stesura di quelle pagine viste dallo stesso autore come «disperati commentarii della tragica, terribile vita», sia infine per l'impegno programmatico nella delineazione dei personaggi e l'autoanalisi delle proprie maniere letterarie. Gadda ne distingueva cinque, valide, ci sembra, non solo per quegli anni lontani ma per la sua intera carriera di scrittore: la logico-razionalistica, la umoristico-ironica, la umoristico seria manzoniana, l'enfatica tragica, la maniera cretina («con stupefazione-innocenza-ingenuità»), con successiva dichiarazione di preferenza per la prima e la terza.

Non ripreso da anni passati, ma scritto e pubblicato alla metà degli anni sessanta quasi come una necessaria liberazione della coscienza [7], è invece *Eros e Priapo. Da furore a cenere* (Garzanti, 1967), ampia e implacabile invettiva contro «il catastrofico ventennio» e il capo della «banda», «il somaro al balcone» con il suo narcisismo priapesco: «Dimando interpretare e perscrutare certi moventi del delinquere non dichiarati nel comune discorso, le secrete vie della frode camuffata da papessa onoranda, inorpellata dei nomi della patria, della giustizia, del dovere, del sacrificio: (della pelle degli altri)». Gadda vede il fascismo e il mussolinismo come la celebrazione piú orrenda e sgangherata del sesso, la trasformazione dell'Eros nel culto di Priapo, che stravolge ogni vantato senso civile e religioso («Religione non è l'accostarsi col Papa per averne o sperarne licenza o assistenza alle sbirrerie e alle ladrerie, non è il battezzare le navi con l'asperges, non è il berciare da i' balcone "la santità della famiglia" per poi sparapanzarsi adultero ai tardi indugi di un sonnolento tramonto») e vi si scaglia contro con una violenza morale e stilistica quali forse nessun altro scrittore è riuscito ad esprimere.

Altri narratori hanno proseguito, ancora negli anni ottanta, con intensità e notevoli risultati il loro ormai semisecolare lavoro. La narrativa di Mario Tobino, che aveva esordito come poeta negli anni trenta, si era mossa sin dagli anni cinquanta su due binari principali, la guerra e la condizione della psichiatria; a quest'ultima egli tornava in *Una giornata con Dufenne* (Bompiani, 1968), *Per le antiche scale* (Mondadori, 1972) e *Gli ultimi giorni di Magliano* (ivi, 1982) che riprendeva i luoghi di uno dei suoi titoli piú fortunati. Tobino conti-

[7] «Il mi' rospo, tre giorni avanti di tirar le cuoia, devo pur principiare a buttarlo fuora: il rospaccio che m'ha oppilato lo stomaco trent'anni: quanto una vita!».

nuava a muoversi tra memoria e professionalità, ma ormai con un accento sempre piú polemico nei confronti della legge 180 (del 1978) che aveva posto termine all'istituzione manicomiale e restituito i degenti alla società; contemporaneamente ha però lavorato anche al di fuori di questa tematica per lui quasi obbligata, sia raccogliendo tutta la sua produzione poetica (*L'Asso di picche con il seguito di Veleno e Amore secondo*, ivi, 1974) sia antologizzando i suoi racconti (*La bella degli specchi*, 1976) sia biografando Dante (*Biondo era e bello*, ivi, 1974) sia, soprattutto, scrivendo due romanzi, *Il perduto amore* (ivi, 1981) e *La ladra* (ivi, 1984) in cui l'attenzione psicologica non tocca la patologia ma fruga con avvedutezza e competenza nelle pieghe dei comportamenti umani considerati nella concretezza dei casi e delle relazioni della vita.

Anche Mario Soldati ha continuato a produrre con giovanile energia racconti e romanzi, dove un'indubbia maestria di narratore nato (e per questo trasferibile con fortuna anche sugli schermi televisivi) ha seguitato a convivere con qualche fretta letteraria. Sono nati cosí, da un lato, i *Racconti del maresciallo* (Mondadori, 1968) e le *Novantanove novelle* (ivi, 1980), dall'altro i romanzi *L'attore* (ivi, 1970), *Lo smeraldo* (ivi, 1974) e *L'incendio* (ivi, 1981) che nella sua estrema leggibilità riassume forse in modo esemplare pregi e limiti della narrativa soldatiana.

Libero Bigiaretti aveva pure cominciato come poeta sul cadere degli anni trenta (le sue poesie sono ora raccolte in *A memoria d'uomo*, Bagaloni, 1982), ma poi la sua vena si era quasi esclusivamente e generosamente impegnata nel campo della narrativa. Quando nel 1974 pubblicò i racconti di *L'uomo che mangia il leone* (Bompiani), cosí egli riassumeva, con lucida autoironia, la sua carriera: «Come ho fatto la rosolia nell'età infantile, cosí nel '35 inalavo un'ermetizzante "aura poetica"; nei primi anni quaranta (il mio primo romanzo uscí nel '42) mi infatuai delle sfaccettature dei sentimenti; dopo il '45 ho fatto, a mio modo, il neorealismo; ho avuto poi una o piú ricadute di psicologismo, sono stato contagiato dal romanzo aziendale e tecnologico, tentato dalla poetica del parlato e della oggettività». In questo ultimo ventennio sono state forse le «ricadute nello psicologismo» a prevalere (*Le indulgenze*, ivi, 1966; *La controfigura*, ivi, 1968; *Il dissenso*, ivi, 1972; *Due senza*, ivi, 1979) con qualche puntata nel divertimento favoloso (*Dalla donna alla luna*, ivi, 1972) o nell'autobiografia frastagliata ed arguta (*Le stanze*, ivi, 1976) o nell'abile giuoco della verità e della menzogna o, che è lo stesso, della saggezza e della follia (*Il viaggiatore*, Rusconi, 1984). In ogni caso, a caratterizzare l'opera di Bigiaretti restano, oltre la disponibile versatilità, una scrittura limpida e comunicativa e la grande virtú nella costruzione del racconto.

La narrativa di Dino Buzzati, al contrario, è rimasta sempre fedele ad una visione della realtà trasfigurata, misteriosa, allucinata o, come accadeva in *Il deserto dei Tartari*, che resta il suo libro probabilmente piú compiuto e certamente il piú noto, descritta come metaforica allusione al destino dell'uomo, di vana attesa e di speranza irrealizzata. La summa della miglior produzione buzzatiana era poi contenuta nel volume *Sessanta racconti* (in cui erano compresi i precedenti titoli *Sette messaggeri, Paura alla Scala* e *Il crollo della Baliverna*) cui seguiva il romanzo di fantascienza *Il grande ritratto* (1960) e il successivo *Un amore* (1963), una complessa vicenda fisica e sentimentale fra un anziano architetto e una prostituta. Non molto aggiungono alla fama di Buzzati le due successive raccolte di racconti *Il colombre* (Mondadori, 1966) e *Le notti difficili* (ivi, 1971), mentre appare come una novità quasi assoluta l'inizio della produzione poetica avviata alla metà degli anni sessanta. Nel 1965 usciva la prima raccolta, *Il capitano Pic e altre poesie* (Neri Pozza) e due anni dopo *Due poemetti* (ivi) [8], in cui a prevalere sono i toni ironici e una scrittura prosastica non lontana dal parlato, che finiscono per confermare la natura schiettamente da narratore del loro autore.

Gli anni settanta-ottanta hanno visto il ritorno all'attività di uno scrittore che, salvo brevissime apparizioni, aveva da tempo abbandonato la letteratura creativa, Romano Bilenchi. Nel 1971 usciva *Il bottone di Stalingrado* (Vallecchi) che ricapitolava in una vicenda abbastanza autobiografica la storia di un'intera generazione passata dal fascismo al Pci e alle lotte operaie attraverso la Resistenza. Dopo un'altra lunga assenza [9], usciva nel 1982 *Il gelo* (Rizzoli), racconto di un'adolescenza contrastata tra delusioni e violenze, vissuta sullo sfondo di un ambiente e di un paesaggio toscani che riavvicinano il testo alle piú classiche prove bilenchiane degli anni trenta. Ma quello che piú lega l'ultimo Bilenchi al suo passato continua ad essere la limpidità, la trasparenza, il ritmo della pagina, ottenuti per eliminazione di qualunque elemento che non sia immediatamente funzionale alla narrazione.

---

[8] Va anche ricordata la produzione teatrale di Buzzati che comprende una decina di titoli, e la sua attività di pittore che supera largamente la disposizione dilettantistica e che fungeva, secondo una dichiarazione dello stesso autore, da modo diverso per «raccontare storie».

[9] Nel 1976 era però uscito *Amici* (Einaudi), esemplare rievocazione della Firenze anni trenta in cui, accanto a Vittorini e Rosai, compaiono molti dei protagonisti della letteratura e della politica culturale del tempo.

Anche alcune scrittrici hanno continuato ad occupare un posto di notevole rilievo dopo una lunga carriera che risale fino agli anni venti o trenta, Anna Banti, Gianna Manzini, Anna Maria Ortese e Fausta Cialente.

I romanzi e i racconti di Anna Banti (morta nel 1985) avevano spesso giocato con grande finezza su una concezione libera e quasi misteriosa del tempo, sicché anche quando avevano avuto per oggetto la storia — quella lontana e persino quella futura — in realtà la mira era sempre puntata sulle condizioni psicologiche dei personaggi, e in modo particolare sui problemi e le sofferenze delle donne accostate attraverso i secoli dal loro destino. Di questo, la vicenda della pittrice seicentesca Artemisia Gentileschi (*Artemisia*, 1947) era stato l'esempio migliore, ripreso — dopo i racconti di *Le donne muoiono* (1951) e di *La monaca di Sciangai* (1957) — nel romanzo *La casa piccola* (1961)[10] costruito in forma di confessione di quattro donne. La doppia chiave di scrittura, il sentimento del tempo e la sensibilità delle donne, continua, attualizzata ai nostri giorni, nel piú impegnativo romanzo della Banti, *Le mosche d'oro* (1962), mentre viene riportato all'Ottocento in *Noi credevamo* (Mondadori, 1967), che registra le delusioni del Risorgimento, e viene spaziato in piú ampie coordinate temporali nei racconti di *Je vous écris d'un pays lointain* (ivi, 1971). Apparentemente piú radicato nella storia è *La camicia bruciata* (ivi, 1973) ambientato alla corte dei Medici nel secolo XVII, se anche qui non prevalesse sulla rievocazione, pur saldamente documentata, la ricostruzione fantastica delle psicologie nelle loro minime sfumature. Ed è quanto appare anche negli ultimi due volumi della scrittrice, i racconti di *Da un paese vicino* (ivi, 1975) e *Un grido lacerante* (ivi, 1981), un romanzo autobiografico scritto «con il dolore del ricordo e con il ricordo del dolore».

Dalle piú raffinate pagine di *Solaria* e di *Letteratura* (i primi titoli sono del '29, *Tempo innamorato* e *Incontro col falco*) aveva proceduto per un quarantennio l'opera di Gianna Manzini attraverso una lunga serie di volumi in cui vi era stato grande sfoggio di invenzioni analogiche, di sottigliezze psicologiche, e le magie di uno stile sempre sorvegliatissimo e quello che Debenedetti aveva definito un avanzare tutta per immagini (si ricordino in particolare *Lettera all'editore* e *La sparviera*). Ma il romanzo che usciva nel 1971, *Ritratto in piedi* (Mondadori) arrivava ad occupare un posto del tutto singolare nella carriera della scrittrice, anche per il largo successo di pubblico cui la sua scrittura squisita non era solitamente destinata. Senza nulla rinunciare della densa e un po' sognante ricchezza del suo stile, ma anzi

---

[10] Uscito in prima edizione, poi riveduta, con il titolo *Il bastardo* nel 1953.

sapientemente utilizzandola a togliere all'opera un troppo esteriore aspetto biografico, la Manzini rievoca la figura del padre anarchico esaltandone le virtú autentiche che solo ora, con rimorso, in parte riscopre. Il ricordo del padre è completato nell'ultimo libro uscito un anno prima della morte della Manzini (*Sulla soglia*, ivi, 1973) dal ricordo altrettanto commosso della madre contenuto nel quarto racconto che chiude il volume.

Anna Maria Ortese aveva pure cominciato la sua carriera di narratrice sul cadere degli anni trenta (*Angelici dolori*, 1937), ma aveva ottenuto i suoi maggiori successi circa vent'anni dopo con due libri tra narrativa e saggistica, *Il mare non bagna Napoli* (1953) e *Silenzio a Milano* (1958). Alla metà degli anni sessanta, *L'iguana* (Vallecchi, 1965) e *Poveri e semplici* (ivi, 1967) la riproponevano come narratrice ma in una chiave tra favola e apologo vissuti nel sogno di una società felice. Dopo i racconti di *La luna sul muro* (ivi, 1968) e *L'alone grigio* (ivi, 1969) oscillanti tra il quotidiano e gli echi dell'enigma esistenziale, il grosso impegno di *Il porto di Toledo* (Rizzoli, 1975), quasi un'«autobiografia inventata», riassumeva nella struttura e nei contenuti tutti i motivi e le virtú letterarie dell'autrice, la sua carica fantastica fra la meraviglia e la pena di vivere, la lingua discontinua non solo per l'alternanza di pagine poetiche e di prosa ma per i diversi livelli di scrittura, che d'altra parte rispecchiavano anche i diversi tempi di stesura dell'opera che riesumava pagine giovanili e dimenticate. Si trattava nel complesso di un'originale e ricca *recherche*, al termine della quale piú che una riconquista di sé c'era la convinzione dell'assurdo e dell'irrazionale come norma che domina il mondo, rispecchiati nelle continue e inesplicabili fratture che spezzano le pagine e i capitoli. Dopo questa sognante immersione in un mondo che resta inafferrabile, *Il cappello piumato* (ivi, 1979) poteva presentarsi come il ritorno ad una visione della realtà egualmente triste e sfiduciata, ma espressa in termini meno stilisticamente lacerati.

Fausta Cialente, infine, ha avuto un mondo particolare da riflettere nei suoi libri, l'ambiente egiziano ai primi del secolo, ritratto con grande efficacia in *Cortile a Cleopatra* (uscito nel '36, ma giunto al grande pubblico nell'edizione del '53) e *Ballata levantina* (1961), e poi ripreso in *Il vento sulla sabbia* (Mondadori, 1972) e nei racconti di *Interno con figure* (Editori Riuniti) usciti nel 1976 ma risalenti ad anni lontani. Sfuggono invece alla tematica egiziana *Un inverno freddissimo* (Feltrinelli, 1966), sulla situazione italiana, localizzata a Milano, nell'immediato secondo dopoguerra, e *Le quattro ragazze Wieselberger* (Mondadori, 1976), che ritorna alla prima guerra mondiale e al fascismo guardati con l'animo fermo di chi ricorda alla luce della ragione.

21

Ma un vero maestro per oltre mezzo secolo è stato, nel campo del teatro, Eduardo De Filippo, morto nel 1984. Drammaturgo, attore, regista nonché poeta[11], la sua attività comincia negli anni venti e registra già agli inizi del decennio successivo un titolo tra i suoi piú classici e caratteristici, *Natale in casa Cupiello* (1931). L'autore era allora in via di liberarsi da certe influenze pirandelliane o da suggestioni del teatro napoletano particolarmente di Eduardo Scarpetta, e stava individuando non tanto il centro del suo interesse artistico, che non poteva essere se non Napoli, quanto il modo con cui mettervisi in rapporto, l'*animus* con cui guardare e rappresentare il groviglio degli atteggiamenti e dei sentimenti che anima la plebe o la piccola e media borghesia partenopea, senza restarne prigioniero in una letteratura folclorica e vernacola, nonostante il largo uso del dialetto. Il segno superiore rispetto alla tradizione locale fu dato proprio dalla capacità di restare realisticamente fedele alla vita della città e, insieme, di interpretarla come momento o simbolo di una condizione corale che può appartenere a tutti. Di questo erano già esempi altissimi alcuni drammi del dopoguerra che costituiscono una delle fasi piú felici della produzione eduardiana, da *Napoli milionaria* a *Questi fantasmi*, da *Filumena Marturano* a *Le voci di dentro*[12]; l'accento batteva, e cosí sarà anche nei decenni che verranno, ora piú sugli aspetti comici del vivere ora piú su quelli tragici, ma la grande virtú dei testi migliori era quella di esilarare e commuovere allo stesso tempo (non senza pensare alle interpretazioni dello stesso Eduardo e dei fratelli Titina e Peppino), di mescolare con incredibile verità motivi farseschi e tragici, fermo restando tuttavia, come filosofia di fondo, un pessimismo inestinguibile sulla sorte dell'uomo come individuo, vittima ora della miseria ora delle superstizioni ora delle illusioni ma, in ultima istanza, sempre vittima della società e delle sue ingiustizie.

I titoli dei decenni cinquanta e sessanta confermano tutto ciò talora con una resa teatrale di grande livello come *Bene mio e core mio*, *De Pretore Vincenzo*, *Il sindaco del rione Sanità* e *Sabato, domenica e lunedí* che alcuni considerano il capolavoro di questo teatro. Ma la partecipazione di Eduardo all'attività scenica come autore e come attore, rimasta intensissima e giovanile fino alle ultime sue giornate (e con larghe puntate anche nel campo televisivo, quale segno di un diuturno aggiornamento dei propri mezzi espressivi) gli ha permesso di offrire ancora altri testi importanti, di cui va ricordato almeno *Gli*

[11] L'opera poetica di Eduardo comprende *Il paese di Pulcinella* (Casella, 1951) e *'O canisto* (Napoli, Ed. Teatro di San Ferdinando, 1971).
[12] L'opera teatrale è raccolta nei due titoli einaudiani *Cantata dei giorni pari* e *Cantata dei giorni dispari* (3 vv.), I ed. 1951, seguita da numerose altre edizioni; dove i giorni pari sono quelli un po' piú fortunati rispetto a quelli dispari.

esami non finiscono mai (1973), esemplare nel fondere le tematiche
individuali e locali con i significati universali della condizione umana
sottoposta dal primo all'ultimo giorno alle prove spesso odiose della
vita.

2. I poeti

Quanto si è detto sulla continuazione di un lungo lavoro da parte
dei narratori vale naturalmente anche per la poesia, dove però la presenza dei due maggiori maestri del '900, Ungaretti e Montale, presenta caratteri profondamente diversi. Ungaretti muore nel 1970, appena un anno dopo che nei «Meridiani» di Mondadori erano uscite
Tutte le Poesie. Vita d'un uomo, a cura di Leone Piccioni, che in pratica chiudevano la grande poesia di Ungaretti con *Il taccuino del vecchio* del 1960. Nei dieci anni che seguono si aggiungono i pochi versi
di *Apocalissi* e quelli più generosi di *Dialogo* testimonianti la tenue
vampa dell'ultima luce prima della tenebra

> Scompare a poco a poco, amore, il sole
> ora che sopraggiunge lunga sera.

Ma naturalmente l'influenza di Ungaretti sulla poesia dei decenni
che volgono verso la fine del secolo non si limita all'opera dei suoi
ultimissimi anni; al contrario, è dall'Ungaretti più antico, dalla rivoluzione metrica e ritmica dell'*Allegria* che le successive e recenti generazioni hanno attinto ininterrottamente. Poiché l'esempio di questo vecchio maestro non è stato solo punto di riferimento per chi operava con risultati alti nel campo della letteratura, ma ha avuto anche
la ventura, o la sventura, di costituirsi come modello per innumerevoli praticanti di versi; tanto che, dopo D'Annunzio e Gozzano, forse solo il suo modo di far poesia ha fatto scuola in misura altrettanto
intensa, e i suoi versicoli si sono diffusi e hanno imperversato in una
sorta di ungarettismo di maniera che se non poteva riuscire ad attingere valori poetici testimoniava almeno della esemplarità di quei modi e della popolarità del loro primo autore anche dopo i molti decenni trascorsi da quando li aveva prodotti e dopo il termine della sua
attività e della sua vita.

Per Montale (morto nel 1981) il discorso è altro, poiché gli anni
settanta segnano per lui un vero e proprio «quarto tempo» affidato
a tre raccolte di poesia nonché altrettante di prose che, unitamente
ai riconoscimenti ufficiali del senato — 1967 — e del Nobel, — 1975,

— ne hanno fatto quasi un monumento vivente delle patrie lettere. Quel «quarto tempo» — se cosí vogliamo continuare a chiamarlo per distinguerlo da quelli segnati dagli *Ossi di seppia* (1925), *Le Occasioni* (1939); *La Bufera e altro* (1956) — ha inizio con *Satura* (Mondadori, 1971)[13], dove il rinnovamento si verifica nella direzione dell'«arte povera», come è stato detto a significare l'ambito piú domestico e l'andamento piú colloquiale del verso; ma è facile scorgere, dietro lo schermo di una dizione piú dimessa, il rinvio alla piú alta tematica e il permanere del furore etico. Esso già scoppia in *Botta e risposta I*, feroce giudizio su tutta la lordura del fascismo («pure nei corridoi, sempre piú folti / di letame, si camminava male / e il respiro manca-va; ma vi crescevano / di giorno in giorno i muggiti umani») con in piú l'amara delusione del «dopo». Il gruppo degli *Xenia* fissa il ricordo della persona amata nei suoi aspetti piú cari e quotidiani, attraverso i quali la funzione salvifica della donna, che fu già il grande tema della *Bufera*, ritorna in piú sorridente ma non meno severo senso: «Il tuo per me infallibile / passepartout». Ma il tema principale della raccolta è la polemica, mai come ora tanto esplicita, con la storia, o meglio con le interpretazioni storicistiche del reale, che tutto spiegano e tutto razionalizzano: «la storia — dice Montale — non è magistra / di niente che ci riguardi»; e se pur vi è ancora qualcuno che scampi al «sacco» in cui tutti ci racchiude, non c'è coscienza e gioia nella liberazione. In questo estremo pessimismo, solo il caso sembra mantenerci «in bilico / tra il tutto e il nulla», secondo un atteggiamento e un modo espressivo che passa da *Satura* al *Diario del '71 e del '72* (ivi, 1973), in cui è ulteriormente accentuata l'indicazione degli «oggetti» quale unica testimonianza concreta dell'esser vissuto e del vivere. Né manca la ripresa polemica da *Botta e risposta*, qui espressa nella *Lettera a Malvolio* che denuncia ancor piú aspramente il carattere del «dopo» con il suo «ossimoro permanente» di onore e indecenza, di «materialismo storico e pauperismo evangelico / pornografia e riscatto», piú subdolo e corruttore del tempo «quando le separazioni erano nette, / l'orrore da una parte e la decenza, / oh solo una decenza infinitesima / dall'altra parte». Sicché il punto d'approdo sembrerebbe sigillato dal venir meno di ogni scampo per l'uomo «ora che appena si può / cercare la speranza nel suo negativo»,

[13] L'opera poetica e critica di Montale può ora esser letta nei volumi *L'opera in versi*, a cura di R. Bettarini e G. Contini, Einaudi, 1980; *Tutte le poesie*, a cura di G. Zampa, Mondadori, 1984; *Sulla poesia*, a cura di G. Zampa, ivi, 1976. Inoltre, *Quaderno di traduzioni*, ivi, 1975. Si vedano anche le prose di viaggio *Fuori di casa*, Ricciardi, 1969, che testimoniano del costume e del mondo politico e culturale di paesi europei e del Medio Oriente con la sapida serietà che è tipica del Montale prosatore. Nel 1983, con il titolo *Quaderno genovese* (ivi) è uscito il diario giovanile (febbraio-agosto 1917) a cura di Laura Barile.

se dall'intero contesto di queste ultime raccolte non risultasse sí una definitiva coscienza di tutto il non senso dell'essere, ma inestricabilmente connessa al dovere di resistere, forse nella convinzione che questo stesso impegno di per sé inesplicabile possa infine conferire un significato anche a quel «brulichio d'automi che si chiama la vita».

Anche quest'ultima àncora sembra venir meno nel *Quaderno di quattro anni* (ivi, 1977), oltre cento poesie, come quelle del *Diario* puntualmente datate giorno per giorno tra il luglio 1973 e il giugno 1977. Giunta la vita al «crepuscolo», la poesia di Montale si presenta ormai come una serie sempre piú aguerrita di varianti ricche di stridori quasi plebei «zaffate», «grumaglia stercale», il pittore «Walter Closet», «nauseabonde delizie», e tutta la tragedia dell'essere ridotta a «grattacapo» per censire quel nulla cui è riducibile la realtà: «Non c'è stato / nulla, assolutamente nulla dietro di noi, / e nulla abbiamo disperatamente amato piú di quel nulla». I riferimenti, non infrequenti, alle poesie degli anni precedenti servono solo a ribadire la disperazione di quell'amore senza ragione o a togliere le speranze e le illusioni un tempo coltivate: Clizia e tutti gli «angeli salvifici» sono consumati, il mare è un vuoto anzi un «supervuoto», e il varco per uscire dal «paretaio» pare definitivamente precluso perché non è mai esistito: «Il problema di uscirne non si pone, / che dobbiamo restarci fu deciso da altri». Insiste invece l'immagine della terra come «una palla rotolante / in uno spazio che non avendo fine / non può nemmeno avere un senso», sulla quale si svolge «l'immane farsa umana» recitata da «sedicenti vivi» la cui scomparsa «non farà una grinza nel totale». Né soccorre la fede in un Dio antropomorfo o in una Natura che «parla a vanvera» o nella Storia («nulla di buono è mai pensabile / nel tempo») o nel pensiero che è «aberrante per natura», o anche nella Poesia se lo stesso poeta non ha mai trovato «il bandolo del Vero». Eppure, può darsi sia qui che si apre l'unico spiraglio che non si affacci sul nulla: «Forse la poesia sarà ancora salvata / da qualche raro fantasma peregrinante muto / e invisibile ignaro di se stesso»; se subito il dubbio non si insinuasse a togliere valore a quell'ipotesi di comunicazione e di sopravvivenza: «Ma è poi l'arte della parola detta o scritta / accessibile a chi non ha voce e parola?». Si chiude cosí, dopo oltre sessant'anni, il giro delle domande senza risposta che si era aperto negli *Ossi* — «Non chiederci la parola...» — con un gesto che rinvia ad un improbabile privilegio il messaggio della verità: «Forse fra i tanti, fra i milioni c'è / quello in cui viso e maschera coincidono / e lui solo potrebbe dirci la parola / che attendiamo da sempre».

Alla metà degli anni sessanta Montale raccolse in *Auto da fé* (Il Saggiatore, 1966) i principali interventi critici (poi in parte anche in *Nel nostro tempo*, Rizzoli, 1972), alcuni antichi come *Stile e tradizione* (1925) che ci riporta alla temperie gobettiana e alla polemica contro «superomismo, messianismo e altre bacature», altri piú recenti come *La solitudine dell'artista* (1952), che ribadisce il concetto dell'isolamento dell'uomo appena interrotto dalla voce della poesia. Su questo tema Montale tornava nella prosa agile e epigrammatica della *plaquette* scheiwilleriana *La poesia non esiste* (1971) e soprattutto in occasione della concessione del premio Nobel. Si poneva allora il quesito della possibilità e della funzione della poesia nell'attuale civiltà del benessere e delle comunicazioni di massa, in questo sfondo cupo che ha portato l'uomo all'orrore di se stesso, e si rispondeva rifiutando decisamente la mercificazione della poesia e la troppo accettata equiparazione poesia-spettacolo: «La poesia non è una merce», — diceva a Stoccolma[14], — è un prodotto assolutamente inutile», ma è anche «una malattia assolutamente endemica e incurabile ...una entità di cui si sa assai poco»: «il mistero della poesia» lo chiamerà altrove[15] per ribadire la sua idea aristocratica, antinovecentesca e sostanzialmente romantica della poesia; di quella vera, s'intende, perché «ormai esistono in coabitazione due poesie, una delle quali è di consumo immediato e muore appena è espressa, mentre l'altra può dormire i suoi sonni tranquilla. Un giorno si risveglierà, se avrà la forza di farlo».

Per i poeti delle generazioni ormai sorpassate, gli anni sessanta-settanta furono anche momento di ricapitolazione, come un'offerta che riproponesse all'attenzione spesso troppo distratta dal contingente opere non degne d'oblio, o persistente atto di presenza di chi nonostante l'età non sentiva ancora esaurita la propria energia. Cosí, Diego Valeri riuniva nel 1962 le sue *Poesie dal 1910*, «il suo lungo lavoro di poesia-in-parole, vasto, preciso, ordinato, continuo: quotidiano, e tuttavia improvviso e nuovo ogni giorno», il lavoro di un «poeta del bene di vivere»[16]; lo stesso che appare anche nelle opere in prosa come *Giardinetto* (Mondadori, 1972), uscito appena due anni prima della morte dell'autore e che con «parole discrete e luminose» spazia su uomini e cose del mondo e della letteratura.

E *Poesie complete* (Adelphi) era il titolo che nel 1974 raccoglieva l'opera poetica di Sergio Solmi (ma Solmi, come Valeri, ha lasciato un'impronta forse ancora piú larga nel campo della critica letteraria italiana e francese, illuminante e discreta: «il suo dono naturale che

[14] Per tutte queste citazioni, si veda *Sulla poesia*, cit.
[15] Ivi, p. 87.
[16] Cosí rispettivamente G. Raimondi e G. Debenedetti in calce al volume.

è di vedere senza esser visto», come disse Montale), anche se quattro anni dopo usciva da Mondadori, a cura di L. Caretti, ancora un volume di *Poesie* che raccoglieva i frutti di mezzo secolo di attività (1924-1972), e nel 1983, due anni dopo la scomparsa dello scrittore, l'editore Adelphi dava inizio alla pubblicazione di *Poesie, meditazioni, ricordi*. Erano i giusti riconoscimenti ad un letterato che aveva da molti decenni accompagnato le fasi piú salienti della nostra storia letteraria travasando nella sua poesia, ma senza scolasticismi, la lezione piú genuina che veniva dalla *Ronda* e passava per l'ermetismo, per dire «il disagio che contrappunta l'esistere».

Il sostantivo che piú ricorre per qualificare l'opera, in versi e in prosa, di Giorgio Vigolo è stato «barocco», magari con l'aggiunta di qualche aggettivo — allucinato, iperletterario, mitico o, piú semplicemente, romantico — che circostanziasse un po' piú da vicino la sua posizione di poeta che fu vociano e poi legato ad Arturo Onofri e in seguito antiermetico e sempre affascinato dalla città di Roma[17], «la città dell'anima» come diceva il suo primo titolo del 1923. Dopo due volumi di poesie e poemi in prosa (*Canto fermo* e *Il silenzio creato*), *Conclave dei sogni* (1935) segnava il punto piú alto di quella sua stagione. Nel dopoguerra, dopo altre due raccolte poetiche, *Linea della vita* (1949) e *Canto del destino* (1959), erano *Le notti romane* (1960) a segnare ancora un momento particolarmente felice nelle prose autobiografiche e nei racconti sulla sua città frugata e quasi sognata in luoghi reconditi ed estranei ai consueti *clichés*. Dopo che *La luce ricorda* (Mondadori, 1967) aveva riunito tutta la precedente produzione poetica, *Spettro solare* (ivi, 1973) e *I fantasmi di pietra* (ivi, 1977) contenevano ancora nuove prose e racconti fantastici e nuove poesie[18]; ma l'attività di Vigolo si è spinta fino agli ultimi suoi giorni: nel 1982 uscivano il romanzo *La Virgilia*, la cui stesura risaliva a sessant'anni prima, le prose di *Il canocchiale metafisico* (Ed. della Cometa) con un'interessante autopresentazione biografica, e un'estrema raccolta di poesie, *La fame degli occhi* (Ed. Florida). C'è in questi ultimi versi il costante, deprecato annuncio di una morte ormai prossima, appena sfiorato da una pallida speranza — «ma dolci madri forse ci sorreggono / nell'altra nascita» — e c'è ancora la nostalgia dell'«eremita di Roma» che cerca e non trova piú i suoi luoghi e ne grida vendetta, ma c'è soprattutto il senso di ribrezzo del proprio disfacimento fisico in una vecchiaia troppo a lungo protrattasi

[17] Il legame con Roma è testimoniato anche dall'edizione critica dei *Sonetti* del Belli (Mondadori, 1952) e dai due volumi *Il genio del Belli* (Il Saggiatore, 1963).
[18] La produzione critica musicale è stata raccolta in *Mille e una sera all'Opera e al concerto* (Sansoni, 1972).

Mi crolla addosso
il peso del mio scheletro
con la frana d'un secolo
sul decrepito infante
ancora vivo.

L'anno stesso della morte (1983) Pietro Cimatti pubblicava *La vita del beato Piroleo* (Editoriale Nuova), ancora un antico testo degli anni venti contenente, oltre la storia di un vasaio tentato dal demonio, pagine poetiche e dialoghi filosofici, e un'autodefinizione non lontana dal vero: «Io sono un ultraromantico nella forma di un neoclassico».

Palazzeschi ha avuto una grande ultima e feconda stagione che si protrae per un decennio sino alla morte dello scrittore (1974) e comprende tre romanzi, *Il doge* (1967), *Stefanino* (1969), *Storia di un'amicizia* (1971) e due raccolte di poesie, *Cuor mio* (1968) e *Via delle cento stelle* (1972, sempre in edizione Mondadori). Palazzeschi premetteva a questa vena poetica rinata dopo una pluridecennale astinenza una giustificazione critica velata di vaga autoironia e la svolgeva con la benevola ma non ostentata saggezza del gran vecchio che ormai della vita ha appreso tutto quello che c'era da apprendere e può congedarsi con l'animo sereno e l'ultimo grido di gioia, l'ultima affermazione di fede

E ora vi dico addio
perché la mia carriera
è finita:
evviva!
Muoiono i poeti
ma non muore la poesia
perché la poesia
è infinita
come la vita.

I tre romanzi riprendono e rinnovano piú la lontana stagione giovanile funambolica e aerea che non il lungo intermezzo degli anni trenta-cinquanta; sia pure in forme ormai piú pacificate, la favola o la parabola — ora del potere, ora del sesso, ora dell'amicizia — permettono a Palazzeschi le piú libere invenzioni e la piú disincantata scrittura, ma gli consentono anche riferimenti continui alle debolezze, o, in genere, alle caratteristiche dell'uomo di sempre e di oggi.

Il decano della poesia dialettale è stato, fino all'ultimo scorcio del 1985, Biagio Marin, poeta nel dialetto veneto di Grado, la cui presenza databile sin dall'età vociana (è del 1912 la prima raccolta) si è poi svolta per oltre settant'anni, e particolarmente intensa dal secondo dopoguerra, quando la fama l'ha raggiunto anche attraverso la mediazione di Pasolini che collocava il poeta nell'ambito del «pascolismo angelicato» ma in funzione di «una tenuissima epica paesana». Lo stesso Pasolini premetteva alla edizione einaudiana della produzione degli anni 1963-1969, *La vita xe fiama* (1970), una prefazione che riassumeva il senso piú profondo della poesia di Marin nella formula «fare di Grado il cosmo», e intendeva dire che nella povertà delle parole usate e degli oggetti registrati, in quelle migliaia di versi c'era la capacità di riduzione dell'essere ai segni essenziali.

E certamente il primo segno è il mare nella sua verità naturale e nei suoi significati simbolici, ma altri temi si sono poi aggiunti, l'amore, la morte, il dolore per la perdita del figlio nella seconda guerra e la perdita delle terre istriane dove Marin era vissuto a lungo (*Elegie istriane*, 1963: «E adeso semo comò pagia al vento / e no potemo mête piú radise»), un'aspirazione religiosa («al dolor la vita conduse / ma la zogia, xe eterna») via via in sempre maggiore tensione con l'avanzare degli anni, e che è tutt'uno con l'intensità del senso della vita e dei suoi limiti messo in versi con un'attività diuturna e ininterrotta. Un'attività fedelissima a due scelte, il dialetto gradese come lingua e il verseggiare breve in serie di quartine come prosodia. E sono le scelte che Marin ha continuato a privilegiare in assoluto fino alla feconda vecchiaia che si è conclusa pochi mesi prima della morte con l'ultima raccolta *La vose de la sera* (Garzanti, 1985) — «Aspeto e aspeto / l'ora mia de salpâ / per l'aldelà / col cuor un poco inqueto» — nella quale è possibile scorgere i motivi che già avevano alimentato le tante raccolte precedenti, forse riassumibili in due versi, come sempre semplicissimi e ricchi di un'allusione totale: «Morte da vita / no tu pol distrigâla».

II. La generazione degli ermetici

Questo tempo non ha lingua
non ha argomento? *M. Luzi*
Si avvicina l'asciutto silenzio della resa. *A. Gatto*
Son pronto all'altra dimora. *G. Petroni*

1. *I poeti*

Negli anni che ci riguardano continuava ad operare anche la generazione degli ermetici, di coloro che avevano fatto le loro prime prove, e spesso non tra le minori, negli anni trenta. Li accomunava ormai non tanto il rispetto di una poetica, che non aveva mai preteso rigide obbedienze, ma un generale senso di fine dell'avventura, di distacco da una realtà sempre meno condivisa, di malinconica coscienza di essere sulla parabola discendente non di una forma poetica ma della stessa vita. Da qui un verseggiare, in genere, non piú oscuro o criptico ma comunicativo e affabile, e che di quei lontani tempi di eleganze conservava la discrezione delle parole, il dire non mai volgare, il sottinteso di una cultura raffinata e, insomma, un sapore di buone lettere che cinquanta anni di esperienze letterarie e non — spesso condotte nel clamore, talvolta guaste da un gusto ordinario — non avevano spento o attenuato. Betocchi, Luzi, Caproni, Parronchi, Gatto, De Libero, Bigongiari, Sinisgalli, Penna compongono in questi anni un comune canzoniere come doloroso ma pacificato *itinerarium in mortem*, ciascuno con i suoi modi ma tutti all'interno di un magistero poetico non mai smentito e che seguitava a dare quasi miracolosamente frutti ancora preziosi, e forse piú di un ammaestramento a chi sopraggiungeva a distanza di una o due generazioni.

Per Carlo Betocchi (morto nel 1986) vale l'anagrafe letteraria piú che lo stato civile che lo vide nascere addirittura sull'ultimo scorcio del secolo XIX; e il suo primo volume, *Realtà vince il sogno* è solo del 1932 [1] ed esce a Firenze nelle edizioni del Frontespizio. Siamo

---

[1] Nel 1923 Betocchi aveva però dato vita, insieme con Bargellini, Lisi ed altri al giornale-almanacco *Calendario* di esplicita impostazione cattolica.

dunque nel clima che prepara la stagione dell'ermetismo, alla quale l'opera di Betocchi legittimamente appartiene, anche se con caratteri tutti propri per essersi affidata non tanto all'agguerrita ricerca letteraria e stilistica quanto alla «rivelazione della vita» e alla sua personale «inconsapevolezza». Questo secondo la sua stessa autodefinizione, che tuttavia deve essere integrata dal costante rapporto tenuto con le voci piú qualificate e coscienti della poesia italiana. L'originalità della poesia di Betocchi nasceva da una precisa vocazione religiosa e cristiana unita all'impegno di un canto senza abbandoni, in cui la «realtà» frequentemente accenna ad una sovrarealtà evocata da un linguaggio ricco di trasparenze ma non dimentico degli affetti o dei drammi terreni. Cosí lungo un trentennio di lavoro fino a *L'estate di San Martino*, che nel 1961 apriva l'ultimo tempo di Betocchi, sempre fedele alla sua dimensione domestica e cittadina e, insieme, alla sua aspirazione ad una condizione redenta. Quell'estate si è poi prolungata in un ancor lungo esercizio poetico [2], che già nel 1967 dava altri frutti con *Un passo un altro passo* (Mondadori), il libro della triste consapevolezza di una fine che non può non essere prossima: «Non ho piú che lo stento d'una vita / che sta passando», «Sono sazio di me». Ed è un discorso che continua nonostante tutto fecondo in *Prime e ultimissime* (ivi, 1974) e *Poesie del sabato* (ivi, 1980), perché quella di Betocchi non è mai disperazione, se, pur nell'amara constatazione della decadenza fisica, egli sente religiosamente che la morte può essere la sola salvezza dai limiti della vita, che è «fil di verità / a cucire la vita con l'eterno». E sente anche la fierezza dell'opera svolta, che riprende ancora con stupefacente coerenza trasvalutando i segni della sua immagine piú cara in una significazione doppiamente allusiva, alla umana condizione tra terra e cielo e al suo verso che da sempre ha tentato di esprimerla

> Alla pari di me, tetto avvampato dal caldo,
> e dei miei limiti brevi, e breve percorso,
> tu tra la doccia e il culmine, irsuto mio tetto,
> lento t'arrampichi, persisti, resti: e lasci
> che parli il cielo, di là da te, per te.
> ...Vorrei che cosí fossero i miei versi.

Probabilmente Mario Luzi resta il maggior protagonista della lunga avventura che prende il nome di ermetismo alla quale partecipò sin dal 1935 ed è restato poi sostanzialmente fedele pur in uno svol-

---

[2] Ora l'intera produzione di Betocchi è raccolta nel volume *Tutte le poesie* (Mondadori, 1984), con Introduzione di L. Baldacci.

gimento particolarmente ricco. Se il Luzi degli anni trenta (*La barca*, *Avvento notturno*) realizza la filosofia dell'assenza (come teorizzata da Carlo Bo in *Letteratura come vita*) e la tecnica dell'analogia per quella che può dirsi poesia dell'angoscia dell'uomo sospeso fra tempo e eternità, il Luzi degli anni quaranta (*Brindisi*, *Quaderno gotico*) sembra risentire di piú del dramma della storia e della «presenza» degli affetti domestici. È un'oscillazione che torna negli anni successivi tra la gelida disperazione di *Primizie del deserto*, «la speranza di un prodigio» di *Onore del vero* e l'impegno a resistere nel «magma» del mondo e della storia (*Nel magma*)[3]. Luzi si è venuto creando per questo anche un verso lungo, dichiarativo, spesso colloquiale, che sembra allontanarlo dalle prove lontane se ad esse non restasse costantemente legato per la pregnanza del messaggio che si eleva a sensi generali anche quando appare visibilmente promosso dalla personale biografia.

Le raccolte degli anni settanta (*Su fondamenti invisibili*, Rizzoli, 1971; *Al fuoco della controversia*, Garzanti, 1978)[4] sono eminentemente due canzonieri d'amore, amore perduto e forse ritrovato, amore per una donna, per una città (Firenze sommersa dall'alluvione), per la sorte dei popoli. Siamo molti passi piú avanti di un già lontano preannuncio: «Mentre colpo su colpo / la pendola degli anni / scandisce il tempo di un addio», è ormai giunta l'ora di badare studiosamente al proprio destino, di afferrare quel poco di bene che ancora può toccare: «Dammi tu il mio sorso di felicità prima che sia tardi».

Il pensiero della (irraggiungibile) felicità accompagna tutte le pagine di *Su fondamenti invisibili*, partendo dal «dolore del mondo» e dallo spossessamento di sé («la mia anima non anima») per giungere a una gioia intrisa di rimorso e di autoironia

> e un po' sorrido
> di me come d'uccello
> entrato nelle nubi cornacchia o falco
> e uscito dallo squarcio cantore di letizia
> che sgrana stecche.
>
> Ma sa bene che sotto quel sorriso
> mi brucia la vergogna
> di sentire la sua felicità
> e la mia come diserzione e tradimento

[3] «Personalmente anch'io ho sentito il bisogno della rappresentazione del presente, dell'istantaneo, di quello che sono i nostri anni. C'è stato un momento in cui ho avuto questo bisogno, il momento in cui ho scritto quel libro che si chiama *Nel magma*, titolo che si riferisce al fatto che siamo dentro a un mondo che non ha ancora forma, sorpreso nella sua formazione» (*Discorso naturale*, Garzanti, 1984, p. 16).

[4] La poesia di Luzi la si può leggere ora nei due volumi *Tutte le poesie* (*Il giusto della vita*, *Nell'opera del mondo*) Garzanti, 1979. All'esercizio poetico si è accompagnato il lavoro teorico

> Lei scesa dieci anni fa nel gorgo
> che all'aspetto poco mutato dei figli
> non coglie il vuoto d'anima,
> non sa della tempesta
> d'aridità venuta piú tardi
> e ancora con sfocata dolcezza ci sorride
> e respira dai fiori della sua lapide
> credendoci i medesimi.

In verità, la speranza di «uscire dai cunicoli della sofferenza» appare frustrata, né sembra piú certa la fede in un «dio accecante»; nel grembo di un'oscurità che continua a fasciarla, anche l'anima che sia riuscita a conquistare se stessa par destinata soltanto ad un diuturno «combattimento», ad una incessante «controversia».

La misura della poesia luziana giunta con *Su fondamenti invisibili* al poemetto articolato in piú punti e paragrafi, si mantiene sullo stesso metro in *Al fuoco della controversia*. Ma qui «la spirale di sofferenza» aumenta di intensità e di valenza, se il «duetto mortale» si allarga — è Luzi a suggerirlo — alla perenne tenzone tra il poeta e la sua poesia, «libro di bordo di un naufragio». Ne è protagonista il personaggio drammatico di «un'eterna zarina onnipresente nella storia» soggiogata e sconfitta dai valentuomini garanti del buon ordine degli onesti provveditori delle buone cause, tragica metafora delle vittime di ogni autorità, alle quali tuttavia forse non è negata la speranza di un «transito verso il futuro». Non per il poeta, però, cui pare serbata solo la funzione di folle «scriba» dei «grumi di vita dissipati dal mondo» e della sua «immemorabile sofferenza». Il fatto è che la poesia di Luzi continua a dibattersi drammaticamente tra la fede in un «impeto... per una nuova furibonda ascesa» e la definitiva «perdita del regno»; dunque: «una forza di nascita e agonia».

Il segno negativo torna però a stendersi per tutta «la mappa del dolore umano» nel settore *Muore ignominiosamente la repubblica*, in cui il lessico politico è il riferimento piú vicino e tangibile di un intero mondo che sembra aver perso in ogni campo le sue ragioni e la parola per dirle

---

e critico; si veda *Vicissitudine e forma* (Rizzoli, 1974) e il volume in collaborazione con Carlo Cassola *Poesia e romanzo* (ivi, 1973) dove Luzi dà la sua risposta al senso attuale della poesia, che consiste nel «suo modo inconfondibile di inserirsi nel processo della creazione» e si realizza nel «non credere a un suo universo autonomo»: «Il massimo di potere creativo che possiamo immaginare concesso alla poesia è di entrare nel vivo del processo inesauribile della creazione in toto captandone il ritmo di distruzione e di origine... Il poeta è prima di ogni altra cosa uno che avverte come non sua la parola che usa ed è indotto a usarla solo per questo, perché essa gli sembra oscuramente implicita nel processo generale della vita».

Scarso lo scriba? distratto? anchilosato nell'arto?
vinto come all'ultimo suo ciascun artista
lui pure? o inenarrabile questo tempo?
questo tempo non ha lingua, non ha argomento?

Sugli stessi interrogativi si apre la successiva raccolta *Per il battesimo dei nostri frammenti* (ivi, 1985): «Chiusa la profezia? / Infranta la parabola?». È ormai questo l'assillo che perseguita Luzi, offeso nella sua pazienza e contaminato dalla rabbia, — la perdita dello «spirito della lingua», l'insufficienza di un'ormai «tramortita pattuglia delle parole» ad esprimere una realtà sempre piú al di là di una possibile comprensione. Nasce cosí una poesia che ha come strumenti gli interrogativi e i disgiuntivi — domande senza risposta e accumularsi di dubbi — spesso congiunti e doppiati ed esposti all'inizio del testo, e talvolta con il controcanto di una mesta esclamazione finale: «Nero di sottosuolo o nero ultraceleste?», «Di là o di qua dalla parola e dal suo silenzio?», «Luce da quel solare scintillamento? O brividi d'oscurità?»

Prima o dopo l'esperienza?
di là o di qua dal macigno?
Niente, non ha ombra
né luce negli occhi
di lei quella differenza.
Tutto perso o tutto parificato?
ugualmente assolto
dal non essere o dall'essere stato?
                 Oh storia
umana, oh sangue dilapidato.

Poesia delle domande estreme ma non della disperazione se continua a persistere nel fondo l'illusione di ritrovare una consonanza, una nuova fertilità, la radiosità straripante di un'alba che annunci la resurrezione. Simile la nostra vita al vorticare della rondine che è insieme pena e felicità, pace e irrequietudine, o al muoversi della trota tra libertà e obbedienza, è forse l'estremo «desiderio di altitudine» a muovere ancora l'uomo e a salvarlo. E forse anche a permettergli di ritrovare una lingua che regga al compito e sappia esprimere e distinguere i «segni della vita che riprende» dai «gemiti d'un desolato suo ritorno».

Ma il messaggio di Luzi non si muove soltanto nel cielo del dramma esistenziale, esso affonda le sue radici e cerca i suoi destinatari nelle condizioni dell'attualità o della biografia, la barbarie del terrorismo, la rivoluzione cinese e i processi che l'hanno seguita[5], il doloroso rapporto con la madre perduta, e tutto continua a oscillare tra orrore e speranza («i bambini di Pechino»), tra pietà e memoria bruciata lungo l'enigma del vivere.

Dagli anni settanta Luzi ha affidato questo suo messaggio anche al teatro, mantenuto su un verso ai limiti della prosaicità[6] e trasmesso in una chiave prevalentemente politica, pur se riferita ad epoche remote in *Ipazia* (1972) e *Il messaggero* (1977)[7], la cui azione si svolge, per entrambi, durante le lotte politico-religiose in Alessandria tra IV e V secolo. L'ambiente e il tema primario dei due drammi è il tramonto di un mondo ideale e di un potere che parve invincibile ma, insieme, il sorgere di nuove forze che tendono a sostituirli; in questo contesto il destino di Ipazia, ultima sacerdotessa della ragione greca e dunque «martire laica», è di pagare con la vita la sconfitta cui ormai la sua parte non può sfuggire; quello del discepolo Sinesio è di andare incontro, senza fanatismi e in spirito di comprensione, alle energie emergenti: «Il nuovo è la speranza. E questa vince su tutto».

Ma il senso delle due opere va naturalmente al di là dei fatti ormai definiti nel lontano passato, per divenire segnale di una condizione sempre ritornante per l'uomo e i suoi conflitti, in quella che Luzi chiama «la contemporaneità di tutti i tempi»: «La storia di Ipazia e i suoi contorni era una cosa accaduta ma immessa nell'eventualità continua del mondo e per me non era finita con il suo essere accaduta».

Il terzo dramma, *Rosales* (Rizzoli, 1983) ci trasferisce al nostro secolo contaminando la figura storica di Trotskij[8], colta nella sua tragedia finale, e il mito di don Giovanni, per svolgere la vicenda di una «palingenesi». Rosales, l'uomo fatuo e tragico che si deve assumere il peso del delitto non commesso viene, per il paradosso della storia, non solo restituito senza merito alla dignità, ma diventa l'uomo che prende coscientemente su di sé la croce che gli è stata imposta e passa cosí dalla inesistenza ad una «vera nascita» per sé, forse per il mondo. Markoff-Trotskij che si batte sino in fondo come intellettuale politico non conoscerà invece palingenesi, sí che il messaggio

[5] Si veda per questo il settore *Reportage*, già pubblicato da Scheiwiller nel 1984 insieme con il diario di un viaggio compiuto in Cina.

[6] Secondo l'osservazione dello stesso Luzi, il quale dice che l'effetto deriva probabilmente dal fatto che *Ipazia* nacque come libretto da essere musicato (*Discorso naturale*, cit., p. 18).

[7] I due testi si leggono ora congiunti nel volumetto della Bur *Libro di Ipazia*, 1978, con prefazione di G. Pampaloni. *Ipazia* era uscito in prima edizione presso Scheiwiller, *Il Messaggero* nel n. 77-78 dell'*Approdo letterario*.

[8] Un accenno a Trotskij era già contenuto nel sesto paragrafo di *Nel corpo oscuro della metamorfosi* in *Su fondamenti invisibili*, che in *Rosales* viene implicitamene richiamato nella battuta dello stesso Juan Rosales: «Forse quando una prova ci aspetta / si risale ai fondamenti, si recede nel passato / come per una rincorsa».

finale, forse non senza qualche influenza montaliana, è quello della svalutazione della storia: «questo brulichio per cui passiamo», redenta solo da un prodigio che passa, molto cristianamente, attraverso l'estrema umiliazione.

L'edizione mondadoriana dell'opera poetica completa di Alfonso Gatto si conclude nel 1977 col settimo volume *Desinenze*, che raccoglieva le poesie del periodo 1974-1976 insieme con gli ultimi *Frammenti*[9]. Diveniva cosí piú agevole seguire le tappe e le movenze tipiche di un percorso che, partito con *Isola* (1932) e *Morto ai paesi* (1937) dall'interno della piú viva vena dell'ermetismo, era poi approdato, con *Il capo sulla neve* del 1949, ai moduli, come allora si diceva, dell'impegno. In realtà, Gatto aveva da sempre prediletto un linguaggio comunicativo trascritto in una metrica spesso contabile, che pareva naturalmente predisposto alla memoria familiare, alla tematica meridionale (*Osteria flegrea* è del 1962) e soprattutto al fato di morte che di continuo invade le pagine. Ma un altro aspetto tipico della sensibilità gattiana era il senso vivissimo del colore, già proprio di *La forza degli occhi* (1954) e di nuovo esploso in *Rime di viaggio per la terra dipinta* (Mondadori, 1969), cento poesie nate in una ispirazione unitaria con quella dell'attività di pittore cui in quegli anni Gatto si era dedicato con particolare convinzione. Naturalmente, trattandosi di un poeta nel quale le antiche radici ermetiche non si sono mai del tutto essiccate almeno per quanto riguarda gusto e maestria, il paesaggio, anche quando espressamente indicato nel titolo, non assume mai, o soltanto, un senso realistico, ma sfuma sempre in un'idea, un simbolo, un'attesa, infine in una condizione d'animo che oscilla tra la «buona tristezza» e la «meraviglia d'essere»: «Cosí dipinsi quello che s'aspetta / di vedere per caso aprendo gli occhi». Ma ciò che piú colpisce nella tecnica di queste rime è il trionfo quasi esclusivo dell'endecasillabo, della quartina, della rima, pur se l'uso ricercato e quasi assillante dell'*enjambement* viene a spezzare di continuo il ritmo o a inscriverlo in un giro piú ampio di quello che consentirebbe il rispetto della prosodia canonica. Da questo punto di vista, le *Poesie d'amore* (1973) contengono maggior libertà e varietà di soluzioni, anche perché riprendono in parte testi di anni lontani; ma ad unificare il volume sta il tema dell'amore, che si estende a tutti i possibili oggetti del reale — presenze continue o visioni fuggenti di cose o persone, ma

---

[9] Per questo carattere definitivo del volume, i curatori R. Jacobbi e P. M. Minucci hanno dotato il volume di un apparato di note e varianti.

senza «nulla d'immaginario e di casuale» e che può arrivare sino a intrecciarsi al tema, cosí gattiano, della morte

> E d'amore alla morte doni il volo
> che ti fu dato, credere non puoi
> di vederla piú calma del tuo sguardo.

La pubblicazione postuma (Gatto era mancato repentinamente l'8 marzo del '76) sottolineava in modo inquietante il tema della preparazione alla morte, di cui si dice ad apertura di libro: «Mentre il tempo precipita» — quando si comincia ad essere assenti a tutte le bandiere e si avvicina l'asciutto silenzio della resa — allora la poesia vive del ricordo-oblio di anni lontani scomparsi quasi senza traccia, ma a cui sempre si torna con dolcezza — «questa brezza remota di memorie», «questa menta felice del passato» — o con rammarico — «la frana del tempo perduto» — o nella speranza di un conforto — «nella morte le timide abitudini / di sempre ti faranno compagnia» — o, infine, come un vizio assurdo: «quest'eterno malvezzo del ricordo».

L'infanzia salernitana, gli anni di Roma, i viaggi costituiscono allora, insieme con l'amore, il filo sentimentale che lega i testi dell'intera raccolta, saldamente tenuta anche da una unitarietà formale che quasi non conosce eccezioni. Gatto resta fedele a una sua antica vocazione per i metri e le strofe della tradizione, primi fra tutti l'endecasillabo e la quartina, ma non senza larghe esemplificazioni di altri metri e qualche ritorno ai ritmi della canzonetta; e resta fedele alla rima o all'assonanza, ma assegnando ad esse una funzione imprevista e personalissima, che muta la consueta ricerca d'armonia (ancora l'*enjambement* tende a spezzare i ritmi in un discorso prosastico) in quella dell'invenzione tematica. Gli oggetti sembrano sgorgare di volta in volta dalle necessità dell'omoteleuto in una serie di continue illuminazioni che, a modo di una sotterranea corrispondenza, finiscono per disporsi secondo una logica serrata ma soltanto poetica. Il «cappuccio» che abbuia la testa può suggerire, o imporre, l'immagine ardita del «grido che sdrucciola»; il buio che «s'accese» a Venezia produce la mano che «prese» a sciogliere le trine, ed è «il berretto di maglia» a far deviare il discorso verso «la marmaglia / dei poveri bambini». E cosí di continuo, secondo un modo che era stato già di Gatto negli anni precedenti ma che qui pare accentuarsi sino a diventare tipico della sua ultima formula poetica, una sorta di divagazione intensa e un po' misteriosa tra le parole che si fanno segnali, anche quelle che alludono all'ultimo baratro

Sarà cosí la morte, una misura
dall'alto per cadere o quel salire
inerme la navata delle mura
con le voci rideste, con le mire

degli occhi che gorgheggiano nell'aria.
Come un segno precipite che scia
avvalla l'ombra della catenaria,
lo spazio ritto della funivia.

Se l'itinerario di Piero Bigongiari da *La figlia di Babilonia* del 1941
a *La torre di Arnolfo* del 1964 era stato il «prolungamento della semantica ermetica in un nuovo rapporto con gli oggetti»[10] o, per dirla con le parole che lo stesso autore aveva premesso al volume del
'64, era stato il perseguimento di «una poesia gravitazionale fino a
una verità colta come stato improprio tra quello che era e quello che
sarà», *Antimateria* (Mondadori, 1972) già nel titolo sembra voler sottolineare la strenua condizione «idealista» (e si intenda il termine spo-
glio di ogni ortodossia filosofica e legato invece a tutta la metafisica
dell'ermetismo di cui Bigongiari continua ad essere il piú coerente
erede). Ma come essa non fu mai condizione di quiete, cosí ora è divenuta luogo di tutte le contraddizioni, che si manifestano nel libro
attraverso un uso continuo, quasi ossessivo di termini in contrasto
o — come dice lo stesso Bigongiari nella poesia *Lingua unica* — di
«oscure antitesi» (e vita-morte è naturalmente la piú frequente e drammatica) cui si affiancano ancor «piú oscure allitterazioni». Un alto manierismo, un vero gusto del quiz verbale segna cosí questa rigorosa
ricerca del vero assoluto quasi per individuare la formula magica che
possa svelarlo; ma lo scacco sembra certo: «troppo stretta / è la cruna
ed il vero troppo grande / per entrarvi». E non è certo un caso che,
giunta a questo punto, la poesia di Bigongiari si imbatta sempre piú
spesso in Montale e ne incorpori il lessico e le immagini (si veda, per
tutte, quella ritornante del «piombo fuso»). Tutto ciò si rende ancor
piú evidente nella raccolta che contiene il piú drammatico preannuncio del «giuoco della morte», anzi dell'«eterna ironia della morte»,
Moses, (ivi, 1979)[11].
- Bigongiari, giunto anche lui al tempo in cui «la meridiana batte
sul selciato / degli anni», resta forse il piú fedele, tra i poeti della sua

[10] G. Barberi Squarotti, *Poesia e narrativa del secondo Novecento*, Mursia, 1961, p. 64.
[11] Montaliani sono, ad esempio, «il tuo sguardo acciarino», «un cane al guinzaglio», «una
traccia di lumaca», «la memoria si disfa»; inoltre il nome di Montale è richiamato tre volte:
«Eu eu fratres, fratelli fiumi, anche / l'Eufrate visto in sogno da Montale»; «L'amico Eusebio
ha parlato di una psichica carapace che / forse involge la terra»; «Sono qui, caro Eusebio, a
quattro passi / da te».

generazione, ai modi filosofici e stilistici dell'ermetismo, solo appena talvolta allargandosi al messaggio in chiaro o alla versificazione quasi cantabile; ma per lo piú, questi suoi *Frammenti del poema* si presentano come scaglie di un discorso scritto in una «metrica pulsionale» su una realtà magmatica e ambigua[12], e sulla «inappartenenza dell'io». Per questo egli li può definire «poema come labirinto dell'evento», ma anche «poema d'amore» per il continuo rivolgersi alla sua donna, — «o mia condestinata», «mia respirata», «mia labile carne amata»; — o piuttosto un poema «tra l'amore e la morte», tra l'amore «antivuoto che nulla può riempire»[13] e la morte «verminosa» e «gracchiante» con il suo «cricchio orrendo» proiettato un un'inattendibile immortalità («morte e eternità / coabitano in un soffio di lene immortalità») deprivata di qualunque funzionale idea del divino: «Riflettere sull'uomo potrebbe anche voler dire pensare a Dio, / ma l'uomo-Dio è un alibi per le ferite che non sanguinano, / l'uomo non rimanda a Dio che quello che non rimbalza / piú».

La struttura sulla quale i frammenti tendono ad organizzarsi è quella del viaggio, concepito però non come un itinerario ma come un vagare tra nazioni e continenti alla delusa ricerca di una chiave della felicità che possa intervallare il dolore, attenuare la «difficoltà dell'essere». Ma solo qualche misterioso segno (montaliano anch'esso?) pare possa essere garanzia di risveglio dal «letargo» della vita, di affrancamento dalla «sublime incertezza del non esserci», per un'affermazione: «l'altrove è qui»; è il gabbiano soccorrevole ovattato sulle rocce o ad ali aperte sul mare che di pagina in pagina accompagna l'impossibile speranza

> Ove segni indelebili congiungono
> e disgiungono il nulla a questo tutto,
> ivi parlare non ha piú costrutto,
> tu vi ascolta le tracce dei piú flebili
>
> sussulti, il cigolio della carena
> ivi parla voltato verso il nulla
> — o verso il tutto? — quando un'onda mista
> a rena illimpidisce sul tuo brivido

[12] «Elementi minimi, psicolinguistici, ritornanti, quasi *quarks* materici che intessano atematicamente, sino a prodursi come variazioni, il tessuto basso del linguaggio» li definisce lo stesso Bigongiari. Da qui deriva l'uso continuato di allitterazioni, assonanze, rimealmezzo, ripetizioni e ogni altra forma di possibile richiamo interno tra le parole. Si veda, a conferma e a parziale correzione delle parole dell'autore, il giudizio di G. Zagarrio che nota come «nel suo stesso condensarsi in grumi di colate materiche, non mancano lacerazioni e strappi capaci di offrire varchi e spiragli, margini insomma di apertura alle possibilità di qualche soluzione di livello primario» (*Febbre furore e fiele*, Mursia, 1983, p. 656).

[13] «Io non so parlare che per contrasto», dice lo stesso Bigongiari; di questo è espressione l'uso frequentissimo del prefisso «anti»: antifiore, antisole, antimmagine, antigesto, antimondi, ecc.; e si ricordi il precedente antimateria.

e la piuma bagnata del gabbiano
tenta ancora l'asciutto della luce,
tutto l'immondo si rovescia, luce
sorpreso il mostro lungo i suoi tentacoli.

Già in *Il coraggio di vivere* (che nella seconda edizione garzantina del 1961 raccoglieva il meglio della sua poesia) Alessandro Parronchi — nel momento in cui il rigoglio dei rami non riesce piú a nascondere l'inaridirsi delle radici — aveva parlato del «turbamento di vivere» e dello «stupore di sentirsi morire». Sul viale del tramonto altri passi ha compiuto Parronchi nel decennio settanta-ottanta, il cui risultato poetico è stato raccolto in *Replay* (Garzanti, 1980), e gliene è aumentata la consapevolezza di una distanza ormai incolmabile dagli anni felici — «Non serve / baloccarsi con ritmi di gioventú /.../ O è questo che mi angoscia e m'addormenta: / la felicità invecchiata degli anni trenta» — che non gli avvicina, anzi ancor piú gli rende indifferenti e insopportabili i tempi nuovi: «Lo spettacolo del mondo che ogni giorno si rinnova / non mi attrae piú». Ma Parronchi non è né un piagnone né un lodatore *temporis acti*: è un poeta triste ma non disperato perché se può immalinconirsi su una sorte cui non è possibile sfuggire, non si vieta gli strumenti in grado di dare ancora un senso alla sua «sopravvivenza»: cosí, può ripetere che «il mondo è vario, ma da tempo / la sua varietà non mi attira /.../ gli anni pesano», ma aggiungere: «il senso delle cose non cessa / d'incuriosirmi», anche se non può non constatare i guasti inferti al mondo dall'uomo. La sua filosofia si riassume in versi venati ora di un alto epicureismo — «mentre io verso la morte m'incammino /.../ gustiamo alfine il meglio della vita», ora di una piú eroica decisione: «Ma restando noi fermi in eterno, / attendisti della morte, non siamo già / morti? Alziamoci, allora», e il suo motto, che vede incarnato in Betocchi, diventa: restare «in pace col prossimo e bene di salute».

La poesia di Parronchi sta dunque diventando un vademecum di saggezza, ma senza esibizioni o addottrinamenti, perché la sua è una condizione anche di timore e tremore che non può trovare conforto nelle virtú civili ma appena nel mito di un ritorno, il replay che illuda sul ripetersi dei fatti in una versione finalmente migliore: «C'è una paura che le cose muoiano /.../ Eppure c'è chi séguita / a sentire il bisogno insopprimibile /.../ che tutto si ripeta /.../ Tutta la vita rivissuta ma perfetta / senza orrori né viltà».

Anche il nome di Aldo Borlenghi, costantemente appartato dal clamore della fama ma esemplare nella fedeltà alla aerea eleganza della lirica della generazione ermetica, è tornato a risonare negli anni ottanta, e sia pure con quella discrezione che ha sempre accompagnato la sua carriera. Un breve volumetto di *Poesie inedite* (Scheiwiller, 1983) rendeva note alcune lontane poesie degli esordi (1931) ed altre scritte invece alla vigilia della morte (1976), dove «una pagina intensamente liricizzata» convive con un «teso sfondo concettuale» (Ramat), probabilmente non senza influenze leopardiane.

Nel 1956 Giorgio Caproni ricapitolava vent'anni di esercizio poetico in *Il passaggio d'Enea* (Vallecchi); egli accentuava e perfezionava la sua passione per le forme classiche sia pure modernamente rivissute, mentre veniva allargando la sua partecipazione ai fatti dell'uomo e della storia. Era un impegno «fra ordine e inquietudine» (Barberi Squarotti) che veniva ripreso in *Il seme del piangere* (Garzanti, 1959) e nel *Congedo del viaggiatore cerimonioso & altre prosopopee* (ivi, 1965), dove Caproni riprendeva la sua ricerca di una poesia che riuscisse a contenere entro il rispetto delle forme metriche un empito sentimentale spesso violento. In *Il seme del piangere* era il sentimento d'affetto per la madre e per la città dell'infanzia (Livorno) ad inscriversi entro agili strofette; ma poi i versi all'apparenza sorgivi e rifiniti, si spezzano di continuo in dissonanze e fratture e la poesia si carica di desolazione nel presentimento della morte. Ed è quanto ritroviamo nel *Congedo* con l'immagine del viaggio definitivamente assunta nel suo significato di transito dalle cose care e dalla vita stessa

> Di questo sono certo: io
> son giunto alla disperazione
> calma, senza sgomento.
> Scendo. Buon proseguimento.

Ma tutto il volume accenna a un «là» innominato e incombente che induce a una serena rinuncia alle ambizioni o alletta come un invito cui è impossibile sottrarsi perché «il nemico... è già dentro»: «Lasciatemi perciò uscire. / Questo io vi volevo dire. / Per quanto siano bui / gli alberi, non corre un rischio / piú grande di chi resta, colui / che va a rispondere a un fischio». Cosí Caproni salda con umili metafore le piccole cose quotidiane con quelle gravi e angosciose dell'esistenza, in versi quasi schivi di voler apparire troppo importanti e che per questo lo sono. Altra volta egli aveva dettato in versi la sua poetica, ma nessuna immagine è piú allusiva al senso vero della poesia caproniana quanto quella del «viaggiatore cerimonioso» che si accinge a scendere

Scusate. È una valigia pesante
anche se non contiene un gran che.

Il registro di *Congedo* non muta in *Il muro della terra* (ivi, 1975)
se non per una ancor maggiore convinzione che il filo della vita si
stia ormai rapidamente avvicinando ai suoi termini, sí che l'idea della
morte (e la poesia è ormai divenuta un «parlare ai morti») si è fatta
del tutto familiare

«Confine», diceva il cartello.
Cercai la dogana. Non c'era.
Non vidi, dietro il cancello,
ombra di terra straniera.

Cosí ad apertura di libro, ed il motivo continua a dominare, ora
come inutile vittoria della vita sconfitta infine dal rantolo della morte,
ora come invito a mettere allo sbaraglio la vita visto che la morte è
inevitabile, ora nella visione di un mondo in cui la morte ha tutto
bruciato. In tanto «grigio», la prima immagine consolatrice è quella
del padre, che si prolunga nel figlio e che diviene la «guida» per poter
«resistere», o quella della natura («Mi lega l'erba, il bosco, il fiume»),
ma è soprattutto la coscienza della propria autonoma e severa serenità
a mutare lo sconforto della vita nella necessità di durare

Ma non m'arrendo. Ancora
non ho perso me stesso.
Non sono, con me stesso,
ancora solo.

Caproni ha risolto poeticamente questa sua lunga «disperazione»
conservando intatta l'eleganza del verso breve, l'incisività del parlato
familiare, la virtú del dire molto con poco, ma è riuscito, attraverso
un'operazione tutta interna a questi suoi moduli e di cui non esistono
tracce visibili, a modificarne il lontano sapore elegiaco in un tono secco
e tragico.

La «straziata allegria» della poesia di Caproni continuava con *Il
franco cacciatore* (ivi, 1982)[14], che si apre con un'ipotesi di un Dio

---

[14] La poesia di Caproni la si legge ora nel volume *Tutte le poesie*, Garzanti, 1983. Un'anticipazione di *Il franco cacciatore* era contenuta nel volùmetto antologico rizzoliano *L'ultimo borgo*
(1980), a cura di G. Raboni, che coagula l'intera carriera poetica di Caproni intorno a tre fondamentali nuclei tematici, la città, la madre, il viaggio. Con le poesie degli anni '60-80 siamo
naturalmente al tema del viaggio, che è — continua Raboni — «scopertamente, violentemente
allegorico: il viaggio è quello della vita, e il poeta viaggiatore ne commemora le tappe e, soprattutto, ne osserva e commenta l'avvicinarsi alla fine (alla meta?) con un'ironia pacata e tuttavia
tormentosa, con una strana, luminosa assenza sia di disperazione che di speranza». Del Capro-

tanto piú noto quanto meno cercato nelle forme usuali — «Se volete incontrarmi, / cercatemi dove non mi trovo» — ma che può folgorare ad ogni istante: «M'accecò un lampo. Sparai. / (A Dio, che non conosco?)». L'ipotesi probabilmente non funziona, o funziona come un paradosso, cioè un modo di dire una verità senza parere; Caproni se la dice in uno dei due interludi in prosa: «Vi sono casi in cui accettare la solitudine può significare attingere Dio. Ma v'è una stoica accettazione piú nobile ancora: la solitudine senza Dio... È l'adito — troncata netta ogni speranza — a tutte le libertà possibili. Compresa quella (la serpe che si morde la coda) di credere in Dio, pur sapendo — definitivamente — che Dio non c'è e non esiste» [15].

Da questa negazione-affermazione (una riprova di quel «decadentismo virile» di cui parlò Pasolini) Caproni può riprendere il suo discorso ormai affidato ad una visione tutta ossimorica della sorte dell'uomo e della parola che la esprime. Era una risorsa cui già di frequente egli aveva fatto ricorso, ma che ora diventa la struttura linguistica e stilistica capitale in una serie di varianti tanto ricche nell'invenzione quanto ideologicamente martellanti. E sono talora doppi ossimori come «Il mio viaggiare / è stato tutto un restare / qua, dove non fui mai»; o: «Per la santa causa. / Ovunque. Una causa nulla. / Battiti di tamburo rapidi / e bui, martellano / la bara di culla in culla». E poi: «Lei cerca davanti a sé / ciò che ha lasciato alle spalle», «La morte non mi avrà vivo», «Si può, in un bicchiere vuoto, / bere il ricordo del vino?», «Quello che vi lascio è tutto / quello che mi porto via», «Cosí si forma un cerchio: dove l'inseguito insegue / il suo inseguitore», ecc.

E ritroviamo anche la consueta grazia autoironica della poesia del quotidiano con quel lessico cui Caproni continua ad affidare il senso dell'approssimarsi del limite, là dove il «viaggio» raggiunge una situazione definitivamente nuova: «la dogana», «la frontiera», «l'altra terra», «la barriera», «il traghetto» sono i punti nevralgici di una topografia in cui i percorsi conducono tutti ad una meta, verso la quale Caproni avanza con quella lucida «malinconia» registrata dalle sue «prosopopee».

Anche Libero De Libero (morto nel 1981) aveva provveduto a raccogliere nel 1972 (*Scempio e lusinga*, Mondadori) tutta la sua opera

---

ni prosatore sono stati ripubblicati da Rizzoli nel 1984 con il titolo *Il labirinto* tre racconti degli anni quaranta.
[15] Già in *Il muro della terra*, Caproni aveva scritto: «Ah, mio dio, *Mio Dio*. / Perché non esisti?».

poetica[16] la quale aveva seguito un ampio arco, dalle prove giovanili in armonia col clima ermetico a quelle di una maturità che piú aveva risentito della tragedia della guerra. Era una vicenda letteraria in cui si alternavano e talora si fondevano un linguaggio segnato dalla tecnica analogica con una tematica frequentemente memore dell'infanzia vissuta nella terra di Ciociaria, — con risultati che la critica aveva assegnato piú di una volta ad un gusto surrealistico (Macrí, Contini) o ad una linea barocca (Seroni). Ma già l'anno precedente (1971) era uscita una nuova raccolta, *Di brace in brace* (ivi), e l'accento pareva spostarsi piuttosto su versanti espressionistici[17] ancora per trasmettere — anche in questo caso ossimoricamente — attraverso l'esaltazione dell'immagine la decadenza dell'essere (e ne era spia costante la «cenere»)

> E se l'inverno delle attese il futuro
> di brace in brace gli consuma, ancora un inno
> risorge dalle ceneri del gallo:
> è la fionda del suo silenzio che rompe
> ogni recinto, risposta a chi domanda

e altrove

> Come sei giovane tu,
> e il vecchio che io sono non dire
> ...
> Sei tu che scopri il mio scheletro
> appena ti accendo la pupilla.

Ma nella linea discendente della parabola della vita, il ripensamento del passato poteva indurre ad un consuntivo del tutto fallimentare — «Ho ascoltato soltanto dietro le porte / della vita, il mio posto è di non averne / alcuno» — addolcito solo dalla tenerezza della sua «biografia postuma»

> A lui basti l'abbraccio d'una luce
> per crescere sazio d'ogni verità,
> sprecò attese e intese in premi di speranza,
> per avere un compagno scelse se stesso
> ...
> Lui piú niente ha da chiedere e niente dare.

---

[16] Il volume contiene *Solstizio* (1932), *Proverbi* (1937), *Testa* (1938), *Eclisse* (1940), *Il libro del forestiero* (1945), *Banchetto* (1949) oltre la nuova sezione *Sono uno di voi.*

[17] «È un discorso espressionistico che elide l'analogia per una combinazione dissonante di immagini... Quell'espressionismo è la cifra postrema della tensione che intride la lirica di De Libero e ne segna lo statuto, il carattere peculiare». (M. Carlino, *Rapporti*, marzo-giugno 1980, n. 16-17.)

Dal volume del '71 non molto si discosta quello del '76, *Circostanze*, (ivi), ancora una poesia dell'«autunno» della vita — «noi atleti decrepiti nell'arena / vittime degli occhi sconsacrati eroi» — quando, nella solitudine, ogni verso si strappa alla radice ormai secca e l'uomo staziona e resiste nell'ultimo bilico dell'esistere: «Non è piú fuoco ma cenere non è». Ma è sotto la spinta di questa estrema coscienza che il verseggiare di De Libero trova la forza di rinnovarsi e si avventura in un *continuum* che annoda la sintassi non solo nell'esteriore eliminazione della punteggiatura, ma nell'intimo incalzarsi delle immagini e delle analogie

> Lui continua a chinarsi
> in quel pozzo afflitto
> a memoria del ragazzo
> ancora chiusa nel sacco
> e risale con un grido
> dell'attesa che gli addenta il cuore
> e tra le braccia se lo porta via
> quell'uomo dal volto cancellato
> cosí acre di vino il suo rifiato
> un'intera vita quell'attimo è stato

Anche per Leonardo Sinisgalli (morto nel 1981) i sessanta furono anni di ricapitolazione; *L'età della luna* e *Poesie di ieri* (Mondadori, 1962, 1966) riprendevano pressoché l'intera sua produzione che, fin dagli esordi degli anni trenta, si era mossa fra tre sollecitazioni concorrenti, la memoria della terra lucana, l'educazione letteraria in anni di ermetismo, la competenza in territorio scientifico-matematico, di cui la fondazione e la direzione fra il '53 e il '59 del periodico *La civiltà delle macchine* resta la piú originale testimonianza. Alludevano forse anche a questa molteplicità di segni e allo svariare dall'uno all'altro, le parole che Gianfranco Contini gli dedicava in calce al volume di prose *Calcoli e fandonie* (ivi, 1970)[18]: «Sembra agevole indurne che tu sei un partigiano della Ragione a cui l'analogia dell'invenzione matematica suggerisce continue infrazioni di Disragione, a loro volta continuamente riassorbite nella Ragione». E lo stesso si dica del titolo che pare voglia un po' ironicamente accostare la doppia musa sinisgalliana del rigore matematico e dell'invenzione fantastica. Sinisgalli torna a fissare in forma aforistica, appena qua e là allungata in brevissimi bozzetti dove può ricomparire lo scrittore lucano, quella che è insieme la sua visione del mondo e la sua visione della poesia: «L'universo si moltiplica con l'aiuto della metrica», «La

---

[18] Il volume aveva avuto una precedente edizione ad Alpignano nel 1968, stampata nei caratteri di Alberto Tallone.

geometria è una vocazione piú che un sistema», «La nuova fisica non ci dà nessun conforto. Ha alleggerito la materia, ma ha appesantito la luce», «Lo scarabocchio è negazione del pensiero», «Forse sono numeri primi il numero delle foglie di un albero, il numero dei pesci, i peli, le piume, le penne», «La nostra ottica ci fa trovare logico l'angolo retto... eppure tutto quanto nasce e cresce è storpio e strambo», «Qual è il fascino dell'algebra? La limpidezza della sua scrittura, la sua incorporeità, la chiarezza dei suoi sviluppi».

Ma nello stesso 1970 usciva anche una nuova raccolta di poesie, *Il passero e il lebbroso* (ivi, seguita nel 1975 da *Mosche in bottiglia*, ivi e nel 1978 da *Dimenticatoio*, ivi), in cui la consueta composita motivazione poetica sembra superata in un segno da breve «oleografia» (il termine lo suggerisce l'autore), in una scrittura ancora una volta epigrammatica, nel lucido nitore di succinti aforismi. E se compare la nota autobiografica, non necessariamente ci riporta al paesaggio lucano, anche perché il timbro prevalente, pur se non mancano echi di un'antica dimensione domestica, è quello di un'eleganza che diremmo ottenuta per via di sottrazioni, con mezzi apparentemente poveri [19] e in realtà ben guidati da una lunga dimestichezza con la poesia che aveva avuto la sua prima stagione negli anni dell'ermetismo. Sono queste anche le condizioni che gli permettono di assottigliare sempre piú il diaframma tra prosa e poesia e di dare una misura breve e tutta particolare a quelli che pure Sinisgalli continuava a chiamare racconti (*Un disegno di Scipione ed altri racconti*, ivi, 1975).

Nel 1970, l'editore Garzanti ripubblicava, ampliando il precedente volume del '57, l'intera produzione poetica di Sandro Penna (*Tutte le poesie*) comprendente trenta anni di attività a partire dal 1927 [20]. Quella di Penna era stata da sempre una presenza al di fuori di scuole e correnti (ma non si dovrà dimenticare il suo immediato legame con Saba) perché caratterizzata dalla naturale coincidenza del poetare con l'«amore per la vita». La critica aveva subito individuato due tratti che parevano essenziali — e lo erano certamente in quegli anni — ad una poesia affidata alla felicità di un verso semplice, breve, cantabile sostenuto da un'umile e gioiosa tranquillità etica — e si parlò di «alessandrinismo»; e aliena da legami civili o storici perché tutta

---

[19] «Montale scrive poesiole / agli infilascarpe / Mi toglie la priority. / Si piega all'arte povera, alla pochezza del "reale".»

[20] Nel 1973 usciva, ancora da Garzanti, il volume *Poesie*, che raccoglieva i testi scelti dal poeta, il quale vi premetteva una breve dichiarazione: «Queste sono le poesie che al di fuori di qualsiasi critico io stimo piú di tutte. Sarebbero insomma quello che io lascerei ai posteri se posteri esisteranno».

sgorgante dalla immediatezza delle esperienze individuali del suo «indisciplinato eros»[21], dal «trasalire dei sensi» — e si parlò allora, con una ben nota immagine, di «un fiore senza gambo visibile»[22].

Queste connotazioni resistono credibilmente fino a *Una strana gioia di vivere* (1949-1955), ma devono cedere almeno in parte se riferite alle poesie uscite in volume negli anni successivi alla raccolta generale (*Tutte le poesie*, Garzanti, 1970), *Stranezze* (ivi, 1976) o addirittura postume (*Il viaggiatore insonne*, Genova, San Marco dei Giustiniani, 1977; *Confuso sogno*, Garzanti, 1980, a cura di Elio Pecora. Penna era morto i primi giorni del 1977). È lo stesso Penna, su testimonianza di Cesare Garboli, ad introdurci ad una diversa lettura: «Penna si lagna oggi [1974] della sua lunga fortuna di poeta ''alessandrino''. Lamenta che si parli della ''magica fluidità'', della ''divina semplicità dei versi penniani''. Preferisce essere, dice, un poeta del mistero»[23]. In realtà, i due aspetti possono essere complementari e quasi coincidere, se è vero che spesso nei suoi versi pena e gioia si bilanciano e la diversità ora è sublimata a privilegio ora sofferta come orrenda solitudine, e se è vero ancora che una poesia dettata da minimi episodi quotidiani — l'incontro di un ragazzo in tram o alla stazione, la vista di un animale, lo scorcio di un paesaggio (generalmente romano) — improvvisamente può prendere alla gola per un tuffo in una dimensione che esorbita da ogni limite della biografia; ci pare perciò da condividere il giudizio conclusivo di Garboli: «La poesia di Penna è piú grande della sua ossessione, piú grande della sua diversità».

Non è forse questa l'ultima delle ragioni che ha determinato, dopo la morte del poeta, un vasto rilancio della sua opera, quasi una nuova passione per pagare un debito o per riscoprire valori in parte sorvolati in parte equivocati. Ma il «mistero» della poesia di Penna non è stato ancora del tutto sondato se la critica a tutt'oggi continua a dibattersi fra antinomie e ossimori[24] per tentare di coglierne il senso piú vero e profondo al di là del godimento nella sua apparente facilità.

Nel 1984 Attilio Bertolucci portava a termine un lungo, quasi trentennale lavoro ricapitolando nella forma distesa del poema non solo i temi a lui piú consueti e cari ma l'intera sua esistenza, in cui si compendiava la storia di generazioni attraverso due secoli di vicende

---

21 L'eufemismo è di Anceschi citato da Pasolini, *Passione e ideologia*, Garzanti, 1960, p. 390.

22 P. Bigongiari, *Poesia italiana del Novecento*, Fabbri, 1960, poi Vallecchi, 1965, p. 257.

23 C. Garboli, *Penna papers*, Garzanti, 1984, p. 26. Il volume contiene anche poesie inedite di Penna.

24 Per citare ancora Garboli: «il ritmo oracolare s'intreccia alla svelta polimetria narrativa, alla volubile vena del grande impressionista»; «potente anonimia narrativa»; «l'intreccio di solitudine, disperazione, felicità dell'uomo, nel mondo moderno»; «la gioia di sentirsi disumani», ecc. (*op. cit.*, passim).

familiari e cittadine. Bertolucci aveva cominciato nel lontano 1929 con *Sirio* (Parma, Mainardi, ristampato dalla SEN nel 1984) e poi *Fuochi in novembre* (ivi, 1934) subito individuando una sua piccola realtà «amata per disperazione»[25], la nebbiosa e molle pianura del Po e il paesaggio appenninico scandito dalle stagioni, un mondo rustico e civilissimo con sullo sfondo una città, Parma, dove cultura e gusto del vivere si congiungono naturalmente, e una casa che racchiude «le intime e care cose». *La capanna indiana* (1951, 1955) richiamava tutto quel mondo organizzandolo nella forma del poemetto autobiografico, dove gli endecasillabi, sia pure liberamente intervallati, fluiscono con la scioltezza e la dolcezza che nascono da una vaga nostalgia. Erano quei versi un punto d'arrivo di una *recherche* ormai lunga ma non esaurita se *Viaggio d'inverno* (Garzanti, 1971) confermava l'indissolubile legame che tiene ancora stretto Bertolucci alla sua terra, alla vecchia casa, al paesaggio di Casarola con gli odori delle erbe e del fieno e i colori del grano, e la prediletta stagione autunnale: «Il calore d'un giorno di settembre / è un bene che non devi lasciar perdere».

Ed ora, alla metà degli anni ottanta, tutta quella ricchezza di memorie che affonda oltre la vita nei piccoli eventi tramandati in famiglia trovava un'altra e ancor piú estesa espressione nel nuovo poema autobiografico, *La camera da letto* (ivi, 1984). «Romanzo famigliare» lo definisce Bertolucci, e se stesso «annalista», con giuste definizioni se si considera da un lato la ricreazione di un mondo che vive ormai soltanto nelle parole del poeta, dall'altro la precisione dello svolgersi cronologico dei tanti accadimenti, negli anni, nei decenni, persino nei secoli. È una piccola folla di personaggi, di situazioni, di minimi eventi individuali entro il giro quasi ignorato della storia maggiore, e Bertolucci la segue lungo il corso minuzioso delle nascite, delle morti, dei matrimoni o di quei gesti piú semplici e consueti in cui si realizza la vita di ciascuno

> Cosí aveva inizio quell'inverno
> che il bambino di Bernardo e Maria
> compí cinque anni, il fratello piú grande
> in collegio. La pioggia
> durò sino a Natale
> ...
> I fratelli sono partiti per la scuola
> alle otto, con l'ultimo tram possibile,
> divisi nell'umore mentre percorrono
> lo stradello breve
> dalla villa alla strada,
> umile di fango e di foglie.

[25] G. De Robertis, *Altro Novecento*, Le Monnier, 1962, p. 482.

Quella di Bertolucci è una poesia senza sorprese, il cui fascino, anzi, consiste nella sua stessa monotonia, che non è se non la stessa uniformità del vivere di una società modesta cui sfuggano i grandi ideali paga di una umiltà dell'essere che si esaurisce nelle mosse quotidiane, nei rapporti necessari, nelle parole per esprimere le cose immobili e irrinunciabili. Di questo mondo e di questa umanità Bertolucci è il poeta e l'annalista non per acritica adesione ma per una sempre vigile pienezza e delicatezza sentimentale, che può anche conoscere i limiti del suo oggetto ma non per questo lo ironizza e che sa di non doverne condividere tutte le scelte pur comprendendo le ragioni che nel passato le mossero.

Nel raccogliere anche lui in unico volume tutta la sua produzione poetica (*Poesie*, Guanda, 1978) che risaliva per la maggior parte agli anni trenta, Guglielmo Petroni aggiungeva le poesie dei decenni sessanta e settanta, non diverse negli accenti gentili e pensosi, nei metri brevi, nel tono discorsivo da quelle lontane, ma arricchite dei temi propri della maturità con la sua stanchezza, ma anche con la serenità e la saggezza definitivamente acquisite — «son pronto all'altra dimora» — e la gratitudine per l'essere vissuto

> Ora però il tempo dura di piú
> e della gioventú
> niente rimpianto.
> È maturato il meglio
> ed io son grato.

Ma la testimonianza umana e letteraria piú interessante, in questi anni recenti, Petroni l'ha data nella prosa narrativa spesso a sfondo dichiaratamente autobiografico, come già era stato in quello che resta uno dei nostri testi principali legati alla lotta antitedesca, *Il mondo è una prigione* (1949). E come venticinque anni dopo è in *La morte del fiume* (Mondadori, 1974), in cui la memoria scava piú a fondo non limitandosi al rendiconto di un momento della vita, ma tornando alle fonti stesse della biografia, alla rivisitazione della città dell'infanzia, Lucca, per estrarne il senso dell'intera esistenza, fosse pure non il senso reale ma l'oggetto di un desiderio: «Quello che andiamo cercando non c'è piú, forse quello che cerchiamo o che crediamo sia il nostro passato non è mai esistito, è differente, noi cerchiamo ciò che vorremmo». Questo lavoro di scandaglio alla ricerca della verità del proprio io, Petroni ha continuato a condurlo con pazienza e con passione lungo gli anni, e ne è nato un altro romanzo-autobiografia, *Il nome delle parole* (Rizzoli, 1983) che riprende il discorso amaro e toccante dell'infanzia povera, ma poi lo sviluppa nella narrazione di un'educazione sentimentale che porterà l'adolescente umiliato ed escluso alla partecipazione culturale e politica, alla frequentazione dei nomi piú vivi della società letteraria italiana, alla costruzione, per personale virtú e con l'ausilio degli uomini, della propria figura di letterato, lungo una parabola ascendente che giustifica la gratitudine alla vita dichiarata nella sua poesia.

Esattamente alla metà del settimo decennio (ma comprendendo le poesie di un ventennio) usciva la terza raccolta di Vittorio Sereni, *Gli strumenti umani* (Einaudi, 1965), che faceva seguito a *Frontiera* (1941) e *Diario d'Algeria* (1947). Sereni aveva occupato sin dagli esordi una posizione particolare individualizzabile come ala lombarda dell'ermetismo, che stava poi a indicare un superamento, per un verso, di certe chiusure linguistiche dell'ala fiorentina, per un altro, di certe aperture in direzione del trascendente. Il gusto vago e dolente ma tutto terreno del paesaggio o l'angosciata condizione del prigioniero erano state le inserzioni piú visibili nella trama sempre sapiente dei suoi versi, ed ora si aggiungeva «l'opaca trafila delle cose», il disamore per il proprio tempo e la continua tentazione della fuga e il necessario impegno della presenza. Il volume raccoglieva anche (con numerose varianti) *Una visita in fabbrica* che era già uscita nel *Menabò* 4 (1961), dove l'antica e la nuova esperienza, il campo di concentramento e la fabbrica neocapitalista erano raffrontate a tutto svantaggio della seconda, forse ancor piú disumanante

> Ma qui non è peggio? Accerchiati da gran tempo
> e ancora per anni e poi anni ben sapendo che non
> piú duramente (non occorre) si stringerà la morsa.

Era quella che venne chiamata «continuità profondamente discontinua» (Ferretti), con allusione non soltanto alle tematiche ma alla tecnica del verseggiare sereniano, che fonde livelli letterari alti e colloquialità in una sintesi personalissima.

Sereni è sempre stato scrittore assai parco in versi e in prosa (si ricordino *Gli immediati dintorni*, 1962 e *L'opzione*, 1964)[26], e ha

[26] Poi in *Il sabato tedesco* (Il Saggiatore, 1980). Nel 1973 Sereni raccolse alcune prose critiche in *Letture preliminari* (Liviana), in cui espose il suo modo di far critica: «Egli — dice parlando di se stesso — sa di non essere un critico e di non essere portato a fare critica vera e propria. Ma ritiene di essere un "lettore idoneo"»; e aggiunge un po' polemicamente di non essere tentato dalla degenerazione della scientificità e inventività delle piú recenti teorie critiche, da «quella sorta cioè di saggismo strisciante e autosufficiente buono a tutto definire, che forma l'incanto di alcune platee e costituisce ormai genere a sé, quando addirittura non s'insinua, surrogandole, nella narrativa e nella poesia odierne».

continuato ad esserlo anche dopo *Gli strumenti umani*, cui hanno fatto seguito alcuni brevi versi poi ripresi nella sua ultima raccolta uscita appena due anni prima della sua morte, *Stella variabile* (Garzanti, 1981). Questa si apre con un *ex abrupto* — «e catastrofe» — che dà il segnale di quello che sarà il vero senso delle poesie che seguono al di là del suo variarsi — nel ricordo degli amici, nella memoria del paesaggio amato o di qualche viaggio e persino, ancora, della prigionia, nel ritorno al proprio lavoro di poeta e di traduttore, negli accenni ad intimità familiari; ma su tutto incombe l'agguato di un pensiero, quello che suggella l'ingresso nella casa nuova: «l'idea di essere qui per morirci / venuto». Il linguaggio si fa ora sempre piú lacerato fra momenti di abbandono ed ermetismi spesso impervi, fra qualche eco montaliana e un ragionar poetando che continua certo «parlato» già presente nelle raccolte precedenti e che ora culmina, come risultato poetico, in *Un posto di vacanza*, poesia della memoria che si racconta e si rifiuta, tutta autobiografica (si veda in particolare l'incontro con Vittorini) e tutta metaforica, che dalla «sagra agostana» precipita nell'«inverno» — «Sul rovescio dell'estate. / Nei giorni di sole di un dicembre»:

> Ci si sveglia vecchi
> con quella cangiante ombra nel capo, sonnambuli
> tra esseri vivi discendenti
> su un fiume di impercepiti nonnulla recanti in sé la catastrofe.

In area ermetica aveva cominciato a operare anche Ugo Fasolo, con quella caratterizzazione religiosa e cattolica testimoniata dalla collaborazione a *Il Frontespizio*, che rendeva sin dall'inizio (1934) abbastanza singolare la sua presenza nella vicenda del Novecento letterario italiano[27]. Il «diario» come itinerario poetico e le «parole semplici» come mezzo per comunicarlo — «Io ti racconto cose mie sofferte / e vere» — sono il segno piú visibile della sua poesia dell'età piú tarda (*Frammenti di un ordine*, Rusconi, 1969; *Sole luna anni*, Pisa, Allegranti, 1975) sempre bilanciata tra la malinconia del vivere ed una fede contenuta entro una costante dignità dell'espressione. In realtà, la qualità di cattolico restava piú sottintesa che conclamata nella doppia allusione alla mutevole incertezza delle cose del mondo

---

[27] Cosí afferma G. Barberi Squarotti nell'Introduzione a *Le varianti e l'invariante* (Rusconi, 1976) che antologizza ampiamente l'intera produzione di Fasolo. Il Barberi Squarotti, nel sottolineare il rifiuto delle modalità idilliche e descrittive, l'accentuazione delle tensioni esistenziali e la sprezzatura di ogni gradevolezza musicale e ritmica, suggeriva come riferimento piú prossimo il nome di Clemente Rebora.

(«le varianti») e alla verità assoluta («l'invariante»); a tutto vantaggio di una trepidazione e di una confidente colloquialità che erano il timbro piú umanamente simpatico della sua pagina. Nel 1981, un anno dopo la scomparsa del poeta, *I graffi sulla pietra* raccoglieva l'ultima sua produzione ancora segnata da una religiosità schietta e vissuta come un dato naturale, alla quale si aggiungeva ora la nota del dolore, tristissima ma controllata con la serietà di chi soffre senza cedere al lamento. Ed è forse anche questo, oltre una vaga classicità del verseggiare che pur sa alternarsi a misure piú nuove, il lascito piú prezioso della poesia di Fasolo.

Altri ancora hanno operato in campo religioso e cattolico, da Lino Curci (morto nel 1975) ricco di una generosa vena poetica che ha avuto in *Gli operai della terra* (Rizzoli, 1967) e *Con tutto l'uomo* (ivi, 1973) i risultati piú nobili; a Gino Nogara, poeta del «regno avventizio della terra», con la sua «ironica e patetica macerazione di cristiano» (cosí Luzi nel presentare *Qui bisogna restare*, Vicenza, ed. del Ponte, 1980); a Bortolo Pento inorridito dal «lutulento magma mondiale» con l'uomo infimo animale che lo abita, ma pronto a credere nella «magia elementare», nel «rilucere di stupefazione» di un mondo che si riaccende (si veda l'ultima raccolta *Giornale di una primavera*, Abano Terme, Piovan, 1985). La voce piú costante ci pare quella di Margherita Guidacci, attiva dagli anni quaranta anche con importanti traduzioni dall'area inglese che ha operato qualche influenza sulla sua poesia. Ma dal filone della poesia direttamente caratterizzata dal segno religioso (*La sabbia e l'angelo*, 1946; *Morte del ricco*, 1955; *Giorno dei santi*, 1957; *Neurosuite*, Neri Pozza, 1970) essa compie poi uno scarto nella direzione del tema esistenziale mediato dal drammatico incontro con la follia. Alla sua ispirazione piú autentica la Guidacci è tornata con le raccolte successive, *Il vuoto e le forme* (Rebellato, 1977), *L'altare di Isenbeim* (Rusconi, 1980) e soprattutto *Inno alla gioia* (Firenze, Centro Internazionale del Libro, 1983) che eleva il sentimento religioso ad una felicità rarefatta ma intensissima come un'illuminazione definitiva: «... Io sono spazio e luce. / Sono il crocevia di liberi venti //...// La mia morte è un incontro nuziale».

2. *Una generazione di mezzo* (1)

Esistono anche poeti che, piú giovani di quelli apparsi già negli anni trenta e correttamente assegnati alla generazione ermetica, ne proseguono il magistero perpetuando un modo di far poesia che passa indenne tra le voghe e aspira a una novecentesca classicità. Non è un fenomeno di mero epigonismo ma uno stretto legame di gusto che permette il prolungarsi a buon livello di quella che è forse la piú importante linea della poesia italiana del nostro secolo.

Maria Luisa Spaziani aveva già pubblicato nel '54 la sua prima raccolta, *Le acque del sabato*, con caratteri che fiancheggiavano l'ermetismo fiorentino e lombardo; e a quel primo testo aveva aggiunto nel '62 *Il gong* e nel '66 *Utilità della memoria* (Mondadori) che testimoniava un abbuiarsi della felicità, una «pena d'assenza» che induce a pensieri di morte: «Oggi, dieci febbraio, il mio soffrire / è pervenuto al vertice stremato / oltre il quale è impossibile salire». Il terzo volume, *L'occhio del ciclone* (ivi, 1970), accentua la tendenza ad una poesia di ampio respiro, che nella unità tematica e nella costanza dell'endecasillabo salda le poesie, come già nelle precedenti raccolte, in una misura da poemetto; e parallelamente scioglie l'amarezza della memoria in una maggiore disponibilità sentimentale, che rende possibile una piú sapiente attenzione al paesaggio (Messina, Roma, Parigi). Ma caratteristica di questa poesia resta la pregnanza delle metafore e la sapienza nel dirle; si vedano, ad esempio, il ritornante motivo del pellegrino o il brano dove la poesia definisce se stessa e la vita intera

> nulla atterrisce piú di quella calma
> che per ore si crea al centro stesso
> della tregenda: l'occhio del ciclone.
> Il mare è un olio, brillano sinistre
> luci che paion di bonaccia, e affiora
> tranquillo il tonno a respirare. Eppure
> quella è una gabbia, quello è un trabocchetto
> lí la morte è in agguato: ché piú lunghi,
> a cento metri o forse meno, infuria
> l'uragano piú nero.

Piú movimentate si fanno le soluzioni metriche in *Transito con catene* (ivi, 1977) e *Geometria del disordine* (ivi, 1981), ma resiste il filo che lega indissolubilmente la «parola» e la «vita», il «sentire» e il «ricordare», nella molteplicità dei richiami sentimentali, con una struggente ma sostenuta nostalgia delle memorie familiari o degli amici, e delle regioni visitate, costanti ispiratrici di moti poetici. Ne nasce una poesia quasi sempre in prima persona, con una continua citazione del pronome o dell'aggettivo possessivo e rinnovati tentativi di «autoritratto» («in me / cosí provata da assurdi destini»; «Forse Samarcanda è il mio stesso cuore»; «Scrivendo questi versi sono l'ultima luna, / agonizzo su boschi antichi come il mare»; «Piú povera di un topo eccomi qui che scrivo / e scrivo — ma a chi scrivo — a me stessa a quel bivio»). Ma non per questo sarebbe esatto ridurre i testi alla semplice autobiografia, ché le vie di fuga sono molteplici: da un lato, la ricerca studiosa e appassionata del verso e della rima («Cerco una parola rugosa, un tronco di pino / che nel suo ritmo rifletta la musica del mondo») — con una serie di suggestivi echi montaliani — dall'altro, un «anelito stellare», un sintonizzarsi nell'«ipertempo» con «iperuranici tesori», con i segreti del creato e «fulminarsi toccando le stelle», o il disperdersi, ancora montalianamente, nel «tritume dei giorni», nei «barlumi», nello «spolverio d'inquietudini».

Nell'abbondanza — forse una certa sovrabbondanza — del discorso, un modo appare più tipico e frequente, ed è l'adozione di proposizioni appositive che si prolungano per interi versi (del tipo: «Io porto invisibile al collo una collana di perle / (i tumori dell'ostrica), rosario, cappio, cilicio, incenso consacrato, / pepe per la memoria, paprika contro l'ipnosi») dando loro un'*allure* di «onda che scava», di andante con moto e, insomma, di padronanza e ricchezza di mezzi linguistici usati con dovizia e secondo le buone regole. Causa o effetto di ciò è la estraneità nei confronti non solo di tutte le catastrofi che hanno investito le forme poetiche, ma anche delle problematiche più azzardate. Maria Luisa Spaziani se, da una parte, è tra le più attive suscitatrici di nuove energie poetiche, appartiene per altra a quella schiera di solidi e virtuosi operatori poetici che chiudono, forse definitivamente, la stagione del bel canto e non intendono adattarsi a stridori di alcun genere, convintamente fedeli a quell'«intenzionalità neoromantica» di cui parla la copertina di *Geometria del disordine*.

Ancor più disciplinata all'area ermetica è la poesia di Silvio Ramat già apparsa alla fine degli anni cinquanta e poi negli anni sessanta (*La rissa dei salici, Gli sproni ardenti*) e settanta con *Corpo e cosmo* (Scheiwiller, 1973) e *Fisica dell'immagine* (Lacaita, 1973). Ramat supera un momentaneo fiancheggiamento degli sperimentalismi per approdare ad un'influenza ermetica entro la quale sentimenti e paesaggi riacquistano un antico sapore: tra «corpo» e «cosmo», tra «realtà e verità», ciò che più conta per lui è sempre il secondo termine, la «fisica» è della «verità» mai della natura, il nitore dei suoi versi non indica mai «i corpi» ma le loro «immagini», anche quando il movente della poesia è facilmente riconducibile alla «realtà» e a quella particolarissima realtà che è per ciascuno la propria biografia. Ma quando si parla di autobiografia per Ramat si deve intendere, anche se scandita in forma diaristica come nei due poemetti di *L'inverno delle teorie* (Mondadori, 1980), non tanto la relazione ordinata di fatti quanto l'individuazione di nuclei in cui «si squaderna il vissuto» attraverso sostrati o sporgenze in grado di rivelare l'«intempestività» nel vivere il proprio tempo, che è il segno più riconoscibile dell'autoanalisi ramatiana. Mentre in *L'arte del primo sonno. Quintetti 1979-80* (Genova, San Marco dei Giustiniani, 1984) il duplice segno è fornito dalla sofferenza per un esilio e una dubbiosa riconquista di sé, un «risveglio» che si affida, non senza trepidazione, alle parole della poesia: «La morte delle immagini non è / senza immagini. Si rinuncia a tutto / e alla stessa rinuncia, purché il niente / e la rinuncia al niente abbiano voce / in lingua unica, unita».

Anche il fiorentino d'adozione Francesco Tentori può essere accostato ad un'aura ermetica (si veda l'introduzione di Luzi a *Corrispondenze in una stanza*, Lacaita, 1974), ma privata di risonanze metafisiche e resa colloquiale in un verseggiare che ama l'endecasillabo tenuemente ritmato; restano però in queste frequenti «storie private» una discrezione e un'eleganza di buona scuola che non delude mai e accompagna il lettore come su un sentiero poetico già noto e pur sempre ricco di gradevoli scorci (tra i titoli piú recenti: *Offerto al niente*, Roma, Florida, 1983; *Animale d'ombra*, Vallecchi, 1984).

Le prime raccolte di Edoardo Cacciatore, *L'identificazione intera* (1951) e *La restituzione* (1955), potevano ancora raccordarsi ad una certa atmosfera ermetica, per quella «invulnerabile sopravvivenza» della poesia, di cui parlerà lo stesso autore, e la funzione di «anormale consolazione» come sua prima giustificazione. In particolare, la riadozione di un verso lungo, oscillante il piú delle volte fra le undici e le tredici sillabe, ben ritmato e sottolineato dalle rime, e il modo tutto speciale di concatenare le immagini, nonché l'espresso progetto di testimoniare nei suoi «poemetti» una realtà fortemente trasfigurata ma innegabilmente desunta dall'esperienza, fanno pensare a un certo Gatto che proprio in quegli anni stava evitando la scolastica del neoermetismo adottando forme chiuse e contenuti aperti. Ma già con la terza raccolta, *Lo specchio e la trottola* (1960) piuttosto che agli ultimi termini di una corrente in esaurimento, Cacciatore sembra trovarsi al punto delle premesse di un nuovo linguaggio — ma ancora una volta non perché adotti la nascente, o piuttosto non ancor nata, scolastica del neoavanguardismo, ma per un'interna maturazione dei suoi propri modi che lo portano a collimare con le nuove soluzioni degli anni sessanta. Escluso l'impiego di ogni macheronismo, escluse le soluzioni tecnologiche o visive e insomma tutti gli aspetti di un fiancheggiamento esteriore, la poesia di Cacciatore cresceva su se stessa dando particolare risalto alle assonanze, alle allitterazioni, all'uso degli sdruccioli, ai raccorciamenti sintattici o alle prolissità delle sequele prive di interpunzione, alla forma monologata o dialogata, ma soprattutto costringendo nel verso o nella strofe, che continua ad essere quasi costantemente adottata, una densità di valori concettuali tale da porre i testi fuori dalla tradizione e come preannuncio dei fatti nuovi che dovranno avvenire. Si veda, ad esempio

> Di estro in capestro di capestro in estro
> Mírala si stacca il pensiero la testa
> Buccia ondulante su su tagliata a chiocciola
> Srotola ignora a cui si credeva assuefatto
>
> E la vicenda fosca a un tratto tutti esilara

o

> Immune fruga in fretta arraffa
> Splendido cromo e un lampo è ruga
> Cupido riso a dire uomo ecc.

Questa forma di alto manierismo coscientemente assunto e studiosamente coltivato la ritroviamo nelle due successive raccolte, *Dal dire al fare* (Urbino, 1967) e *Ma chi è qui il responsabile?* (Cooperativa Scrittori, 1974), in piú movimentata da una maggiore disponibilità metrica che spezza talvolta il consueto verseggiare a largo respiro dando alla pagina un'imprevista leggerezza

> Mensa mo il *cotidie morimur* ha scalo
> Schiamazzanti primizie le merci
> Il demerito d'essere soldi
> Sul silenzio divelto
>
> Festa fanno pasto a gusto
> Sfoggio in moto l'inno quadro
> Cenni sbraccia in crescendo — va al cielo?
> Riso èleva l'avido squarcio...
>
> Delirio
> Scodella
> Giú dalla
> Materia.

Ma a questa che (seguendo una terminologia non nuova nella storicizzazione della letteratura) potremmo chiamare «generazione di mezzo», appartiene altro buon numero di poeti che si discostano alquanto o del tutto dalla tradizione ermetica e che appare piú logico collocare lungo un'asse regionale, con attenzione piú all'anagrafe letteraria che a quella reale. Di una linea romana, ad esempio, si può parlare per Elio Filippo Accrocca, Ugo Reale, Elena Clementelli, Biagia Marniti, Mario Socrate, nei quali, in diversi modi e misure, è rintracciabile un'ascendenza neorealista, se non altro per la prevalente

57

aderenza ai temi offerti dalla società o dalla biografia piuttosto che a quelli suggeriti da problemi linguistico-letterari.

Accrocca può addirittura essere considerato una delle voci piú autentiche di quella ormai lontana stagione (*Portonaccio*, 1949; *Caserma*, 1950) ma dalla metà degli anni cinquanta egli è venuto sperimentando in varie direzioni, sia pure nella costante di «una impietosa e insieme arguta meditazione morale, dialettizzata tra rifiuto e partecipazione»[28]. *Innestogrammi-Corrispondenze* (Rebellato, 1966) segnava la svolta dalle prove degli anni cinquanta anche se non registrava reali cedimenti nei confronti delle neoavanguardie; ma quando egli tornava al tema romano (*Roma cosí*, De Luca, 1973) ogni sospetto di neorealismo era ormai smaltito sia negli aspetti formali del testo sia nella chiave piú ironico-satirica che nostalgico-impegnata. E lo stesso si dica della contemporanea raccolta *Due parole dall'al di qua* (Lacaita, 1973) confluita poi, insieme con gran parte della produzione precedente, nel volume *Siamo non siamo* (Rusconi, 1974) in cui la gamma delle elaborazioni si arricchiva del motivo nuovo e tragico del dolore. Era lo stesso motivo che avrebbe dettato per intero *Il superfluo* (Mondadori, 1980) dove la poesia diventa dialogo disperatamente monologato, uno sforzo supremo e pieno di pudore per continuare a vivere «nonostante tutto»: «A che prezzo mi dicono poeta; / quanto mi costa, adesso, una parola». Poesia della memoria, inevitabilmente, ma sdoppiata nella dicotomia insanabile del desiderio insieme di ricordare e di dimenticare

> Beato chi non sa chi non ricorda:
> la memoria è da uccidere, non l'uomo.
> Altro che un dono, la memoria è un peso.
> Però se mi mancasse pure lei,
> oltre che te, mi resterebbe il nulla:
> la condanna sarebbe piú straziante.

Il coraggio di superare il trauma Accrocca lo ha ritrovato nelle poesie di *Pesominimo* (Piovan, 1983) che riprendono i fili del discorso interrotto, i molti fili della poesia con dedica che denunciano i suoi autori (Noventa, Sinisgalli, Cattafi...), dei richiami alla cronaca, dell'ironia sul costume, dei molti viaggi, infine della poesia che scopre se stessa come patrimonio di tutti e di pochissimi

> t'accorgerai che le tue parole
> grammo piú grammo meno
> non sono poi tanto dissimili dalle altre

---

[28] M. Petrucciani, Introduzione a *Due parole dall'al di qua*.

hanno forma diversa
ma parlano alle fine la stessa lingua
e questo è tanto difficile a dirsi.

L'attuale punto d'approdo delle diverse e talora contrastanti sollecitazioni è *Videogrammi della prolunga* (Lucarini, 1984), dove passione civile, memorie personali, intenti sperimentali si alternano o si sal-
dano in un metaforizzare continuo che ha al centro uno dei luoghi
deputati dell'intellettualità romana, Via del Babuino, con i passaggi
pedonali obbligati, i numeri pari e dispari e le loro eccezioni, in una
matematica della vita che ha perso il rigore delle sue verità: «non ha
piú vertice / il triangolo di Pitagora / da quando sono stati sconvol-
ti / cateti e ipotenusa».

Un non dissimile itinerario veniva compiendo nei medesimi decenni
anche Ugo Reale, che negli anni cinquanta era partito con *Ritorni*
(1952) carico ancora dei ricordi di guerra, era poi passato attraverso
gli accenti lirici di *Una piccola storia* (1959), per giungere con *Un'altra misura* (Roma, Novissima, 1971) a una poesia della memoria o piuttosto del rovello per la vita perduta e della speranza di «opporre al
cammino dell'ombra / un nuovo coraggio di vivere». Reale è sempre
stato molto sensibile alle affettuose cose domestiche, alla sincerità dei
sentimenti individuali e sociali senza per questo assumere accenti in-
teneriti o crepuscolari; la sua vena si direbbe sorretta da una naturale sincerità espressa in un verso altrettanto discreto, che non alza il
tono ma incide per una umana fedeltà ai temi della vita, e questo atteggiamento troviamo ancora in *Il cerchio d'ombra* (Guanda, 1979).
Ma questa volta l'attenzione assume l'aspetto di un esame di coscienza,
di una ricapitolazione del rapporto tra l'io e il mondo, e il consuntivo
non è in attivo: la discrezione scambiata per debolezza, la tristezza
che si deve mascherare da orgoglio, il sentirsi straniero; e se il verso
talvolta si impenna nel sarcasmo e quasi nell'invettiva, per lo piú ripiega su una malinconia ormai disamorata: «Un giorno arrivi a capire / quanto la vita sia semplice: / tanto che non sai piú viverla»; e ancora: «La vita è scorsa come un sogno ostile / di violenze passate per
amore, / di sensi prigionieri o forse inerti». La malinconia, la tristezza, la solitudine — le «tante solitudini» in cui si sommano i destini
degli uomini — si accentuano ancora in *I giorni della voliera* (ivi, 1985);
voce di chi si sente un sopravvissuto «tra il dubbio e l'inerzia», di
chi ormai dispera che il mesto succedersi dei giorni possa portare novità e che anche la poesia, ridotta a «soliloquio», riesca a comunicare; questi versi, con la loro «sorprendente sobrietà di mezzi» (Caproni) pur approdano a qualche conforto nella memoria degli affetti e

nella possibilità ancora di cogliere, ma ormai quasi da forestiero, la «remota bellezza» di Roma.

Come Reale, anche Elena Clementelli è di quei poeti che hanno profondo e vibrante il sentimento dell'«andare per le strade del mondo», un sentimento totale e semplice insieme, che sa dire con una naturalezza accorata ma senza lacrime femminili. Nel 1969 *La breve luce* (Roma, Novissima) era dominata dall'angoscia del tempo che trascorre inesorabile e amaro (da «le nostre troppo lievi adolescenze» a «la lenta galleria dei momenti futuri»), dal tuffarsi nelle memorie che si accumulano e il proiettarsi in un futuro incerto e soprattutto dall'impossibilità di consistere in un presente che è subito goduto e passato. *Cosí parlando onesto* (Garzanti, 1977) e *Vasi a Samo* (Bastogi, 1983) continuavano questo trepido discorso — «lo stupore e il brivido / d'essere vivi» — con un'ancor piú scarna e antieroica saggezza: «Se me lo concedete, / semplicemente vivo». Ma non è solo l'«indolenza del vivere» che ci trasmette questa poesia, poiché le pagine della Clementelli hanno anche la ricchezza dei contenuti che contano, l'amore, l'amicizia, la storia, la mestizia o la grazia d'ogni giorno, i pudori, le ferocie, in un bilanciarsi letterariamente pieno di garbo ma tutt'altro che esangue tra «il sordido nonsenso quotidiano» e il «presagio d'eternità».

Il tema romano era stato frequentemente ripreso da Biagia Marniti (*Città, creatura viva*, 1957) in una poesia dominata da una coraggiosa passionalità (*Nero amore rosso amore*, 1951; *Piú forte è la vita*, 1957). Le raccolte successive, *Giorni del mondo* (Sciascia, 1967) e *Il cerchio e la parola* (ivi, 1979) placavano quelle disposizioni («non ho piú quella corazza /.../ Io chiedo — è permesso? — serenità») ma aggiungevano uno spiccato colorismo sul quale lievitano anche i paesaggi piú noti: tra «l'ocreggiare delle case», «alle conchiglie delle sue fontane / e di verdi balconi si apre Piazza Navona». La piú recente breve raccolta *La ballata del mare e altre poesie* (Roma, 1985) porta ad una piú sommessa dizione questa poesia tra «amore e pena», questa elegia del vivere che avanza «sull'equilibrio estremo», dove essere e non essere si equivalgono, e i dolenti interrogativi prendono il posto delle passioni di un tempo: «Mia vita dove sei / sfiorita fra le dita / di giorni grevi?».

Mario Socrate aveva invece fin dai suoi inizi privilegiato una poesia meno visibilmente legata ai dati di fatto, e il titolo della sua prima raccolta, *Favole paraboliche* (1961), lo dimostrava abbastanza apertamente; su questa linea di ricerca il *Manuale di retorica in ultimi esempi* (Marsilio, 1973) poteva sembrare il punto fermo piú dichiarato, se in realtà in stampi apparentemente del tutto formali (*La metonimia, Anafora, Ipotiposi*, ecc.) non trovassero accoglienza contenuti dedotti dalla cronaca piú immediata. Questo accade meno in *Il punto di vista* (Garzanti, 1985) che rimette in auge un poetare attento alle strutture poetiche piú corrette e consolidate (la quartina su tutte) o a sapienti arditezze, anche se lo sguardo passa poi al di là del bel verso per scorgervi cose e persone che ci appartengono e ci fanno resistere alla vita: «Questi versi in frammenti / li tengo con la rima fra loro / come l'anima coi denti».

Ma sul parallelo romano molti altri autori ancora hanno operato dagli anni quaranta ad oggi: l'estroso Pietro Cimatti, Marino Piazzolla scomparso nel 1984, Renzo Nanni, forse il piú fedele ad una discendenza neorealista, Franco Simongini e Romeo Lucchese, attivi anche nel campo della critica d'arte, Alberto Frattini, vicino ad un'ispirazione spiritualista, il livornese Luciano Luisi, la cui opera quarantennale raccolta ora nel volume *La sapienza del cuore* (Rusconi, 1986) rivela una limpidità di scrittura e una ricchezza di umanità non facilmente riscontrabili nella sua generazione; Gianni Toti, cui si deve un'ormai lunga sperimentazione poetica che non si confonde con le scolastiche neoavanguardiste ma persegue una personale esercitazione sulle strutture linguistiche.

Altrettanto correttamente, ci sembra, altri autori della medesima generazione possono essere collocati su una «linea lombarda», lungo la quale, tuttavia, essi non smarriscono la loro identità conservando, su una base culturale che li può accomunare, differenze talora assai spiccate; si pensi a Giovanni Testori, Gian Piero Bona, Luciano Erba, Alberico Sala, Giancarlo Majorino, Giorgio Orelli.

Negli anni sessanta-settanta, Testori ha abbandonato la tematica popolare e industriale dei suoi primi romanzi (*Il dio di Roserio*, 1954; *Il ponte della Ghisolfa*, 1958; *La Gilda del Mac Mahon*, 1959; *Il Brianza e altri racconti*, 1962) e si è dedicato prevalentemente al teatro e alla poesia, l'uno e l'altra segnati da un lirismo drammatico che raggiungerà negli anni ottanta traguardi non facilmente accettabili. Nella trilogia poetica feltrinelliana (*I trionfi*, 1965, *L'amore*, 1968, *Per sempre*, 1970) lo strazio del sentimento si compone ancora in parole nette e chiare alle quali risultano del tutto estranee le contaminazioni linguistiche cui Testori si era inizialmente dedicato; ma queste tornano, piú complesse e stravolte ma anche piú arditamente coscienti, nelle opere teatrali, se escludiamo il lungo monologo di *Erodiade* (Feltrinelli, 1969), *L'Ambleto* (Rizzoli, 1972) e *Macbetto* (ivi, 1974), dove l'autore si crea una lingua impossibile che mescola forti cadenze lombarde, elementi basso latini, reminiscenze tragico-shakespeariane, fantasiose deformazioni lessicali in un *cocktail*, espressivo violento e traumatizzante: «Merda, sangue, merda! / Cos'è la guerra / sia che si svincia / sia che si perda? / Merda, sangue, merda! / Riesci a vardarmi te? / Sangue vardo, sangue e merda, / merda e sangue come in me! / Se mi tocchi, cosa senti? / Dillo, te! / Sento un braccio, / sento un braccio che non c'è! / A me un piede, varda, / un piede manca a me! / Oh, e i labbri? Varda i labbri! / Son in l'aria i labbri andati! / Dove i denci? E la mia gola? / La laringia mia dov'è? / E l'oreggia? E la carcassa? / Tocca! Tocca! / Mi s'è tutta discioppata la faciassa!» (*Macbetto*).

Nel 1974 Testori tornava al romanzo con *La cattedrale* (Rizzoli) che riassumeva al piú alto livello tutta la tematica testoriana, erotica, milanese e religiosa, ma di una religiosità che già i versi di *Nel tuo sangue* (ivi, 1973) avevano rivelato piena di angosce e di lacerazioni, al limite tra l'invocazione e la bestemmia, tra rinuncia dell'io e sua sublimazione nel divino. Nel romanzo lo scrittore fondeva il senso di disfacimento della città moderna, l'incubo sessuale, la violenza dell'assassinio, il morboso simbolismo religioso in un testo in cui, abbandonati ancora una volta i sincretismi linguistici ma non la tragica ricchezza barocca del suo stile, riusciva a portare al grado piú incandescente il suo spigoloso attrito con la realtà. Questo si ripeteva in *Passio Laetitiae et Felicitatis* (ivi, 1975) se possibile in forme ancor piú traumatizzate, dal punto di vista sia psicologico che linguistico. La tematica religiosa si rivelava ormai come motivo centrale della narrativa di Testori, ma sarà appena il caso di precisare che essa fa tutt'uno con l'ossessione del sesso stravolto o piuttosto con l'intero sentimento tragico del vivere. Ad esprimerlo torna questa volta uno stile contaminato da tutti gli apporti e da tutti gli accenti che lo scrittore è venuto studiosamente accumulando in questa sua fase di prorompente produzione, che lo ha portato a crearsi una lingua personalissima, un gergo tragico che non trova alcun riscontro realistico (se non la fondamentale base lombarda) e che tuttavia risponde all'empito drammatico che incalza la fantasia di Testori.

Dopo gli altri due volumi di poesia teatralizzata *Conversazione con la morte* (ivi, 1978) e *Interrogatorio a Maria* (ivi, 1979), non piú di empito drammatico ma di sadomasochismo annientante parleremmo per *Ossa mea* (Mondadori, 1983), dove Cristo, l'uomo — cioè l'io Testori — i santi, il mondo sono travolti in una tiritera melmosa che nel suo stesso passare il segno — ogni segno — finisce, anziché impressionare o scandalizzare, a indurre a indifferenza o noia: la tragedia cosmica o, se si preferisce, il «cosmo golgotante», si risolve infine qui soltanto in un'orrenda filastrocca.

È accostabile all'esperienza testoriana la «poesia sodomita» di Gian Piero Bona, il quale aveva consumato negli anni cinquanta una prima fase ermetizzante e classicheggiante, per approdare poi, con una produzione che copre un vasto campo dalla poesia al romanzo al teatro, ad una scrittura piú tormentata e soprattutto ad una tematica piú lacerante. Di questo gli esiti maggiori sono stati la raccolta poetica *La vergogna* (Guanda, 1978) e i romanzi *Il silenzio delle cicale* (Garzanti, 1981) e *Passeggiata con il diavolo* (ivi, 1983); quest'ultimo in particolare, che nel suo denso spessore psicologico e culturale (follie premonitrici, miti del sangue, la tragedia della seconda guerra mondiale, moltiplicazioni dei nomi ed equivocità dei caratteri) riconducono ad una temperie mitteleuropea. La poesia di *La vergogna* appare invece piú immediatamente connessa al «malore» di una «tragica eresia» del vivere, detto in versi che continuano a prediligere la forma chiusa, e che talora, nei casi migliori, hanno qualche andamento alla Penna, tal altra — ed è qui che piú si avvicinano a Testori ma conservando un maggiore controllo — si abbandonano con piú tetra disperazione alla sofferenza della diversità, sino al rifiuto della vita non compensato da una insoddisfatta e contorta religiosità.

Luciano Erba, dopo la prima raccolta riassuntiva *Il male minore* (1960), riorganizzava ancora la sua produzione fino agli anni ottanta in *Il nastro di Moebius* (Mondadori, 1980) che raccoglie il senso di quel diuturno ma parco poetare che per oltre un trentennio aveva accompagnato la vita e il lavoro dell'autore. Ma a differenza di altri in cui la coincidenza fra il vivere e lo scrivere si articola in un *opus continuum*, Erba frantuma la biografia in brevi note, in frammenti di ricordi, in «cartigli mentali», che appena lievitano in illuminazioni ora leggermente ironiche ora vagamente patetiche. Ma in ogni caso la sua poesia va sempre piú acquistando l'aspetto di consuntivo biografico di «uno del 22» che tira ormai le somme e naturalmente non può trovare il bilancio in positivo — «Impreparato / ma sí, alla vita / il binario da prendere era un altro / arrugginito»; «Fannys, Gladys, Yvonne / mi hai perso, vi ho perso ci siamo / in gran numero persi» — e si ripiega nella un po' autoironica consolatoria conclusione dell'ultima attesa nell'abbraccio della dolcezza domestica

> ma non è questo il punto,
> se messo a letto da pietose mani
> femminili anellate coniugali
> attendo l'alba
> il viso piú cancellato possibile
> nella città opportuna, in una casa
> di maniglie d'ottone e porte bianche
> se già qui navigo come in un astratto asteroide
> ibernando nel dopo.

A questi toni si può accostare la poesia dimessa, colloquiale, rac-contata di Alberico Sala (si veda in particolare *Il giusto verso*, Rusco-ni, 1970) e cosí di continuo capace di affondare in quel «nido per vivere» fatto di affetti carissimi, di paesaggi del cuore, di inciampi quotidiani, ma anche di allusioni a dimensioni che spaurano: «Alla ringhiera orizzonte mi sporgo, / il cuore è sul fondale opaco del lago» (*La cupola del gelso*, Urbino, Ca' Spinello, 1984). Ma la natura schiet-tamente poetica di Sala (si vedano *Chi va col lupo*, ivi, 1975; *Fino all'ultimo*, ivi, 1979; *Il pantano di Waterloo*, ivi, 1982) ha poi trovato una macroscopica e travolgente manifestazione nella ininterrotta se-quenza di *La piena dell'Adda* (ivi, 1981), un romanzo — ci avverte la copertina — ma in realtà uno sfogo, un poema in prosa, una con-fessione, una inestricabile successione di segni.

Politicamente, e non solo politicamente, piú risentita la poesia di Giancarlo Majorino che conserva, per questo, qualche parentela con matrici neorealiste; in realtà, qui la versificazione — quando non si articoli in poemetti per i quali si è pensato a qualche affinità con Pa-gliarani — tende a spezzarsi in frammenti sempre piú spigolosi quan-to piú ci si avvicina agli anni settanta. *Sirene* (Guanda, 1976) spezza un poco questo *iter* con le sue «invenzioni d'amore, trasparenti e lon-tane» — «Io con te non parlo di politica: / conosco troppi ricchi di sinistra. / Tu non devi mutare, / sei sirena»; — e la conclusione al limite del silenzio: «Non sono abbastanza poeta: / la calamita dei ver-si / è stata / lei pure / calamitata»; cosí in una poesia dal significati-vo titolo *Basta*, che tuttavia è stata seguita qualche anno dopo da una nuova raccolta, *Provvisorio* (Mondadori, 1984), nella quale Majorino ha ripreso una poesia come attrito con la realtà espresso da un verso che, rinunciato ogni canto, punta sugli effetti visivi e fonici tipici di una sempre insoddisfatta sperimentazione.

Assimilabili alla «linea lombarda» sono il ticinese Giorgio Orelli (di cui si veda la piú recente raccolta *Sinopie*, Mondadori, 1977) per la delicatezza con cui coglie il paesaggio brumoso e pastorale della sua terra di confine; e il milanese Nelo Risi, la cui presenza è altret-tanto importante nel campo della cinematografia quanto in quello let-terario. La poesia di Nelo Risi, tuttavia, non si caratterizza per parti-colari accenti lombardi ma, sin dagli inizi, appare come una delle vo-ci piú taglienti tra quanti hanno avventato i loro strali in versi contro la società e i suoi vizi; o piuttosto Risi è uno dei pochissimi cui spetti di diritto il titolo di poeta civile; si veda per questo la produzione degli anni cinquanta raccolta in *Pensieri elementari* (1961), ma in un'operazione di critica etico-politica che continua con *Dentro la sostanza* (Mondadori, 1965) e *Di certe cose* (ivi, 1970); e sono cose amare che Risi pronuncia in piena coscienza: «Sono per una poesia civile fatta da un uomo pubblico in un tempo reale, sono per un linguaggio tutto teso che sia di per sé azione; voglio parlare di quello che ci offende, scrivere di quello che ci indigna», egli dice; e meglio ancora in due versi lapidari: «La poesia è verità / intuita con ritmo». Questa ricerca di verità fra gli inganni della società e della cultura è ancora nelle poesie di *Amica mia nemica* (ivi, 1976), mentre le due opere successive deviano su interessi diversi, l'una in veste teatrale, *Lo studente di lingue* (Guanda, 1978), sulla frantumazione del linguaggio e della personalità in un soggetto schizofrenico nel suo rapporto con i genitori; l'altra, *I fabbricanti del bello* (Mondadori, 1983) che misura la poesia sui principali scrittori e artisti dall'età classica ad oggi, quasi a rinnovare «la loro forza primigenia / latente nella parola e nel suono e nel gesto / e nel segno».

Infine accostiamo a questa linea settentrionale il ligure Cesare Vivaldi, che proprio in dialetto ligure cominciò a poetare in una lontana stagione nella quale militò tra i poeti «impegnati». Poi, negli anni sessanta, la sua poesia tentò una diversa e complessa tecnica di trascrizioni multiple in una raccolta giustamente intitolata *Esercizi di scrittura*, per riprendere una strada meno esteriormente avventurosa in *Una mano di bianco* (Guanda, 1978, che ricomprende la raccolta scheiwilleriana *A caldi occhi* del 1973). Qui Vivaldi gioca molte e differenti carte, ma primissima resta ancora quella della Liguria, con le sue memorie, le amicizie («Piero, diamo una mano di bianco alla faccia del mondo / e a noi stessi, per primi, facciamo / un fischio agli amici (chi sono?), ricominciamo / daccapo...»), i paesaggi («una raccolta piazzetta di paese ligure»); ma poi c'è il Vivaldi critico d'arte («io pazzo / di passione per la pittura») che costruisce poesie su acquetinte o cartelle di incisioni; e c'è il poeta d'amore che si serve invece delle lettere della donna alla quale dedica un sentimento totale («Tutto quel che sei esiste / e esiste perché sei come sei, / e esiste perché tutto quel che sei esiste in me»); e questo non casualmente, ma alla luce di una cosciente ideologia: «Il mondo è tutto da inventare componendo / e ricomponendo i materiali offerti».

3. *I narratori*

Il primo romanzo di Alberto Moravia, *Gli Indifferenti*, era uscito nel 1929, nel momento in cui, da una parte, il potere fascista acquisiva la sua forma definitiva e, dall'altra, la prosa italiana stava tentando nuove vie al di là delle eleganze della prosa d'arte. Nell'uno e nell'altro campo, l'intervento moraviano lasciò un segno profondo individuando nel sesso e nel denaro i valori autentici di una società vanamente mascherata dietro proclamazioni false e retoriche, e costruendo una narrazione rigorosa che riprendeva la grande tradizione del realismo ottocentesco. In quell'opera prima si contenevano, dunque, motivi oggettivamente di grande importanza, ma venivano anche affermati i termini soggettivi di un lavoro che si sarebbe protratto per oltre mezzo secolo con una coerenza estrema, sino al sospetto, talvolta avanzato dalla critica, di una non sempre evitata ripetitività. In effetti, piú che le divagazioni su terreni diversi (ad esempio, il surrealismo alla fine degli anni trenta) o un piú deciso impegno in ambito politico (che avrà nella *Ciociara* l'esito piú esplicito), a sottrarlo a quel pericolo provvedevano sia la grande abilità nel variare e approfondire quei temi (si vedano soprattutto *Agostino* e *La disubbidienza*) sia la felicissima strutturazione soprattutto dell'opera breve, di cui i *Racconti romani* restano certamente il modello. Punto d'approdo di questa già lunga carriera era stato nel 1960 *La noia*, il romanzo che riportava in primissimo piano il tema del sesso e del denaro in una versione per cosí dire totale, definitiva.

E invece definitiva non era, se nuovi romanzi e racconti continuavano a frequentarlo e ad estenuarlo, autorizzando, questa volta sí, il sospetto della monomania e dell'ossessione. Eppure erano già anni in cui Moravia aveva allargato i suoi interessi al teatro, alla critica cinematografica e anche letteraria e al piacere del viaggiare da cui avrebbe dedotto piú di un volume, e la sua figura veniva sempre piú assumendo la caratteristica dell'uomo pubblico, della testa pensante, del soggetto e oggetto di polemica — ma allorché tornava ad essere narratore, tutto il ricco bagaglio delle sue esperienze veniva ricondotto ai denominatori di sempre, tradotto in termini latamente freudiani (e vagamente marxiani), cioè entro un universo in cui nulla ha un'autonomia di essere, e tutto non può non venir sottoposto alle fondamentali pulsioni del sesso e del denaro.

Esempio di questo inizio di una possibile parabola discendente era *L'attenzione* (Bompiani, 1965), già per il suo eccesso di «imbroglio» trattandosi del romanzo di uno scrittore che racconta come non sia possibile fare un romanzo, quasi una scommessa sulla incomunicabilità comunicata, e per di piú in una forma ibrida di romanzo-saggio, nel quale ancora una volta era apprezzabile su tutto la lucidità con cui venivano colti i caratteri e i rapporti ambigui all'interno del genere borghese.

Dopo *L'attenzione* Moravia ha disertato per lunghi anni il romanzo, incrementando però la produzione in altri campi, dal teatro, alla saggistica varia[29], alla narrativa nella misura del racconto. Si sono cosí succeduti *Una cosa è una cosa* (1967), *Il paradiso* (1970) («un titolo da intendere in senso antifrastico, di inferno terreno e quotidiano»)[30], *Un'altra vita* (1973), *Boh* (1976), titoli che possono essere accostati per la loro oggettiva unitarietà tematica — l'automatismo della vita — e stilistica, di nuovo sottoposta all'usura del grande consumo[31]. Lo scandaglio moraviano scende ancora e con la consueta efficacia nei meandri del comportamento borghese con tutti i suoi feticci, le sue manie, i suoi tic. In particolare, in *Un'altra vita* protagonisti dei racconti sono le donne, con un'accentuazione dell'assurdo del vivere, sia pure paradossalmente raccontato in pagine la cui misura è condannata ad una perfezione che ha qualcosa del «teorema» (G. Pampaloni).

Nel 1971 Moravia è tornato al romanzo con *Io e lui*, quasi un punto d'arrivo obbligato cui tendeva da sempre la sua narrativa, dove, come sappiamo, il tema del sesso era stato costante, ma inserito in una trama, addossato a personaggi, mentre ora balzava in prima persona schietto e onninvadente. Protagonisti del romanzo sono «io» con le sue sublimazioni, e «lui» cioè il suo macrosesso, esigente, spregiudicato, loico, causa della desublimazione e nemico di ogni risublimazione del suo proprietario. La struttura del romanzo, articolata in sedici capitoli contenente ciascuno un episodio circoscritto dello stato di desublimazione, è data in gran parte dal dialogo di «io» e «lui» in cui è sempre «io» a soccombere, salvo pochi modesti e inutili successi, sino alla sconfitta finale con il ritorno di «io» tra le mura domestiche tirato in casa dalla moglie per quella sua naturale cavezza. Moravia si trova a suo perfetto agio in siffatta materia, sia per lo spreco di situazioni freudiane sia per la bravura di cui può fare sfoggio per la quale riesce a sottrarsi alla sfera del cattivo gusto e dell'oscenità. Un'accusa cui il romanzo sfugge non appena il lettore è penetrato nell'universo moraviano e ha preso atto della sua interna coerenza, della legge che lo domina ma nello stesso tempo lo immunizza e lo redime.

[29] Si veda soprattutto *L'uomo come fine* (1962) che raccoglie scritti critici di un ventennio dal Boccaccio ai giorni nostri, dalla cultura italiana a quelle straniere, dalla letteratura alle altre arti, per riaffermare la necessità di un «nuovo umanesimo». Per quanto riguarda le prose politiche o di viaggio, del 1958 è *Un mese in Urss*, del 1967 *La rivoluzione culturale in Cina*, del 1972 il resoconto di un viaggio in Africa, *A quale tribú appartieni?*.

[30] A. Bocelli, in *La Stampa*, 3 aprile 1970.

[31] Anche W. Pedullà, il quale pure considerava *Il mondo è quello che è* uno dei libri piú felici di Moravia, finisce per ammettere che «si sente il fiatone dello sforzo intellettuale capace di soluzioni ingegnose piú che penetranti» (*La letteratura del benessere*, Napoli, Libreria Scientifica, 1968).

In questo universo, «lui» perde i suoi caratteri specifici e o diventa una metafora della vita e del successo o, se resta se stesso, acquista l'aspetto di una presenza come un'altra, moralisticamente neutra quando non moralmente migliore dello stesso «io». Alla neutralizzazione dell'osceno concorrono anche la monotonia delle situazioni che tende ad addormentare le possibili reazioni scandalizzate, la chiave comico-grottesca nella dimensione dell'iperbole la quale nega la verità realistica che dell'osceno è la vera dimensione, infine la consueta equazione sesso-denaro: «Il denaro è me e io sono il denaro». Anche se questa volta Moravia non insiste molto sul tema, ché questo è e deve restare il romanzo di «lui», di «Federicus rex», della «bellezza del mondo», di «dio».

Il medesimo può dirsi di *La vita interiore*, che segue a sette anni di distanza, dove la mimetizzazione dell'osceno avviene mediante una forte ideologizzazione. Il romanzo, costruito come un dialogo fra l'io-autore e il personaggio Desideria, doppiato dal dialogo fra Desideria e la Voce che le detta dentro, ripete l'ennesima formulazione degli idoli borghesi, ma questa volta rovesciati: non piú il denaro che acquista il sesso ma il sesso come mezzo di conquista del denaro; in altri termini, la trasformazione della persona in merce, la prostituzione. Questa avviene attraverso un piano di trasgressione-dissacrazione che coinvolge tutti i valori, il linguaggio, la cultura, la religione, la vita stessa, e l'amore e anche il denaro, e ha la manifestazione piú clamorosa e piú simbolica nel processo di sodomizzazione del personaggio, — il tutto da interpretare, almeno secondo le intenzioni dell'autore, come metafora degli anni dell'assurdità e dell'orrore posteriori al '68. In realtà, l'enormità del narrato e la prolissità del narrare — insieme con la fissità delle categorie di riferimento — denunciavano gli opposti difetti-eccessi dell'immobilismo filosofico da una parte e della superfetazione letteraria dall'altra, vanamente protesa a rimetterlo in movimento in un contesto storico divorato da una profonda crisi e perciò non troppo disposto ad accettare questo tipo di lezione[32]. Esaurimento e verbosità potevano essere gli opposti segni di una stanchezza che si rivelava piú nelle opere narrative che in quelle saggistiche, e che veniva confermata in *1934*, un romanzo in cui la stessa ovvietà della *fabula* — due gemelle identiche nel fisico e oppo-

[32] «Alberto Moravia salda il conto con la generazione del '68 che clamorosamente rifiutò le sue aspirazioni sartriane a porsi come modello etico e culturale. Tutti i miti degli Anni settanta sono qui fatti a pezzi: la contestazione antiborghese; il femminismo, le ideologie della liberazione; la cultura francese dei flussi desideranti, da Guattari a Baudrillard; la revisione del marxismo e del freudismo.» (B. Frabotta, in *Annali FM*, 1983, 1-2). Ma la stessa autrice aggiunge poi che «*La vita interiore* è anche altro: è infine e soprattutto l'apoteosi della Voce narrante».

ste nelle virtú e nei comportamenti — testimoniava del venir meno della fantasia, la quale trovava spazi solo nelle pieghe del racconto, là dove brillava ancora a tratti la grande maestria del narratore autentico. Ma ciò in cui piú l'opera mancava, e che il titolo sembrava promettere, era la verità storica di quell'anno di fascismo trionfante e di nazismo ormai al potere, appena marginalmente allusi da qualche personaggio troppo preso nella solita trappola del sesso.

Che il grande *atout* di Moravia continuasse ad essere la eccezionale plasticità e naturalità della rappresentazione piuttosto che l'invenzione brillante e in grado di rinnovarsi, era dimostrato anche da *La cosa e altri racconti* (1984); ma per meglio dire, qui la fantasia si sbizzarriva, racconto per racconto, a escogitare una situazione sempre piú avanzata nello spostamento dei confini del «comune senso del pudore», sino a raggiungere limiti che sarebbero insopportabili se non intervenisse, come sempre, una per quanto paradossale castità descrittiva, un trattamento dei temi piú scabrosi come legittimamente partecipi o protagonisti del nostro essere al mondo, e quindi senza intenzioni morbose né effetti pornografici. È anche la situazione di *L'uomo che guarda* (1985), romanzo del voyeurismo o scopofilia, nel quale è facilmente prevedibile per il lettore quale possa essere il primo oggetto del guardare. Il rapporto a tre — padre-figlio-nuora — è visto, sia pure con l'alibi poetico di Mallarmé e sotto l'incubo della deflagrazione atomica, attraverso questa acutissima specola, con gli inevitabili annessi del desiderio di uccidere il padre e della sconfitta ultima dell'ex ribelle.

Il nome di Elsa Morante (morta nel 1985) era decisamente balzato alla ribalta subito dopo la guerra, nel 1947, quando aveva pubblicato il grosso romanzo, *Menzogna e sortilegio* cui era seguito dieci anni dopo *L'isola di Arturo*. In epoca di neorealismo trionfante, quelle pagine fuoriuscivano dalle dimensioni esatte del tempo e dello spazio per avventurarsi nelle ambagi di una realtà tra il magico e l'arcano rievocata da una lontana memoria o intravista dietro lo schermo di sensi simbolici, cui la scrittura perveniva evitando le scosse delle scelte sperimentali e se mai avvolgendo eventi e personaggi nelle volute di un periodare analitico e ininterrotto. Né le cose mutavano nei racconti di *Lo scialle andaluso* (1963) dove ancora si tramavano corrispondenze impalpabili, amare inquietudini, segreti impenetrabili, sempre in allusione alla vita come cosa spenta e crudele, illusoria ed avversa.

La novità di una simile ideologia, e quasi il suo rovesciamento in un vitalismo ottimistico era data da *Il mondo salvato dai ragazzini* (Einaudi, 1968), un'opera insolitamente composita nella sua struttura formale (racconto, poesia, dramma, manifesto, ecc.), unificata da una filosofia o piuttosto una fede nella storia che crede nella via lungo la quale il bene può trionfare sul male. Questa filosofia era espressa in modo particolare nella *Canzone degli F.P. e degli I.M.* e nel capitolo che dà il titolo al libro. Gli F.P., spiega la Morante, sono i Felici Pochi e gli I.M. gli Infelici Molti, ed il mondo è proprio così suddiviso, stando lei (che pure si definisce una «mezza I.M») tutta dalla parte dei primi, perché in loro anche l'infelicità è allegra mentre non lo è la felicità degli I.M. Questi sono i detentori del potere, i procacciatori di ogni bene per se stessi, sempre uguali da un secolo all'altro da un continente all'altro; e uguali sono anche gli F.P.; «un tale / (F.P. anonimo) / che fu dato in pasto alle belve sotto i Cesari perché schiavo / ridato in pasto alle belve sotto i Flavii perché cristiano / sgozzato a Teuochtitlan perché femmina vergine / bruciato vivo dai papi perché empio maledetto», ecc. in un elenco che la storia torna a verificare ad ogni generazione. Personaggio F.P. è il Pazzariello della *Canzone clandestina della Grande Opera*, anonimo scandalo per tutte le conquiste della società, dello Stato, della civiltà che egli solo con la sua forza bambina può far scoppiare.

Se non si parte da questa ferma confessione di anarchismo, di evangelismo, di pauperismo, dalla fede nei «ragazzetti celesti» ingenui portatori — anche quando soffrono, proprio perché soffrono — dell'unica possibile felicità nel mondo — «barbari divini» quanto più vittime tanto più protagonisti — difficilmente si riuscirà a comprendere il senso del romanzo *La storia* (Einaudi, 1974) che dell'ideologia del *Mondo salvato dai ragazzini* è la trasposizione narrativa. Esso racconta la storia d'Italia e del mondo dal 1941 al 1947 (puntualmente riassunta all'inizio di ogni capitolo) riflessa nel più umile dei microcosmi, una famigliola romana composta da una donna che «non era mai riuscita a crescere del tutto», un ragazzotto, un bambino e un paio di cani. Questi i protagonisti, con sullo sfondo la città intera che si agita e soffre, e decine di personaggi che vengono in primo piano, e su tutti Davide cui l'autrice commette la parte di pronunciare, in una sorta di delirio, la sua utopia, «la fine della Storia, e la nascita di Dio»: «Insomma *tuta* la Storia *l'è* una storia di fascismi più o meno larvati ... nella Grecia di Pericle ... e nella Roma dei Cesari e dei Papi ... e nella steppa degli Unni ... e nell'Impero Azteco ... e nell'America dei pionieri ... e nell'Italia del Risorgimento ... e nella Russia degli Zar e dei Soviet ... *sempar e depàrtút* i liberi e gli schiavi ... i ricchi e i poveri ... i compratori e i venduti ... i superiori e gli inferiori ... i capi e i gregari ... Il sistema non cambia mai ... *se ciamava religion*, diritto divino, gloria, onore, spirito, avvenire ... *tuti* pseudonimi ... *tute* maschere. Però con l'epoca industriale certe maschere non reggono ... il sistema mostra i denti» perché «la Storia, si capisce, è tutta un'oscenità fino dal principio, però anni oscuri come questi non ce n'erano mai stati». Ma poi questa dialettica tra «ricchi» e «poveri» si complica perché vero «povero» è chi non vuole pigliare il posto dei ricchi, è una «terza specie» forse in via d'estinzione, e cosí il «ricco» che subisce violenza entra nel regno dei poveri, come «quel tedesco — dice Davide — ... io che lo massacravo, sí ero diventato un SS. Ma lui, che crepava, non era piú né un SS né un militare di nessuna arma! ... era ritornato un bambino». Di questa «terza specie» il vero esempio è il piccolo Useppe, un angelo in terra, l'autentico F.P., che non è felice di esistere, è felice di tutto: «Tu sei troppo carino per questo mondo, non sei di qua», gli dice Davide.

È facile comprendere da tutto ciò la diversa accoglienza e la nutrita polemica che il romanzo suscitò al suo apparire, accusato ora di aver vistosamente introdotto elementi ideologici ora di aver optato in particolare per un'ideologia anarchico-evangelica livellatrice delle reali sporgenze dialettiche nell'esaltazione utopica dell'innocenza assoluta; ora imputato di un duplice consumismo, per l'eccessiva e perciò sospetta leggibilità e per la maniera con cui era stato lanciato in un'edizione economica largamente pubblicizzata; ora, al contrario, apprezzato per la sua vena poetica, la capacità di commuovere, il rilancio dei valori umani e il rifiuto delle operazioni di laboratorio, dei significanti asettici di tanta letteratura degli anni sessanta.

E dal punto di vista storico — storia della produzione letteraria e della sua ricezione — fu questo l'aspetto macroscopico della pubblicazione della *Storia*, la consapevolezza di una condizione e di un gusto nuovi, con la ricomparsa massiccia del «contenuto» e del «messaggio» a soddisfare un'attesa che in quella metà degli anni settanta era ormai forte nel pubblico. Entro questa considerazione generale, le opposte opinioni critiche piú che segnalare i valori e i limiti dell'opera (ma finendo per compiere un'equa distribuzione degli uni e degli altri) finivano per indicare i due opposti schieramenti, di chi seguitava a credere nei modelli elaborati da un quindicennio e di chi puntava sui «recuperi» o «riflussi» per disincagliare la nostra letteratura dalle secche in cui pareva insabbiata.

Aveva continuato a funzionare, dunque, nella *Storia* l'ideologia del «mondo salvato», coltivata in veste di utopia e per questo ricca di una carica profonda e affascinante. Essa scompariva del tutto in *Aracoeli* (ivi, 1982), che raffigura il misfatto del generare, la criminosa macchinazione dell'educare, l'orrore della convivenza sociale, dell'inevitabile destino di morte. Entro un possibile schema edipico[33] la Morante costruiva il romanzo nella forma dell'itinerario, la ricerca della madre nel passato e nello spazio; ma lo spazio è un luogo della Spagna forse coincidente con nessun luogo e connotato soltanto dalla dittatura di Franco giunta ormai al suo lercio epilogo, e il passato è il vagheggiamento di un tempo irrimediabilmente chiuso, e la madre è oggetto insieme di un amore infinito e struggente e di un ripudio assoluto: «Io mi domando perfino se con questo viaggio, sotto il folle pretesto di ritrovare Aracoeli, io non voglia piuttosto tentare un'ultima, sballata terapia per guarire di lei». Cosí il protagonista, tra l'impossibile nostalgia di una felicità prenatale e l'orrenda coscienza della propria realtà biografica: la bruttezza del corpo, la desolata voglia di un gesto d'amore, il rifiuto del padre, la disperata imitazione della virilità e la sofferta omosessualità, i sensi di colpa e di vergogna, le nevrosi, la droga, le fantasie malate, le tentazioni di suicidio — infine, l'inappagabile aspirazione a cessare dalla condizione di psicopatico e mitomane per «essere come gli altri».

In un'intervista rilasciata nel 1967, sette anni prima della morte, Guido Piovene cosí sintetizzava la sua personalità: «I miei due componenti sono un irrazionalismo di fondo, difficilmente interpretabile e misterioso anche a me stesso, e il culto di una lucidità razionale che gli sta sempre addosso e ne sorveglia i movimenti»[34], e compendiava la sua posizione nella formula di un «irrazionalismo critico». Questo incontro-scontro tra «sogno metafisico e razionalità critica», questo «soggettivismo a basi ontologiche» erano in effetti presenti fin dalle prime opere di Piovene, il romanzo epistolare *Lettere di una novizia* (1941) e il successivo (nella pubblicazione ma precedente nella stesura) *Gazzetta nera* (1943), entrambi centrati su un delitto e sull'indagine dei sentimenti contorti e inafferrabili che lo accompagnano, per i quali ora la dialettica si sposta tra vizio e virtú e la loro reciprocanza. *Pietà contro pietà* (1946) e *I falsi redentori* (1949) portavano al punto piú disperato la profonda vena di pessimismo sulla sorte dell'uomo e del suo mondo, sulla possibilità di distinguere il vero e il falso, sull'ambiguità inevitabile che nasce dalla stessa molteplicità del reale, dai suoi antagonismi irresolubili, di cui Piovene vorrebbe dar conto con un'operazione di equanimità che finisce invece per caricarsi delle colpe di tutte le parti. Forse da questo atteggiamento na-

[33] «X.Y.Z. (Uno dell'uditorio) "Direi che il caso rientra nel comune schema edipico". D. "Ricascare nei soliti schemi d'obbligo mi sembra, qui, fuori luogo. Il nostro caso non si adatta a nessuno schema prefisso". X. Y. Z. "E allora come definirlo?". D. "Eterno amore".» (p. 115).
[34] G. Catalano, *I cancelli dell'Ermitage*, Napoli, Giannini, 1974, p. 390.

sceva nel '62 *La coda di paglia*[35], spietato *mea culpa* per le responsabilità assunte dall'autore durante la sua giovinezza fascista, ma insieme diplomatica autodifesa sempre in nome della soggettività e della polivalenza del vero. Ancora un delitto era a suggello del romanzo *Le furie* (1963) in cui redenzione e santità si mescolano con l'ipocrisia e la prostituzione. E sempre un delitto, ma questa volta alle origini, è nell'ultimo romanzo di Piovene, *Le stelle fredde* (Mondadori, 1970)[36]; quel delitto non è però preludio ad un romanzo d'azione o poliziesco, ma piuttosto ad un romanzo filosofico o metafisico, ad un itinerario che ci porta fuori della nostra dimensione, nel mondo dei morti. È da lí che torna il fantasma di Dostoevskij a comunicare una forse temuta verità; al di là di questa vita non c'è premio o castigo, non c'è nemmeno amore: «l'al di là è soltanto un immondezzaio dove sono scaricati i corpi per finire di estinguersi». Cosí si concludeva l'opera di uno scrittore che aveva sempre tenzonato con l'ideale religioso e cattolico e che nella sua «limpida ambivalenza» si era a suo modo chiaramente diagnosticato: «Io non sono un credente. Ma ho una ripugnanza, direi, di carattere esistenziale per un mondo interamente laicista» (*op. cit.*).

Carlo Bernari, invece, pareva esser partito dalle radici piú fonde del neorealismo, nel 1934, con quel romanzo *Tre operai* che destò qualche scalpore per la novità dell'ambiente considerato e i suoi possibili contenuti politicamente eterodossi. In realtà, e nonostante alcuni dei suoi titoli successivi (si vedano in particolare *Speranzella* e *Vesuvio e pane*) si legassero strettamente alla cronaca e al costume napoletani, la tendenza di Bernari è stata piuttosto quella al superamento dei dati immediati e ad una scrittura che ne evitasse il diretto rispecchiamento, con la preferenza per un linguaggio articolato in livelli complessi e talvolta imprevedibili che del mondo descritto intendevano cogliere piuttosto le intime contraddizioni che la superficiale fisionomia. Di questo modo di accostarsi alla verità il punto piú alto è stato, alla metà degli anni sessanta, *Era l'anno del sole quieto*, ancora un romanzo che si muoveva sul parallelo di Napoli; ma poi sul meridionalista[37] è prevalso lo scrittore che aveva fatto le sue primissime prove sotto qualche influenza surrealista, l'amante delle strade difficili piú che delle vie diritte, e già nel 1971 ne era nato *Un foro*

---

[35] Nel 1953 Piovene aveva pubblicato il suo primo resoconto di viaggi, *De America*, cui seguí nel '75 *Viaggio in Italia* (Mondadori).

[36] Ma nel '72 ucirà il libro di fiabe *Il nonno tigre* (Rizzoli), nel '74 i saggi *L'Europa semilibera* (Mondadori) e nel '75 *Idoli e ragione* (ivi) e *Verità e menzogna* (ivi).

[37] Sull'aspetto saggistico del lavoro di Bernari in argomento, si vedano la *Bibbia napoletana*, 1961 e *Rapporto su Napoli oggi* in *Sette piaghe d'Italia*, 1964. Altri saggi di natura prevalentemente letteraria sono stati raccolti nel volume *Non gettate via la scala* (Mondadori, 1973).

nel parabrezza (Mondadori) che, partito dal banale quotidiano, ne tentava l'evasione, e proprio perché quella che ci suole apparire realtà è invece la vera «irrealtà». Era una maniera sia pure indiretta di mantenere il contatto, ovviamente polemico, con una società che schiaccia e annulla l'individuo, oppure lo spinge a irrealizzabili sogni rivoluzionari, che Bernari puntualmente registrava nel successivo romanzo *Tanto la rivoluzione non scoppierà* (ivi, 1976) in cui sono rintracciabili i caratteri piú costanti e significativi della sua narrativa.

In questo caso Bernari proponeva un'allegoria della nostra civiltà di ricuperi e riciclaggi — di oggetti come di idee — in cui anche i conati rivoluzionari vengono strumentalizzati a fini di conservazione. Costruito come romanzo in prima persona chiosato dai verbali di polizia, l'opera non tanto ci vuol dare e ci dà la ricostruzione mimetica della realtà quanto la sua forma di matassa ingarbugliata, priva di un filo che la possa sdipanare razionalmente, di un'intenzionalità che ne giustifichi le mosse. In tal modo Bernari giunge a un definitivo capovolgimento del frettoloso *cliché* realista in cui era stato collocato, e la sua pagina ci appare per quello che in diversa misura era sempre stata, una continua riproposta di allusioni, di rinvii, di sottintesi, di spostamenti, di digressioni, che investono l'intera architettura dell'opera e ogni suo frammento. A Bernari, insomma, piace «tagliuzzare l'arcano» (come si dice del protagonista che, non a caso, è uno scrittore), non dispiegarlo, ma sfaccettarlo in mille piani non contigui, risollevando ad ogni momento la questione di uno stile che aspira all'incidenza e alla concretezza del realismo ma attraverso il costante rifiuto dei suoi strumenti piú collaudati, le dimensioni precise, i profili netti, i contorni squadrati, le enunciazioni perentorie, che vengono invece abitualmente sfumati in un problematicismo non tanto ideologico quanto stilistico.

Nel volume successivo, *Il giorno degli assassinii* (ivi, 1980), Bernari continua a costruire il romanzo nella forma del poliziesco, adattato questa volta al tema del terrorismo che in quegli anni si andava largamente diffondendo nella nostra narrativa. Ma, come è nello stile dell'autore, la figura del terrorista emerge solo a fatica da una condizione che inizialmente non la lasciava prevedere e viceversa, o analogamente, va a parare in una quasi identificazione con l'autore di un triplice assassinio. Due sono gli elementi di maggiore rilevanza dell'opera: ideologicamente la concezione del delitto come atto gratuito e «opera d'arte»; letterariamente, la strutturazione dell'opera nella specie del memoriale, attraverso il quale è lo stesso Bernari, con un brillante artificio, a venir coinvolto in qualche maniera nelle ricerche del colpevole.

La carriera di Natalia Ginzburg affonda addirittura nei tempi di *Solaria* dove la scrittrice fece il suo precoce esordio nel 1933; ma il primo breve romanzo, *La strada che va in città*, pubblicato con lo pseudonimo di Alessandra Tornimparte per ragioni razziali, è del '42 e dà inizio ad un tipo di narrativa in cui su le vicende da raccontare, sugli intrecci e i loro svolgimenti, che pure non mancano, prevale la vocazione a render conto, in un'ottica ravvicinata e puntuale, del susseguirsi o del dilapidarsi delle giornate dell'uomo frantumate in una miriade di gesti e di «voci» nella cui addizione si consuma l'intera esistenza. Il romanzo *Tutti i nostri ieri* (1952) era il risultato piú complesso di questo periodo e forniva una delle migliori testimonianze sull'antifascismo e la Resistenza documentati in un linguaggio che si distingueva nettamente dai cliché neorealisti che allora praticavano quelle tematiche. Ma era al principio degli anni sessanta che la Ginzburg produceva le sue opere esemplari, a cominciare da *Le voci della sera* (1961) in cui la registrazione del quotidiano come unica umile dimensione del vivere occupa tutto lo spazio narrativo; a *Le piccole virtú* (1962) che in forme tendenzialmente saggistiche e con accenti di gradevole umanità consente all'autrice di dipingere i comportamenti umani, verificati su se stessa e sul prossimo, con tutti i loro accomodamenti, le piccole viltà, le debolezze ma anche quella saggezza o quella vibrazione drammatica che rendono preziosa la vita; a *Lessico famigliare* (1963), infine, in cui un autobiografismo liberato da intenerimenti grazie a una gentile ironia, si risolve nel ricordo non soltanto della stretta cerchia dei parenti ma di un piú vasto ambiente che tocca la società colta torinese negli anni del fascismo.

Nel 1970 le prose di *Mai devi domandarmi* (Garzanti) e nel 1974 di *Vita immaginaria* (Mondadori) continuavano questo tipo di discorso pensoso e toccante ma senza cedimenti sentimentali che aveva caratterizzato già tante pagine della Ginzburg, la quale vi aggiungeva anche un proprio indiretto «ritratto» in cui spiegava che cosa potesse essere il venir meno della fantasia e il convincersi che compito dello scrittore sia quello di descrivere nella giusta luce la realtà e di persistere in questo suo ricordare e raccontare anche quando è ormai costretto a «scrivere oppresso da un cumulo di rovine». I due volumi, in massima parte costituiti da scritti già apparsi su giornali, riprendevano un'altra delle caratteristiche della scrittura della Ginzburg, anche qui sollecitata spesso da piccoli fatti di cronaca personale o generale, aliena da ideologizzazioni o astrazioni quanto sincera e profonda nelle considerazioni legate al concreto nostro abitare nel mondo.

Ma intanto la scrittrice era tornata al romanzo con *Caro Michele* (Mondadori, 1973); in verità, come le prose saggistiche si avvicinano spesso alla forma del racconto, cosí questo racconto non si discostava totalmente dall'andamento saggistico, in ciò aiutato anche dalla struttura di romanzo epistolare nella quale vanno a intrecciarsi le linee che finiscono per costituire il quadro fino all'inevitabile dramma finale. Certo — come scrive Olga Lombardi [38] — «ogni cosa è già avvenuta quando la lettera l'annunzia, per cui in questo libro il lettore conosce il presente quando è diventato passato. Manca perciò l'azione e al suo posto c'è un continuo resoconto che tenta di riprodurlo»; ma c'è anche un'aderenza ai fatti reali, la contestazione e il problema dei giovani, che restituisce al testo concretezza e attualità. Quello che in gran parte viene meno, invece, nei due racconti lunghi *Famiglia* e *Borghesia* (raccolti nel titolo *Famiglia*, Einaudi, 1977) in cui la Ginzburg torna ai modi suoi piú tipici di minuziosa registratrice di ambienti e dei personaggi che li frequentano in una generale atmosfera di tristezza e di miserabilità.

Ma dalla metà degli anni sessanta, Natalia Ginzburg ha affidato anche al teatro il messaggio sconfortato e negativo della condizione umana sia pur sempre accompagnato da un non retorico senso di solidarietà per le vittime del vivere. Del 1965 era la prima commedia, *Ti ho sposato per allegria* (poi nel volume *Ti ho sposato per allegria e altre commedie*, Einaudi, 1967, comprendente anche *L'inserzione*, *Fragola e panna* e *La segretaria*, e seguito nel 1973 da *Paese di mare*, Garzanti); il dramma della solitudine, della non comunicazione, del silenzio — vera parola-guida per indicare nei testi ginzburghiani il (non) rapporto tra le creature — ha ora i suoi protagonisti nelle figure femminili, tuttavia non inserite in un teatro d'azione ma in aure rarefatte e indifferenti che si diradano, o piuttosto ancor piú si abbuiano, nel precipitarsi dal loro quasi nulla in una tragica conclusione.

Se nelle pagine della Ginzburg, o almeno in quelle sue piú caratteristiche, il processo cronologico in cui la vita si logora veniva frazionato nei minimi segmenti delle parole pronunciate e delle mosse compiute, in quelle di Lalla Romano le cellule del tempo si sdipanano a formare un flusso organico, una durata che ha il suo svolgimento reale nella memoria che la costruisce. Questo, se in parte già si scorgeva nel romanzo *Tetto murato* (1957), che seguiva la produzione poetica giovanile e le prose di *La metamorfosi* (1951), appariva ancor piú chiaramente in *L'uomo che parlava solo* (1961), dove è riscontrabile un'influenza dell'*école du regard*, e soprattutto in *La penombra che abbiamo attraversato* (1964) ove invece è piú riconoscibile una derivazione proustiana, e non solo nel rammemorare il passato e l'infanzia ma nel rivendicare alla virtú dell'arte una verità maggiore della vita stessa.

[38] *900*, Milano, Marzorati, 1980, v. VIII, p. 7623.

Le fondamentali categorie narrative della scrittrice — una prosa minuziosa e increspata di commozione, un periodare spesso breve, un dialogo frequente — tornano in *Le parole tra noi leggère* (Einaudi, 1969), il romanzo del rapporto, o piuttosto del conflitto, tra madre e figlio, pure ispirato, come quasi sempre l'opera della Romano, all'autobiografia. Piú che romanzo, perciò, il libro risulta come una articolazione composita di diario, ricordi, considerazioni sull'educazione e tutti i suoi errori e pericoli, esibizione di documenti (lettere, compiti di scuola), alla quale l'unità viene conferita non solo e non tanto dai due protagonisti — l'uno che osserva, ricorda e scrive, l'altro che ne è l'unico oggetto — ma dalla loro relazione in quanto tale, da cui scaturisce la vera fisionomia dell'uno e dell'altro. Il romanzo successivo, *L'ospite* (ivi, 1973), sposta di una generazione il rapporto che ora è tra nonna e nipote; ma ancor meno legato alla nozione tradizionale di romanzo è questo testo risultante da brevi o brevissimi capitoli centrati ciascuno su un episodio, e anche in questo caso congiunti in unità dal clima familiare che contiene i due personaggi. Un clima, con i suoi personaggi e le sue fratture nel narrato, che ritorna in *Inseparabile* (ivi, 1981), dove si rinnovano le microstorie familiari lungo tre generazioni.

Nel 1975, Lalla Romano aveva riunito in *La villeggiante* (ivi) racconti che risalivano ad anni lontani o vicini, storie di «avventure mancate» o di personaggi in villeggiatura (che si riincontrano nel volume einaudiano *Pralève*, 1978). Ma piú importante appare *Una giovinezza inventata* (ivi, 1979), che già reca nell'aggettivo del titolo il senso dell'opera, non ricostruzione ma costruzione di un passato incantato, perduto e ritrovato nel miracolo della memoria, ancora una volta entro i due parametri che convivono e si rispecchiano, come altrove, cosí anche in questo «riascolto della vita», «contestuale racconto disteso, obiettivamente inclinato a datare una storia degli anni venti, e mosaico splendente di frammenti autobiografici»[39].

Il lungo percorso letterario di Tommaso Landolfi aveva avuto inizio negli anni trenta con *Il dialogo dei massimi sistemi* (1937), seguito due anni dopo da *La pietra lunare* e *Il mar delle blatte e altre storie*, e si era presto caratterizzato per la capacità di assorbire, realizzandole in una sintesi del tutto originale, le due fondamentali tendenze di quella stagione, l'eleganza della prosa d'arte e la nuova vocazione al narrare. Ciò poteva accadere grazie a due strumenti tipicamente landolfiani — che hanno potuto far includere lo scrittore tra i pochi esem-

[39] G. Amoroso, *Narrativa italiana 1975-1983*, Milano, Mursia, 1983, p. 170.

pi di un autentico surrealismo italiano[40] — una fantasia imprevedibile e guidata, nevrotica e iperlogica, kafkiana e familiare, e una lingua, come noterà Gianfranco Contini, dove «un lessico prestigioso, spesso ironicamente arcaizzante» si incontra o si scontra con il diverso piano di «una sintassi dialogica o monologante»[41]. Saranno questi i segni distintivi di pressoché l'intera produzione, ma su un asse psicologico e ideologico che se, per un verso, lo potrà portare fino al *nonsense* di certi *Racconti impossibili* (Vallecchi, 1966), per altro lo affaticherà lungo una ricerca sempre piú drammatica e allusivamente autobiografica, sul vuoto dell'esistere, sulla morte, sul nulla, ed allora avremo alcune tra le opere maggiori, la fuga fantascientifica di *Cancroregina* (1950), la vita come gioco nel titolo ambiguo *La biere du pecheur*, le avventure di *Ottavio di Saint Vincent* (1958), il dramma pseudostorico di *Landolfo VI di Benevento* (1959), definito dall'autore «il libro (il registro) del mio abbandono», le pagine diaristiche di *Rien va* (1963), il romanzo incestuoso *Un amore nel nostro tempo* (1964).

L'attività narrativa di Landolfi è continuata con altrettanta intensità negli anni successivi fino alla morte (1979). Nel 1967 *Des mois* (Vallecchi) riprendeva le pagine diaristiche divaganti e extravaganti: «la vita ognuno deve cercarsela o fingersela da sé», «Questa corsa alla morte nella quale noi non abbiamo alcuna parte: il nostro tormento e la nostra delizia», «Si può da ultimo agevolmente supporre che la letteratura sia in una leggera, appena sensibile accentuazione di dati fornitici tal quali dalla realtà, dalla piú trita ed abusata realtà, o dalla piú ignara storia d'avventure», «E ringrazio il vecchio Palazzeschi. Ebbene, non mi si tacci di frivolezza (o mi si tacci, padronissimi) se amo le storielline, i motti e i mottetti osceni, s'intende quando giustificati da qualche eleganza di fattura».

Landolfi tornava al teatro nel 1968 con *Faust '67* (ivi), ma la sua vocazione continuava ad essere visibilmente il racconto, spesso breve e quasi fulmineo, cui dedicava ancora molti volumi, *Un paniere di chiocciole* (ivi, 1968), *Le labrene* (Rizzoli, 1974), *A caso* (ivi, 1975), *Del meno* (ivi, 1978); e si avevano le infinite variazioni ora sul disgusto dell'essere ora sulla sua assurdità o piuttosto involontaria comicità, come sgorgavano frequentemente da una fitta dialettica aggirantesi attorno al tema della morte e al tentativo di esorcizzarla nel «riso» o nell'impotenza a darla o a subirla[42].

---

[40] Per questo aspetto si veda il capitolo *Surrealismo di Landolfi: umore (e malumore) nero dei suoi racconti*, in L. Fontanella, *Il surrealismo italiano*, Roma, Bulzoni, 1983.

[41] *Letteratura dell'Italia unita 1861-1968*, Sansoni, 1968, p. 931.

[42] Non va dimenticato anche il lavoro landolfiano di splendido traduttore dal russo (Puškin, Gogol', Tolstoj). Un'ampia antologia della produzione narrativa del primo Landolfi è nel

Ma l'aspetto piú nuovo e importante dell'ultimo Landolfi è quello della poesia, di cui non erano mancati ripetuti esempi negli anni precedenti (in particolare il *Breve canzoniere*, Vallecchi, 1971), ma che giunge infine a due raccolte organiche, *Viola di morte* (ivi, 1972) e *Il tradimento* (Rizzoli, 1977). La novità sta nel fatto stesso di scegliere la poesia, ma ancor piú nel mutamento o addirittura nel capovolgimento dell'ideologia di un uomo che ormai non sa piú né vivere né morire. La forma della poesia landolfiana appare, ancora piú della sua prosa, al di fuori di scuole o correnti o tecniche prestabilite; le singole composizioni fluiscono insieme fra nette scansioni e continuità da poemetto, e i versi oscillano fra libere misure e spontanei rispetti di lunghezze e di accenti, ma sempre con la comunicatività di una voce che si va facendo via via piú desolata e tragica. Già il titolo *Viola di morte* prelude ai lacerati accenti sulla «torba esistenza», sulla «brutta vita» cui non reca conforto, se mai rabbia, il pensiero di un Dio o, peggio, di una chiesa; unica «gioia» può essere l'idea della morte quale atto finale dell'inutile «trescone» che siamo costretti a ballare — «Non sarebbe la morte il compimento della nostra esultanza?» — «purché sia fine e non principio nuovo».

Questa lucida non-speranza, con il «sotterraneo leopardismo»[43] che ne consegue, si rovescia nelle poesie successive, ché «il tradimento» null'altro è se non l'ultima beffa che egli soffre allorché gli cade la certezza che con la morte tutto finisca: non la morte, ma l'immortalità, il permanere come che sia nell'essere è il dolore, poiché allora «all'esser nati non è piú riparo». È questo tema della «diffidenza della morte» l'ultimo lascito di Landolfi, il traguardo di un mestiere di vivere forse troppo sapientemente costruito per poter funzionare come passaporto per una accettabile serenità

> O morte sempre amata
> ed in segreto sempre corteggiata
> avvolgiti di nere bende il capo:
> tu non sei piú speranza.

La scelta (Mondadori, 1978), il romanzo postumo e incompleto di Giuseppe Dessí (che era mancato l'anno precedente la pubblicazione) completa il profilo di uno scrittore abbastanza ai margini della nostra piú trionfante letteratura novecentesca ma, per questo, piú prezioso

---

volume *Racconti* (Vallecchi, 1961); poi si vedano *Le piú belle pagine di Tommaso Landolfi scelte da Italo Calvino* (Rizzoli, 1982).
[43] Vedi A. Dolfi, *Tommaso Landolfi: «ars combinatoria», paradosso e poesia*, nel volume antologico a cura di S. Romagnoli, *Una giornata per Landolfi*, Nuovedizioni E. Vallecchi, 1981.

e invitante. Dessí era perfettamente cosciente del suo «esser solo in letteratura»[44], una condizione da non confondere con la solitudine caratteriale che poteva derivargli dalla sua Sardegna; essa nasceva da un ordine culturale diverso rispetto a quello dominante, derivatogli da Cantimori, Capitini, l'ambiente pisano, e dalla passione per la filosofia, in primo luogo per Spinoza e Leibniz, espressamente richiamati. Debitamente passati al filtro del modello letterario proustiano — da cui era nato *Sansilvano* nel 1939 — sono questi gli strumenti per spiegare il senso di certi temi dessiani (per brevità: il tema del destino) e di certe scelte stilistiche che sembrano oscillare ta soggettività e oggettività, come era già accaduto in *Michele Boschino* (1942) e ora di nuovo nella *Scelta*. Dessí, in realtà, svolgeva coscientemente quei temi e quegli stilemi in una sorta di «armonia prestabilita» fra la serie obiettiva degli eventi e il loro riflesso in una coscienza che, violando le leggi della successione temporale e della causalità meccanicistica, li determina anticipandoli nel futuro o riscoprendoli nel passato in una nuova e vincolante successione parallela dell'*ordo rerum* e dell'*ordo idearum* fluenti nella bergsoniana dimensione della durata[45].

Annoverare anche Ennio Flaiano tra i narratori non è forse, per un'obiettiva e pedissequa statistica, del tutto giustificabile se è vero che il suo unico volume cui spetti il titolo di romanzo è addirittura il primo che egli pubblicò, *Tempo di uccidere* (1947)[46], al quale non ne sono seguiti altri della medesima struttura narrativa, se non in quella misura ridotta del racconto lungo di *Una e una notte* (1959, comprendente il racconto omonimo e *Adriano*) e *Il gioco e il massacro* (1970, comprendente *Oh Bombay!* e *Melampus*) e delle «storie brevi» di *Le ombre bianche* (1972). Se nel romanzo, ambientato nell'Africa italiana, a prevalere era un senso di tragica *pietas*, nei racconti Flaiano trovava la sua piú giusta misura che era quella della «grazia satirica» (Laurenzi), della capacità di sorridere e graffiare nello stesso tempo,

[44] Si veda la lettera riportata da C. Varese nell'ampia introduzione al romanzo (seguito da una Nota al testo di A. Dolfi).

[45] «Fin dalla prima sera, dopo cena, mi ritirai nella rimessa, accesi il lume e attaccai a leggere l'*Ethica*... mi identificai con la *substantia espansa* e, come tale, ero in grado di capire tutte le cose, cioè di penetrarne l'essenza.» (p. 83) E in una lettera a A. Dolfi: «Tutto ciò che succede è già successo. Tutto ciò che succede succederà di nuovo. Questi, molto in breve, sono i corollari della mia inespressa geometria, che ha le origini nell'infinito spinoziano» (p. 148).

[46] Per la cronologia delle opere di Flaiano si deve sempre attentamente distinguere tra le date di stesura e quelle di pubblicazione; dopo la morte dello scrittore (1972), sono stati infatti raccolti presso Rizzoli a cura di Giulio Cattaneo e Sergio Pautasso numerosi volumi comprendenti scritti che risalgono a molti e differenti anni prima.

puntando lo sguardo non su una generica umanità ma su quella che egli aveva sotto gli occhi, preoccupata o affascinata dai dischi volanti, consumata dall'«ansia di sopravvivere», sospinta alle piú incredibili fughe dalla realtà in cui è costretta; e tutto era detto in uno stile che ha una presa diretta sull'argomento, fatto di rapidi scorci, di dialoghi, di un parlato il cui intento è la comunicazione immediata, la trasmissione di un messaggio che senza parere dice assai piú di quanto la pagina lasci sulle prime intendere.

Ed è anche la tecnica del teatro di Flaiano, per non dire della sua attività di soggettista e sceneggiatore cinematografico che occupò la maggior parte del suo tempo e del suo impegno in collaborazione con Blasetti, Antonioni, Fellini, Risi, Ferreri, ecc.[47] *Un marziano a Roma* (1960) è certamente l'esito piú importante della sua produzione teatrale, ed è ancora un esercizio di beffarda ironia nei confronti di una società fatua e volgare centrata, come spesso accade nei testi di Flaiano, nella città di Roma.

Una vena siffatta ha però trovato la sua piú naturale espressione in forme letterarie meno strutturate e piú affidate all'estro dell'improvvisazione, dell'impressione estemporanea, della massima o pungente o saggia. Oltre ai volumi che ora raccolgono le recensioni teatrali e cinematografiche (risalenti fino al 1939)[48] ricchissime di osservazioni che dal film o dal dramma si estendono ai tanti temi latamente umani che essi suggeriscono, Flaiano ha lasciato gran quantità di scritti in forma diaristica o aforismatica, dalle «cronache degli anni quaranta» *Un bel giorno di libertà* (1979)[49] al *Diario notturno* (1956), sfaccettato quadro della Roma anni cinquanta, a quella che potrebbe definirsi la trilogia autobiografica di *La solitudine del satiro* (1973), *Autobiografia del blu di Prussia* (1974) e *Diario degli errori* (1976). E naturalmente si tratta di un'autobiografia in cui l'autore è sempre presente ma non come personaggio che dice di sé ma come specchio in cui le cose grandi e piccole si riflettono e assumono il volto e le dimensioni che lo scrittore di continuo assegna loro. Svariate nelle date, diverse nell'ampiezza — dalla nota unilineare al quasi racconto — e differenziate anche nel tono pur nella costanza di una partecipazione sincera a tutti i fatti dell'uomo di cui l'autore è testimone, queste osservazioni di costume, appunti di viaggio, riflessioni-lampo, piccoli (e non piccoli) paradossi costituiscono pro-

---

[47] Si veda per un'ampia documentazione l'*Omaggio a Flaiano* a cura di Gian Carlo Bertelli e Pier Marco De Santi, Pisa, Giardini, 1986.

[48] *Lettere d'amore al cinema*, 1981; *Lo spettatore addormentato*, 1983.

[49] Il volume ha in Appendice anche il diario etiopico degli anni 1935-1936, *Aethiopia*, tra i piú penetranti, vivaci e meno retorici di quell'impresa, in cui si contengono gli spunti di *Tempo di uccidere*.

babilmente le pagine anche letterariamente piú autentiche di Flaiano, «dilettante della vita», come lui stesso ebbe a definirsi[50], ma rigoroso e implacabile recensore di quella sua disposizione.

L'opera di Carlo Cassola (morto nel 1987), fino agli anni sessanta, è scandita da due momenti o due modi, l'uno legato alla visione esistenziale del transito umano in questo mondo, l'altro alle vicende storiche degli anni della guerra e della Resistenza. Essi si alternano con una prevalenza del primo agli inizi della sua carriera (dal '37 al '50 circa)[51], del secondo nei titoli del decennio cinquanta[52], e ancora del primo in quelli successivi al 1960 da *Un cuore arido* a *Storia di Ada* a *Una relazione*. Nel 1966, *Tempi memorabili* (Einaudi) esprimeva nella forma piú fedele l'intero senso della filosofia dell'autore in questa fase del suo *iter*: «memorabili» per l'uomo non sono le cose affidate ai manuali di storia, ma per ciascuno quelle che hanno segnato la sua vita, che sono rimaste indelebili nell'animo come patrimonio prezioso e dolente che ci costituisce per quello che siamo e ci accompagna non per un nostro atto di volontà ma per una naturale e totale intrinsecità con il nostro io piú vero; memorabili sono dunque per ciascuno i tempi dell'infanzia e dell'adolescenza, quando — dice Cassola — la vita è nella sua assoluta pienezza, non ancora impoverita e amputata dalle successive esperienze. E «tempi memorabili» sono appunto quelli dell'educazione sentimentale del giovane Fausto, delicatamente descritta con una partecipazione che il carattere presumibilmente in parte autobiografico dell'opera alimenta piú che in altri racconti.

Ma era inevitabile che la degradazione di ogni contenuto storico, l'assoluta fungibilità dei fatti biografici e degli stessi loro soggetti dovessero portare Cassola a forme narrative in cui la destrutturazione di ogni linea e di ogni intreccio divenisse completa. Cosí è avvenuto in *Ferrovia locale* (ivi, 1968), che risolve la vita nel pulviscolo dei gesti e delle parole che si perdono appena espresse, in un avvicendamento dove tutto si ripete e nulla consiste e dove è impossibile rintracciare una razionalità o un senso ultimo del reale. Il libro appare perciò la piú rigorosa esplicitazione delle premesse teoriche cui Cassola era pervenuto, ma soffre, come opera narrativa, proprio di questa voluta ed estrema demolizione di ogni supporto; né deve essere sfuggita a Cassola l'impossibilità di permanere su queste posizioni, se nel romanzo successivo, *Paura e tristezza* (ivi, 1970), egli è tornato

---

[50] *Diario degli errori*, p. 147.
[51] Da *La visita* e *Alla periferia* fino a *Il taglio del bosco*.
[52] Si vedano in particolare *Fausto e Anna*, *I vecchi compagni*, *La ragazza di Bube*.

ad una storia che coincide con l'intero arco biografico di un personaggio, che è ancora una ragazza di campagna con la «paura» di fronte alla vita, cioè agli affetti e all'amore inteso anche nella sua presenza fisica, e la sua «tristezza» nativa convalidata dalle delusioni, dagli errori, dalla fatica del vivere. Romanzo ampio nella concezione, di un rigore analitico ammirevole e di una nobiltà etica che non cede questa volta ai facili piani inclinati del sospiro sulla vita o dell'indifferenza come meccanismo di salvezza, *Paura e tristezza* è il punto piú alto raggiunto da Cassola, un punto sul quale non era facile mantenersi, come hanno mostrato le opere che lo seguirono, *Monte Mario* (Rizzoli, 1973), *Gisella* (ivi, 1974), e *Troppo tardi* (ivi, 1975)[53]. Le storie dei destini individuali, anche se mostrano di volersi liberare dalla consueta geografia maremmana (torna talora l'aura mediocre e non sgradevole di una Roma di mezza periferia) e, particolarmente in *Monte Mario*, tentano un impiego nuovo, perché totale, del dialogo, non possono non ripetere, ormai forse fino alla stanchezza, i caratteri di molte altre storie che le hanno precedute. E potrebbe essere questo il punto morto o piuttosto la nemesi cui è giunta la filosofia cassoliana del livellamento di fatti e valori: la monotonia del vivere, che a questo livello non può piú essere riscattata nemmeno dall'arte e, dunque, la monotonia dell'arte.

Tutto questo ci pare confermato da *L'antagonista* (ivi, 1976), un voluminoso romanzo cui Cassola ha attribuito una particolare importanza liberatoria per la scoperta che «questi "antagonisti" sono degli imbecilli colossali... degli idioti spaventevoli»[54], dai quali non intende piú farsi schiacciare. Ma a questo affrancamento psicologico non ha corrisposto un rinnovamento tematico e stilistico, se è vero che la lunga storia, tra gli anni trenta e la guerra, ha per protagonisti un gruppo di ragazzi a Volterra, per trama quella delle parole e dei gesti quotidiani, per filosofia il sospiro sulla vita e per strumento narrativo il consueto periodare breve, paratattico, dialogato.

L'antagonista segna anche l'inizio di una eccezionale prolificità non solo nel campo della narrativa ma anche in quello della saggistica storico-politica. In *La disavventura* (ivi, 1977) la storia è quella di una ragazza che percorre l'intera parabola sentimentale al termine della quale giunge ad amare l'uomo che meno si sarebbe aspettato; *Un uomo solo* (ivi, 1978) è una biografia fallimentare ambientata in Maremma; *L'amore tanto per fare* (ivi, 1981) riprende, ma questa volta

[53] Nel 1974 è uscito presso Rizzoli anche il volume *Fogli di diario*, che raccoglie gli scritti giornalistici a carattere prevalentemente autobiografico, a partire dal 1969. Le idee di Cassola sul romanzo sono state invece riprese nel volume, scritto insieme con M. Luzi, *Poesia e romanzo*, ivi, 1973.
[54] Dichiarazione di Cassola in *Città e Regione*, aprile 1975.

in chiave di giallo, i personaggi di *Monte Mario*; *Vita d'artista* (ivi, 1980), scostandosi dal cliché piú usuale, racconta la vita, mista di verità e fantasia, di Renato Guttuso.

In tutta questa produzione, due motivi sembrano affermarsi e talvolta congiungersi, l'incubo atomico e l'amore per gli animali. *L'uomo e il cane* (ivi, 1977), ad esempio, può leggersi sia in chiave realistica — un cane abbandonato non sa godere della libertà e troverà infine un altro padrone che lo farà morire — sia come apologo della condizione dell'uomo d'oggi che non sa usare della libertà e desidera la persona forte destinata a schiacciarlo. Lo stesso tono di apologo o di favola hanno *Il superstite* (ivi, 1978) e *Il paradiso degli animali* (ivi, 1979) dove il tema degli animali si intreccia con quello della catastrofe atomica, a tutto svantaggio del giudizio sull'uomo ormai scomparso dalla terra per il cataclisma da lui stesso provocato. A spiegarne la ragione sono i racconti di *La morale del branco* (ivi, 1980): «È la morale del branco che ha suscitato le innumerevoli guerre del passato e susciterà presto la terza e ultima guerra mondiale»[55]. Da qui prendono motivo i successivi titoli di Cassola in cui, quasi capovolgendo l'avversione che al principio degli anni sessanta lo aveva portato alla scelta del romanzo esistenziale, vengono in primo piano (come già talvolta nella *Morale del branco*) argomenti e personaggi di carattere storico, come Severiano (*Il ribelle*, ivi, 1980), che nel IV secolo si oppone al tradimento del pensiero di Cristo e al compromesso fra lo Stato e il potere spirituale, e l'eremita Liborio (*La zampa d'oca*, ivi, 1981) che alla vigilia della fine del mondo prevista per l'anno 1000, si rifiuta di credere che artefice di tanta rovina possa essere il buon Dio, attribuendone piuttosto la responsabilità al diavolo. Ma in entrambi i casi la storicità del romanzo viene alquanto attenuata dal chiaro riferimento a problemi e traumi del tempo nostro, e all'esplicita ideologia che li giudica, tinta ormai in Cassola di un violento anticlericalismo.

Cassola ha continuato fino ad oggi la sua diuturna fatica di romanziere e di giornalista, nella quale tuttavia è sempre meno facile imbattersi in temi nuovi e stimoli letterari, mentre è possibile trovare sempre piú spesso provocazioni politiche, di stampo radicale. Sono, comunque, del 1982 i racconti di *Colloquio con le ombre* (ivi), del 1983 quelli fortemente autobiografici di *Mio padre* (ivi).

Il nome di Giorgio Bassani ricorre regolarmente tra quelli piú rappresentativi della narrativa italiana della generazione del dopoguer-

---

[55] Da questo profondo e tragico convincimento nasce la polemica pacifista contenuta nei

ra, e viene pronunciato, forse piú per inerzia che per un obiettivo raffronto, insieme con quello di Cassola[56]; ma dalla metà degli anni sessanta egli ha praticamente abbandonato la narrativa, se non per una revisione delle opere precedenti[57] e per i racconti di *L'odore del fieno* (Mondadori, 1972) che riprendono la dolce e incantata atmosfera ferrarese. La maggior parte del suo impegno Bassani l'ha dedicata alla poesia, come mostra anche la raccolta *In rima e senza* (Mondadori, 1982), che permette la ricostruzione completa della sua personalità di poeta, dagli anni quaranta e cinquanta (*Storie di poveri amanti, Un'altra libertà*) fino ai piú recenti *Epitaffio* (1974) e *In gran segreto* (1978)[58].

La svolta di Bassani verso la poesia non è stata però del tutto dimentica del lungo esercizio narrativo, se spesso, pur nella forma lapidaria che l'autore le dava, la pagina assumeva l'aspetto del breve racconto, col suo disinvolto tracciato sentimentale e le sue figure, prima fra tutte quella della donna cui le poesie sono in gran parte dirette. *Epitaffio* e *In gran segreto*, il primo in particolare, assumono cosí l'aspetto di canzonieri d'amore, un amore totale che non si sottrae alla esplicita nota fisica, ma, per un verso, schermato dall'ironia — anzi dall'«ironia ebraica» («Io queste poesie ho cominciato a farle / per puro gioco solo per me») — per l'altro, oscurato dalla pena della decadenza e della morte. Ecco che allora i testi possono trasformarsi in un canto della luce che affievolisce e dell'ombra che avanza («questa minima / frangia di semivita che ancora ci / resta»), anche se le note lugubri e disperate sono studiosamente evitate, mentre risuonano quelle, vanamente attenuate, di un'angoscia che ha per oggetto il tutto e il nulla, e se stesso — il se stesso fanciullo — né l'ansia dell'annullamento trova conforto nel sovrannaturale

volumetti rizzoliani *Ultima frontiera* (1976), *Il gigante cieco* (1976), *La lezione della storia* (1978), *La rivoluzione disarmista* (1983).

[56] Per questo ci pare particolarmente interessante il capitolo (del 1956) dedicato a Cassola nel volume *Le parole preparate* (Einaudi, 1966) in cui Bassani, intendendo operare una distinzione, nota come in Cassola «vige la poetica in base a cui nulla accade, veramente, che possa essere raccontato, e ogni sentimento, per quanto profondo e doloroso sia, in realtà è ineffabile»; nel medesimo volume si vedano le pagine dedicate a Venezia e alla letteratura che vi si è ispirata attraverso i secoli. Nel 1984 Bassani ha raccolto altri scritti di saggistica letteraria italiana e straniera in *Di là dal cuore* (Mondadori), che contiene anche alcune lettere e un diario della Roma 1944.

[57] Le *Storie ferraresi* sono state ristampate in *Il romanzo di Ferrara. I. Dentro le mura*, Mondadori, 1974, con profonde varianti che, scrive I. Baldelli (*Lettere italiane*, 1974, 2) «chiariscono lo sforzo di Bassani di trasferire la sua prosa da un piano di interpretazione lirica della realtà, di realismo lirico, a quello di un insistito realismo contingente e quotidiano». Dello stesso autore, per le varianti di Bassani e Cassola, si veda anche *Varianti di prosatori contemporanei* (Le Monnier, 1965).

[58] Nel 1963 Bassani aveva provveduto ad una prima raccolta poetica generale nel volume *L'alba ai vetri* (Einaudi), con un importante *Poscritto* autocritico.

Di me e di te cos'altro rimarrà
negli occhi di chi ci avrà visti?
Un'immagine cosí
un flash e
basta
insomma niente.

È già la scelta del verso in forma di epigrafe tombale a introdurci
nel tema, anche se non in ogni pagina portato in evidenza («a morire / in fondo c'è sempre tempo»), poiché Bassani ha molte cose da
dire ancora sulla vita, oltre l'amore: la politica, l'attività letteraria
(«l'ufficioso / nazional-cattolico-postermetico / organigramma letterario»), le amicizie vere o false, i viaggi soprattutto, con alcuni luoghi
amati che non sono piú soltanto Ferrara, ma la costa tirrenica o quella californiana o le regioni americane e le città austriache. E su molte
cose vuole ancora versare il suo spirito caustico in aperta veste epigrammatica rivolta anche verso i colleghi in letteratura o i critici («Grazie diamine d'aver citato recensendo Epitaffio Catullo / grazie tante // Ma / e / Dante?») che non rifiuta anche accenti duri.

Ma poi la pagina torna al pensiero dominante e vi si sofferma con
una immagine insistente a indicare il cammino ormai irrimediabilmente
imboccato — la strada o la stradina, la straduccia, il vicolo o lo stradone californiano della poesia che dà il titolo alla raccolta del '78

... lo
stradone ononimo da una parte e dall'altra la curva
soleggiata della baia ed il
mare
avrebbe potuto dare a chiunque stesse arrivando coi suoi piedi metti da
Telegraph Ave. o con la
macchina da San
Francisco
. . . .
il desiderio immediato d'approdarci
l'illusione di poter cominciare subito il piú
dolce e lungo dei sonni
possibili.

Manlio Cancogni aveva iniziato la sua carriera di narratore nel 1943
con un racconto lungo, *Delitto sullo scoglio*, ma si era poi dedicato
con maggiore intensità al giornalismo (anche come direttore della *Fiera
letteraria* nel 1967). Alla narrativa tornò con il «Gettone» vittoriniano *La carriera di Pimlico* (1956) cui seguirono fino al '62 quattro romanzi (*L'odontotecnico, Cos'è l'amicizia, Una parigina, Parlami, dim-
mi qualcosa*) il cui tratto comune può essere ritrovato nella passione

per gli aspetti quotidiani della vita, per i problemi e i crucci che essi pongono visti attraverso personaggi costruiti con forte partecipazione sentimentale. È alla metà degli anni sessanta che la tematica di Cancogni si sposta verso la memoria di guerra, sulla quale ha fornito due testimonianze (cui nulla toglie l'eventuale apporto della fantasia) fra le piú convincenti, *La linea del Tomori* (Mondadori, 1965) e *Il ritorno* (Rizzoli, 1971), entrambi riguardanti l'assurda lotta sul fronte balcanico, ora per cogliere nel combattente l'indefinibile senso di inebetimento e di angoscia misteriosamente risolventesi in una strana felicità, ora per descrivere le tappe della disperata anabasi dopo l'8 settembre.

Di questa esperienza letteraria sono rimaste evidenti tracce nella produzione successiva, sia per l'insistenza su motivi autobiografici in *Azorin e Mirò* (Rizzoli, 1968), poetico resoconto di una inimitabile amicizia, sia per il gusto per la tematica storica, che tuttavia Cancogni ha praticato sotto lo pseudonimo di Giuseppe Tugnoli con i romanzi *Adua* (ivi, 1978) e *Al sole di settembre* (ivi, 1979), cui si può aggiungere *La gioventú* (ivi, 1981, ma questa volta col nome di Cancogni) che ricostruisce l'ambiente gobettiano di Torino con personaggi che adombrano da vicino i reali protagonisti di quella dura contingenza. Ma forse il Cancogni piú autentico resta il ritrattista preciso e sensibile degli interni familiari, delle psicologie (frequentemente al femminile), delle vicende quotidiane talvolta anche esotiche e movimentate (si vedano, ad esempio, *Perfidi inganni*, ivi, 1978 e *Nostra Signora della speranza*, ivi, 1980), ma sempre raccontate con meticolosa precisione che registra i piccoli passaggi del vivere.

Il latte del poeta (ivi, 1977) adattava questa scrittura ad una tenera autobiografia infantile, dando inizio ad un progetto ad ampio respiro che ha veduto uscire il primo volume, *Quella strana felicità* (ivi), nel 1985; qui Cancogni riprende e rielabora anche testi precedenti, ma per giungere — al di là dei casi personali: l'amatissima balia, la scuola, le vacanze, i primi amori, la semplicità del quartiere piccoloborghese — a rendere testimonianza di una generale condizione umana del nostro tempo fino alla seconda guerra. E il senso che esce dalle fitte pagine è una rassicurante certezza che nulla va sprecato della vita, che ogni passo o ogni respiro può essere il segno della totalità del nostro esistere, cui la memoria fedele può sempre tornare per trarne conforto e sollecitazioni.

Giuseppe Berto aveva raggiunto il successo proprio alla metà degli anni sessanta, quando con *Il male oscuro* (1964) forniva un esemplare romanzo-confessione. Berto veniva da un'ormai quasi ventennale carriera che lo aveva visto in principio fiancheggiare il neorealismo (*Il cielo è rosso*, *Le opere di Dio*, *Il brigante*) e poi portare una singolare testimonianza di guerra (*Guerra in camicia nera*). Con i racconti di *Un po' di successo* (1963) si era in seguito avvicinato ad una scrittura che avrebbe dato il suo risultato piú probante nel romanzo maggiore, dove in un flusso ininterrotto di pagine veniva raccontata la «lunga lotta col padre», «l'ineffabile maresciallo d'Alloggio», simbolo di ogni autorità e custode dei valori cui il figlio vuole sottrarsi attraverso questa lunga e liberatrice seduta psicanalitica. Berto coglieva uno stato di coscienza largamente assimilabile, come testimoniava l'immediato e non effimero ingresso dell'espressione «male oscuro» nel vocabolario usuale; e tentava di ripetere due anni dopo con *La cosa buffa* (ivi) un'operazione analoga, questa volta centrata su una doppia concezione dell'amore, come purezza e come peccato. Ma dopo la felice stagione del successo, le energie narrative di Berto, pur notevoli e genuine, si andarono dilapidando in cosí diverse direzioni da rendere difficile una coerente collocazione dello scrittore entro una linea culturale o una scelta di gusto, quasi.egli di volta in volta tentasse nuove vie cedendo a suggestioni pratiche o momentanee. I singoli esiti, anche se talvolta accettabili, non erano infatti in grado di costituire un'autentica eredità letteraria dopo che lo scrittore, nel 1978, era venuto a mancare. Si erano cosí alternati il racconto fantascientifico (*La Fantarca*, ivi, 1965), quello patetico (*Anonimo veneziano*, ivi, 1971), quello religioso (*La passione secondo noi stessi*, ivi, 1972), quello politico (*Modesta proposta per prevenire*, ivi, 1971), quello umoristico (*Oh Serafina!*, Rusconi, 1973), con un ritorno ancora alla grande tematica religiosa nel romanzo *La gloria* (Mondadori, 1978), ove si dice della tragedia di Giuda che giunge a credere in Cristo nel momento in cui lo tradisce. Ma questa volta Berto, forse nell'imminenza della fine che sentiva ormai prossima, riusciva a liberarsi degli aspetti piú fastidiosamente contingenti della sua recente produzione per affrontare con una passione reale il tema della morte corporale e spirituale.

Dalla fine degli anni quaranta, Michele Prisco è stato per antonomasia lo scrittore della «provincia addormentata», quell'entroterra napoletano segnato da un vivere monotono e ovattato dove, piú che la volontà degli uomini, è l'obiettiva scansione del tempo a determinare gli avvenimenti e la loro drammaticità. Prisco aveva ripetutamente sondato le ragioni di quel mondo sognante e cedevole alternando la doppia misura del racconto e del romanzo, spesso di ampia misura, condotti in una lingua dalla sintassi flessuosa e avvolgente e un prevalente accento evocativo. Era quanto si ritrovava nelle due raccolte di racconti *Punto franco* (Rizzoli, 1965) e *Il colore del cristallo* (ivi, 1977), contenente, quest'ultimo, un paragrafo autobiografico, *La parabola dello scrittore*, in cui Prisco delineava con esattezzá i sensi e i modi dei suoi racconti brevi e lunghi: «Si trattava — scriveva — in prevalenza di stati d'animo evanescenti o di ritratti e storie di creature che s'abbandonavano senza resistere al flusso della fatalità, che non amavano scostare il segreto della loro intimità, come in un gioco a nascondere, a velare».

Ma la sovrabbondante vena di questo «animale narrativo» (ivi) ha dato i suoi frutti piú importanti nel romanzo, di cui il primo grosso esempio fu *Gli eredi del vento* (1951). *Una spirale di nebbia* (Rizzoli, 1966) insisteva sul vecchio mondo aristocratico addormentato della provincia napoletana, penetrandolo in tutte le sue imprevedibili quinte. Repentinamente scosso nella sua sonnolenza da un fatto di sangue, quel mondo rivela ad un'indagine formalmente di tipo poliziesco ma in realtà di carattere raffinatamente psicologico e sociologico, il groviglio degli interessi e delle passioni contenute e represse dietro il velame delle buone maniere. E motivi da romanzo giallo erano ancora in *I cieli della sera* (ivi, 1970) ma abilmente tenuti entro il sottile o perfido gioco delle vendette in un racconto che aggiungeva un'altra tessera a quel microcosmo vesuviano dalla apparente immobilità e dai drammi impensabili che proprio nel tedio trovano il loro primo movente. Fuori da quel mondo e dalle sue malie pareva uscire *Gli ermellini neri* (ivi, 1975), ma solo per sprofondarsi in un sud ancora piú remoto e in una problematica del male ancora piú totale e demoniaca e localizzata questa volta in un ambiente religioso dove tra blandizie e minacce si consumano i progressivi pervertimenti, i terrorismi psicologici, i ricatti morali.

Prisco rientrava nella sua provincia con *Le parole del silenzio* (ivi, 1981) per confermare la vocazione a frugare nelle pieghe piú riposte e vergognose dell'animo umano e per «verificare l'intimo smarrirsi delle coscienze negli abissi della solitudine e dell'incomunicabilità»[59]. È questa, in fondo, la costante piú sicura che accompagna l'intera opera dello scrittore da *La provincia addormentata* fino a *Lo specchio cieco* (ivi, 1984), ricostruzione nella memoria di un personaggio che nel corso degli anni rovescia la propria figura di donna. Ma ancora una volta Prisco, nel raccontare con una maestria che ha raggiunto una pericolosa perfezione, giuoca con grande abilità anche con se stesso, cioè con la sua professione di scrittore, facendo rifluire nella vicenda oggettiva l'atto stesso del raccontarla: «Ma questo non è un romanzo, l'ho già detto, è soltanto la stesura d'una vicenda vera di

[59] G. Amoroso, *Narrativa italiana 1975-1983*, cit. p. 235.

cui sono il testimone e il cronista insieme, e perciò presumo che mi sia consentito per una volta di abbandonarmi a scrivere con la piú assoluta libertà anche con le digressioni le insistenze e magari gl'impacci propri di chi si applica a un simile lavoro mancando di mestiere».

Parte seconda

Neoavanguardia e dopo

I. Le polemiche

Come uscire dalla cultura, per fare della
politica, restando intellettuali? *A. Asor Rosa*

La letteratura è la letteratura. *A. Guglielmi*

La letteratura è prassi essa stessa ma mistificata. *R. Di Marco*

Disperazione attiva e lucida utopia. *G. C. Ferretti*

La situazione politica generale e quella specifica cultural-letteraria,
alla metà degli anni sessanta, non presenta ancora segni visibilmente
traumatici, ma cova in realtà una crisi che scoppierà sul finire del decennio e porterà il nome emblematico e riassuntivo di «Sessantotto».

Dopo tre anni, il governo di centro-sinistra aveva ormai palesato
un'assoluta continuità, nel sostanziale immobilismo dei mezzi e dei
fini, rispetto a quelli che lo avevano preceduto; e questo proprio mentre
le strutture economiche e sociali subivano il contraccolpo dell'esaurimento di un effimero *boom*, e le questioni internazionali, già fortemente movimentate dalla recente conquista comunista in area occidentale (con la larghissima popolarità dei suoi eroi, Fidel Castro e
Che Guevara) e dalla drastica rottura russo-cinese (e la conseguente
esaltazione di Mao) venivano ora scosse dalle guerre franco-americane
in Vietnam che coinvolgono in una tempestosa passione l'intera opinione pubblica mondiale.

In una contingenza cosí fluida e dubbiosa, non è meraviglia che
gli intellettuali e gli scrittori si interroghino, come primo dovere professionale, sul loro rapporto con la realtà e in particolare con il potere che la gestisce. Si accavalla cosí un fitto scambio di opinioni, un
intreccio polemico che trapassa di continuo dal campo sociale e politico a quello culturale finendo per costituirsi come un valore a un duplice livello: quale manifestazione in sé di una grande vitalità e quale
premessa per una sua possibile verifica in sede letteraria. Forse, a tornare in primo piano sono i vecchi temi dell'autonomia o dell'eterono-
mia dell'arte e della letteratura, ma la terminologia si è largamente
mutata, la sensibilità si è acuita e diffusa e la questione delle funzioni, dei diritti e dei limiti dell'intellettuale, di se e come debba essere
presente nella società, coincide ormai spesso con la questione *tout court*
del suo modo diverso e specifico di far politica e di mettersi in rap-

93

porto con la classe operaia: se la sua azione in quanto scrittore possa essere omologa all'azione rivoluzionaria, se un testo letterario possa, restando tale, servire insieme alla rivoluzione e, se no, se non sia giusto proclamare la morte della letteratura e giungere all'autodistruzione dell'intellettuale. Pare infatti che l'alternativa non possa essere se non il perfezionamento del processo di cosciente o incosciente integrazione programmato dal potere politico e mediato dall'industria culturale, che continua a sfruttarlo come «ilota» o «servo del sistema», nell'ufficio di mediatore del consenso mal mascherato da un'illusoria autoinvestitura.

E da qui la polemica quasi *ad personam* da una parte contro le neo-avanguardie, di cui si salva la critica antineorealista ma accusate in genere di essere all'interno della logica borghese e neocapitalistica; dall'altra contro il partito comunista accusato a sua volta di adattarsi in un gramscismo scolasticizzato, di non saper elaborare una politica culturale e di non uscire da una retorica esaltazione della Resistenza.

In ultima istanza, il problema finiva per porsi tra una rivendicazione del primato della politica mà da attuarsi con strumenti che, sul versante letterario, non ripetessero i limiti del neorealismo; e una riproposta del primato del testo che si avvalesse delle conquiste acquisite lungo il corso degli anni sessanta. E questo si risolveva in uno scontro fra una doppia iconoclastia di chi criticava *in toto* l'azione politica e la produzione letteraria degli anni quaranta-cinquanta, e chi credeva che ci fossero valori da conservare o da ripristinare. Ma le posizioni non erano poi neppure cosí nette, ché alle polarizzazioni estreme fra autodistruzione e autocelebrazione dell'intellettuale con tutti i loro annessi subentravano convergenze pur se non sempre chiarite e confessate, e correzioni di tiro o spostamenti di alleanze o interne contraddizioni che potevano modificare di continuo le linee del panorama. L'impressione generale che se ne ricava, e che si cercherà di documentare attraverso gli interventi di alcuni protagonisti e dei fogli che rappresentavano le posizioni piú in vista, è quella di una situazione in ebollizione, intellettualmente vivacissima ma anche abbastanza confusa, generosa e ricca di suggerimenti ma non altrettanto di risultati, se non quello, certo importante, di testimoniare una partecipazione larga ed attiva alla vita politica e culturale — una partecipazione che soltanto al principio dell'ottavo decennio muterà, per molti aspetti, caratteri o addirittura si rovescerà nel segno contrario.

Nel 1965 uscivano due volumi che possono non soltanto simbolicamente assumersi come svolta e cerniera per certe posizioni che in tempi recenti e meno recenti avevano caratterizzato in Italia le attività letterarie, *Scrittori e popolo* (Samonà e Savelli) di Alberto Asor Rosa e *Verifica dei poteri* (Il Saggiatore) di Franco Fortini [1]. Il volume di Asor Rosa conteneva una ricapitolazione storica che risaliva fino al Gioberti, ma in realtà il discorso era, confessatamente, tutto rivolto all'attualità per liquidare quel complesso di atteggiamenti, problemi e soluzioni riconducibili sotto la sigla e il nome di «populismo». La tesi era che il populismo ha un carattere costituzionalmente piccolo-borghese e quindi porta necessariamente con sé una fortissima carica conservativa e provinciale; questo vale non solo per gli scrittori reazionari e nazionalisti ma anche per quelli democratici e progressisti, sicché venivano coinvolti in un giudizio severamente negativo — con il quale si intendeva spezzare un inaccettabile concetto di tradizione ed indicare la strada per un reale salto rivoluzionario — pressoché l'intera letteratura dell'antifascismo e della Resistenza nonché tutti i prodotti culturali del «gramscianesimo».

Il testo di Asor Rosa non parlava del fenomeno, d'altronde recentissimo e quasi ancora *in fieri*, delle neoavanguardie (al quale, come si vedrà, dedicherà altri suoi scritti) ma finiva a suo modo per fiancheggiarlo sia pure su un piano diverso. L'uno e le altre avevano suonato, ciascuno con i propri strumenti, l'ultimo *de profundis* per la «letteratura dell'impegno», per la produzione degli anni quaranta e cinquanta fortemente ideologizzata sulla base di un approssimativo storicismo materialistico, o attaccandone le strutture formali (le neoavanguardie) o (Asor Rosa) svelandone la natura mistificata propria di tutte le ideologie progressiste borghesi; ma non già — si precisava — per opporre a quel prodotto l'alternativa di una «letteratura operaia»: la dichiarata intenzionalità politica si realizzava non in una controproposta (che inevitabilmente avrebbe sofferto dei medesimi vizi ideologici) ma nella esplicita volontà di fare *tabula rasa* di un equivoco che seguitava a trascinarsi dietro tutti «i detriti della nostra cultura».

Non molto dissimile la posizione di partenza di Franco Fortini, che riuniva in *Verifica dei poteri* saggi per lo piú dei primi anni sessanta, premettendo che nel volume «si pronuncia[va] per l'antifascismo la parola fine», in vista soprattutto di una reinterpretazione della nostra letteratura contemporanea che comportava, fra l'altro, la liquidazione della nozione gramsciana di «intellettuale organico» e la necessità di afferrare tutti gli strumenti di lettura e di intelligenza elaborati dalla cultura capitalistica. Era questo, per Fortini, il punto d'approdo di un ventennale lavoro ideologico che lo aveva portato fuori dai termini morali degli anni quaranta, nella convinzione ormai ac-

[1] V. R. Luperini, *che fare?*, n. 8-9, primavera 1971. Si veda anche lo stesso Asor Rosa, *Storia d'Italia*, 4, 2, Einaudi, 1975.

quisita della sconfitta politica dell'antifascismo di sinistra e della incapacità del Pci di fondare un'egemonia culturale o almeno di assicurare una collaborazione produttiva degli specialisti entro la comunità culturale-politica.

La questione sul tappeto era insomma, alla metà degli anni sessanta, sia per Asor Rosa che per Fortini (che possono essere legittimamente presi come rappresentativi di una posizione largamente diffusa) della revisione di un errore culturale che aveva troppo avallato la letteratura neorealista e di un errore politico che le aveva assegnato un segno rivoluzionario. Si trattava dunque ora di prendere atto di una situazione totalmente nuova per misurare su di essa gli strumenti e le strategie. Appariva ormai chiara, diceva ancora Fortini, «la decadenza dello scrittore dalla figura di coscienza marciante della società»[2], e la forza dell'industria culturale capace di creare e sfruttare tanto l'eclettico intellettuale tuttofare quanto le nuove avanguardie[3]: «Piú strumentalizza ed umilia a mero elemento di profitto lo screditatissimo intellettuale... piú ha bisogno di inventare minoranze apparentemente irriducibili o aristocratiche». La via d'uscita, per la classe rivoluzionaria, da questa *impasse* che sembrerebbe non lasciare scampo, cioè la sua sottrazione a un condizionamento che marxianamente appare totale («le strutture economiche sono né piú né meno che l'inconscio sociale») veniva indicata da Fortini in una duplice e complementare direzione: nel rifiuto delle continue «proposte di essenza» che vengono dalla cultura capitalistica, e quindi in particolare, come scrittore, nel rifiuto di una letteratura di contenutismo industriale (fabbriche, operai, lotte sindacali) fiancheggiatrice della conservazione, — ma anche nell'impegno a conoscere quella realtà e ad agirvi dal di dentro; e, in secondo luogo, nella scelta attiva fuori della verità borghese che pretende presentarsi come «verità», la scelta dunque della propria verità informale contro la pretesa legittimità della forma, una scelta «rivoluzionaria nell'esatta misura in cui la pressione del bisogno e della prestazione non le concede alcun dover essere fuor dell'agire per ridurre bisogno e prestazione. La sua esistenza è insomma in un... puntare alla libertà e all'essenza per la via della necessità e inessenzialità».

Il giudizio negativo sulle neoavanguardie veniva ripreso e circo-

[2] *Verifica dei poteri*, p. 27; e poi: «Fino ad ieri almeno, molti critici militanti credevano ancora di correre con la maglia del marxismo e dello spiritualismo cattolico e non sapevano di aver già stampato, sulla schiena, il nome di una ditta di tubolari della cultura o di dentifrici letterari» (p. 43).

[3] «Gli avanguardisti e i loro avversari sono disposti a mettere tutto in dubbio e a seppellire la carogna delle belle lettere. Non a modificare le strutture delle istituzioni letterarie. A disputare lungamente sul capitalismo e sulla industria culturale, sul marxismo e sulla rivoluzione. Non a modificare di fatto lo status della loro professione.» (p. 91)

stanziato da Fortini nella premessa alle *Ventiquattro voci per un dizionario di lettere* (Il Saggiatore, 1968) e in due saggi (*Due avanguardie* e *Avanguardia e mediazione*) inseriti nella seconda edizione di *Verifica dei poteri* (1969). Ciò che Fortini non accettava era, ancor piú delle opere che esse avevano prodotto, tutta «la chincaglieria ideologica» rozza ed eclettica su cui si erano fondate, di fronte alla quale l'ironico invito era quello di «retrocedere» (il virgolettato è fortiniano). Questo voleva dire non solo il ripudio di un'ennesima proposta di un'aristocratica «mediazione» verso il popolo, ma il richiamo a un rapporto autentico «con le vittime ideologiche dell'oppressione di classe»: «L'autore deve sapere che non ci si salva mai da soli e nemmeno in compagnia di qualche amico; che la subordinazione segreta della sua scrittura ad ideologie arretrate egli l'ha in comune con infiniti altri subordinati».

Gli ultimi anni delle loro battaglie ancora sufficientemente unitarie e guidate dai principali artefici degli avvenimenti letterari degli anni precedenti, furono condotte dalle neoavanguardie sulle colonne del mensile *Quindici*. Apparso a Roma con la direzione di Alfredo Giuliani [4] nel giugno 1967, il giornale si presentava non con un programma ma con una sorta di provocazione che finirà per qualificare meglio di quanto si potesse allora prevedere il senso dell'operazione, quasi il gesto piú che il contenuto del messaggio fosse il vero valore trasmissibile. Si prometteva, dunque, di essere parziali e contraddittori, partigiani e faziosi, di diffondere dubbi e rovinare certezze. Seguiva poi una precisazione che sarebbe andata, in seguito, al di là del desiderabile: «Ogni autore — si diceva — sottoscrive le idee che portano la sua firma, e quelle soltanto»; il «gruppo» come tale veniva perciò ufficialmente dichiarato finito, anche se non si preventivava che da quella autonomia riserbata a ciascuno dei suoi ex membri sarebbero nate, in un non lungo volgere di tempo, la frattura e la secessione con conseguenze determinanti per la stessa vita di *Quindici*.

Il principale bersaglio polemico era individuato, già nella prima presentazione, nella cultura ufficiale, fosse essa quella della televisione o dei partiti o delle università, nelle istituzioni o negli strumenti, cioè, che da anni avevano attuato in Italia lo sciopero (o, se si preferisce, la serrata) della cultura livellandola a un silenzio completo. Meno verificata sarebbe stata l'ultima osservazione dell'editoriale introdutti-

---

[4] Giuliani conserverà la direzione fino al n. 15 (genn. 1969); al suo nome si aggiungeranno in seguito quelli di A. Spatola in redazione e di N. Balestrini come direttore editoriale. Per gli ultimi tre numeri sarà direttore Balestrini.

vo: «Può sembrare — vi si diceva — che nel nostro giornale la letteratura abbia una parte preponderante; in parte ciò è vero, ma col succedersi dei numeri il lettore vedrà che anche la letteratura è un punto di partenza per affrontare nella maniera piú lucida possibile tutti gli aspetti — culturali e politici — della "conservazione linguistica"».

In realtà, l'aspetto politico verrà via via prendendo il sopravvento, giungendo implicitamente a rovesciare il postulato di partenza con l'assegnazione al momento politico della funzione chiarificatrice e unificante rispetto al momento letterario e culturale, anche se l'elaborazione delle posizioni politiche finirà per soffrire di un troppo grave ed inconcludente eclettismo.

Ma in quei primi numeri la letteratura occupava realmente il maggiore spazio, sia pure con un discorso frammentario, e tuttavia ancora conseguente proprio perché tutto all'interno dell'ottica neoavanguardistica. Ma sarà tra le righe delle recensioni che si dovrà andare a cercare un minimo di elaborazione teorica in grado di rilanciare le posizioni della neoavanguardia, nell'assenza pressoché totale di una trattazione in una sede specifica, ché certamente non illuminante, perché senza seguito, può risultare la pubblicazione, favorevolmente presentata, della *Prefazione* di Lukács a *Storia e coscienza di classe* nel n. 3; e tanto meno la quasi provocatoria ripresa dell'intero intervento sulle neoavanguardie dell'italianista sovietico Georgij Breitburd nettamente avverso al movimento. Al contrario, piú pertinenti erano alcuni interventi di Angelo Guglielmi che, ancora recensendo, nel n. 7 (genn.-febbr. 1968), il volume di Barilli *L'azione e l'estasi*, riprendeva e sottolineava l'importanza di Robbe-Grillet nella rifondazione del romanzo moderno, per aver riequilibrato e sdrammatizzato il rapporto dello scrittore con la realtà rimasto fino ad allora o di passione sfrenata o di feroce diniego, e forse ancor piú per avere definitivamente provato che lo scrittore «non è piú né un interprete né un giudice. E le ragioni del suo essere scrittore sono tutte nel suo essere scrittore».

Ma con il 1968 la politica interna e internazionale coinvolge sempre piú il giornale sin quasi ad emarginare la battaglia specificamente letteraria [5]. In realtà, *Quindici*, per il momento stesso in cui era nato, si era trovato subito a dover prendere posizione su alcuni gravissimi scontri internazionali, primo fra tutti il conflitto arabo-israeliano

[5] Saranno sufficienti alcuni titoli, che a partire dal gennaio '68 designano l'impostazione del foglio, a qualificare il senso che si vuol dare alla sua presenza in quel momento: *Potere agli studenti* (n. 7), *Forza Giap* (n. 8), *Teologia della rivoluzione* (n. 9); e cosí si dica dei manifesti che vengono allegati: Che Guevara, l'occupazione dell'università di Torino, la battaglia di Valle Giulia, la bandiera del Vietnam, Rudi Dutschke, gli studenti di Parigi, il Literarny Listy, li Black Power, Mao Tse-tung, le lotte alla Fiat.

del giugno '67, sul quale il giornale, lungi dall'assumere atteggiamenti «faziosi» o «parziali» aveva parlato, particolarmente con Andrea Barbato e Pagliarani, in modo pensoso e preoccupato. Poi il coinvolgimento politico finí per accogliere abbastanza indiscriminatamente tutte le opposizioni all'*establishment* neocapitalistico sino a costituire una specie di cartello antiborghese che abbraccia livelli assai differenziati da Cuba e il Vietnam alla Cina, al movimento studentesco in Italia, in Francia, in Germania e nei paesi extraeuropei, e ancora fino a Potere operaio, con punte antisovietiche a sostegno della Cecoslovacchia di Dubček. Proprio sul piano della chiarificazione ideologica si registra, dunque, la maggiore carenza del giornale, che anche quando sembra voler divenire portavoce ufficioso del movimento studentesco, si limita troppo a dar spazio alla pubblicazione dei suoi documenti piuttosto che contribuire alla loro elaborazione [6].

In questa insufficienza è la prima ragione delle incrinature che si registrano nella compagine dei collaboratori dopo un anno di vita. Nel n. 11 (giugno 1968) l'editoriale redazionale, scritto da Eco, *Il gioco dell'occupazione* esprimeva, in occasione dell'occupazione della Triennale di Milano da parte degli artisti, una decisiva diffidenza verso le occupazioni: «Bisogna infatti vedere — diceva — chi occupa, che cosa occupa e in che rapporto si trova con la cosa occupata». L'articolo determinava la risposta polemica (*È vietato vietare*) di Sanguineti e Guido Davico Bonino, i quali negavano a «un gruppo di letterati e intellettuali» il potere di decidere chi avesse il diritto o meno di compiere occupazioni; e ciò a sua volta provocava la replica di Eco (*Vietando s'impara*), che forse contiene il massimo sforzo di chiarificazione ideologico-politica (ma sempre su un piano molto empirico) che *Quindici* abbia tentato. Eco riproponeva, fra l'altro, il problema di «cosa tocca fare all'operatore di cultura per non rimanere chiuso nel giro sterile delle proprie autogratificazioni e per fare qualcosa che sia omogenea all'azione rivoluzionaria di chi occupa una fabbrica, di chi blocca l'attività di una università o di chi scende in piazza a manifestare per il Vietnam». Registrava qui un netto iato tra le posizioni dello scrittore del Gruppo 63 fino al 1967 («Svolgo una ricerca, scrivo poesie, e sono convinto che il mio modo di studiare o di far poesia conti e serva ai fini di una rivoluzione della società quale si esprime oggi nei suoi rapporti economici e nel sistema dei propri valori culturali») e dopo le agitazioni studentesche che avevano dimostrato come tra «milizia politica da un lato, e tempi lunghi dall'al-

<hr/>

[6] Su questi aspetti si soffermerà a lungo Eco nel n. 16, di cui si dirà piú avanti: «Nell'affrontare il discorso dell'anno 1968 *Quindici* è parso darsi in appalto... *Quindici* non era di nessuno, era di chi lo riempiva».

tro... esistono *altri spazi*» dove gli operatori di cultura possono e debbono operare «in quanto ideatori dei piú impensabili modi di sensibilizzazione collettiva». E concludeva con un esplicito riferimento vittoriniano che testimoniava il ripresentarsi, in forme aggiornate ma forse ancor piú drammatiche, di un conflitto tipico della nostra età: «Si rifiuta il piffero che commenta la rivoluzione non quello che la inventa».

In quello stesso n. 12 un lungo intervento di Angelo Guglielmi faceva il punto sulla situazione, ormai liquidatoria, delle neoavanguardie e tentava una progettazione per il futuro. Guglielmi rivendicava decisamente il carattere di contestazione delle neoavanguardie (paragonate in questo senso alla funzione che ebbe la Resistenza nei confronti del fascismo) fondato essenzialmente sulla invenzione che «la letteratura è la letteratura... e non ha nulla a che fare con ogni altra sorta di esperienza intellettuale o pratica» e sulla conseguente proclamazione della sua «inutilità» che diventa però «socialmente utile». Ma, ora che del linguaggio delle neoavanguardie si erano impadroniti un po' tutti e persino i fascisti, si era messo in moto un processo di inflazionamento e di logoramento che aveva indebolito in modo preoccupante l'originario potere di contestazione. Non solo, ma la contestazione della neoavanguardia — diceva ancora Guglielmi — ha perduto quel carattere di globalità senza il quale non si dà vera contestazione: ora la letteratura non riesce di nuovo ad essere altro che letteratura e la contestazione è passata in altre mani. E qui Guglielmi finiva per dare una giustificazione all'eclettismo politico che aveva caratterizzato le posizioni di *Quindici*: come la neoavanguardia aveva tolto di mano la contestazione alle forze politiche (ai partiti) che non sapevano piú gestirla, cosí ora quella funzione tornava alle forze politiche, ma non piú ai partiti bensí alle grandi voci della protesta internazionale, al potere nero, alla rivolta del terzo mondo, ai grandi movimenti giovanili «dove alimentano fiumi di forze intatte e disposte all'attacco che avanzano precipitosamente discendendo da ogni parte, alla ricerca di una confluenza che ancora non conoscono».

Quali a questo punto le prospettive? Affermata la necessità di restare fedeli alla letteratura, di non abbandonarla per seguire altre vie (per esempio il cinema), Guglielmi, polemizzando con Barilli e una sua riproposta in cui vedeva ricomparire «lo spettro del neofigurativismo», terminava il suo giro sull'arco delle possibilità attuali per lo scrittore, avanzando come soluzione piú probante quella della letteratura umoristica, «intendendo per essa — spiegava — quell'operazione che tende ad alterare i termini del discorso spostandoli verso un non senso che tuttavia non intende costituirsi a sua volta come un nuovo senso ma piuttosto come denuncia della frigidità di ogni comportamento semanticamente corrente» (e adduceva gli esempi, alquanto corrivamente accostati, di Malerba, Guerra, Frassineti, Manganelli, Calvino, Parise, Volponi, Bene, Landolfi, Spatola).

Acquista un significato storico oltreché polemico il fatto che questo ultimo rilancio di una poetica neoavanguardistica tentato nel momento in cui l'esperienza poteva dirsi ormai conclusa e le acque si andavano o calmando o confondendo in una situazione dai connotati non facilmente decifrabili, avvenisse nei termini guglielmiani, che erano sempre stati gli estremi nel bandire l'iconoclastia di tutti i valori (salvo naturalmente quello, unico, dell'opera che «significa solo se stessa»). Se la riproposta, infatti, testimoniava della coerenza del proponente, né poteva dirsi improduttiva nel mettere in guardia da facili riflussi, confermava però nello stesso ripetersi delle formule (ad es.: «un romanzo sensato, cioè che si costruisca come un luogo semanticamente corretto, è un romanzo che ha sacrificato al senso il linguaggio»), la cristallizzazione di certe posizioni che qualche anno prima avevano messo in moto la realtà, ma che ora pretendevano di bloccarla nello schema ideologico che le avevano predisposto, ignorando altri apporti e nuove esigenze, ignorando soprattutto che il rapido succedersi di mutate condizioni strutturali e sovrastrutturali (che pure *Quindici* intendeva seguire tanto da vicino) aveva portato il paese e la sua cultura e le sue lettere verso interessi e lotte per le quali lo stereotipo neoavanguardistico dei primi anni sessanta aveva cessato di avere presa e validità.

Quindici si avviò cosí rapidamente alla sua parabola discendente. Con il n. 13 (nov. 1968) esso divenne bimestrale e mutò formato e soprattutto, come si è detto, accentuò i suoi interessi politici nei quali rientrarono anche le Olimpiadi del Messico o gli scontri ad Orgosolo, a Viareggio e ad Avola nonché i movimenti studenteschi del mondo intero, relegando la letteratura a poche e non fondamentali recensioni, aumentate negli ultimi numeri ma messe fuori del giornale in una specie di supplemento.

La crisi finale di *Quindici* prende avvio dalle dimissioni di Giuliani, giustificate (n. 16) dal disagio in lui sorto per la sensazione di essere entrato in una specie di «ortodossia del dissenso». Su questa crisi redazionale si riaccesero alcuni animati interventi che portarono alla definitiva polarizzazione delle diverse posizioni e a un'interna polemica dagli accenti talora anche aspri. La questione di fondo continuava ad essere il modo di fare politica da parte degli intellettuali, e veniva affrontata da Eco (*Pesci rossi e tigri di carta*, n. 16) con un'am-

101

pia ricognizione storica e teorica sulle neoavanguardie e sullo stesso *Quindici*. Eco negava che fosse avvenuto quel processo di integrazione cosí spesso rimproverato agli scrittori della neoavanguardia, poiché questi erano partiti da posizioni già di potere e «dall'interno delle istituzioni, avevano fatto una scelta» sul fronte della politica culturale spicciola («fare saltare le strutture invisibili del piccolo cabotaggio culturale») e su quello della cultura come atto politico. Su questo, che era certamente il piú importante, Eco riaffermava la giustezza della sola strada da battere, quella di «criticare il grande sistema attraverso la critica della dimensione culturale che ci apparteneva e che potevamo gestire: di qui la decisione di un discorso sul linguaggio»; di qui, continuava, la convinzione che «non serve comunicare nei modi consueti la volontà di rottura (suonare il piffero della rivoluzione) ma bisogna rompere i modi stessi della comunicazione. Questa fu la "poetica" del Gruppo 63». Una poetica, dunque, che nelle intenzioni dei membri del Gruppo non intendeva negare la necessità dell'impegno politico ma solo contestare i modi con cui esso era stato attuato dalla sinistra tradizionale; e questo serviva anche a spiegare la preponderanza che il tema politico aveva finito per assumere in *Quindici*: «E che poi *Quindici* abbia accentuato il discorso politico mentre era stato fondato da un gruppo che aveva polemizzato contro le false nozioni di "impegno", questo fatto poteva solo stupire chi, appunto, aveva inteso la nostra polemica sull'impegno come una scelta di disimpegno politico».

Ma nel numero successivo (n. 17, maggio 1969) Barilli riaffermava l'importanza e l'autonomia dell'operazione culturale («Pare dunque lontano, anche oggi, il momento in cui ci si debba vergognare dei nostri interessi di "operatori culturali". Ancora una volta non funziona il ricatto dell'urgenza di certi avvenimenti concreti»); e ciò forse non tanto in avversione alla politica in sé, ma a quella scelta da *Quindici*, «alla sinistra del Pci» ed «estranea ad ogni soluzione parlamentare». Una visione politica, questa di Barilli, che, nello stesso numero, Balestrini definiva «in perfetta sintonia col disegno politico del grande capitale». «Una nuova arte rivoluzionaria — scriveva Balestrini — ... può nascere solo da un salto rivoluzionario, cioè dal rifiuto, dalla rottura con la cultura di classe e repressione della borghesia. Non si tratta perciò di "accantonare l'esteticità", come insinua Barilli, si tratta di accantonare l'esteticità borghese; e di operare *politicamente* per la nuova cultura rivoluzionaria». E ancora piú decisa era la posizione di Fausto Curi (n. 16) sia nel rovesciare le scelte di Barilli (indicando quali interlocutori «per un verso il fronte dell'estrema sinistra parlamentare, per un altro verso il vario fronte del dissenso e della contestazione») sia nell'affermazione del primato della politica: «La distinzione fra un momento politico e un momento culturale del nostro lavoro è valida solo approssimativamente, sostanzialmente è fittizia... Il problema è ora di accentuare al massimo l'aspetto politico della nostra interpretazione. Quello che alcuni di noi stanno già compiendo ma che si tratta di sviluppare collettivamente con maggior decisione e consapevolezza è un lavoro di *cultura politica*».

Ma, ancora nel n. 17, Guglielmi, preso atto della mutata situazione rispetto ai primi anni delle neoavanguardie, riaffermava il dovere dello scrittore di rimanere dentro la sfera della propria specificità, cioè dentro la letteratura resistendo alla tentazione di praticare direttamente la politica. Ma, aggiungeva subito, non per relegare la letteratura nella sua «separatezza» bensí impegnandosi a «superare la divisione e a fare rifluire le varie specializzazioni e interessi in un discorso globale». Ma in ogni caso, per Guglielmi, come andava ripetendo ormai da un decennio, «la vitalità della letteratura sta negli squilibri che produce. Il suo obiettivo è il disordine. È proporre una disarmonia permanente come condizione necessaria per l'emersione di sempre nuovi equilibri e di nuovi ininterrotti esiti».

L'atto finale delle neoavanguardie registra dunque una netta divaricazione[7] tra due posizioni cosí inconciliabili — «tutto è politica», «la letteratura è letteratura» — da rendere assai arduo il problema dei loro rapporti con gli altri schieramenti ideologico-letterari o con le forze intellettuali emergenti. Se il problema centrale continua a rimanere per i letterati quello del rapporto col politico, schematizzando si potrebbe tracciare una duplice articolazione a sua volta suddivisa, in ciascuno dei suoi bracci, in una doppia linea: coloro che rivendicano l'autonomia della letteratura rimproverando alla neoavanguardia un sinistrismo politico che vanta la primogenitura della contestazione e mette all'ordine del giorno la morte dell'arte[8], e co-

---

[7] «Il divorzio fra contestatori e credenti di struttura, linguaggio o Significante avvenne quando i primi decisero di fermarsi a combattere sulle barricate, mentre gli altri, pochi tuttavia, i fedelissimi che non volevano andare contro le regole dell'ordine strutturale, insistevano perché si andasse oltre: perché non toccavano a loro queste cose, a uomini di pensiero che corrono con la testa con il pensiero.» (W. Pedullà, *L'estrema funzione*, Marsilio, 1975, p. 54.)

[8] «Il decennio culturale si chiude sul tema della morte della letteratura, circolarmente portando a perfezione il motivo che lo aveva in qualche modo iniziato: l'avanguardia come eversione ideologico-linguistica borghese (e di ogni tipo di arte che in qualche misura vi sia compromessa), a poco a poco divenuta, con progressive accettazioni proprio da parte dell'industria culturale e della produzione letteraria organizzata e programmata, negazione assoluta di ogni forma letteraria di oggi come del passato.» (G. Barberi Squarotti, *Il codice di Babele*, Rizzoli, 1972, pag. 187-188.)

loro che la rivendicano non dimenticando la lezione ricevuta ma, insieme, cercando di riallacciare il testo ad esperienze meno tecniche e piú vissute[9]. In secondo luogo, coloro che proclamano il primato della politica (rivoluzionaria) e considerano la separatezza letteraria come una forma di politica conservatrice[10]; e coloro che lo proclamano riallacciandosi anche all'ala ultra delle neoavanguardie[11]. Entro questo schema, le infinite sfumature, le varianti, gli scambi di interlocutore (quando, giunti alle divaricazioni, si polemizza con le neoavanguardie, si intende il comunista Pci Sanguineti, il sinistrissimo Balestrini, il moderato Barilli, il moderatore Eco, il tutto-letteratura Guglielmi ecc.?) disegnano un paesaggio movimentato ed incerto, ma anche ripetitivo e spesso velleitario, nel quale, dopo quasi un ventennio, non si sono ancora profilate con chiarezza nuove linee dominanti.

Che fare? era apparsa nel maggio del '67 curata da Roberto Di Marco, Francesco Leonetti e Gianni Scalia (che presto lascerà la rivista) come fiancheggiatrice del movimento studentesco, ma divenne poi portavoce e infine (1973) organo ufficiale del Partito comunista (m.l.). È soprattutto in questa fase, ma sviluppando posizioni tenute sin dal principio[12], che i collaboratori dichiareranno drasticamente il primato della prassi politica sulla letteratura, definita «istituzione specifica della comunicazione sociale borghese»; nel novembre del 1972, Di Marco tirava le somme di quel lustro di esperienze proclamando senza mezzi termini: «Gli interessi letterari sono sempre stati secondari, ma dopo il '68 — com'era giusto che accadesse e come in effetti è

[9] «Le basi teoriche per elaborare una *nuova idea della letteratura* sono da cercare, ancora, tra i nodi e i problemi discussi e lasciati aperti dai "sessanteschi". Ciò non vuol dire che *dopo* non sia accaduto nulla, ma soltanto che il dopo ha, nella sua principale tendenza, preteso di scavalcare quel *nuovo terreno*, di occultare e rimuovere quei nodi e problemi, senza, non dico risolverli, ma affrontarli; finendo, come era inevitabile, per rimbalzare sul *vecchio terreno*.» (F. Muzzioli, *Teoria e critica della letteratura nelle avanguardie italiane degli anni sessanta*, Roma, Istituto Enciclopedia Italiana, 1982, p. 6.)

[10] R. Luperini (*Marxismo e intellettuali*, Marsilio, 1974, p. 22): «La neoavanguardia è nata in Italia come momento di riflusso e di ripiegamento, se non di vera e propria restaurazione». G. C. Ferretti (*La letteratura del rifiuto*, Mursia, 1968, p. 274): «Il Gruppo '63 non si poneva come una proposta radicalmente innovatrice nei confronti della vecchia società letteraria (e non)».

[11] R. Di Marco: «Si scopre, detto elementarmente, che anche l'arte e la letteratura, insieme a tutto quanto sta — secondo la "falsa coscienza" borghese e la divisione sociale capitalistica del lavoro — al di sopra della prassi, è prassi essa stessa ma mistificata» (*La linea di cultura rivoluzionaria*, Marsilio, 1974, p. 39).

[12] Sulla stessa rivista (n. cit., p. 281), Luperini, tracciato il dibattito teorico-letterario in Italia nell'ultimo decennio, individua «la nuova posizione» di *Che fare?* come quella di una rivista «che non insegue piú la contestazione muovendo da una prospettiva letteraria, ma che è già *dentro* la contestazione, perché muove innanzi tutto da un'esigenza politica». E F. Muzzioli (*op. cit.*, p. 20) definirà *Che fare?* «il diretto antagonista di *Quindici*».

accaduto a molti — lo sono stati ancor di piú... La pratica letteraria per me è sempre stata il "luogo" contraddittorio di altro che con la pratica letteraria in sé ha in verità assai poco a che vedere. Da ciò la mia ferma opinione che ciò che consideriamo letteratura sia in realtà sempre l'involucro di qualcos'altro in tensione»[13].

Dall'estrema sinistra il giudizio su tutta l'operazione delle neoavanguardie suonò quasi totalmente negativo, poiché anche se le venne riconosciuto il merito di aver spezzato e smosso una situazione culturale stagnante[14] e di aver messo in crisi la politica culturale del Pci (o piuttosto la sua mancanza) e il suo gramscismo populistico e provinciale, complessivamente la sua collocazione trovò posto fuori di ogni spinta rivoluzionaria e del tutto integrata all'ideologia e alla prassi del neocapitalismo.

Romano Luperini, politicamente collocabile nell'area di Potere operaio, auspicando una nuova e veramente radicale avanguardia marxista, nel 1967 — quando la parabola neoavanguardistica si stava avviando alla conclusione — la giudicò come un momento di riflusso all'interno di una ripresa borghese antimarxista e in una prospettiva genericamente socialdemocratica che nell'apparente neutrale aideologismo accettava in realtà l'ideologia del neocapitalismo[15]. Ne era ultima riprova proprio *Quindici*, con i contorni estremamente vaghi che dava al concetto di rivoluzione, con il ribadire quattro anni dopo le medesime cose dette nel '63 quasi nulla fosse cambiato, con «la mancanza di un'analisi seria e scientifica di cosa significhi oggi, da un punto di vista sociale, nell'attuale divisione del lavoro essere "operatori di cultura"». Che cosa significasse, Luperini lo spiegava attingendo alle lezioni del maoismo e al suo circuito «prassi-teoria-prassi», con l'inserimento dell'intellettuale in prima persona nel lavoro pratico e politico delle avanguardie rivoluzionarie, e nello svolgimento di

---

[13] *L'altra logica*, Marsilio, 1972, p. 149.

[14] Lo stesso Luperini, fra i piú rigorosi critici dell'avanguardia, non le fece mancare ripetutamente questo riconoscimento: «Non si vuole evidentemente negare la capacità "innovatrice" del Gruppo 63 che, liquidando per sempre una certa tematica populistica e resistenziale da un lato ha contribuito a mettere definitivamente in crisi una cultura di sinistra ormai in via d'esaurimento, dall'altro... induceva in Italia una problematica europea che sprovincializzava il nostro chiuso mondo culturale... Lo sperimentalismo neoavanguardistico (che almeno ha il merito di prender atto della nuova condizione della letteratura in una società capitalisticamente sviluppata)... A tale tipo di discorso occorre riconoscere per lo meno il merito di aver posto definitivamente in liquidazione tutto un patrimonio culturale non solo provinciale (ci riferiamo al "crociogramscismo" degli anni cinquanta e alle implicazioni che ebbe nella critica cosiddetta "storicista"), ma ormai non piú adeguato alle necessità di una ricerca moderna e altamente specializzata» (*Marxismo e intellettuali*, Marsilio, 1974, pp. 23, 59, 73).

[15] Luperini istituiva un parallelismo ancora piú stretto: «La corsa al "nuovo" e al "moderno" in politica (centro-sinistra) e in cultura (neoavanguardia) cela di fatto un'ennesima vittoria del sistema» (*op. cit.*, p. 24). Il primo governo di centro-sinistra in Italia si ebbe nel 1962.

un'azione *specifica* nel campo culturale ma *comune* negli obiettivi a quella degli altri militanti.

Alberto Asor Rosa aveva parlato fin dal 1964 di «fiore secco dell'avanguardia»[16], tuttavia anche lui senza disconoscere alcuni meriti che le competevano e che si compendiavano nell'aumento di conoscenza e di consapevolezza per far uscire dall'equivoco coloro che avevano a lungo creduto all'immediato *engagement* dell'arte: «io considero un risultato non trascurabile — aggiungeva — tutto ciò che in questa avanguardia tende a superare i postulati di un'arte democratica e progressista», ma precisava anche che nel complesso l'esperienza neoavanguardista gli appariva, nella sua *pars construens*, timida, incerta e troppo poco nuova e addirittura preoccupata di rassicurare il pubblico sulla sua tanto temuta pericolosità. L'anno seguente, polemizzando con Fortini[17], ma tenendo ben presenti le neoavanguardie, aveva ribadito la necessità di avviare un rinnovamento autentico e non soltanto astratto e velleitario: «Il rifiuto della forma borghese — scriveva — significa apertura di un discorso critico nuovo... di una dimensione originale, piú ricca e feconda del lavoro intellettuale; oltre la quale c'è solo la ricerca teorica e politica, che sovrintende all'organizzazione materiale della rivoluzione... A coloro i quali ritengono che sia inevitabile ed opportuno seguitare a far funzionare i "giunti culturali" della società capitalistica, potremo ricordare che la loro presunzione da iloti non li salva dalle dure leggi del servizio».

Si comprende allora perché nel '68 fondasse con Massimo Cacciari e Toni Negri[18] la rivista *Contropiano*, il cui progetto generale poteva riassumersi nella «critica della presenza delle forme spurie della cultura e della letteratura grande-borghese all'interno del marxismo» e quindi «del "recupero" della cultura borghese [ma] in funzione della prospettiva della rivoluzione»[19]; tuttavia con un intento ancora piú polemico che costruttivo: «Non intendiamo ricostruire una sistema-

---

[16] Si veda il saggio omonimo in *Intellettuali e classe operaia*, La Nuova Italia, 1973, p. 149 sgg.

[17] Si veda il saggio *Alla ricerca dell'artista borghese*, in *op. cit.*, p. 231 sgg. A proposito di Fortini, Asor Rosa scrive che «la pretesa d'essere maestro danneggiò in maniera quasi irreparabile la sua possibilità d'essere scrittore. In altri termini: per essere progressista egli fu solo imperfettamente borghese. Cosí, mentre Fortini ammoniva sul perché e sul come si dovessero scrivere libri, altri scrivevano libri... egli è l'ultimo degli intellettuali borghesi piú che il primo dei ricercatori marxisti» (pp. 252, 260). Nella critica a Fortini, Asor Rosa intendeva colpire in genere tutto il progressismo, ultima incarnazione della cultura borghese.

[18] Toni Negri abbandonerà la rivista dopo due numeri; M. Cacciari lasciava allora *Angelus Novus* che dal 1964 dirigeva con C. De Michelis.

[19] M. Valente, *Ideologia e potere. Da «Il Politecnico» a «Contropiano» 1945-1972*, ERI, 1978, p. 375.

tica cultura di classe operaia... bensí distruggere sistematicamente e fin dalle piú lontane fondamenta... la cultura di classe dell'avversario borghese, che ci appare ancora tutt'altro che sconfitta e inefficiente» (n. 2). Questa posizione derivava dalla premessa che la società capitalistica polarizza all'estremo il lavoro operaio e il lavoro intellettuale, e intendeva conseguire l'eliminazione dell'equivoco che la classe operaia sia l'erede della cultura borghese; in altri termini, Asor Rosa non vedeva possibili né continuità né mediazioni e constatava «la sostanziale inconciliabilità di letteratura e rivoluzione».

Il centro costante della battaglia culturale di Asor Rosa tra gli anni sessanta e settanta riguardava comunque il senso della presenza e della funzione dell'intellettuale nella società borghese. Egli intendeva soprattutto smascherare l'illusione che a scrittori, artisti, poeti fosse riservato un compito di autonoma iniziativa storica capace di prevalere sulle forze materiali, e che solo il poeta potesse scoprire nell'uomo ciò che vi è di piú umano e che quindi gli spettasse il diritto di parlare a nome di una classe, non sua, impugnando gli «eterni valori» (ma non senza «lo sguardo complice dei dirigenti del movimento operaio»). Le conclusioni, nel 1965, erano inequivocabili: «L'unico "piano" operaio al quale inviteremmo l'intellettuale borghese a partecipare, è quello che progettasse sistematicamente la sua estinzione come rappresentante di uno specifico corpo sociale». Nel 1973, introducendo *Intellettuali e classe operaia*, egli riprendeva e completava il suo discorso ponendo il problema in termini assai chiari: «Come uscire dalla *cultura*, per fare *politica*, restando *intellettuali*?». La risposta era articolata e complessa: partiva negando che si dovesse chiedere all'intellettuale di rinunciare alla sua funzione, ma constatando che il suo essere sociale è condizionato dall'essere sociale del lavoro in questa società[20]; il punto d'arrivo era l'individuazione della sua specificità, la quale «consiste nell'accumulo di *capacità conoscitive*», nel suo essere «tecnico della conoscenza», era il riconoscimento che «il lavoro intellettuale è un lavoro». Ma questo non voleva essere un recupero dell'intellettuale in quanto tale, ma della sua funzione, nella doppia constatazione che, da una parte, «la conoscenza specializzata è un patrimonio da utilizzare» e, dall'altra, che «il *recupero* tutto intero *della dimensione conoscitiva del lavoro intellettuale* non può darsi senza una precisa, definita *lotta politica*, sia degli intellettuali contro se stessi e contro la società che li costringe a essere quello che sono,

[20] Ma precisando che «la produzione del pensiero, per quanto condizionata strutturalmente, segue *logiche* proprie»; e ancora: «Al di là dei problemi che pone il pensiero in quanto prodotto d'un lavoro, occorrerà tenere ben presenti quelli che pone il pensiero in quanto produce pensiero... *l'intellettuale come lavoratore* è l'altra faccia dell'*intellettuale come pensatore*» (p. 30).

sia dei politici per spezzare le resistenze complessive, i nodi strutturali da cui quell'essere intellettuale è determinato».

Sulle neoavanguardie, anche il giudizio di Gian Carlo Ferretti risultava nel complesso assai problematico o negativo, ma all'interno
di un discorso (si vedano in particolare i saggi raccolti nel volume *La
letteratura del rifiuto*, cit.)[21] che aveva al centro il riconoscimento della insufficienza della critica marxista e la ricognizione dei rischi cui
essa poteva andare incontro sulla via di una riaffermazione unitaria
e sotto la spinta della polemica avanguardista e scientista; rischi (un'i-
stanza puramente distruttiva della letteratura, il dissolvimento di ogni
visione storicistica e ideologica dell'uomo e del mondo) che si compendiavano nel suo possibile scadimento ad una posizione oggettivamente subalterna. Il problema veniva posto in termini che impostas-
sero lo studio critico in modo da evitare da una parte l'immobilismo
della conservazione e dall'altra il nullismo dello sterminio, ma salva-
guardando la posizione *di tendenza*, cioè tale che «sappia compiere
scelte intransigenti e nette». «Disperazione attiva» e «lucida utopia»
riassumevano per Ferretti la presa di coscienza della «irrealtà» neocapitalistica e del suo totale e «agonistico» rifiuto, che avrebbe restituito alla letteratura la condizione per un ripensamento dei suoi modi e delle sue funzioni: «Caduta la sua *funzione sociale...* precario e
destinato ad un rapido esaurimento ogni compito di verifica o di contestazione delle funzioni della lingua e dei suoi significati... negata
la sua carica conoscitiva... anacronistica e retriva ogni rivendicazione dei diritti dell'immaginazione... la letteratura sembra in sostanza
quanto meno costretta ad un profondo esame di coscienza, ad un'autocritica radicale».
Per suo conto, posta l'esigenza di superare le dicotomie unità-
frantumazione, immobilismo-sperimentazione (come dire: realismo-
neoavanguardia), e sottolineato il segno politico come discriminante
fondamentale, Ferretti vedeva la possibilità di uno sblocco in una «terza via» che né respingesse un'intera eredità né eludesse le crisi che
nuovi problemi vi venivano aprendo, e sulla quale gli pareva che venissero lavorando autori come Pasolini o Roversi o Volponi.

[21] Ma anche le pagine di *L'autocritica dell'intellettuale* (Marsilio, 1970), dove si definisce
«gravemente mistificatoria» l'operazione delle neoavanguardie, anche se queste avevano meglio mimetizzato le sopravvivenze letterarie e gli equivoci dell'autonomia, con un «fervore ope-
rativo o contestativo che dissimulava un'integrazione di fatto» piú razionale e definitiva; il
che finiva per aggravare «l'illusione o presunzione di operare in piena libertà e autonomia nella
sfera linguistica, senza che venisse messo minimamente in discussione il "cerchio di ferro"
che la rinchiudeva inesorabilmente».

Nel 1971, anche *Rinascita*, organo ufficiale del Pci, avviava un denso dibattito sulla funzione dell'intellettuale, occasionato proprio da un'ampia recensione di Mario Spinella (n. 2) al volume di Ferretti *L'autocritica dell'intellettuale*. Ferretti aveva sostenuto che lo scrittore non può piú accettare il proprio *status*, la propria «natura» di intellettuale e non può considerare l'irrealtà che lo circonda, «l'universo capitalistico», come il polo di una dialettica indispensabile alla propria ricerca: «Il momento politico — diceva — rappresenta l'unica vera alternativa all'annullamento del rapporto soggetto-oggetto variamente proposto dalla nuova avanguardia».

Il discorso veniva subito ripreso da Mario Lunetta con l'intervento *La scrittura precaria*[22] in cui, preso atto che la classe operaia non si alimentava tanto di una cultura rivoluzionaria quanto di quella mistificata che le viene propinata dal sistema, suggeriva una direzione culturale che escludesse la mitizzazione e la feticizzazione della classe e, al contrario, eliminasse l'artificiosa separazione fra teoria e prassi, condizione perché la comunicazione artistica o scientifica possa cessare di essere funzione del capitale. In altri termini, il discorso finiva per vertere sulla «autodistruzione» dell'intellettuale ripresa ora direttamente da Sartre[23] e che Ottavio Cecchi ridefiniva piuttosto come necessaria autocritica dell'intellettuale di derivazione romantica il quale continui ad autoeleggersi profeta o capo. Non piú accomodante, ma certo piú legato ad una contingenza che per brevità chiameremo togliattiana, era Aldo De Jaco, che negava l'inevitabilità del contrasto tra autonomia e impegno; mentre Leone De Castris, sempre fedele al suo marxismo intransigente, parafrasando una formula piú volte presentatasi nella storia, prospettava la questione come non piú dell'«intellettuale marxista» ma del «marxista intellettuale», il quale, non può accettare l'ineluttabilità della propria morte, ma solo la scomparsa dell'intellettuale storicamente qualificabile come borghese. Il dibattito proseguiva con gli interventi di Guido Guglielmi («L'ipotesi da cui io parto è che il sistema capitalistico è un sistema contraddittorio, tale da non essere in grado di trasformare integralmente le opposizioni in funzioni e di neutralizzare le "verità" rivoluzionarie»);

---

[22] Lo scritto sarà poi raccolto nell'omonimo volume (Roma, Argileto, 1973).

[23] Nel n. 47 di *Rinascita* (nov. 1970) era stato lo stesso Ferretti a riprendere alcune dichiarazioni di Sartre per confutarle; per Sartre, la consapevolezza delle proprie contraddizioni acquisita dall'intellettuale non è che un modo di continuare ad essere intellettuali che «trovano una buona coscienza nella cattiva coscienza». «Secondo Sartre — scriveva Ferretti — è necessario invece prendere coscienza della propria condizione di salariati, contestare se stessi, autodistruggersi come intellettuali (liquidare cioè la propria "cattiva coscienza") e porsi "direttamente e subito al servizio delle masse".» Per Ferretti la posizione di Sartre era criticabile per almeno due motivi, la considerazione dell'intellettuale come singolo e non come fatto di massa e l'elusione del problema fondamentale della sua posizione all'interno del partito operaio.

di Giovanni Giudici per il quale le stesse vie d'uscita dall'*impasse* della condizione dell'intellettuale — alternativa fra solidarietà con la classe oppressa o autodistruzione — manifestavano la loro natura di carattere tipicamente intellettuale; Luciano Gruppi, che si rifaceva direttamente a Marx e Lenin per sostenere la necessità di non scambiare i contenuti delle acquisizioni scientifiche con il loro impiego sociale; infine, Lamberto Pignotti («mi sembra per lo meno sospetto ed equivoco rifiutare la cultura scrivendo scrivendo scrivendo (peste) della cultura. La cultura la si rifiuta semmai *non* scrivendo»).

Le conclusioni venivano tratte dallo stesso Ferretti (n. 19) e da Bruno Schacherl (n. 21). Ferretti constatava anzitutto la divaricazione fra i difensori delle potenzialità rivoluzionarie intrinseche alla letteratura e chi tende a sostituire lo scienziato all'uomo di lettere, e ammoniva gli intellettuali a non «rovesciare la propria condizione di privilegio in una crisi privilegiata»; notava ancora come fosse tornata negativamente ad emergere «la ormai tradizionale contrapposizione politica-cultura, secondo cui ad una sfera politica inguaribilmente inerte, tattico-strumentale, burocratico-funzionale, si oppone una sfera culturale dotata di leggi endogene e fervida di provocazioni e proposte (entrambe prive di *segno*)», e finiva riaffermando che la lotta contro la società borghese è *comune*, ma in essa il ruolo dell'intellettuale è *specifico*, con la precisazione *specifico non neutrale*. Schacherl, invece, sottolineava come, lungo un itinerario che partito dalla letteratura era riapprodato alla letteratura, si fossero affrontate le piú grosse questioni teoriche con alcuni punti che a lui parevano ormai fermi, la dilatazione dell'influenza del marxismo sui vecchi e sui nuovi intellettuali e la constatazione dei sintomi di un'ormai probabile crisi dell'egemonia culturale borghese. La domanda finale era dunque quale dovesse essere il ruolo dell'intellettuale nella costruzione dell'egemonia culturale della classe operaia; la risposta — diceva — deve comprendere anzitutto una propria presenza politica per l'intellettuale, che comporta come conseguenza la sua sottrazione al bilico della fuga in avanti dell'autodistruzione o del ritorno indietro alle vane consolazioni del «retaggio culturale».

Nel dibattito era intervenuto anche Walter Pedullà, che in qualche misura aveva preso le difese dell'intellettuale, al quale gli pareva si addossassero (o che da solo si addossasse) responsabilità o colpe sin eccessive. Questa rivendicazione dell'intellettuale e delle sue funzioni era stata espressa poco prima da Pedullà nel volume significativamente intitolato *La rivoluzione della letteratura* (Roma, ennesse, 1970), la cui tesi fondamentale era che «alla contestazione aveva dato i natali la letteratura sperimentale degli anni sessanta», la quale, di fronte alle stanche formule resistenziali ripetute dai politici, aveva avuto il merito di individuare la risposta politica nuova e giusta perché in corrispondenza con il movimento della realtà. Ma il suo discorso, per certi aspetti accostabile a quello di Angelo Guglielmi, riguardava non la sola letteratura sperimentale, ma l'intera attività letteraria cui Pedullà rivendicava un primato teoretico e persino pratico nei confronti dell'attività politica: «Ora lo sappiamo con certezza — scriveva — che un'opera letteraria può rivelare la struttura di una società meglio di una politica troppo poco umile verso una realtà in trasformazione. Anzi sappiamo pure che è capace non solo di creare l'immagine ma di produrre l'energia per realizzarla».

Arcangelo Leone De Castris continuò invece il suo discorso e la polemica contro le neoavanguardie — ma non solo contro le neoavanguardie — fondamentalmente nei saggi contenuti in *L'anima e la classe* (De Donato, 1972) con l'intento di «cercare un ponte tra le due rive» dei «politici» e dei «letterati». Il punto di vista da cui si poneva era quello della rivendicazione della «sostanza scientifica del marxismo»[24] e della «funzione politica del partito» (il Pci)[25], «reale antagonista — diceva — dei migliori fra gli intellettuali-letterati degli anni sessanta». Ciò che egli rimproverava al *Verri* e a tutta la generazione anceschiana era, oltre il «terrorismo corporativo», il rifiuto della ragione e di qualsiasi visione del mondo, la degradazione dei valori a livello zero, la pretesa neutralizzatrice della cultura con l'esclusione del referente materiale storico-sociale e la conseguente proposta di «una *epoché* illuministica e manichea che nella forma di una civilissima descrittiva occultava le contraddizioni reali del mondo... fornendo cosí il piú diretto terreno di preparazione e di crescita alla falsa eversione dell'avanguardia».

La base psicologica della loro posizione «assolutamente borghese e retrograda» era, anche per De Castris, l'autoinvestitura che si concede l'intellettuale, la sua illusione inconfessata di essere ancora lui a testimoniare la volontà rivoluzionaria, e la sua incapacità, insieme,

[24] Criticando l'«elenco fieristico degli "apòrti scientifici"» compilato dalle neoavanguardie, De Castris notava che opportunamente il marxismo non vi trova posto, «perché non è un ingrediente di quell'elenco, perché al contrario è la coscienza storica dei suoi ingredienti» (p. 33).
[25] «Quando l'intellettuale borghese, che ha sinora difeso l'assoluta autonomia della propria operazione, anzi la separatezza e persino la natura aideologica del proprio fare, accetta comunque di politicizzarsi, in quello stesso momento pretende di gestire in proprio l'ideologia, di far politica e di rappresentare la classe rivoluzionaria al di là di qualsiasi mediazione organizzativa e istituzionale. E non è un caso che il suo bersaglio polemico... sia proprio il partito della classe operaia.» (p. 54)

a rimettere in discussione il proprio ruolo. Di questo era esemplare tipico, ancor piú degli stessi neoavanguardisti, Franco Fortini, nel quale — polemizzava De Castris — il disdegno aristocratico per qualsiasi disciplina o pianificazione culturale e artistica, il pretenzioso autoriconoscimento celebrativo, la convinzione che le ragioni della cultura siano il centro del mondo e il valore-poesia sia il vero valore-salvezza, si manifestano in «recriminazioni prive di autentica forza critica e dialogica, e perciò ogni volta risolte nel gratificante rifugio del vittimismo eroico e magniloquente». Fortini (in particolare quello dei *Quaderni piacentini*) gli appare come il piú ossessivamente convinto assertore di un nuovo mandato dell'intellettuale, commesso, questa volta, dal nuovo proletariato dei sottosviluppati[26], dei «dannati della terra», perché, «come quella marcusiana... anche l'avanguardia intellettuale fortiniana ha bisogno, per preservare la purezza dei suoi valori, di mandati irrazionali e preistorici».

Ma la polemica si estendeva anche al «fortiniano» Asor Rosa[27] cui De Castris riconosceva un corretto punto di partenza, la critica dell'organizzazione culturale borghese, ma ne rimproverava il carattere totale, per il quale «nessuna produzione culturale sfugge alla legge di alienazione e d'integrazione»; «se fosse vero — chiosava De Castris — non avrebbe davvero piú senso lottare o sperare o stendere necrologi»; mentre la vera esigenza per l'intellettuale consiste nel denunciare il carattere parziale e di classe della cultura borghese, e nell'accettare dialetticamente la propria collocazione oggettiva ricercandovi «il vero committente del proprio lavoro di classe e i veri canali di una generalizzazione rivoluzionaria che non sia il proprio messaggio personale, generoso ma inevitabilmente letterario».

De Castris riservava poi una critica particolare a *Scrittori e popolo*, per il suo totalitario e indiscriminato disprezzo della cultura piccolo-borghese[28], per l'assenza di analisi sociale e di riferimenti alle strut-

[26] Si veda *Verifica dei poteri*, cit, p. 15.

[27] *Quaderni piacentini* (n. 48-49) replicava scrivendo che «De Castris è debitore della maggior parte dei propri argomenti precisamente agli intellettuali con cui se la prende: egli infatti gli argomenti di Fortini e Asor Rosa contro la neoavanguardia, quelli di Asor Rosa contro Fortini, quelli di Fortini, Luperini e Madrignani contro Asor Rosa». Il passo è riportato anche da Luperini (*op. cit.*, pp. 229-230) che pur nel giudizio severissimo («non ha niente di nuovo e di alternativo da sostituire o da proporre, se non la fiducia nel partito») riconosce a De Castris lo scopo non disprezzabile di introdurre nel dibattito culturale del partito una problematica meno logora di quella postresistenziale.

[28] «Una negazione inarticolata di un intero periodo di storia culturale e politica attraverso la ironico-altezzosa svalutazione della sua espressione letteraria (assurdamente univocizzata e appiattita)» (p. 167). Anche il giudizio di G. C. Ferretti era stato severo pur nel riconoscimento della forza polemica dell'opera che aveva costretto a guardare le cose con occhi piú critici; ma — scriveva — «non si poteva certo non dissentire largamente da Asor Rosa per la sua forzosa teorizzazione di una *continuità* ideale e culturale letteraria dall'Ottocento a oggi, sotto

ture oggettive della realtà, per la distruzione sistematica di una storia tutta da offendere, operando la quale l'autore, con l'ignoranza o il fraintendimento di Gramsci, finiva sorprendentemente per assumere (nel sostenere una prospettiva rivoluzionaria aideologica) posizioni analoghe a quelle di alcuni teorici delle neoavanguardie. E lo stesso si dica per le conclusioni, poiché in questo volume di un marxista dove «il popolo» è rifiutato e il proletariato e la classe operaia non compaiono, il modello da opporre al populismo piccolo-borghese non è la critica di parte operaia, ma l'arte grande-borghese, quella appunto, sosteneva Asor Rosa, che la tradizione populistica ha impedito che si costituisse e affermasse in Italia.

Ma il superamento delle neoavanguardie avvenne anche in sedi meno impregnate di ideologia politica e piú specificamente letterarie[29], dove si elaborò un rapporto talora fortemente polemico (*Linea sud*: «La nostra avanguardia e la loro: ma la loro è atrofia mentale e conigliume mimetizzato») talora di almeno parziale eredità (*Ana etcetera*: «Bisognerà introdurre nell'uso parole-nuove parole-pilota parole-inventate utilizzare un vocabolario di forme-nuove *equivalenti* della *fattità*, quante volte si è dichiarata "la fine dell'avanguardia"? nel *progress* del fare la poesia deve essere superata l'*avanguardia continua*»). Da queste premesse, anche gli esiti potevano essere assai differenziati, poiché se *ant. ed.* affermava la casualità e la polivalenza dei testi letterari, altri erano portati ad assumere in letteratura un atteggiamento scientifico, «nella sempre piú vasta convinzione — si leggeva in *Tool* — che l'unico discorso possibile sulla poesia, oggi, sia un discorso d'ordine tecnico e non d'ordine poetico». Questo poteva risolversi per alcuni in testi di poesia visiva[30], o quanto meno in testi in cui fosse particolarmente studiato il rapporto fra elemento grafico e elemento verbale, fra parole e forme, cui si dava il nome di «scrittura simbiotica» (*Ana etcetera* e *Tool*), mentre ad altri (*Linea sud*) pareva che «le ipotesi di poesia visiva finiscono spesso con l'assumere le istanze di una condizione reazionaria e restauratrice»[31]. *Linea sud*, come *Delta*, si

il segno di una categoria rigida e immutabile del "populismo" come espressione tipica del democratismo borghese progressista», e parlava di «rozze generalizzazioni» e «prevaricazioni tendenziose» (*La letteratura del rifiuto*, cit., p. 51). E, a sua volta, Pedullà aveva definito l'opera «un impietoso massacro critico, motivato spesso acutamente ma non di rado con arbitri e ingiustificate lacune» (*La letteratura del benessere*, cit., p. 129).

[29] Una esemplificazione dei testi delle riviste qui segnalate è in *Uomini e Idee*, n. 18, *Il gesto poetico*, nov.-dic. 1968; si vedano anche *Lettera*, Quaderno 4, n. 16, ott. 1978 e in genere i numeri della prima serie della rivista dal 1974 al 1980; *Nuovi segnali. Antologia sulle poetiche verbo-visuali italiane negli anni '70-80*, a cura di V. Conte, Rimini, Maggioli, 1984; G. Morrocchi, *Scrittura visuale. Ricerche ed esperienze nelle avanguardie letterarie*, Messina-Firenze, D'Anna, 1978.

[30] Si veda piú avanti il cap. III della parte III.

[31] «Il quadro-oggetto non ha senso in un'epoca in cui il consumo è immediato e il prodotto è sempre rinnovabile.»

impegnava invece per «la liberazione del Mezzogiorno» anche attraverso la via della produzione letteraria, ma nel drastico taglio con «l'odierna situazione culturale italiana» carica di «inettitudine» e di «imbecillità», con la quale non si intendeva avviare alcun dialogo e contro la quale si proponeva «un lavoro paziente di inventive, di attese, di trasalimenti, di ascolti [che] ha seminato una possibilità nella cieca agonia della lunga notte del sud».

II. Gli autori

La poesia consiste insomma, in questa
specie di lavoro: mettere parole come /
in corsivo e tra virgolette: e sforzarsi
di farle memorabili, come tante battute
argute / e brevi. *E. Sanguineti*

Se una parola «sbaglia» l'universo si
adegua immediatamente. *G. Manganelli*

I protagonisti delle neoavanguardie, e in primo luogo quelli che erano
entrati nell'antologia dei *Novissimi*, pur in mezzo alle polemiche e alle divisioni, continuarono ad essere tra le presenze piú attive e talora
piú vivaci, riserbandosi ognuno ormai una funzione distinta nel campo della letteratura. Alfredo Giuliani, che di quell'antologia aveva
scritto l'Introduzione — rimasta quasi un classico per fare il punto
sugli anni sessanta — continuò a svolgere opera di poeta e di critico
e saggista dopo le pagine uscite nei volumi classici della neoavanguardia, *I Novissimi* e *Gruppo 63*. Nel 1969 usciva *Il tautofono* (Feltrinelli), una sorta di *test* psicologico-poetico che spinge sino al limite la
demolizione logico-sintattica per offrire al lettore «simulacri di frasi»
privi di connotazione semantica lasciandone libera l'eventuale identificazione di significato. Quattro anni dopo *Chi l'avrebbe detto* (Einaudi) raccoglieva testi editi e inediti che ribadivano quella che era
stata la prima e rimaneva la fondamentale intuizione critica di Giuliani, la visione schizomorfica della realtà e l'unica sua possibile resa
letteraria costituita dall'accozzamento dei linguaggi d'uso. Dopo una
prima raccolta di interventi critici nel volume feltrinelliano *Immagini
e maniere* (1965), altri interventi, ancora una volta sui contemporanei, erano nel volume *Autunno del Novecento* (Feltrinelli, 1984).

Edoardo Sanguineti, invece, accanto all'attività di critico[1], continuò una quasi ininterrotta attività di poeta. Sanguineti era stato
uno dei maestri delle neoavanguardie e persino un loro antesignano,
se già nel 1956 (ma la stesura risaliva addirittura al 1951-54) aveva
fatto cadere le poesie di *Laborintus* in un paesaggio le cui tinte oscil-

---

[1] Ricordiamo, fra gli altri, i saggi critici su Dante, Gozzano, Moravia. Nel 1961 il volume
Tra liberty e crepuscolarismo raccoglieva i principali interventi critici sul Novecento. Gli scritti
giornalistici di sapore critico-polemico degli anni 1978-79 sono stati raccolti in *Scribilli* (Feltrinelli, 1985).

lavano fra gli ultimi grigiori neorealisti e incerti rialbeggiamenti neoermetici. A quel primo testo era seguito nel 1960 *Erotopaegnia. Opus metricum*, e tutto sarebbe poi confluito, insieme con *Paradiso de l'Inferno*, in *Triperuno* (1964). Lo strumento di cui Sanguineti si era servito per mettere in crisi la letteratura istituzionalizzata risultava da componenti diverse e spesso fra loro contrastanti, sicché era la stessa deflagrazione interna a determinare il primo scandalo che si sarebbe ripercosso sul panorama circostante. I tre poemetti infatti costituivano un vero e proprio diario poetico con tanto di date in indice, una vita in versi, insomma, trasmessa in una prosodia lunga e di tipo narrativo; ma appena ci si addentrava in quelle pagine tipograficamente tanto simili a pagine in prosa, ci si accorgeva che la struttura del discorso era sregolata nelle due opposte direzioni del *continuum* sintattico e della frantumazione logica. A ciò si aggiungeva la frequente addizione di termini moderni o modernissimi ad altri arcaici o latini o greci o ripresi da lingue straniere, con l'effetto generale di un cocktail cosí traumatizzante[2], particolarmente in quegli anni, da rendere assai improbabile la trasmissione di un messaggio anche al lettore piú ben intenzionato. Eppure il messaggio c'era, e si veniva chiarendo dal primo al terzo titolo della trilogia, parallelamente alla sempre piú esplicita presa di posizione politica di Sanguineti all'interno delle neoavanguardie, dove egli rappresentava l'ala del marxismo piú coerente e piú legato al Pci. Il momento di emersione dalla «palus putredinis» della società borghese neocapitalista — «il fango che ci sta alle spalle» — era scritto nell'ultima pagina di *Paradiso de l'Inferno* (novembre 1963) con l'autodefinizione di «cinese» e la coscienza di quanto questa scelta potesse influire sull'operazione letteraria.

Ma sarebbe impoverito ed equivocato un percorso che si riducesse allo schema di una via di Damasco, che non c'è mai stata per la complessa convivenza di motivi ideologici. Nello stesso 1963, il romanzo *Capriccio italiano* riprendeva quanto già era presente in *Triperuno*, attingendo da Freud la chiave generale di interpretazione dei simboli, e da Jung il repertorio delle immagini storicamente fondamentali. Le due successive opere in prosa portano in vista il riferimento al ludico (*Il giuoco dell'oca*, Feltrinelli, 1967; *Il giuoco del Satyricon*, Einaudi, 1970); l'indicazione e la coincidenza non erano né casuali né insignificanti, ma vanno lette al di là di quel senso letterale che, soprattutto nel primo titolo, viene richiamato dal prontuario di regole in copertina («Per giocare ci si serve di due dadi... Colui che fa 12 va al 110»

---

[2] Sanguineti recupera «il parossismo linguistico di tutte le avanguardie novecentesche. Il suo monologo ossessivo, con i molti debiti a Pound, al surrealismo e all'espressionismo...» (A. Giuliani, *op. cit.*, p. 209).

ecc.). In realtà, ad essere messo in gioco è tutto il caleidoscopio polverizzato e trasfigurato di un quotidiano senza qualità, ma che va a finire, nella casella 82, negli inciampi della croce uncinata dove il gioco diventa mortale. E cosí, l'imitazione da Petronio se conserva il carattere dell'alto divertimento filologico e stilistico (con l'alternanza di pagine in prosa e pagine in versi), finisce anche per essere — ce lo dice l'autore — una specie di confessione psicanalitica da cui però le immagini escono senza aver raggiunto, dal terreno dell'ambiguità, quello della perspicuità.

Ma sembra chiaro che non è questo dei «giuochi», in quell'ultimo scorcio degli anni sessanta e subito dopo, il Sanguineti che meglio riflette l'*iter* letterario che allora stava compiendo e che trova la sua piú eloquente espressione nei testi poetici. Un intero trentennio di produzione poetica sarà raccolto nel 1982 nel volume feltrinelliano *Segnalibro*[3] che rende abbastanza agevole il perseguimento della linea seguita dall'autore; e subito appare evidente che non di una linea continua si tratta, bensí di una spezzata che ha la sua frattura riconoscibile, e anche databile per la premura con cui seguitano ad essere segnate mese per mese le singole composizioni. Nel gennaio del '68 Sanguineti pubblica su *Quindici* un frammento di *T.A.T.* in cui consuma gli ultimi legami con la sua produzione anni cinquanta. L'inizio del poemetto (che con *Reisebilder* è raccolto in *Wirrwarr*) è inequivocabile: «(e: eh!); è nascosta; e devo dire, e voglio / per intanto / dire; (e / per emozione): eh: eh, meine Wunderkammer! mein Rosenfeld!; (corno di unicorno!); (cercando per esempio) l'exaltation / vague);» — né i sei paragrafi che seguono mutano registro, se non ulteriormente forzandolo quasi a sottolineare la conclusione di un ciclo. Segue infatti un ampio spazio di silenzio, un momento — si direbbe — di crisi e di ripensamento dal quale, tra il giugno e l'ottobre del '71, escono le cinquantuno poesie di *Reisebilder*, e ormai Sanguineti scrive cosí: «cara moglie, ho spedito la cartolina a Cathy, con un paesaggio / urbano (e con le case illuminate, spero bene): e con le parole: "sono arrivato / troppo tardi": / l'ha firmata anche il fotografo turco, che è venuto / da Amsterdam (e che suda maledettamente:) / io ho firmato Sade, come sempre».

Ha inizio, insomma, la fase che la critica ha ripetutamente definito «crepuscolare»[4], che della precedente conserva soltanto, o quasi,

[3] Oltre i titoli già ricordati, il volume comprende *Wirrwarr* (1972), *Postkarten* (1977), *Stracciafoglio* (1980), *Scartabello* (1981), e *Cataletto*, oltre ad alcune poesie «fuori catalogo». Già nel 1974, Sanguineti aveva raccolto in *Catamerone* (Feltrinelli) venti anni di attività poetica, 1951-1971.

[4] Giunta la produzione di Sanguineti a *Stracciafoglio*, Giuliani preferisce parlare di «crepuscolarismo dialettico» (*op. cit.*).

i due aspetti esteriori, la poesia come diario e il lungo verso descrittivo; ma qualcosa è profondamente mutato: al tono fra iniziatico e tragico è subentrato l'accento discorsivo, domestico, informativo dei piccoli casi quotidiani, certo non senza autoironia, ma tale da non intaccare, anzi da rendere ancora piú confidenziale, il colloquio. Poiché di questo, e solo di questo, ora si tratta, di un carteggio coniugale, dei «Libri tristium» occasionati dalle lontananze per i molti viaggi in paesi europei, materialmente scritti in sale d'aspetto di aeroporti o stazioni ferroviarie, in bar, in camere d'albergo, e che danno notizie sui libri, sugli incontri, sugli aspetti dei luoghi. Il colloquio-soliloquio ora si fa strettamente personale — («ma stasera, prima che discutiamo se fare o non fare un quarto figlio, / ti commento due passi del Manifesto:»), ora pronuncia fedi politiche («e: la parola piú bella: comunismo):»), («penso proprio di iscrivermi al Pci, al ritorno):», «ho detto / che il marxismo è un'antropologia generale: che spiega tutta la vita):», «potevo forse dirgli, cosí di brutto, che sono un comunista viscerale, io?»), ora tocca motivi esistenziali («tutto testimonia di noi come di / naufraghi, in questo dolce naufragio»; ma una cosa è costante, la chiarezza del messaggio. Sanguineti ce ne dà anche (sempre con quel tanto di ironia necessaria) la formula in *Postkarten* (1972-77): «per preparare una poesia, si prende "un piccolo fatto vero" (possibilmente fresco di giornata) ... / ... / conviene curare spazio e tempo: una data precisa, un luogo scrupolosamente definito, sono gli ingredienti / piú desiderabili / ... / ... / ... per lo stile ... / (si può pensare, piuttosto, al Gramsci dei *Quaderni*, delle *Lettere*, ma / condito in una salsa un po' piccante ... / ... / concludo che la poesia consiste, insomma, in questa specie di lavoro: mettere parole come / in corsivo, e tra virgolette: e sforzarsi di farle memorabili, come tante battute argute / e brevi».

Temi e sentimenti di *Reisebilder* continuano in *Postkarten* e accentuano ulteriormente il legame coniugale, che è poi tutt'uno con l'angoscia dell'esistere — «c'era una volta io, disperato e vivo: / e ho piegato / per sempre la mia testa sopra il tuo grembo, dentro la tua matrice» — e l'adesione al Pci (dopo il «7 maggio rosso» del 1972), ma insieme — e la contraddizione la rende ancor piú drammatica — con la pronuncia della piú negativa delle professioni di fede: «non ho creduto in niente»; e ancora: «io vivo in lista d'attesa da sempre», per chiudere infine il poemetto con l'estrema dichiarazione di fallimento: «adesso, che potrei dire / tutto, proprio, non essendo piú vivo davvero, non ho piú niente da dire, ecco:».

Ma un'altra contraddizione erano già quei due punti che evidentemente si aprivano a un nuovo discorso, che infatti arrivò puntuale con *Stracciafoglio* (1977-79) e poi *Scartabello* (1980) e *Cataletto* (1981), dove Sanguineti perpetua il suo «monologo esteriore», la sua «emorragia di parole», le sue «coliche lessicali» in «stile cacofonico», e quasi li sente non piú come una compagnia o un conforto ma come una condanna: «mi tiro dietro questi versi come una porta, sbattendomeli, per chiudermici dentro, mi scrivo (e piscio) addosso, cara, ormai».

La poesia di Sanguineti è giunta cosí ad essere il «testamento» di chi ha toccato la tristezza dei cinquant'anni ma che ha pure raggiunto «una morale razionale storica: (e stoica):» e, con questo, una sua «felicità», una pacificazione interiore: «ti dirò che mi sto riconciliando, a piccolissimi / passi, con il mondo: / (che mi diventa gradualmente minore il mio nativo orrore / profondo, da qualche tempo in qua, per l'esistente):» (gennaio 1980).

E in questa condizione di maggiore quiete dello spirito, di piú equilibrata visione delle cose e degli uomini, Sanguineti scrive anche la sua palinodia a Pasolini, lontana ripresa, quasi con un sapore di espiazione, della ormai remota *Polemica in versi* che nel 1957 aveva contrapposto i due scrittori sulle pagine di *Officina*; ora (1979) egli riprende con «dolore e furore» la voce di quel suo «fratello infelice», per dichiarargli: «Sono con te, nel cuore e nelle viscere».

Il registro muta profondamente nelle dodici *Quintine* (Roma, Rossi e Spera, 1985) che tra la breve filastrocca, l'ironia e il *nonsense* introducono, per la prima volta nella poesia sanguinetiana, l'uso della rima, punto estremo del circolo della «restaurazione» o avvio di un nuovo giro verso la produzione futura.

Elio Pagliarani era stato incluso tra i *Novissimi* nonostante la sua poesia non presentasse elementi spiccatamente avanguardistici. C'era infatti nel poemetto *La ragazza Carla* che lí veniva antologizzato, un riferimento a temi narrativi ottocenteschi e a sfumature crepuscolari, che tuttavia Pagliarani risolveva in un «verismo narrativo» (Barberi Squarotti) reso attuale dalla perfetta coscienza del senso delle assunzioni compiute e della loro proiezione in una situazione storica e sociale mutata ormai per l'avvento del neocapitalismo, e quindi da una precisa presa di posizione ideologica dell'autore. Questo impegno tradotto in poesia continuava in *Lezione di fisica* (1964) e in *Fecaloro* (Feltrinelli, 1968, comprendente anche *Lezione di fisica*) con un'accentuazione ancor piú decisa; ma l'elemento che immediatamente ora colpisce è l'adozione di un verso lunghissimo, stampato di traverso sulla pagina, un verso «majakovskijano» come lo definisce l'autore, fortemente impregnato di scientificità, dalla fisica all'economia,

119

e perciò antilirico, dichiarativo, didascalico, ma nel quale poi si inseriscono ora elementi di ironia ora angosce del sentimento, un senso di morte e una riaffermazione della vita — e una riaffermazione della poesia: «respinti tutti i tipi di preti a consolarci non è ai poeti che tocca dichiararsi / sulla nostra morte, ora, della morte illuminarci?».

E allora, ad esempio, la «lezione» può cominciare con Max Planck e le due scuole di Copenhagen e di de Broglie ma per dire e poi aggiungere

> entrambe negano
> negano che possano esistere precisi rapporti di causa e effetto
> affermano che non si può aver studio di un oggetto
> senza modificarlo
> la luce che piomba sull'elettrone per illuminarlo
>
> E io qui sto
> e io qui sto Elena in gabbia e aspetto
> il suono di un oggetto la comunicazione dell'effetto
> su te, delle modifiche
> Non sono io
> che ti tradisco, chi ti prende alla gola è la tua amica
> la vita.

Rosso Corpo Lingua (Roma, Cooperativa Scrittori, 1977) continua il discorso lungo di Pagliarani, quello che Gabriella Sica, nel volume, definisce «una specie di fugato... un intrigo verbale destituito dei significati e delle giunture logiche... [che] tenta, ancora, di scavare, attraversare e decentrare il linguaggio univoco e rassicurante della razionalità, per recuperare l'altro discorso, il discorso lacerante dell'inconscio»; ma due elementi specifici caratterizzano questa volta la poesia, una ripetitività ossessiva e un violentissimo senso del colore, anzi del rosso — il rosso «che fa pensare alle colate di Burri», dice Pagliarani

proviamo ancora col rosso: rosso, un cerchio intorno, poi rosso su rosso: Nandi ci fosse
col rosso un cerchio di rosso un punto sette punti di rosso se fossero,
la macchia a cavallo dei cerchi, di rosso che cola in un angolo, mobile rosso su cerchi
piú stretti intasati dal rosso, che segue i bordi dell'angolo, deborda oltre l'angolo rosso.
...

Pagliarani, insomma, che era parso nei primi anni sessanta il meno autorizzato ad avere diritto di cittadinanza nella cittadella della poesia sperimentale, ha in realtà continuato ad elaborare per suo conto un proprio sperimentalismo ardito e convinto, quando altri poeti tanto di lui piú sconvolgenti agli inizi si venivano ormai acquietando in una vena minore non sempre percorsa da fremiti di rinnovamento autentico. Anche lui però è giunto infine ad una sua almeno momentanea quiete con gli *Esercizi platonici* (Palermo, Acquario, La Nuova Guanda, 1985). La breve raccolta segna una almeno duplice novità, il riferimento non più alla scienza ma alla filosofia e l'abbandono del verso majakovskijano per un ritorno ad una versificazione misurata, dal gusto classicheggiante direttamente derivato da traduzioni di alcune pagine di Platone che ruotano intorno al concetto del piacere riportato alla doppia motivazione dell'ordine matematico e della sensibilità

> I piaceri in rapporto ai bei colori,
> a figure, alla maggior parte dei profumi;
> i piaceri che provengono dal suono, dalla voce;
> in genere quelle impressioni che comportano
> un bisogno non doloroso e inavvertito...

Antonio Porta ricapitolava in *Quanto ho da dirvi* (Feltrinelli, 1977) quasi vent'anni di un'attività poetica che aveva avuto il suo primo momento qualificante nell'inserzione tra i *Novissimi*, dove troviamo, in calce al volume, le sue parole durissime in polemica con gli anni cinquanta [5].

Fino ad allora (se escludiamo le poesie visive di *Zero* del 1963), i testi di Porta — *La palpebra rovesciata*, 1960, *Aprire*, 1964) — avevano rivelato un'implacata tendenza a contemplare la natura con occhio vitreo, posato con meticolosa preferenza sulle enigmatiche violenze che squarciano il mondo dei viventi o sulle degradazioni che lo rendono orrendo ai sensi dell'uomo; gole artigliate, occhi crepati, denti caduti, uccelli risucchiati, animali sventrati, serpenti strangolati, castori scuoiati, balene arpionate, donne urlanti nel parto sono le orripilanti presenze di una realtà condannata per qualche colpa primigenia, se vogliamo dare a quelle pagine un senso religioso derivabile dalle origini cattoliche del poeta. Ma forse più che in un'ottica ideologizzata, esse andavano lette nella loro capacità quasi tangibile di cogliere il senso tutto fisico e plastico della corporalità, e sia pure di una corporalità tragica, travolta nel furioso divenire dell'universo; tutto questo secondo una costante che resterà in Porta anche quando la sua poesia dirotterà su un genere visibilmente rinnovato rispetto a quella «riduzione dell'io» di cui tanto si era parlato al tempo dei

---

[5] *I Novissimi*, a cura di A. Giuliani (Rusconi e Paolazzi, 1961, p. 159): «Il vuoto apertosi con l'affondamento in gruppo della *quarta generazione*, erede di un Montale male interpretato o attenta solo alla superficie degli eventi "sociali", senza che qualcuno riuscisse a calarsi nella realtà; la mancanza di un linguaggio penetrante... una sfiducia generale nella letteratura, isolata e inascoltata, e nei compiti dello scrittore, cui ha contribuito il *neorealismo* con il suo bilancio fallimentare».

Novissimi e che Porta aveva interpretato in quel suo modo personalissimo.

Ma per ora l'itinerario seguiva un'altra linea, che portava a una nuova raccolta (*Rapporti*, Feltrinelli, 1965) in cui la poesia defluiva nella prosa lungo una colata inarrestabile e crudele di proposizioni, una accumulazione ossessiva, una ininterrotta paratassi tra delirio e utopia, a significare — lo confermava lo stesso autore — che «segno fondamentale della cultura contemporanea è il falso». Da qui era breve il passo ad un'ulteriore riduzione del messaggio ai suoi elementi primi, alle protasi senza apodosi, agli alfabeti dell'essere e delle parole, ai «modelli», alle «serie», ai «rimari», ai «ritmi», ai repertori (*Cara*, Feltrinelli, 1969; *Metropolis*, ivi, 1971) con una per lo meno dubbia credibilità, ma comunque con un'approssimazione a un punto zero che poteva essere preludio al silenzio: «allora egli scese nel pozzo e bevve». Ma, «toccato il fondo della non significazione, che in Porta è fatto di natura esistenziale e non intellettualistica — scriveva Maria Corti nella *Presentazione* di *Week-end* (Cooperativa scrittori, 1974) — ha luogo nella sua poesia uno scatto». Un preannuncio se ne poteva già ritrovare nelle ormai lontane prime poesie del '58, se esse si aprivano con un esplicito ammonimento a guardarsi «dalle parole dei Grandi» e l'invito a mettere in salvo «la privata unica voce», dunque con due possibili direzioni nel futuro, l'accentuazione politica ma soprattutto la confessione autobiografica. Di questa c'era già stata una notevole anticipazione nell'XI dei *Rapporti umani*

> Della mia vita in un certo giorno,
> non seppi piú nulla, soltanto quello
> che rivelò il barbiere domandando dei
> miei figli e m'accorsi di non averne mai
> saputo...

mentre taglienti stoccate «politiche» erano emerse di quando in quando lungo gli anni sessanta e settanta, contro «la società / materasso, gommapiuma, carta / assorbente» e il pericolo per il poeta di annegarci **dentro**; e Stalin che annuncia la guerra, e gli orrori dei *lager* con le loro «montagne di occhiali, di lenti e di capelli».

Saranno queste le direzioni sulle quali si muoverà ora prevalentemente la poesia di Porta, che era stata nel frattempo accompagnata da una discreta produzione in prosa. *Partita* (Feltrinelli) era del '67, all'incirca coeva dei *Rapporti*, e ne ripeteva gli implacabili asindeti, anch'essi — come spiegava la copertina — «modelli di composizione esistenziale», tuttavia destinati, come sempre accade in casi del genere, a far naufragare il lettore piuttosto che ad agevolarlo lungo la storia o gli innumerevoli frammenti di storie mimetizzati fra le parole. Ma poi anche la prosa di Porta ha seguito l'itinerario che si è visto; nel 1978 è uscito *Il re del magazzino* (Mondadori) e tre anni dopo i racconti *Se fosse tutto un tradimento* (Guanda), dove «il livello metaletterario, analitico-riflessivo» non è disgiunto da una «felicità narrativa»[6]; che è come dire una soluzione di scrittura automatica di genere del tutto particolare, che tende cioè a contemplarsi per uscire verso la dimensione della coscienza: «Lo specchio ha la forma della finestra dove io sto affacciato, anzi coincide con il riquadro della finestra cosí che io posso guardarmi guardare. Mentre pongo questa domanda alla domanda avverto le prime dilatazioni del mio respiro che prima fluiva automatico, inavvertito... Ho cominciato a scrivere queste pagine lentamente e ho finito a grande velocità, senza piú pause o legami, a perdifiato, perché scrittura e pensiero siano la stessa attualità».

Il punto d'approdo, per il momento, della poesia di Porta sono i volumi mondadoriani *Passi passaggi* (1980) e *Invasioni* (1984), che ci forniscono un nuovo «attestato di affabilità, di comunicatività, di trasparenza» (Raboni). Forse siamo alla consapevolezza di una situazione che Porta registra con le parole di Musil — «questa è la prima epoca della storia / che non ama i suoi poeti»; ed ecco allora nascere una poesia che, pur non rinunciando del tutto a certe collaudate strutture stilistiche (le parole o le immagini in elenco continuano ad essere lo strumento prediletto), si fa resoconto di viaggio in una New York-balena bianca, o «diario» del poeta e dell'uomo

> Stamattina la radio: sono già pronte
> bombe per 250.000 Hiroshima
> ma il pericolo non è imminente.
> Rispondetemi, come può un poeta essere amato?

oppure

> per caso mentre tu dormi
> per un involontario movimento delle dita
> ti faccio il solletico e tu ridi
> ridi senza svegliarti
> cosí soddisfatta del tuo corpo ridi
> approvi la vita anche nel sonno
> come quel giorno che mi hai detto
> lasciami dormire, devo finire un sogno

o, infine, si frantuma in brevi lampi che mandano i loro rapidi ba-

[6] L. Fontanella, in *Stilb*, maggio-agosto 1982.

gliori di memorie o di paure: «chi ha detto l'impronunciabile / parola, dopo / vuoto».

Già quanto si è detto a proposito di *Quindici* ha chiarito la personalissima posizione politica di Nanni Balestrini all'interno del gruppo dei *Novissimi*; dal punto di vista letterario, il suo itinerario ha camminato, in genere, su due livelli — di prosecuzione delle esperienze neoavanguardistiche in poesia e, al contrario, di adozione di un linguaggio tutto in chiaro, polemico, documentato nella prosa. Sono uscite cosí (dopo *Il sasso appeso* e *Come si agisce*) alcune raccolte poetiche (*Ma noi facciamone un'altra*, Feltrinelli, 1968; *Ballate distese*, Geiger, 1975; *Le ballate della signorina Richmond*, Cooperativa Scrittori, 1977; *Blackout*, Feltrinelli, 1980)[7] alle quali si deve aggiungere il romanzo *Tristano* (Feltrinelli, 1966), in cui la continuazione dei modi propri degli anni del Gruppo 63 va ricercata nella costruzione di un processo creativo apparentemente regolare, da «ballata» appunto, ma che in realtà irride a ogni rispetto di una buona logica, o segmentando e riincollando brani di linguaggio oppure metaforizzando figure che potrebbero apparire realistiche (la signorina Richmond, ad esempio) e non lo sono.

È per la via traversa di questo processo di metaforizzazione che questa poesia può recuperare aspetti politici e, per cosí dire, rivoluzionari; ma quando Balestrini si mette a scrivere romanzi, allora la musica cambia del tutto e la lingua si fa esplicita e aggressiva come un pugno chiuso, o piuttosto come un manifesto o un volantino delle lotte operaie, che vengono direttamente utilizzati nel testo per descrivere, questa volta il piú realisticamente possibile, la battaglia alla Fiat.

Questo accadeva in *Vogliamo tutto* (Feltrinelli, 1971) e si ripeteva in *La violenza illustrata* (Einaudi, 1976), un romanzo in dieci episodi, raccontato in un linguaggio tendenzialmente continuo che utilizza come punto di partenza le lingue dell'informazione (cronache, deposizioni, verbali) letterariamente manipolate in un'abile opera di montaggio. Questo intervento d'autore permette a Balestrini di denunciare verità mimetizzate, compromissioni occultate, violazioni della legge da parte del potere, correità d'ogni genere, e insomma tutti gli stravolgimenti che hanno regolato il vivere del consorzio umano negli anni settanta: le stragi del Vietnam, le cariche della polizia, la morte in fabbrica, la guerriglia urbana, le rapine in banca (ma, «che cos'è una

---

[7] Nel 1976 uscí presso Einaudi *Poesie pratiche*, una scelta dei versi 1954-1969.

rapina in banca di fronte alla fondazione della banca stessa?»), ecc.; il tutto alla luce di un'ideologia esplicitamente affermata: «Solo la lotta armata trasforma l'uso capitalistico della soppressione della legge del valore in lotta operaia per la soppressione reale del comando del capitale e del lavoro, solo la lotta armata parla oggi di comunismo».

Al *Vogliamo tutto* balestriniano è accostabile *Irati e sereni* (Feltrinelli, 1974) di Francesco Leonetti sia per il tema della contestazione operaia nel periodo 1966-70 sia per la soluzione letteraria composita tra diario, racconto, documento; Leonetti, in un intermezzo dell'opera, ne dava una spiegazione anche biografica ripercorrendo l'*iter* che lo aveva portato dall'esordio nei «Gettoni» (*Fumo, fuoco e dispetto*, 1956) a una decisa autocritica ideologica e stilistica[8], il cui risultato era questo «divertimento violento, alla maniera di Rabelais», questo «sogno pieno di furore», «perché la pratica rivoluzionaria non si può soltanto narrare». L'autore intendeva dire che la si deve anche testimoniare con tutta la passione con cui la si vive, ma voleva forse aggiungere anche la necessità dell'uso di strumenti espressivi adeguati, che nel suo romanzo erano costituiti dall'impiego di metafore fortemente ironiche — le sedie, il ragno, la cassaforte, simboli del rapporto fra il padronato e la classe operaia.

Ma anche coloro che avevano fiancheggiato l'avanguardia fin dal convegno di Palermo del '63, pur non condividendone gli aspetti stilisticamente piú traumatici, continuarono un lungo e spesso assai fecondo lavoro che prolunga in modo vitale la loro figura fino agli anni ottanta. Dalla polivalente matrice dei primi anni sessanta, il suggerimento che vedemmo a spostare la produzione verso la zona del ludico fu certamente ascoltato, anche se poi riprodotto non scolasticamente ma affidato ad una fantasia talvolta irresistibile come accadeva nei casi di Manganelli e Malerba e, per certi aspetti, Arbasino.

Nella elaborazione teorica della neoavanguardia, Giorgio Manganelli aveva occupato sin dagli inizi una posizione di punta nel senso che aveva già in quelle prime battute puntato sul paradosso della contestuale frequentazione e distruzione della letteratura. Primo frutto di questa sua sofisticata ambiguità fu *Hilarotragoedia* (1964), un «trattatello», un «manualetto» in forma di sfogo monologato sulla condizione umana sventrata, profanata, derisa, capovolta, straziata con le affilate armi di una sapientissima follia. È da questo suo ossimoro

---

[8] «Avevo un certo timore giustificato di perdere, nella formalizzazione letteraria, il rigore o il vivo della nuova ragione d'intellettuale e teorico politico: e in parte mi resta tale preoccupazione. E pur cercando un nuovo stile, rinunciare non intendevo e non intendo alla rottura del contenuto diventato bozzettistico del "realismo".» (p. 107)

caratteriale e perciò diffuso in tutta la sua opera (e in questa sua prima già esibito nel titolo) che si genera una carica dissacrante ogni genere di valori o disvalori tutti egualmente ridotti a zero per poter toccare il fondo di quella «natura discenditiva» non solo dell'uomo ma dell'universo intero, come a dire della generale vocazione alla degradazione e alla morte. Una pirotecnica invenzione lessicale e sintattica, cui non è ignota la lezione gaddiana, una produzione in serie di immagini derisorie, macabre, blasfeme, eroicomiche, un continuo ricorso a tutte le risorse delle figure retoriche[9] hanno come punto d'approdo, se mai un approdo è possibile, l'allettamento e insieme il disprezzo del lettore, la negazione della letteratura che intanto viene affermata *in re*, la proclamazione del nulla universale cui intanto si aggiunge questa pungentissima tessera.

L'arduo gioco ideologico e stilistico si continua in *Nuovo commento* (Einaudi, 1969), anzi la lingua tende a complicarsi ancor piú in una sintassi elaborata e prolissa, in cui il manierismo manganelliano tocca insieme il suo momento di maggiore audacia e di imminente rottura, se è vero che viene poi rinunciato a vantaggio di un periodare piú teso e tagliente o, semplicemente, piú normale. La scommessa di Manganelli è, questa volta, di fornire un libro enunciato come commento ad un testo e realizzato, quale testo, nel commento stesso condotto come una labirintica ricerca cui nessun filo d'Arianna dà la possibilità di rintracciare la via d'uscita. Ma se qui Manganelli ha finto un'operazione su un testo inesistente, la sua vocazione critica autentica — e si direbbe strutturalmente sottintesa anche nelle opere volte ad altro — è poi emersa su oggetti letterari reali esaminati e sezionati con un'acutezza non smentita ma a suo modo moltiplicata dalle consuete dichiarazioni, ovviamente contraddittorie, del nulla totale e *in primis* della letteratura, dei suoi autori, delle parole in cui si realizza la sua «menzogna»: «L'autore è un'ipotesi innecessaria, come è stato acutamente affermato di Dio, altro grande anonimo. Quello che so è che esiste un filamento di parole, una ragna, un deposito, un gomitolo. Libri? Pagine? Non necessari... Che idea, che le parole abbiano un senso... direi che le parole hanno tutti i sensi meno quell'unico che eventualmente qualcuno abbia cercato di "mettervi"... Non solo l'esistenza dell'autore è improbabile, ma positivamente dannosa, teoricamente un impaccio, un puro e semplice residuo tolemaico. Le parole non sono antropocentriche, nessuno le "scrive", non "vogliono dire" nulla, non hanno nulla da dire. Come l'universo sono inutili...

---

[9] Si veda per questo G. Pulce, «*Hilarotragoedia*» e «*Nuovo Commento*»: *la lingua incantatoria di Giorgio Manganelli*, in *Rapporti*, n. 24-25, genn.-giu. 1982, in cui l'autrice compie una lettura dei due testi «sulla falsariga dei trattati medievali e barocchi».

Infine, le parole non conoscono errore. Se una parola "sbaglia" l'universo si adegua immediatamente».

Su questi fondamenti, nel '77 Manganelli ci dava una lettura di Pinocchio (*Pinocchio: un libro parallelo*, Einaudi) di una strabiliante meticolosità e ricchezza e pertanto in grado di rivelare un'infinità di sensi nascosti, grazie a questa sua «fantasia sul modo di leggere i libri» che assimilando il libro da sottoporre a commento ad un cubo, lo rende «percorribile non solo secondo il sentiero delle parole sulla pagina, coatto e grammaticalmente garantito, ma secondo altri itinerari», che ce lo fanno apparire comprensivo di tutti i possibili libri paralleli. È, in parte, lo stesso criterio che ritroviamo nelle prefazioni che dal '71 è venuto scrivendo su opere di vario genere e di varie letterature, raccolte poi in *Angosce di stile* (Rizzoli, 1981), dove certo non ci meraviglierà trovare giudizi in cui la contraddizione in termini («In effetti, un'enfatica assenza di enfasi è uno dei mezzi espressivi cui Jerome ricorre e sempre con rara esattezza da guitto») o il paradosso antiletterario («quel fantasma drammatico ed enigmatico che è una proposizione "scritta" da due a trenta parole che hanno il marchio di Caino, il segno della "letteratura"») siano ancora tra gli strumenti preferiti — ma non i soli — per riuscire a far parlare il testo o l'autore esaminato.

La folta produzione di opere — pochi autori sono altrettanto prolifici quanto questo "denigratore" della letteratura — passa intanto attraverso una nutrita serie di titoli, *Agli dei ulteriori* (Einaudi, 1972) dove un'allucinata simulazione si sostituisce alla realtà sino all'esemplare capitolo *Sulla difficoltà di comunicare con i morti*; *A e B* (Rizzoli, 1975), un libro dialogato che per programmata intenzione rifiuta e irride ogni inquadramento di genere o giudizio critico e che, naturalmente, proprio attraverso le ambiguità, le fole, i rovesciamenti delle attese, ottiene, nella dialettica serratissima dei due anonimi personaggi, risultati logicamente corretti. Quel che non accade in *Sconclusione* (Rizzoli, 1976) che lo stesso autore si diletta a definire «inattendibile» e che in realtà vede scadere il grottesco manganelliano troppo a livello di *nonsense* («Con calma, lentamente, rimisi mio padre nel cassetto», «la rimorte di mio padre è imminente, ed io sono disposto a contribuirvi») agevolmente collocabile quale punto di arrivo del suo nullismo teorico, ma che rischia di disperdersi al limite della freddura. Piú ardua, invece, è l'operazione di *Centuria* (ivi, 1979), cioè *Cento piccoli romanzi fiume*, ciascuno di una mezza paginetta e che pongono perciò problemi non semplici di invenzione e di tecnica narrativa risolti a getto continuo con l'appello al paradosso, all'imprevedibile, all'ispirazione allegorica, arrivando a «simulare con raffinata semplicità la stravaganza dell'inevitabile, la leggerezza dell'arbitrio, la coerenza dell'incongruo»[10].

La vena di Manganelli ha continuato a produrre e quasi a straripare anche negli anni piú recenti dando alla luce, nella sola prima metà degli anni ottanta, altri tre volumi, *Amore* (ivi, 1981), *Discorso dell'ombra e dello stemma* (ivi, 1982), *Dall'inferno* (ivi, 1985). Naturalmente, quando si mette a scrivere dell'amore, Manganelli né racconta né teorizza, ma confeziona, se possibile con una implacabilità maggiore di sempre, un programmato soliloquio-sproloquio-vaniloquio (un soliloquio che solo alla fine si sdoppia in un dialogo secondo una formula che l'autore sembra ora prediligere) dalle cui innumerevoli articolazioni emergono alcuni simboli fondamentali, la notte, il buio, la taverna e la caverna, la foresta, il deserto. Scritto sotto forma di qualcosa che potrebbe essere un'interminabile lettera, anche questo *Amore* si avvale di una retorica ormai collaudatissima, i cui due strumenti principali sono ancora la contraddizione in termini («Se ti cerco ti perdo... Perdendoti ti cerco») che non può chiudersi se non con l'annientante elisione di entrambi i termini — «Dovunque sia il nulla è l'amore, e il nulla è ovunque»; e l'elencazione in forma di piú o meno pronunciata *climax*: «Io mi deploro, consacro, commemoro, celebro... Sono nel centro della foresta, e so che la foresta mi approva. Foglie, muschi, funghi, erbe, enormi tronchi, esili arbusti, hanno assistito alla mia rotta». Questa sofisticata logorrea continua nel *Discorso*, che riprende la polemica, ovviamente contraddittoria, contro la letteratura: — «La letteratura è inutile. La letteratura è indispensabile. Si può vivere senza letteratura, purché si sia già morti»; e in primo luogo contro i suoi professori; ma poi, come sempre, se la parola non significa niente e coincide col silenzio, in compenso ha due lati, uno rovente e uno diaccio, e infine tutto il libro sarà, per tranquillizzare il lettore, «letteratura sulla letteratura». Si dice anche ora che «l'inferno è vincere», e il motivo viene ripreso nel libro che dall'inferno si intitola e che si apre col primo paradosso: «Secondo ragione, dovrei ritenere d'esser morto». Anche in questo volume, con un'abitudine interessante per definire l'opera manganelliana all'interno del suo geniale solipsismo, l'autore si è scritto il risvolto di copertina, e allora diremmo, usando le sue stesse parole con tutto il carico tragironico che comportano, che anche qui avremo a che fare con aneddoti men che significanti, chiacchiere scipite, lezioni universitarie, descrizioni inadeguate, cicalate lunatiche, *badinages* scriteriati — e

[10] A. Giuliani, *Autunno del Novecento*, cit., p. 91, il quale conclude: «niente di piú ipotetico, iperipotetico della prosa manganelliana».

insomma «fantasticaggini», per dirla ancora con il *fool* con cui Manganelli si vuol confondere.

Anche l'arrivo alla pubblicazione di Luigi Malerba è abbastanza tardivo; nel 1963 usciva *La scoperta dell'alfabeto*, una sorta, a prima vista, di novelliere campagnolo tra il comico e il tragico, se in realtà l'interesse non fosse rivolto in primo luogo alla riscoperta del linguaggio, secondo una specifica scelta letteraria dell'autore che avrà subito altri esempi in *Il serpente* (Bompiani, 1965) e in *Salto mortale* (ivi, 1968), due romanzi strutturati nella forma, almeno apparente, del giallo. Anzi, per quanto riguarda *Salto mortale*, del «giallo sul giallo»[11], che impegna il lettore «a districare non le intenzioni e i fini di un criminale, bensí le intenzioni e i fini di uno scrittore, i trabocchetti del suo drammatico e grottesco gioco di invenzione». Un gioco per ironizzare le strutture narrative tradizionali con la loro pretesa di rispecchiare logicamente un logico mondo, un gioco in cui vivono personaggi che credono di essere quello che non sono o sono insieme una cosa e l'altra, dove si verificano fatti che non sono mai accaduti e il principio e la fine possono confondersi a dimostrazione dell'assurdo che domina le cose e le parole che le dicono. Le quali non si avvalgono solo, per questo, di singole soluzioni ingegnose — anacoluti, infiniti, ellissi, alternanza di linguaggio popolare e citazioni colte, di seconde e di terze persone, di monologhi e di dialoghi — ma del complesso globale della scelta linguistica intenzionata alla demolizione dei valori ufficiali.

Era uscito da poco *Io e lui* di Moravia, quando Malerba ci ripresentava lo stesso «personaggio» in prima persona, *Il protagonista* (ivi, 1973) con le sue avventure portate o no a buon fine, ma anche in questo caso senza scandalo per il senso tutto linguistico e niente affatto moralistico dell'operazione, condotta in un linguaggio che «sta orgogliosamente in basso, osceno e tuttavia cortese... sgrammaticato e insieme colto... un po' sboccato seppur con tante scuse, un po' fatto a caso sebbene per volontà dell'autore, sfrontato e un po' piagnone, arrogante e vigliacco, franco e complicato, ambiguo»[12].

L'anno dopo[13] venivano *Le rose imperiali* (ivi), un romanzo sulla

---

[11] «Vi è un primo livello conforme al codice simbolico del genere, in cui compare il solito assassinato e i relativi indiziati; ma vi è un secondo livello, in cui lo scarto è dominante, i fatti sono legati, incatenati, correlati per una nuova funzione sulla base di un piano calcolatissimo da cui si genera la struttura e il significato del libro» come «giallo esistenziale» (M. Corti, in *Strumenti critici*, n. 7, ott. 1968).

[12] W. Pedullà, *Miti, finzioni e buone maniere di fine millennio*, Rusconi, 1983, p. 293-4.

[13] Fra il 1969 e il 1973, Malerba aveva anche pubblicato, in collaborazione con Tonino

Cina del IV secolo a.C., quando l'imperatore Che Huang-ti, fondatore della dinastia Ch'in, mozzò il capo a innumerevoli sudditi rei delle piú futili mancanze e col loro sangue concimò le rose rosse dei suoi giardini; una storia oggettiva, ma soprattutto una metafora sul senso assurdo e tragico del potere o piuttosto dell'intero esistere degli uomini, tra i quali rientra lo stesso imperatore decapitatore. Sulla Cina Malerba tornerà dopo un decennio con un libro, *Cina Cina* (Lecce, Piero Manni, 1985) che è la continuazione e insieme il rovescio delle *Rose imperiali*; perché questa volta Malerba in Cina c'è stato di persona e ne ha registrato — come lui stesso dice — «una serie di minuscole ispezioni e congetture», nate dalla dichiarata intenzione di non applicare vizi e modelli occidentali, anzi addirittura superando la promessa fatta a se stesso di non scrivere, dopo il viaggio, l'immancabile libro sulla Cina. Son venute fuori cosí pagine di appunti illuminanti, seri e preoccupati o ironici e curiosi, la cui sostanza fondamentale è la critica totale della «rivoluzione culturale», simbolo della continuità di certe categorie politiche cinesi e di certi personaggi che le incarnano, come il capostipite imperiale Che Huang-ti che fece distruggere i libri e decapitare gli intellettuali, e Mao Tse-tung che ridusse la letteratura al libretto rosso e che «se non fece tagliare la testa ai letterati, molti rinchiuse nelle galere e altri mandò ad allevare porci e galline».

Nel 1978, con *Il pataffio* (ivi) Malerba riproponeva uno dei suoi piú avventurosi esperimenti linguistici, questa volta puntando sul plebeo, sul maccheronico, sul farsesco, con deformazioni dialettali[14], e gli accostamenti piú comici e balordi, un latino inesistente, un italiano sgangherato — per raccontare la storia di un qualche medioevo improbabile e parodiato. Era l'esplosione del comico malerbiano in una formulazione quasi parossistica del «ludismo formale» (M. Corti) che poteva trovar venia, da una parte, per la ribollente e spregiudicata invenzione, dall'altra, per la possibilità di leggere in controluce quel Medioevo sullo sfondo dei diversi ma analoghi orrori dell'età nostra.

Del 1979 sono i racconti di *Dopo il pescecane* (ivi), in cui la corrosione della critica malerbiana penetra nella dimensione del quotidiano, di ciò che viene praticato come ovvio ed è invece illogico e cattivo; e dell'81 il *Diario di un sognatore* (Einaudi), un'opera che modifica alquanto l'immagine dello scrittore se non altro per la lingua qui fattasi tersa, netta, da referto medico-psicologico, e per l'assenza to-

---

Guerra, la serie di *Millemosche*, un'opera per ragazzi tra la favola e l'avventura, poi ripubblicata in *Storie dell'anno Mille* (Bompiani, 1973).

[14] Per l'interesse di Malerba nei confronti del dialetto, si veda il suo repertorio emiliano *Le parole abbandonate* (ivi, 1977).

tale del comico sostituito da una perplessità pensosa: «Temo che l'avere trasformato in recluse pagine scritte un'attività della mente per sua natura volatile porti in sé il rischio di una violenza, la rottura di un equilibrio». Si trattava infatti di registrare i sogni di un intero anno (il 1979) con la coscienza di un doppio rischio: la impossibilità di «eludere gli statuti culturali con l'ausilio dei quali siamo soliti affrontare ogni ordine di realtà», e la coscienza che la decisione di annotare i sogni possa determinarne un turbamento. Se l'operazione, ciononostante, può dirsi riuscita è perché l'autore si proponeva non di teorizzare sul sogno ma semplicemente di offrire del materiale, e conseguentemente sapeva di seguire piuttosto procedimenti mentali che procedimenti narrativi.

Nonostante sia piú giovane di Manganelli, Alberto Arbasino ha cominciato a pubblicare alcuni anni prima, e questo spiega il suo diverso rapporto con il Gruppo 63. È certo, infatti, che l'ideologia letteraria e la prosa di Arbasino non nascono dal trauma delle neoavanguardie ma lo precedono e in qualche misura concorrono a determinarlo. La sua scrittura come appare fin dalle primissime opere (*Le piccole vacanze*, 1957 e *L'anonimo lombardo*, 1959) nacque alla metà degli anni cinquanta come conseguenza di «uno shock gaddiano vivissimo»[15], ed è questa sigla gaddiana (assai piú che gli sperimentalismi neoavanguardistici) usufruita liberamente e non in termini epigonici, a caratterizzare la sua intera prosa[16]. La quale, a differenza di quella manganelliana che punta prevalentemente sulla imprevedibilità lessico-sintattica (oltreché ideologica), ha il suo principale centro di elaborazione al livello superiore dove si succedono, si scontrano, si organizzano o disorganizzano i vari periodi formalmente normali, anzi frequentemente prelevati dalle piú disparate provenienze[17], la cui accumulazione produce la pagina franta e folta di pressoché tutti i libri di Arbasino. O piuttosto, una pagina che oscilla tra la soluzione di un *continuum* implacabile anche quando frammentato dal dialogo, e il breve capitoletto o addirittura l'aforisma. Ma in un caso o nell'altro gli ingredienti sono per lo piú i medesimi e obbediscono a un preciso progetto con il quale si chiamano diretta-

[15] *Nota 1973* in *L'anonimo lombardo*, Einaudi, 1973; e Arbasino precisa: «La scoperta delle *Novelle dal ducato in fiamme*, la cotta entusiasmante per l'*Adalgisa* (il *Pasticciaccio* non era ancora uscito, del plurilinguismo si discorreva appena, mi pare)». Ma per i suoi rapporti con Gadda, si veda il capitolo *Genius loci* in *Certi romanzi*, 1964, poi Einaudi, 1977.
[16] Naturalmente questo non comporta l'esclusione di Manganelli da una linea di gusto e di cultura pur essi gaddiani.
[17] È tuttavia rintracciabile spesso un'eco lombarda.

mente in causa i termini da criticare, deridere o soltanto rappresentare: citazioni, digressioni, parodie, recuperi ed esibizionismi culturali, accostamenti di realtà e fantasia, ironizzazioni e snobismi e sofisticazioni snocciolate con *nonchalance*, il tutto amalgamato in un contesto nel quale l'impronta arbasiniana sta già nel montaggio spregiudicato di tutto quel materiale — oltreché, s'intende, nel particolare messaggio implicito nel *kitsch* gettato a piene mani in pasto al lettore a scopo generalmente dissacratorio[18]. Tutto ciò rende anche assai incerti i confini tra prosa saggistica e prosa narrativa, che in ogni caso rifiuta, salvo i primissimi titoli, la forma classica del racconto a vantaggio di una struttura articolata e composita in cui la *fabula* non ha un rilievo primario, se si esclude *Il principe costante* (Einaudi, 1972) che racconta, ironizzando il linguaggio del melodramma, la storia di un principe portoghese fatto prigioniero dai mori.

Nella metà degli anni sessanta, Arbasino aveva già pubblicato alcuni dei suoi libri piú importanti. Oltre quelli citati, di cui si dovrà ricordare la tematica (omo)sessuale, *Parigi o cara* (1960) che mostrava il respiro europeo della cultura dell'autore e *Fratelli d'Italia* (1963) che può considerarsi la prima tipica sintesi (sia pur vastissima) arbasiniana costruita nella forma di un vagabondaggio che permette le considerazioni piú varie e a getto continuo su uomini e città in frequente entrata e uscita dal meticolosissimo mirino con cui Arbasino le scruta. L'anno seguente, *Certi romanzi* completava il discorso, adottando però dichiaratamente la forma del saggio ma sotto specie di divagazione, di confronto continuo con testi e autori, assai spesso stranieri, un po' affastellati come a mimare quel «vortice di idee e nomi e titoli e citazioni che invade vertiginosamente la nostra cultura» negli anni sessanta. Nella edizione del '77 sarà aggiunta al volume una seconda parte, *La belle époque nelle scuole*, quasi una controstoria della letteratura italiana e europea dell'Otto-Novecento, a tutto svantaggio della prima.

I titoli continuano poi a inseguirsi con incredibile frequenza: 1965: *Grazie delle magnifiche rose* (Feltrinelli), 1966: *La maleducazione teatrale* (ivi), 1968: *Le due orfanelle: Venezia e Firenze* (ivi), ancora 1968: *Off-Off* (ivi), 1969: *Super-Eliogabalo* (ivi), sul quale è bene soffermarsi come uno dei momenti piú indicativi del lavoro arbasiniano: per la struttura anzitutto, piú di sempre risultante dal «saccheggio» (Giuliani) di ogni disparata fonte letteraria e storica con un risultato dif-

---

[18] Il termine *Kitsch* è stato per lunghi anni usato da Arbasino e dai suoi critici per indicare il contenuto di tante sue pagine; ma ora egli se ne è stancato, come risulta da una sua dichiarazione dell'ottobre 1979: «Secondo me il *Kitsch* doveva essere finito già da un bel pezzo, perché è una solfa che ci ha annoiato a lungo, o meglio, ci ha divertito per un paio di stagioni e ci ha annoiato per quindici se non di piú» (M.L. Vecchi, *Arbasino*, La Nuova Italia, 1980, p. 14).

ficilmente ascrivibile a un qualunque genere codificato; per le invenzioni, poi, utili e inutili, spiritose e fastidiose, scandalose e perfino sagge di cui è infarcito; per quel che ci dice, infine, sprofondato nella dimensione del sesso in tutte le possibili varianti.

Né minore è stata la produzione lungo gli anni settanta e ottanta, dal "romanzo" *La bella di Lodi* (Einaudi, 1972), avventure lombarde di sesso e d'altro tra spiaggia e città, *Specchio delle mie brame* (ivi, 1975), «romanzetto pseudo-libertino», raffigurazione dissacrante e sarcastica di certo costume siciliano; fino a quella che potremmo definire la «trilogia italiana» di *Fantasmi italiani* (Roma, Cooperativa Scrittori, 1977), *In questo stato* (Garzanti, 1978) e *Un paese senza* (ivi, 1980), ma insieme una parabola sempre più discendente verso un giudizio senza remissioni sui vizi e i limiti, gli errori e gli orrori e tutto l'incredibile che può essere accaduto e ancora accadere nel nostro paese. Come è naturale, gli strumenti di cui Arbasino si serve per costruire la sua pagina sostanzialmente non mutano, né le opinioni che egli esprime si differenziano molto da quelle già ripetutamente consegnate in tanti suoi libri; ma c'è ora una così impressionante totalità di condanna, un disgusto, un disprezzo senza speranza, un folle interrogarsi, da ritenere queste opere, particolarmente l'ultima, la più giusta invettiva o punizione per un paese che fosse fatto veramente e soltanto così. Ma forse c'è dell'altro, che Arbasino non ha mai né saputo né voluto vedere (o guardare), troppo e sempre accecato da un'esterofilia un po' sospetta per poter essere presa tutta come strumento diagnostico e culturale credibile e creduto [19].

Le primissime prove di Franco Fortini si collocano, fra il '37 e il '39, nell'ambiente noventiano della *Riforma letteraria* e riprendono subito dopo la guerra con la collaborazione al *Politecnico* vittoriniano [20] e la pubblicazione di un volume di poesie, *Foglio di via e altri versi* (1946) e di un breve romanzo, *Agonia di Natale* (1948, II ed., sempre presso Einaudi nel 1972 con il titolo *Giovanni e le mani*) nei quali egli pareva muoversi tra residui fiorentini ermetizzanti e pressione degli eventi mediata dalle presenti suggestioni neorealiste [21]. A

[19] Nel 1983, Arbasino ha raccolto la sua attività poetica in *Matinée* (Garzanti) in cui troviamo poesie dal 1943 (Abrasino è del '30) agli anni ottanta; si tratta dunque di un'autobiografia (con larghi squarci in prosa) di un «non poeta» che, questa volta, ha scritto «un concerto di poesia», mettendoci dentro, come al solito, un po' di tutto. Nel 1981, in *Trans-Pacific Express* (ivi), Arbasino raccontava l'esperienza di un viaggio in Cina; alla fine dell'85, raccoglieva altre sue prose in *Il meraviglioso anzi* (ivi).

[20] Si veda per questo il saggio fortiniano *Che cosa è stato «Il Politecnico»*, in *Dieci inverni*, Feltrinelli, 1957.

[21] Fortini ha raccontato la sua esperienza di partigiano in *Sere in Valdossola* (Mondadori, 1963, poi Marsilio, 1985).

cementare le diverse componenti e a delineare la personalità autonoma ed emergente dell'autore c'era un problematicismo diffuso, un pessimismo di fondo con qualche nota di autolesionismo e qualche punta di auto-compiacimento, nonché l'ingorgarsi di motivi letterariamente contrastanti quasi a manifestazione della complessa battaglia ideologica interiore; c'era quella che verrà definita «mentalità dialettica» di Fortini costantemente (non) risolventesi in una «tensione di forze in contrasto», in una «compresenza di stasi e movimento»[22]. Erano i caratteri che, pur arricchiti di spessore e di risonanza, ritroviamo anche nelle due raccolte poetiche degli anni cinquanta, *Una facile allegoria* (1954) e *I destini generali* (1956)[23], in cui la denuncia delle mancanze e delle delusioni si fa ancora piú sconfortata: «Si crede di aspettare e la speranza si inaridisce, / si spera di ricordare e non si ricorda».

Sono questi anche gli anni in cui Fortini raccoglie sotto il significativo titolo di *Dieci inverni 1947-1957* gli scritti letterari e ideologici presentati come «contributi ad un discorso socialista», da intendere però come presa di posizione delusa e polemica contro le degenerazioni nei paesi del socialismo reale e gli avalli che venivano loro concessi dai partiti politici della sinistra italiana. Fortini continuava insomma il suo discorso scontento, isolato e immediatamente improduttivo ma rivolto a gettar semi destinati a germogliare anche per l'appassionata insistenza con cui venivano offerti: «Nulla è sicuro ma scrivi». Cosí si esortava in una pagina della nuova raccolta di poesie del '63, *Una volta per sempre*[24], che forse segna il punto piú basso nella parabola dei progetti di vita e delle speranze politiche — «Ogni cosa, puoi dirlo, è assai piú buia / di quanto avevi immaginato» — sino all'orlo dell'ultima rinuncia: «Non so, non capisco, non parlo, lasciatemi andare».

La poesia di Fortini era sempre stata (ed ora il suggerimento veniva da lui stesso) il frutto della convivenza di «esercizio della ragione e sentimento», di «suoni sordi e chiari»; ancora, dunque, accordo e conflitto fra due sollecitazioni che condizionavano non solo la complessa drammaticità di certe considerazioni, ma la stessa forma del poetare, in cui potevano confluire origini culte, discorso parlato, allusioni quasi sibilline, e poi rispetti metrici[25], forme gnomiche, ac-

[22] A. Berardinelli, *Fortini*, La Nuova Italia, 1973, pp. 67, 70.
[23] La produzione poetica fino a questo momento venne raccolta nel volume feltrinelliano *Poesia ed errore*, 1959, poi, in edizione riveduta, Mondadori, 1969.
[24] Poi ampliato, in edizione Einaudi, 1978, *Una volta per sempre. Poesie 1938-1973*. Nel 1983 escono le traduzioni poetiche *Il ladro di ciliege e altre versioni di poesia*, Einaudi.
[25] Su questo problema si vedano i capitoli *Sulla metrica e la traduzione* nei *Saggi italiani*, De Donato, 1974, che raccolgono gli scritti critici fortiniani sui contemporanei.

centi epigrammatici, ricondotti ad una per quanto dibattuta unità ideologica piuttosto che formale, e comunque approdanti ad una nuova
e reale poesia civile [26]. Tale complessa addizione di modi tornava in
Questo muro (Mondadori, 1973), in cui Fortini riuniva poesie del decennio '62-72 e fissava il momento dei suoi «cinquant'anni», del suo
essere e non essere un «falso vecchio» che non trova né nel «passato
stanchissimo» né nel presente («Nulla che vedo d'intorno mi parla»)
una ragione per continuare a resistere o un motivo di gioia, se non
«la gioia brevissima / la certezza sensibile che viene dopo tutto»; e
si piega perciò alla rassegnazione e alla sconfitta davanti alla realtà
delle stragi, della strangolazione degli schiavi e dell'ignominia dei sa-
cerdoti

> Le notti lunghe di primavera le passo ormai
> con moglie e figlio. Fragili alle tempie i capelli.
> Vedo in sogno imprecise lacrime di una madre.
> Sulle mura hanno mutato le grandi bandiere imperiali.
> Vite di amici diventano spettri, non resisto a vederle.
> In ira contro siepi di spade cerco una piccola poesia.
> Non lamentarsi. Chino il capo. Non si può scrivere piú.
> Come acqua la luna illumina la mia veste oscura.

Ma c'è sempre nella «dialettica» fortiniana un punto di riscatto (può
essere anche la memoria dei propri cari o degli amici perduti) per riprendere a fare i conti con la vita, per volgere il capo e guardare a
un mondo ancora comprensibile se tra la «burrasca insensata» del
vivere e l'incombere del morire si resta svegli e attenti nella notte
che ci circonda; e allora la conclusione può essere anche un'estrema
affermazione di sé pur nella consapevolezza della propria fragilità:
«Sono contento di essere ancora vivo / ... Però la notte viene».
   Alla metà degli anni sessanta, tre volumi apparentemente minori
ma in realtà ricchi di mille spunti, memorie, riflessioni, fatti personali e pubblici, testimoniano la continuità della presenza di Fortini,
la sua attenzione costante alle cose del mondo e della cultura e alla
propria posizione da assumere, rivedere, sviluppare. *Profezie e realtà
del nostro secolo* (Laterza, 1965) era in realtà un'antologia di autori

---

[26] Ma sul linguaggio di Fortini può valere il principio di autoanalisi che troviamo nella raccolta di scritti di politica e letteratura del biennio 1975-1977, *Questioni di frontiera* (Einaudi,
1977): «La grande stampa del capitale è aperta ai linguaggi settoriali: ecco la pagina economica, quella sportiva, quella letteraria, quella medica eccetera. Capacità giornalistica è quella di
correggere il linguaggio settoriale con il linguaggio colloquiale e comunicativo medio. Di solito, durante questa correzione avviene l'imbroglio ideologico ai danni del lettore. Questa chiarezza la so usare ma non voglio usarla. Non parlo a tutti. Parlo a chi ha una certa idea del
mondo e della vita e un certo lavoro in esso e una certa lotta in esso e in sé. Può non essere
identica alla mia ma egli deve poterla capire» (p. 125).

italiani e stranieri cui Fortini premetteva un'introduzione volta a indicare il senso delle pagine riportate, riconducibile ad un'ipotesi di convivenza o piuttosto di svolgimento tra il neocapitalismo piú avanzato e una nuova proposta di comunismo. Piú personale, piú "fortiniano" era *L'ospite ingrato* (De Donato, 1966), frammentario, quasi aforistico nella scrittura, ma con l'organico substrato della coscienza dello scrittore testimone, dopo il '56, delle crisi d'Europa e del mondo, o degli eventi culturali e letterari di cui continuava a sentirsi capillarmente partecipe. *I cani del Sinai* (ivi, 1967), infine, fu scritto in occasione di una delle fasi piú violente e drammatiche del conflitto arabo-israeliano, la cosí detta guerra dei sei giorni del giugno 1967, che provoca nello scrittore dalle origini ebree una rete di complessi alimentati anche dal modo in cui l'opinione dell'Occidente, in cerca di compensazioni per il proprio passato, si è comportata con l'animo di un nuovo razzismo antiarabo; un libro, perciò, a metà tra autobiografia e cronaca, o piuttosto un saggio storico ma su un'attualità vissuta dolorosamente in prima persona.

La piú recente raccolta poetica comprendente versi del decennio '73-83, esce da Einaudi nell'84, *Paesaggio con serpente* [27], dove la parola «paesaggio» deve intendersi anche nel suo senso letterale, ché c'è qui una scoperta della natura — nuvole e stagioni, alberi, foglie e animali: «Nel bosco dei larici sopra le case di vacanza / fra i primi tronchi dove salivo affondando / il puntale di ferro del bastone / dentro il terriccio e i covoni d'aghi d'abete...» — che dà un accento nuovo a molte pagine, anche se il senso generale del testo va ricercato altrove, nella diuturna dialettica che qui si precisa fra i termini, ripresi da *Questo muro*, di ordine e disordine, sinonimi scambiabili di vita e di morte e dunque forme dell'enigmatico destino dell'essere rivelato forse non al saggio ma al fanciullino che è in noi: «il destino che può essere compreso / a poco a poco si fa chiaro nella stanza. / Aspettando che quei piccoli si sveglino / una forma fanciulla della coscienza guarda / il loro corpo tutto chiuso nel riposo».

Ha di frequente, questa volta, la poesia di Fortini, accenti di dolcezza quasi che l'avanzarsi della «sera inevitabile» lo induca non a un intiepidimento delle passioni ma a meno scabri versi per dirle. Egli vede ora se stesso come «l'ostinato che a notte annera carte» ricapitolando «parola per parola» le esperienze e gli scacchi di sé e del mondo, dicendo anche lui del «male di vivere», del nostro esistere a metà, del nostro essere nulla di fronte all'universale, e segnati dalla violenza della storia, dalle stragi e dalle inquisizioni che ci inseguono nei

[27] Nel 1985 Fortini ha raccolto sotto il titolo *Insistenze* (Garzanti) cinquanta suoi scritti del periodo 1976-1984, ma escludendo le pagine piú propriamente letterarie.

secoli. Ma la polemica contro la storia («la storia ha un modo di ridere che è ripugnante») non assume in Fortini, come può essere in Montale, aspetti filosofici, è rivolta invece contro le infamie degli anni
nostri come un duro documento d'accusa per gli «uomini cani» che
le perpetrano e che vanno cancellati dalla memoria degli uomini

> Il metallo è stato corroso dai gas. La vernice
> non ha resistito. I corpi hanno ribrezzo.
> Voi li avete disfatti
> che mutate il diritto in assenzio.
> È necessario ricordare.
> Non avere di voi nessuna pietà.
> ...
> È necessario volere che subito siate uccisi.
> ...
> È necessario che nessuno si ricordi
> di voi mai.

Dopo un primo romanzo del '59, *Caccia all'uomo*, Roberto Roversi pubblicò nel 1961 i «poemetti» di *Dopo Campoformio* [28], che definiscono già un atteggiamento psicologico e ideologico tra disperazione ira e disprezzo da una parte e tetragona volontà di non rinunciare ad un'estrema speranza, che resterà il tratto più personale e attraente della sua attività di narratore e di poeta. Se ormai la cronaca,
infatti, offre lo spettacolo di «un'Italia rotta e adirata», è pur vero
che il paese «insiste e resiste», e quella che può apparire come la fine
di un mondo può forse essere l'origine di un mondo nuovo, tali sono
ancora le energie che emergono dalla storia o che si conservano nel
mondo contadino. Ma la polemica contro la civiltà neocapitalistica,
il miracolo economico e la solitudine dell'uomo è comunque il *leit-
motiv* che corre lungo tutta l'opera e che viene ripreso anche in *Registrazione di eventi* (1964), un romanzo fortemente sperimentale nella
struttura composita e negli accenti stilistici diversi, e che riprende
il tema della Resistenza per portarlo al suo ultimo e delusorio esito.
Ma la presenza di Roversi lungo gli anni sessanta è affidata anche
alla fondazione (1961, e fino al 1977) e alla direzione della rivista
Rendiconti, che riprendeva la linea di *Officina* polemica nei confronti
delle neoavanguardie, e ideologicamente aperta a un marxismo non
ufficiale e alle nuove teorie linguistiche e sociologiche; ed è affidata
alla sua netta presa di posizione contro l'industria editoriale e a favore di un'anti o esoeditoria. Come si vedrà, questa tipica battaglia cul-

---

[28] Nell'edizione einaudiana del 1965, Roversi definisce invece l'opera un «unico poema in
più canti o lasse», di cui sottolinea il preciso riferimento al «tempo imprevedibile e caotico»
che va dai fatti d'Ungheria a Chruščëv.

turale occuperà largo spazio negli anni che vanno dalla fine del settimo al principio dell'ottavo decennio, e troverà in Roversi il punto di riferimento piú sicuro non soltanto come suggeritore e animatore ma anche come autore. Nel 1970, Roversi ciclostilava a Bologna le quarantasei *Descrizioni in atto* che inviò gratuitamente a coloro che erano interessati a riceverle [29], dando forse il piú notevole esempio della reale possibilità della fondazione di un circuito alternativo. Nel volume si riaccendeva la passione morale e politica che anima tutta la produzione di Roversi, ma spostandola ancora piú avanti rispetto a *Dopo Campoformio*, sia per un piú deciso rifiuto di ogni diletto letterario sia per un piú aggressivo attacco alle menzogne ufficiali, rivolto a «descrivere» la condizione generale dell'uomo e la specifica cronaca di quegli anni, di «questi giorni di pece». Ma la tecnica è sostanzialmente la medesima, quella appunto della «descrizione» — «Basta la constatazione» — di una realtà che da sé enuncia i propri orrori, «lo schematismo dei giorni» (televisione, stadio, week-end), l'«indifferenza ilare», la «noia decorosa», «il furore improvviso del piccolo borghese», il linguaggio come menzogna («Un ministro socialista chiama i licenziamenti / alleggerimento di mano d'opera»), e poi, ancora, tutti i luoghi delle violenze di allora, il Vietnam, i paesi arabi, l'Irlanda e l'emigrazione dal sud, l'alluvione di Firenze, la morte sulle strade: «La nostra società è marcia marcia marcia fino al midollo». Eppure, persino in questo momento sembra sussistere al di là del pessimismo un barlume di speranza di salvezza, se se ne sanno individuare gli artefici

> Sono anni bui o sono anni nuovi?
> Per la verità credo che il buio
> sia il buio arcigno tetro gelido perfetto
> che sia una luce nuova

e ancora

> I politici non hanno interesse di cambiare il mondo
> ...
> Gli artisti, come i politici, non hanno
> interesse di cambiare il mondo
> ...
> i poveri gli oppressi
> questi hanno interesse di cambiare il mondo

Nel 1976, Roversi tornava al romanzo con *I diecimila cavalli* (Edi-

[29] Nella conversazione introduttiva premessa a *I diecimila cavalli*, Roversi dice: «Ho fatto quattro tirature per oltre tremila copie; tutte stampate confezionate impacchettate spedite con le mie mani».

tori Riuniti), un titolo che riprendeva attraverso Mao un'antica citazione cinese per indicare «tutti quelli che si muovono e corrono, che operano — e scelgono di conseguenza — perché le cose possano cambiare dietro spinte continue; sono quelli che tengono piú duro, che durano di piú, opponendosi sul piano delle idee e delle cose». Era, dunque, un altro atto della lotta ideologica e politica condotta su un testo ancora una volta dalla struttura variata e complessa (particolarmente schockante l'inizio che contiene «un primo condensato ideologico del libro») fondamentalmente organizzata sul motivo del viaggio o della ricerca — compiuta da due personaggi — di una vita che continuamente si arricchisca, ma non tanto realisticamente descritta quanto intrecciata di figure simboliche che riprendono quella già contenuta nel titolo. Il senso generale dell'opera, che sulla pagina si frantuma in infinite schegge, viene poi ricondotto dallo stesso Roversi (nella conversazione introduttiva) ad un senso unitario che conferma la filosofia della storia e della politica che lo ha sempre animato: «Sí. Si sta abbattendo qualcosa; qualcosa è demolito o frana e altro si fa crescere o cresce o si preannuncia in mezzo a mille fatiche... Sí, sembrava che in giro ci fossero solo macerie mentre lo ritengo un tempo eccezionale per questa generosità di tutti quelli che hanno pensato con disinteresse e che giorno per giorno si scontravano con le cose da modificare... Eppure la verifica non è conclusa, è in atto, sembra nonostante tutto appena avviata».

Paolo Volponi aveva cominciato come poeta sin dalla fine degli anni quaranta, fissando poi in due raccolte, *L'antica moneta* (1955) e *Le porte dell'Appennino* (1960), un momento ancora fortemente legato all'autobiografia e alla provincia urbinate. Anche se non mancavano in quest'opera giovanile i fermenti e gli stimoli che sarebbero maturati in seguito, il rinnovamento se non il salto della personalità dell'autore si ebbe con il passaggio all'attività narrativa avvenuto con i romanzi *Memoriale* (1962) e *La macchina mondiale* (Garzanti, 1965) che possono rientrare nel grande filone tematico «letteratura e industria» particolarmente frequentato in quegli anni, ma trattato da Volponi con caratteri molto specifici impersonati nell'operaio Albino Saluggia e nel contadino Anteo Crocioni. Saluggia combatte con l'assurdità della paranoia la giusta battaglia contro l'alienazione della fabbrica e la perde nell'ambiguità di una nevrosi che lo porta ad amare ed odiare il mondo che lo distrugge e se stesso distrutto da quel mondo; Crocioni ne sogna la liberazione attraverso l'invenzione di un sistema da cui dovrebbe nascere un futuro finalmente senza sfruttamento dell'uomo sull'uomo.

139

Dopo una quasi decennale interruzione, Volponi riprendeva il suo elaborato discorso narrativo nel '74 con un romanzo, *Corporale* (Einaudi), che si riallaccia alle precedenti storie di Saluggia e Crocioni, ma che se ne differenzia per la diversa strutturazione. Se nei romanzi precedenti Volponi aveva optato per vicende unitarie raccontate lungo il filo di trame svolgenti l'illogica oggettiva di una paranoia ma formalmente rispettanti una precisa sintassi narrativa, questa volta costruiva un'opera per sequele o giustapposizioni di brani appena qua e là aperti a qualche pagina distesa, per succinte presenze e frequenti ritorni di personaggi, per brevi e continui scarti sia pure organizzati in folte pagine, per un'infinitesima segmentazione di una storia che dunque storia non riesce a diventare (se non per la soluzione finale) perché si tratta piuttosto di una condizione, di un modo bloccato di essere: l'angoscia dell'uomo contemporaneo e il suo terrore specifico della bomba H. Quella struttura frammentaria finiva cosí per essere significante dell'intera opera esprimendo nella frantumazione fantastica lo stato di frantumazione psicologica del protagonista e di frantumazione dei valori del mondo in cui egli vive, esprimendo ancora l'impossibilità del persistere delle cose, di una logica delle loro relazioni. È questo il dramma del protagonista Gerolamo Aspri, che è alla continua ricerca del suo io («Avevo nostalgia di una figura di me stesso, mai tirata fuori, mai tenuta di fronte a qualche prova»; «Mi sembra che quel che voglio sia solo la prosecuzione di una parte della mia vita»), che egli colloca anche fuori di sé, nel suo raziocinante *alter ego* Overath, nel suo schizofrenico pseudonimo Joaquin Murieta: «Mi capita ogni tanto di trovarmi "altrove"... di spezzarmi in questo modo rimanendo comunque sempre unico»; nello stesso passaggio dalla prima alla terza persona, con la fallimentare speranza di potersi in qualche modo definire. Ma la sua non è una ricerca in astratto, perché tutta la situazione di Aspri è connotata da precisi riferimenti geografici e da tematiche politiche attuali, che non sono solo quelle della bomba, ma anche quelle del Pci e dei movimenti dell'estrema sinistra, e le non smaltite memorie di Stalin, dove l'angoscia politica si fa tutt'uno con il freudiano complesso del padre e della sua perdita, e sono ancora i mille frastagliati riferimenti a Togliatti, al Vietnam, alla Tv, ecc. Vi è poi la connotazione psicologica di Aspri che è segnata dalla ipervalutazione del sesso, cioè dalla sua «corporalità», e da un istinto di violenza che lo collocano in un preciso settore di atteggiamenti e comportamenti anche politicamente qualificabili e che potrebbero costituire il segno ideologico non certo del romanzo o dell'autore, ma del personaggio in quanto esemplare e patologico componente della dialettica di classe.

Volponi è poi tornato con *Il sipario ducale* (Garzanti, 1975) a un tipo di romanzo piú tradizionale sia nell'impianto narrativo sia nella psicologia dei personaggi sia nella geografia urbinate sia infine nell'impegno politico, che è questa volta concentrato nelle memorie della guerra di Spagna e nella realtà presente delle bombe di Milano, rivissute nella coscienza di un professore anarchico. Ma in quella specola tutta locale chiusa e protetta entro il giro delle mura cittadine, non solo può riflettersi la miriade di fatti volutamente inspiegati della cronaca italiana dal '69 in poi, ma può avviarsi un discorso sulle strutture stesse dello stato: il «sipario» provinciale, che potrebbe apparire una pericolosa chiusura, può nascondere invece una riserva di valori civili che l'organizzazione burocratica e centralizzata ha già largamente compromesso.

Se in *Corporale* era evidente l'incubo della definitiva esplosione nucleare, in *Il pianeta irritabile* (Einaudi, 1978) la catastrofe è già avvenuta e il mondo è ridotto un mucchio di cenere battuto dalle piogge e abitato da uno strano quartetto di sopravvissuti, una scimmia, un elefante, un'oca e un nano. Volponi ha optato questa volta per la favola apocalittica costruita in forma di percorso al quale, per quanto strano e imprevedibile sia, è possibile dare il senso di una faticosa riconquista di una condizione umana («il regno»), punto d'approdo di una violenza assoluta ma anche del sacrificio sofferto da un quinto personaggio simbolico e sfuggente, un imitatore del canto degli uccelli. Come spesso accade nelle fiabe, il racconto si disperde e insieme si arricchisce nelle due opposte direzioni, delle incontrollate deviazioni per un verso e della sentenziosità gnomica per l'altro, che sono le due facce del romanzesco e dell'ideologico dell'opera. La quale ci pare però fondamentalmente significata dal tono «irritato» della prosa di Volponi, dalla rabbia che si coagula ed esplode in un lessico senza remore e che è tutta rivolta contro questo nostro mondo crudele e pazzo fino al limite dell'autodistruzione.

All'ipotesi fiabesca di *Il pianeta irritabile* è seguito *Il lanciatore di giavellotto* (ivi, 1981) che segna il ritorno di Volponi al romanzo, ancora ambientato nella provincia urbinate, Fossombrone, e storicamente definito negli anni del fascismo trionfante. È questo uno dei condizionamenti, ma il meno appariscente, dell'educazione sentimentale del giovane Damin irrimediabilmente turbata dallo spettacolo della perdizione della madre che lo induce, attraverso un processo lento e dolorosissimo, alla totale ripugnanza per il sesso e infine al duplice rifiuto della vita compiuto con una stravolta vendetta omicida e suicida. Il dramma di Damin dalla felicità della fanciullezza al precipizio dell'estraneità alla festa indecente della vita cammina cosí sul doppio binario di due fascini sbagliati, del gerarca atletico e guerriero e della madre troppo bella per non soggiacere alla sua fisicità, e Volponi lo percorre con una precisione delle cronache degli anni trenta, una ricchezza di articolazioni psicologiche e una personale partecipazione all'iter del suo sconvolto eroe da raggiungere uno dei punti piú alti della sua narrativa.

Intermezzo n. 1

I. Alcuni protagonisti

L'ombra che è ormai dentro di noi guadagna sempre piú tempo. *P. P. Pasolini*

La cosidetta «personalità» dello scrittore è interna all'atto dello scrivere, è un prodotto e un modo della scrittura. *I. Calvino*

1. *Pasolini*

La figura di Pier Paolo Pasolini ha dominato per circa un ventennio sulla scena culturale, letteraria e cinematografica italiana, fatto segno a odi furibondi che lo additavano quale corruttore nazionale e «scrittore di parolacce», e a ben piú serie polemiche che lo videro di frequente al centro di fondamentali dibattiti; ma anche a passioni sincere e a una profonda ammirazione che si venne accrescendo con il passare degli anni e l'arricchirsi della sua produzione intensissima fino alla immediata vigilia della morte violenta e impunita che lo colse il 2 novembre 1975[1].

I suoi inizi sono legati alla materna patria friulana, che egli vagheggiò come intatto mondo di una mitica fanciullezza e cantò in dialetto (*La meglio gioventú*, 1954, poi Einaudi, 1975 con il titolo *La nuova gioventú*) e in lingua (*L'usignolo della Chiesa cattolica*, 1958) e ricordò anche in un romanzo, *Il sogno di una cosa* che, scritto nel 1949, fu pubblicato nel 1962[2]. Al periodo friulano successe, dalla fine del '49,

[1] A poche settimane dalla morte usciva *La divina mimesis* (Einaudi, 1975) in cui si contiene una duplice impressionante previsione della fine: «Per certo verrà ancora qualcosa che mi offenderà e mi massacrerà» (p. 29); «Un blocchetto di note è stato addirittura trovato nella borsa interna dello sportello della sua macchina; e infine, dettaglio macabro ma anche — lo si consenta — commovente, un biglietto a quadretti (strappato evidentemente da un block-notes) riempito da una decina di righe molto incerte — è stato trovato nella tasca della giacca del suo cadavere (egli è morto, ucciso a colpi di bastone a Palermo, l'anno scorso)» (p. 61). *La divina mimesis*, scritta fra il '63 e il '67, è rimasta incompleta, sulla traccia dantesca, vede Pasolini nella doppia veste di Dante e di Virgilio — «un piccolo poeta civile degli Anni Cinquanta» — e colloca nell'inferno i portatori attuali dei peccati. Per notizie sulla biografia di Pasolini, si veda E. Siciliano, *Vita di Pasolini* (Rizzoli, 1978).

[2] Si devono anche aggiungere i due racconti lunghi *Atti impuri* e *Amado mio* — rispettivamente del 1943 e 1948 — raccolti in edizioni Garzanti nel 1982 sotto il titolo *Amado mio*, prima espressione di quella «carezzevole, atroce attrazione» dei sensi, e insieme di quella mancanza di «senso vero del rimorso, della colpa, della redenzione», che saranno poi tanta parte

145

il periodo romano che portò Pasolini ad una complessa maturazione culturale fino alla «scoperta di Marx» e a Gramsci, ma in una non mai smentita fedeltà all'ideale di una felicità che appartiene non alla storia ma alla preistoria dell'uomo, non alle istituzioni della civiltà ma alla vergine spinta popolare incarnata questa volta nel proletariato delle borgate romane. Due romanzi, *Ragazzi di vita* (1955) e *Una vita violenta* (1959) e un volume di poesia, *Le ceneri di Gramsci* (1957) sono i risultati, tra i piú alti dell'intera attività pasoliniana, degli anni romani; ma sono questi anche gli anni in cui Pasolini, insieme con Leonetti e Roversi, fonda a Bologna la rivista *Officina* (1955-1959), vera e propria cerniera storica tra l'ormai languente neorealismo e l'appena nascente neoavanguardia, e che fu per lui il momento della chiarificazione teorica del «neosperimentalismo», lungo un'esperienza i cui esiti furono poi raccolti nel volume di saggi *Passione e ideologia* (1960).

Gli anni sessanta vedono Pasolini ormai sempre piú impegnato anche come regista[3], ma senza che per questo venga meno il suo lavoro di letterato e di poeta, che fra il '61 e il '65 si concretò in tre volumi, *La religione del mio tempo* (1961), *Poesia in forma di rosa* (1964)[4] e *Alí dagli occhi azzurri* (1965), il cui tratto comune può essere rinvenuto nell'abbuiarsi delle speranze («l'ombra che è ormai dentro di noi guadagna / sempre piú tempo»), nella replica sarcastica agli avversari, nel sentirsi «crocifisso alla sua razionalità straziante», ma infine anche nel risorgere di una possibile dimensione di felicità intravista, molto pasolinianamente, nei popoli del terzo mondo.

Gli anni sessanta vedono anche l'uscita dell'ultimo romanzo, *Teorema* (Garzanti, 1968), la cui struttura, tuttavia, è piú simile a una sceneggiatura cinematografica[5] che a una narrazione nel senso corrente del termine. Ma ciò che piú conta è che in *Teorema* va perduta proprio quella dimensione del tempo come processo storico lungo il quale si svolgono gli eventi e le biografie, che aveva costituito la salda architettura di *Una vita violenta*: «Questa storia non ha una successione cronologica — dichiara Pasolini — ... i fatti di questa storia sono compresenti e contemporanei»; e con la storia si perdono i pre-

---

della vita e della letteratura pasoliniana. Per il periodo giovanile si vedano pure le *Lettere agli amici* a cura di Luciano Serra (Guanda, 1976) che rivelano addirittura gli incunabuli della personalità dello scrittore; si veda in particolare la lettera del 21 agosto 1945 sulla morte del fratello, ancora un trauma mai del tutto smaltito.

[3] I film di questo periodo sono *Accattone*, 1961; *Mamma Roma*, 1962; *Il Vangelo secondo Matteo*, 1964; *Uccellacci e uccellini*, 1966; *Edipo re*, 1967; *Teorema*, 1968; *Porcile*, 1968; *Medea*, 1970.

[4] Pressoché l'intera produzione poetica di Pasolini è ora raccolta nel volume *Le poesie* (Garzanti, 1975) finito di stampare tre settimane dopo la morte del poeta.

[5] Nello stesso 1968 uscí anche il film *Teorema*.

cisi connotati sociali, in particolare del protagonista — l'«ospite» — che è «socialmente misterioso», senza che la precisa anagrafe della famiglia ospitante e la redenzione riserbata alla proletaria Emilia restituiscano un vero valore politico al testo. L'«ospite» incarna, in realtà, lo strumento di liberazione dai mali della storia che Pasolini è venuto nel frattempo elaborando: la bellezza. Sarà questo il tema svolto particolarmente nella trilogia filmica degli anni settanta[6] in cui si specificherà come celebrazione della «corporalità popolare». In tal modo Pasolini finiva per ricongiungersi alla sua antica esaltazione della fisicità naturale, ma operata ora non piú per istintiva adesione bensí al termine di un «lavoro ideologico» ormai impegnato a rivalutare le ragioni dell'irrazionalismo.

Piú importante è in questi anni la produzione poetica e teatrale. Nelle poesie raccolte in *Trasumanar e organizzar* (Garzanti, 1971) due sono i motivi che prevalgono, una sempre piú distruttiva polemica contro le istituzioni e un sempre piú aperto invito alla virtú della carità. Ma il tema che dà il senso alla raccolta è fornito dal trauma della contestazione del '68; è qui che viene ribadito il punto d'approdo del percorso di sfiducia nella storia. Pasolini non crede piú alla possibilità della rivoluzione e all'esistenza di forze desiderose e capaci di farla; alla rivoluzione è subentrata la contestazione dei figli che la borghesia stessa produce al fine di fagocitarli e rafforzarsi. Rivolgendosi alla generazione del '68, Pasolini le dice: «E cosí capirai d'aver servito il mondo: contro cui con zelo "portavi avanti la lotta": / era esso che voleva gettar discredito sopra la storia — la sua; / era esso che voleva far piazza pulita del passato — il suo; / oh generazione sfortunata, e tu obbedisti disobbedendo!».

La posizione di Pasolini nei confronti della contestazione studentesca restò costantemente di totale sfiducia e quasi di derisione, dagli inizi del movimento fino al suo esaurimento, che egli registrò con parole che ripetevano la condanna piú volte espressa: «La Contestazione è finita e nessuno parla piú non solo della Contestazione ma neanche della sua fine. Dove sono scomparsi quelle migliaia e migliaia di giovani che coi loro striscioni e i loro slogans gremivano, solo fino a poco tempo fa, le strade e le piazze della Penisola?... Essi hanno lasciato in eredità due cose: a) la perdita di ogni rispetto umano... b) alcuni manuali e articoli sulla "guerriglia" urbana messi in pratica poi dai fascisti» (luglio 1974)[7].

---

[6] *Decameron*, 1971; *I Racconti di Canterbury*, 1972; *Il fiore delle Mille e una notte*, 1974.
[7] *Descrizioni di descrizioni*, Einaudi, 1979, p. 351. Le ragioni del titolo di questo volume uscito postumo a cura di Graziella Chiarcossi e contenente gli scritti di critica letteraria, furono date dallo stesso Pasolini in uno scritto autocritico del gennaio 1975 e riportato nello stesso

L'attività di Pasolini polemista può però farsi risalire ai dialoghi con i lettori tenuti per dieci anni (1960-1970) su *Vie Nuove* e su *Tempo*[8]. Sia gli argomenti trattati sia il tono delle risposte si differenziano sensibilmente fra le due testate, sino a poter indicare una linea che, da una parte, trova il suo corrispondente artistico nelle opere creative di quegli anni e, dall'altra, anticipa un ulteriore e decisivo sviluppo negli scritti polemici degli anni successivi. Pasolini aveva dato inizio alla collaborazione al settimanale comunista avviando un fitto dialogo con i lettori all'interno di una fondamentale accettazione delle posizioni del partito che, pur se non priva di diversioni personali (si veda in particolare la difesa dell'irrazionalismo da non ridursi, diceva, all'unica accezione decadentistica) e di occasionali polemiche, resse per circa due anni. L'unità di intenti si venne poi incrinando sino a una crisi dei rapporti con il Pci cui rimproverava di aver lasciato troppo all'oscuro la base nel momento in cui l'avvento del neocapitalismo assumeva forme quasi rivoluzionarie per la nostra società. Il passaggio di collaborazione a *Tempo* (politicamente su posizioni vaghe e oscillanti) rispecchia questo momento di ripensamento sull'impegno, letterario o politico, che si rivela anche nella maniera meno personalizzata e piú giornalisticamente professionale con cui fu condotta la nuova rubrica e il suo andamento piú saggistico ma non per questo meno ricco di incisività sugli eventi che si producevano in Italia e nel mondo.

Se la collaborazione a *Tempo* veniva interrotta per motivi politici, le successive collaborazioni giornalistiche (1973-74) ora raccolte negli *Scritti corsari* (Garzanti, 1975) sono caratterizzate proprio dall'accentuazione della *vis polemica* contro bersagli precisi. Pasolini toccava ormai alcuni dei punti nodali della sua ultima ideologia: la consta-

volume (p. 457): «Ho fatto delle "descrizioni". Ecco tutto quello che so della mia critica in quanto critica. E "descrizioni" di che cosa? di altre "descrizioni", che altro i libri non sono. L'antropologia l'insegna: c'è il "drómenon", il fatto, la cosa occorsa, il mito e il "legómenon", la sua descrizione parlata. Nella vita accadono dei fatti; i libri li descrivono: ma in quanto libri sono anch'essi dei fatti: e quindi possono essere anch'essi descritti: dalla critica. Che è "legómenon" quindi, di secondo grado. Certo è che se dovessi infine raccogliere questi miei brevi saggi in un volume, non potrei trovare titolo piú pertinente che *Descrizioni di descrizioni*».

[8] Le collaborazioni sono ora raccolte rispettivamente nei volumi a cura di G. C. Ferretti, *Le belle bandiere* (Editori Riuniti, 1977) e *Il caos* (ivi, 1979) per gli interventi su *Vie Nuove*, e in *Descrizioni di descrizioni* (cit.) per gli scritti letterari di *Tempo*. Pasolini collaborò a *Vie Nuove* dal 4 giugno 1960 al 30 settembre 1965 ma con diverse interruzioni (particolarmente lunga quella dell'intero 1963); collaborò a *Tempo* dal 6 agosto 1968 al 24 maggio 1970 quasi continuativamente. Per tutto si vedano le due introduzioni di G. C. Ferretti. La sospensione delle collaborazioni a *Tempo* fu spiegata dallo stesso Pasolini nel 1971: «Da quasi un anno ho cessato la pubblicazione a un rotocalco perché era impubblicabile una mia osservazione riguardante uomini influenti, i quali si dichiaravano "equidistanti" dai gruppi sovversivi di destra e dai gruppi sovversivi di sinistra... La dichiarazione di equidistanza dai due corni estremi è oggettivamente un appoggio al corno destro». L'allusione era a Giuseppe Saragat allora presidente della repubblica.

tazione dell'assorbimento della sottocultura all'opposizione (esemplificata nei «capelloni») da parte della sottocultura al potere[9], la denuncia del «patto col diavolo» fatto dalla Chiesa con lo Stato borghese, il carattere di «reazione rivoluzionaria» del periodo 1971-72, il centralismo della civiltà dei consumi peggiore dello stesso centralismo fascista[10], l'immobilismo e l'ufficialità del Pci (e, al contrario, «il candore di Pannella»), il rimpianto per l'«illimitato mondo contadino prenazionale e preindustriale», l'opposizione all'aborto[11].

Ma il discorso è anche spesso indirizzato *ad personam*, agli intellettuali e ai politici nominativamente chiamati in causa, Moro, Andreotti, Fanfani — «In lui il vecchio (legalitarismo, clericalismo e intrallazzo) può convivere pacificamente col nuovo (produzione del superfluo, edonismo, sviluppo cinico e indiscriminato)» — sí che ne vien fuori un quadro atroce e spietato dell'Italia anni settanta. L'attacco personalizzato·si fa ancor piú violento ed esplicito negli scritti raccolti nel volume postumo *Lettere luterane* (Einaudi, 1976), dove «l'imperterrito esercizio della ragione» sfocia nelle piú disperate conclusioni, nella sfiducia sulla possibilità che·la nuova generazione possa migliorare le condizioni del paese, e quindi in una lacerante palinodia, nell'abiura delle idee che avevano mosso anche la sua recente attività di artista[12], appena compensate dalla speranza ancora riposta in quell'ultima incarnazione pasoliniana del mondo ingenuo e primitivo che sono gli scugnizzi napoletani. La polemica è soprattutto contro «il palazzo» e tutti coloro che lo occupano, ancora una volta nominati e sottoposti a «processo» sia pur metaforico: «la colpevolezza dei potenti democristiani da trascinare sul banco degli imputati non consiste nella loro immoralità (che c'è), ma consiste in un errore di inter-

[9] «Questi atti culturali e questo linguaggio somatico [la foggia dei capelli, il sogno della Ferrari, l'ascolto della Tv, il vestirsi alla moda, ecc.] sono interclassisti. In una piazza piena di giovani, nessuno potrà piú distinguere, dal suo corpo, un operaio da uno studente, un fascista da un antifascista; cosa che era ancora possibile nel 1968.» (p. 60) È quella che Pasolini chiama la «mutazione antropologica degli italiani e la loro completa omologazione a un unico modello» (ivi).

[10] «Non c'è dubbio (lo si vede dai risultati) che la televisione sia autoritaria e repressiva come mai nessun mezzo di informazione al mondo. Il giornale fascista e le scritte sui cascinali di slogans mussoliniani fanno ridere: come (con dolore) l'aratro rispetto al trattore. Il fascismo, voglio ripeterlo, non è stato sostanzialmente in grado nemmeno di scalfire l'animo del popolo italiano: il nuovo fascismo, attraverso i nuovi mezzi di comunicazione e di informazione (specie, appunto, la televisione), non solo l'ha scalfita, ma l'ha lacerata, violata, bruttata per sempre...» (p. 34)

[11] Ma Pasolini precisa: «Nell'articolo che il titolista del *Corriere* ha intitolato *Io sono contro l'aborto* — mentre doveva intitolarlo meglio "Io sono contro una lotta trionfalistica per la liberalizzazione dell'aborto"...».

[12] *Abiura dalla «Trilogia della vita»*, che era stata mossa dalla liberalizzazione sessuale; ma «ora tutto si era rovesciato» per la falsa tolleranza concessa dal potere consumistico e la degradazione corporea che esso compie.

pretazione politica nel giudicare se stessi e il potere di cui si erano messi al servizio»; un errore che aveva avuto una sua inequivoca e tragica conclusione: «L'Italia di oggi è distrutta esattamente come l'Italia del 1945. Anzi, certamente la distruzione è ancora piú grave, perché non ci troviamo tra macerie, sia pur strazianti, di case e monumenti, ma tra "macerie di valori": "valori" umanistici e, quel che piú importa, popolari».

All'inizio del 1968, Pasolini pubblicava il manifesto *Per un nuovo teatro* [13] (generalmente noto come «Teatro di parola») con cui si poneva decisamente in opposizione sia al teatro borghese della Chiacchiera che a quello del Gesto e dell'Urlo, prodotto dell'anticultura borghese in polemica con la borghesia. Suoi destinatari dovevano essere i gruppi avanzati della borghesia, i progressisti di sinistra e, tramite loro, la classe operaia; suo carattere, la mancanza quasi totale dell'azione scenica e della messinscena e la presenza invece dello scambio di opinioni e di idee, del dibattito che fa del teatro un atto di lotta letteraria e politica. Particolarmente difficile sarà per Pasolini la soluzione del problema linguistico per il quale il Teatro di parola deve accettare la convenzionalità dell'italiano orale che lo avvicina pericolosamente al teatro borghese, da cui resta però distinto per il rifiuto di ogni purismo di pronuncia e per una recitazione il cui oggetto non sia la lingua ma il significato delle parole e il senso dell'opera. L'attore, a sua volta, dovrà semplicemente essere un uomo di cultura e la sua abilità sarà fondata sulla capacità di comprendere veramente il testo; «il Teatro di parola — concludeva il manifesto — non ha alcun interesse spettacolare, mondano, ecc.: il suo unico interesse è l'interesse culturale, comune all'autore, agli attori e agli spettatori; che, dunque, quando si radunano, compiono un "rito culturale"».

Verifica *ante litteram* di questa poetica erano state le sei «tragedie» in versi che Pasolini aveva scritto nel 1965 [14], senza riuscire però mai a completarle del tutto e limarle. La versificazione rimane costantemente libera nel metro e negli accenti [15], con un andamento non privo di squarci lirici ma in generale assai vicino alla prosa o, se si vuole,

[13] In *Nuovi Argomenti*, genn.-marzo 1968; ora in *Il sogno del centauro* (Editori Riuniti, 1983) che riproduce il testo dell'intervista di Pasolini a Jean Duflot (I ed. francese, Pierre Befond, 1970, II ed. ampliata, ivi, 1981); o nel volume *Per conoscere Pasolini*, a cura di Franco Brevini, Mondadori, 1981.

[14] Cosí dichiarò lo stesso Pasolini in un'intervista del novembre 1971 (riportata in quarta di copertina del volume *Porcile Orgia Bestia da stile* (Garzanti, 1979). Ma ciò è in contrasto con altre dichiarazioni di Pasolini in cui diceva di aver lavorato al teatro fino al '75 (si veda la Premessa a *Bestia da stile*).

[15] «Versi senza metrica / Liberi versi non-liberi» li proclama il coro all'inizio di *Bestia da stile*.

ad una «poesia letta a voce alta» secondo una definizione dello stesso Pasolini.

La prima tragedia, *Affabulazione*, scritta nella primavera del '66 e uscita in *Nuovi Argomenti* (luglio-sett. 1969)[16] contiene due motivi fondamentali, l'uno ideologico-contenutistico, l'altro teorico dell'attività teatrale. Il dramma è quello, spesso al centro degli scritti pasoliniani, del rapporto padre-figlio, della conoscenza totale che il padre vuole avere del figlio, della rivelazione del suo mistero, nel momento in cui la virilità viene meno in lui e prorompe nel figlio: «Io devo / vederti nel tuo aspetto che fa paura / per la virilità che si scatena» — egli dice; è la stessa crescita di un corpo innocente con «la piccola sfinge rinchiusa in quel grembo glorioso» il mezzo con cui si compie l'assassinio del padre, l'umiliazione della sua infecondità, la sua esclusione dalla «fonte diretta della vita». Ma in *Affabulazione* compare anche l'ombra di Sofocle cui Pasolini affida il compito di chiarire la sua idea della funzione del teatro che anticipa il futuro manifesto: «Nel teatro la parola vive di una doppia gloria /.../ perché essa è, insieme, scritta e pronunciata /.../ l'uomo si è accorto della realtà / solo quando l'ha rappresentata. / E niente meglio del teatro ha mai potuto rappresentarla».

Al centro di *Pilade* (maggio 1966) c'è invece il problema della conquista e dell'esercizio del potere collocato nell'ambiente mitico di Argo ma con evidenti riferimenti all'attualità. Il dramma allora si sdoppia: da una parte il venir meno della spinta rivoluzionaria, forse il tradimento, della classe operaia, — «Tutti quelli che, nella città, / erano con noi, non lo sono piú. Ed erano, / appunto, lavoratori, gente povera, immigrati / da poco dalla campagna e, soprattutto, operai. / ... Ebbene, quella nostra forza non c'è piú / gli uomini che la costituivano... / hanno d improvviso preso un'altra strada»; — dall'altra, o al di là di quella sconfitta, la coscienza acquisita da Pilade che ogni potere è di per sé male: «Ma io per nient'altro ho lottato, ascoltandoti, / che per impadronirmi del potere! / E ora so che questa è la piú colpevole delle colpe /.../ Oreste, in nome tuo, ha abbattuto un monumento / e ne ha eretto un altro: io stavo per fare lo stesso, / ma il mio monumento, per fortuna, resterà incompiuto».

Il messaggio di *Porcile* veniva dallo stesso Pasolini — sia pure con riferimento al film e non al testo teatrale — cosí definito: «La società, ogni società, divora sia i figli disobbedienti che i figli né disobbedienti né obbedienti. I figli devono essere obbedienti e basta»[17]; ma

---

[16] Poi nel volume *Affabulazione Pilade*, Garzanti, 1977.

[17] P. P. Pasolini, *Il cinema in forma di poesia*, a cura di L. De Giusti, Pordenone, Edizioni Cinemazero, 1979, p. 74.

nel caso specifico la società di cui si parla è quella della Germania occidentale nel momento della nuova potenza economica successiva alla seconda guerra, quando si stringe l'alleanza tra i vecchi massacratori razzisti e i nuovi capitalisti; vittima prima ne è il giovane Julian ridotto in catalessi da un dolore misterioso, da un amore che produce una grazia che è una peste, e che finirà — non metaforicamente — per divorarlo. La fuga dal mondo dei padri non può essere, in quella sua forma, spiegata dalla ragione (qui impersonata da Spinoza) essa stessa colpevole, ma è proprio la inesplicabile enormità dei fatti ad accentuare a dismisura il senso della protesta pasoliniana contro l'esclusione e la persecuzione del diverso. Ed è ancora questo il tema di *Orgia*, manipolazione della propria diversità da parte di un uomo che si è appena impiccato e che ora ricapitola tutti i mutismi, i sensi di colpa, le crudeltà che offendono l'esistenza: «cosí che il male / è la realtà, il sogno il bene» e «vivere è tremare», e infine «non esiste nulla se non la morte». Già in questo dramma le strutture del teatro pasoliniano si erano andate ulteriormente scarnendo con la riduzione del testo a un dialogo a due e la totale soppressione dell'azione drammatica a esclusivo vantaggio della vociferazione; questi caratteri si accentuano ancora in *Bestia da stile*, pensato come un monologo, tuttavia movimentato dal coro e dalla presenza di ombre. Il personaggio è il giovane cecoslovacco Jan e la sua storia segna il passaggio nel paese dei vari regimi; «bestia da stile» è il poeta — l'uomo — che si adatta e si piega ad onorare in ogni caso il potere, mentre chi conserva la dignità soggiace alla sua violenza: la scelta è tra l'essere produttore di astuti versi da recitare come protagonista nella piazza Rossa, o di «poesie difficili ma belle» non gradite al potere sempre deciso a perpetuare l'orrore della persecuzione.

Il motivo della perdita delle speranze rivoluzionarie, e insieme la polemica contro quella falsa rivoluzione che fu la contestazione, che abbiamo visto ritornare piú volte nelle opere in versi, in prosa e teatrali di Pasolini, trova infine il suo estremo sigillo nell'ultimo dramma *Calderon* (1973), dove Pasolini fa pronunciare al rappresentante del potere frasi che, ancora una volta, si riferivano agli avvenimenti italiani di quegli anni e all'opinione che egli ormai se ne era fatta: «Ho insegnato loro la lingua / della rivolta e della rivoluzione. / Ho molto rischiato. / Ora però li riprendo con me, perché / nessuna contestazione a me è sincera». E subito dopo, di fronte al sogno della vittoria operaia sui lager, egli svela «la vera tragedia» cui l'uomo dell'era neocapitalistica non può sfuggire: «Ma quanto a questo degli operai, non c'è dubbio: / esso è un sogno, niente altro che un sogno».

Lo strumento polemico con cui Pasolini continuava a condurre la sua polemica contro la società neocapitalistica veniva cosí frequentemente assumendo la forma della attualizzazione di miti o eventi lontani nei secoli ma capaci di farci intendere anche i traumi della condizione moderna. Di queste scelte tematiche la piú compiuta idea fu quella svolta nel progetto di un film su San Paolo (*San Paolo*, Einaudi, 1977, ma la stesura e la revisione non definitiva sono del '68 e del '74) che traduce in una geografia e in un linguaggio d'oggi le angosce e i quesiti che furono già del I secolo, ma lasciando alla fedeltà della parola paolina la risposta che si rivela impossibile; il nostro mondo cosí com'è non potrà mai diventare santo.

2. *Calvino*

La prima produzione di Italo Calvino potrebbe essere ricondotta al clima del neorealismo se già non ne contenesse il superamento nella fantasia sbrigliata ed ironica che demoliva ogni seriosità retorica, nella psicologia di molti personaggi che rovesciava l'eroismo ad ogni costo, nella limpidità di una prosa che sfuggiva per istinto alle sciatterie del linguaggio[18]. *Il sentiero dei nidi di ragno* (1947), i racconti di *Ultimo viene il corvo* (1949) e dell'*Entrata in guerra* (1954) erano i risultati di quelle virtú native ma studiosamente guidate, e chiarivano sin dagli inizi due aspetti della prosa calviniana che sarebbero rimasti costanti per tutti gli anni avvenire, l'accostamento naturale degli elementi della realtà con i piú sottili voli della fantasia, e l'uso della fiaba sia come legame per operare quel congiungimento sia come strumento di interpretazione del mondo e della storia[19]. I tre racconti dei *Nostri antenati* (1960; *Il visconte dimezzato*, 1952; *Il barone rampante*, 1957; *Il cavaliere inesistente*, 1957) accentuavano il carattere fantasioso dell'invenzione, anche se era possibile, al di sotto del puro favoleggiare, scorgere una non esibita ma convinta intenzione morale, che sarà pure uno dei motivi saldamente strutturati nelle pagine di Calvino. Essi appaiono in forma certamente piú visibile, ma non per questo fastidiosa, in *La speculazione edilizia* (1957), *La nuvola di*

---

[18] «Il mio ideale linguistico — scriverà nel breve saggio *L'italiano, una lingua tra le altre* 1965, ora in *Una pietra sopra* (Einaudi, 1980) — è un italiano che sia il piú possibile *concreto* e il piú possibile *preciso*. Il nemico da battere è la tendenza degli italiani a usare espressioni *astratte* e *generiche*.»

[19] Nel saggio del 1955 *Il midollo del leone* (ora in *Una pietra sopra*, cit.) Calvino scrive: «Lo stampo delle favole piú remote: il bambino abbandonato nel bosco o il cavaliere che deve superare incontri con belve e incantesimi, resta lo schema insostituibile di tutte le storie umane, resta il disegno dei grandi romanzi esemplari in cui una personalità morale si realizza muovendosi in una natura o in una società spietata».

smog (1958) e *La giornata d'uno scrutatore* (1963), nei quali la polemica condotta sul terreno socio-economico o politico costituisce il movente del racconto ma senza assumere mai accenti che esorbitino dal processo descrittivo e narrativo. Se mai, la fuga dalla realtà avviene non in direzione della libellistica ma, al contrario, in quella dell'angoscia esistenziale che può nascere al cospetto dell'ultima degradazione dell'uomo entro le sue istituzioni civili. È quanto accade nella *Giornata d'uno scrutatore*, dove Amerigo Ormea è doppiamente violentato dalla storia, per l'orrore della visione all'interno del Cottolengo e per il raccapricciante sfruttamento politico dell'estrema infelicità.

Forse è la nausea della storia sperimentata nell'inferno del Cottolengo a sospingere l'autore verso soluzioni letterarie non lontane dalla fantascienza e a indurlo, nelle *Cosmicomiche* (Einaudi, 1965)[20] a raccontare le vicende di Qfwfq, dove il Calvino fiabesco e il Calvino illuminista convivono con brillante disinvoltura in una sorta di ipotesi di rifondazione del mondo alla luce della saggia bonomia di chi ne narra le tappe. *Le Cosmicomiche* avviano appena un discorso il cui senso verrà piú in chiaro nelle opere successive, e già subito in *Ti con zero* (ivi, 1967)[21], nei cui racconti torna ma presto scompare la figura di Qfwfq e la scrittura cede ad una forma sempre piú rigorosa che del concetto di «fantascienza» finisce per esaltare il secondo termine sul primo. Le leggi della biologia, la matematica, la fisica, la logica non sorreggono o descrivono la realtà, ma le subentrano; Calvino tende ormai a sostituire il mondo della storia con l'iperuranico mondo delle regole geometriche, dei rapporti perfetti, dell'alto gioco di armonie prestabilite e infine eleva (e forse non senza un ricordo di Borges) lo spazio-tempo-movimento a protagonista dei racconti[22].

[20] «Quel che cerco nella trasfigurazione comica o ironica o grottesca o fumistica è la via d'uscire dalla limitatezza e univocità d'ogni rappresentazione e ogni giudizio.» (*Definizioni di territori: il comico*, 1967, in *Una pietra sopra*, cit.) Nel 1984 sono uscite le *Cosmicomiche vecchie e nuove* (Garzanti).

[21] Dopo aver sottolineato per entrambi i titoli «le contaminazioni tra linguaggio poetico e linguaggio scientifico», cosí F. Bernardini (*I segni nuovi di Italo Calvino*, Bulzoni, 1977) individua le fondamentali differenze fra le *Cosmicomiche* e *Ti con zero*: «*Ti con zero* sperimenta il passaggio dall'uso poetico all'uso scientifico del linguaggio... dalla dimensione fondamentalmente negativa e *destruens* delle *Cosmicomiche* al discorso *construens* di *Ti con zero* e nel contemporaneo evidenziarsi del filone saggistico». E ancora: «Ne *Le Cosmicomiche* il rimpianto di un momento iniziale ricco di infinite potenzialità e l'inadeguatezza del presente rappresentano la delusione storica della generazione che negli anni quaranta si era impegnata nella lotta di resistenza ed aveva creduto alla nascita di un mondo nuovo... Il discorso di *Ti con zero* parte invece dal superamento e dal rifiuto dell'atteggiamento nostalgico».

[22] In una intervista del 1968 su scienza e letteratura (ora in *Una pietra sopra*, cit.) Calvino dichiarava: «Il discorso scientifico tende a un linguaggio puramente formale, matematico, basato su una logica astratta, indifferente al proprio contenuto. Il discorso letterario tende a costruire un sistema di valori, in cui ogni parola, ogni segno è un valore per il solo fatto di esser

Da questa prospettiva egli giunge in breve a costruire un romanzo semiologico, un libro cioè che si struttura entro le simmetrie del gioco delle carte, *Il castello dei destini incrociati* (ivi, 1973)[23], come traduzione della vita in un quadrato magico che nelle sue stereotipe figure e nei muti accostamenti contiene i drammi del mondo. Ed è forse questa irresolubile dialettica tra la perfezione dello schema, della legge e il continuo emergere dell'irrazionale della vita che Calvino intende proporci[24], se esso torna in figura diversa ma analoga anche in *Le città invisibili* (ivi, 1972). Questa volta la separazione tra il limbo dei modelli assoluti e il terreno dei concreti rapporti umani è netta e persino tipograficamente rilevata: da un lato il tondo con cui sono descritte le irreali città, e qui prevale la sapiente fantasia fredda di Calvino, dall'altro il corsivo con cui sono riportati i dialoghi tra Kublai Kan e Marco Polo, e qui riprendono il sopravvento i problemi dell'uomo. Nascono i dialoghi dal momento di disperazione di Kublai Kan, dai suoi dubbi sulla realtà dell'impero e proseguono in un clima di sempre piú assorta intimità, di comunicazione profonda, di silenzi in cui affiorano desideri e paure di ricordi remoti. Nell'incanto della reggia orientale, le cose e le parole possono sfumare i loro contorni e le parti possono anche invertirsi (Kublai Kan chiede ormai solo conferme a Marco Polo) e la verità dell'atlante può apparire superiore a quella della realtà e, infine, l'irrazionale che domina il mondo sembra distruggere il fermento di idee e di passioni che muove i due interlocutori; ma esso viene recuperato nelle parole finali di Polo non a caso poste a suggello dell'intera opera: «L'inferno dei viventi non è qualcosa che sarà; se ce n'è uno, è quello che è già qui, l'inferno che abbiamo tutti i giorni, che formiamo stando insieme. Due modi ci sono per non soffrirne. Il primo riesce fatale a molti: accettare l'inferno e diventarne parte fino al punto di non vederlo piú. Il secondo è rischioso ed esige attenzione e apprendimento continui: cercare e saper riconoscere chi e cosa, in mezzo all'inferno, non è inferno, e farlo durare, e dargli spazio».

stato scelto e fissato sulla pagina. Non ci potrebbe essere nessuna coincidenza tra i due linguaggi, ma ci può essere (proprio per la loro estrema diversità) una sfida, una scommessa tra loro... In questo momento, il modello del linguaggio matematico, della logica formale, può salvare lo scrittore dal logoramento in cui sono scadute parole e immagini per il loro falso uso». E ancora (ivi, p. 216): «Al centro della narrazione per me non è la spiegazione d'un fatto straordinario, bensí l'*ordine* che questo fatto straordinario sviluppa in sé e attorno a sé, il disegno, la simmetria, la rete d'immagini che si depositano intorno ad esso come nella formazione d'un cristallo».

[23] Il libro era già uscito nel 1969 a Parma presso Franco M. Ricci con il titolo *Tarocchi, Il mazzo visconteo di Bergamo e New York*; l'edizione einaudiana ha aggiunto una seconda parte, *La taverna dei destini incrociati*. Per notizie sulla composizione delle due parti, si veda la nota dello stesso Calvino in calce al volume del 1973.

[24] «Qualsiasi risultato raggiunto dalla letteratura, se rigoroso, può essere visto come un pun-

La dialettica fra struttura organizzatrice dell'opera e agitarsi dei contenuti che vi si dispongono si fa gioco ancor piú arduo e sapiente in *Se una notte d'inverno un viaggiatore* (ivi, 1979). Qui il rapporto dell'uno (il romanzo nella sua globalità) con il molteplice che esso contiene e di cui si sostanzia (i dieci racconti con i relativi capitoli che li intervallano) avviene sul duplice terreno del narrato come esempio in atto di narratologia, per un verso, e per un altro come diritto dell'autore ad intervenire su tutti i livelli. Avremo cosí un racconto primo — il contatto che Calvino tiene con una seconda persona, il lettore[25]; un racconto secondo conseguente al sopraggiungere sul lettore primo del personaggio del Lettore, del quale, unitamente alla Lettrice e ad altri personaggi, si narrano le peripezie della lettura; un racconto terzo, infine, o piú esattamente i dieci racconti terzi cioè i dieci romanzi di cui viene volta a volta interrotta la lettura. Conseguentemente avremo un'alternanza continua di prime, seconde e terze persone che si scambiano fra l'autore (Calvino), il lettore, il narratore (ad esempio «l'uomo che va e viene tra il bar e la cabina telefonica» del primo racconto), e i protagonisti dei singoli racconti[26]. Questi a loro volta si sbizzarriscono tra nebbiosi ambienti centroeuropei, rivoluzioni sudamericane, giardini giapponesi, ecc. o si affinano in al-

to fermo per ogni attività pratica, per chi miri alla costruzione d'un ordine mentale cosí solido e complesso da contenere in sé il disordine del mondo, per chi tenda a stabilire un metodo cosí sottile e duttile da essere l'equivalente dell'assenza d'ogni metodo.» (*Usi politici giusti e sbagliati della letteratura*, 1976, ora in *Una pietra sopra*, cit.)

[25] È quello in cui ci si imbatte sin dall'inizio dell'opera: «Stai per cominciare a leggere il nuovo romanzo *Se una notte d'inverno un viaggiatore* di Italo Calvino... »; in questo primo impatto Calvino si rivolge ancora al suo lettore reale. Nel 1967, nel saggio *Cibernetica e fantasmi (Appunti sulla narrativa come processo combinatorio* (ora in *Una pietra sopra*, cit.) Calvino scriveva: «In queste operazioni [letterarie] la persona io, esplicita o implicita, si frammenta in figure diverse, in un io che sta scrivendo e in un io che è scritto, in un io empirico che sta alle spalle dell'io che sta scrivendo e in un io mitico che fa da modello all'io che è scritto. L'io dell'autore nello scrivere si dissolve: la cosiddetta "personalità" dello scrittore è interna all'atto dello scrivere, è un prodotto e un modo della scrittura».

[26] Calvino sente a un certo punto di dover sbrogliare un poco la matassa al suo eventualmente sbalestrato lettore: «Come sei, Lettrice? È tempo che questo libro in seconda persona si rivolga non piú soltanto a un generico tu maschile, forse fratello e sosia di un io ipocrita, ma direttamente a te che sei entrata fin dal Secondo Capitolo come Terza Persona necessaria perché il romanzo sia un romanzo, perché tra quella Seconda Persona maschile e la Terza femminile qualcosa avvenga» (p. 142). Del resto, Calvino immagina che lo stesso Lettore rimanga preso nelle panie della storia che lui gli ha approntato: «Lettore, hai ritrovato il libro che cercavi; ora potrai riprendere il filo interrotto; il sorriso torna sulle tue labbra. Ma ti pare che possa continuare cosí, questa storia? No, non quella del romanzo, la tua!» (p. 218). Altrove Calvino fa scrivere all'autore di *best sellers* mondiali Silas Flannery (nel quale in qualche parte egli può riconoscersi): «M'è venuta l'idea di scrivere un romanzo fatto solo d'inizi di romanzo. Il protagonista potrebb'essere un Lettore che viene continuamente interrotto. Il Lettore acquista il nuovo romanzo A dell'autore Z. Ma è una copia difettosa, e non riesce ad andare oltre l'inizio... Torna in libreria per farsi cambiare il volume... Potrei scriverlo tutto in seconda persona: tu Lettore... Potrei anche farci entrare una Lettrice, un traduttore falsario, un vecchio scrittore che tiene un diario come questo diario... » (p. 197).

te esercitazioni di stile tra squilli di telefono e allucinazioni catoptiche, mentre va avanti, come un inseguitore che corra in parallelo, il sempre piú avventuroso e minaccioso complotto degli apocrifi in un intersecarsi vertiginoso di abilissimi scambi, di finzioni e trucchi insolubili, di mutamenti di persone, di simulazioni e artifici di ogni genere, ed anche di un possibile trattato di lettura[27]. Il tutto viene poi miracolosamente ricomposto nella battuta finale che, ricongiungendosi a quella iniziale, ci svela, per cosí dire, il (facile) mistero dell'opera, il quale consiste esattamente nella intrinsecità del molteplice all'uno che lo struttura. O, se si vuol dire altrimenti, si porta qui alla piú perfetta esemplificazione quel tipo di narrazione che Calvino inseguiva da tempo, nella quale la struttura cessa definitivamente di essere un contenente o un binario per diventare tutt'uno con la *fabula*, per essere essa stessa la *fabula*.

In *Se una notte d'inverno...* si contiene anche la premessa del libro successivo; vi si legge infatti a p. 200: «Forse... potrei arrivare a tener distante nella sensazione d'ogni foglia la sensazione d'ogni lobo della foglia... Cominciai a concentrare la mia attenzione per cogliere le sensazioni piú minute nel momento del loro delinearsi... Stavo esercitando la mia capacità d'isolare sensazioni sulla nuca di sua figlia». È già la poetica e la tecnica di *Palomar* (ivi, 1983)[28], storia di un personaggio che non a caso porta il nome del piú potente osservatorio del mondo. Palomar vive scrutando di continuo con attenzione lucida tutto ciò in cui si imbatte, evitando le sensazioni vaghe e riducendo cosí le sue relazioni col mondo a un soggettivismo assoluto — come un nuotare entro la propria mente — che viene ribaltato in una lettura oggettiva dell'universo[29]: con il suo sguardo sempre vigile e disponibile, quello che Palomar vuole è «costruirsi un rapporto col

---

[27] «Smontato e rimontato il processo della composizione letteraria, il momento decisivo della vita letteraria sarà la lettura» (*Cibernetica e fantasmi*, cit.)

[28] L'acuminato scrutare col cannocchiale di Silas Flannery in *Se una notte...* obbediva già alla medesima legge di una sensibilità visiva portata al parossismo.

[29] È questo uno dei motivi fondamentali, forse il centro dell'ideologia letteraria, e non soltanto letteraria, di Calvino, il quale vi torna, in diverse prospettive, ripetutamente. Condotti due ragionamenti sugli opposti concetti dell'innumerevole, inclassificabile, continuo e del finito, sistematizzato, discreto, Calvino conclude:.«Ecco dunque che i due diversi percorsi che il mio ragionamento ha seguito successivamente arrivano a saldarsi: la letteratura è sí gioco combinatorio che segue le possibilità implicite nel proprio materiale, indipendentemente dalla personalità del poeta, ma è gioco che a un certo punto si trova investito d'un significato inatteso, un significato non oggettivo di quel livello linguistico sul quale ci stavamo muovendo, ma slittato da un altro piano, tale da mettere in gioco qualcosa che su un altro piano sta a cuore all'autore o alla società cui egli appartiene» (*Cibernetica e fantasmi*, cit.); e nell'intervista su scienza e letteratura (cit.): «Mi pare che le due posizioni che ho descritto definiscono abbastanza bene la situazione: due poli tra cui ci troviamo a oscillare, almeno io mi trovo a oscillare, sentendo attrazione e avversione e avvertendo i limiti dell'uno e dell'altro. Da una parte Barthes e i suoi, "avversari" della scienza, che pensano e parlano con fredda esattezza scienti-

mondo limitandolo all'osservazione delle forme visibili». Lo incontreremo perciò nei luoghi della sua vita quotidiana, la spiaggia, il giardino, il terrazzo, il negozio, ciascuno dei quali oggetto di un «racconto»; ma come ormai da tempo Calvino ci ha abituati, ogni «racconto» è la tessera del macrotesto che lo contiene e gli dà senso, in un rapporto questa volta particolarmente intrinseco evidenziato da una schematizzazione — chiarita dallo stesso autore — che distingue e connette i tre paragrafi in cui ciascun «racconto» è diviso, assegnando al primo un valore visivo-descrittivo, al secondo un valore culturale-narrativo, al terzo un valore speculativo-meditativo. È questa la soluzione specifica di quella che sembra ormai essere la caratteristica piú vera del Calvino degli anni settanta-ottanta: la intrinsecità in un solo testo della piú minuziosa e capillare e cavillosa osservazione della realtà spicciola, e del suggerimento dei complessi e innumerevoli significati che vi si contengono.

Ci pare una disposizione che ritroviamo anche nell'ultimo Calvino saggista che un anno prima della morte ha raccolto i suoi scritti in *Collezione di sabbia* (Garzanti, 1984), un Calvino-Palomar con gli occhi bene aperti sul mondo e su se stesso, con lo sguardo intenso scorrente sulla superficie delle cose ma che riesce a renderne i sensi reconditi, che conclude però i suoi agili e rigorosi giri d'orizzonte con un doppio dubbio, su sé e il fuor di sé, allusivo di una perenne insoddisfazione e di una costante ansia di nuove scoperte: «Cosí decifrando il diario della melanconica (felice?) collezionista di sabbia, sono arrivato a interrogarmi su cosa c'è scritto in quella sabbia di parole scritte che ho messo in fila nella mia vita, quella sabbia che adesso mi appare tanto lontana dalle spiagge e dai deserti del vivere»; e visitando l'Iran: «Questo avevo creduto di capire in quel mio lontano viaggio a Ispahan: che la cosa piú importante al mondo sono gli spazi vuoti».

3. *Sciascia*

Leonardo Sciascia era apparso nel '56 e nel '58 con due volumi, *Le parrocchie di Regalpetra* e *Gli zii di Sicilia*[30], che individuavano sin

fica; dall'altra parte Queneau e i suoi, amici della scienza, che pensano e parlano attraverso ghiribizzi e capriole del linguaggio e del pensiero». Questa oscillazione è quella che Calvino chiama il suo scrivere con «un'andata e un ritorno: un'andata riduttiva e tranquillizzante... e un ritorno teso verso l'imprevisto e l'inesplorato... » (*La macchina spasmodica*, 1969, ora in *Una pietra sopra*, cit.)

[30] Fin dal 1950 erano però uscite a Roma presso Bardi (lo stesso editore che due anni dopo pubblicherà *La Sicilia, il suo cuore*) le *Favole della dittatura*, poi ristampate da Sellerio nel

dalle prime mosse due caratteristiche della sua scrittura destinate a rimanere costanti per gli anni a venire, la scelta del genere letterario fra saggio e racconto, la disposizione psicologica fra passione e ironia. È il trittico dei primi anni sessanta — *Il giorno della civetta* (1961), *Il Consiglio d'Egitto* (1963) e *A ciascuno il suo* (1966, sempre presso Einaudi) — che porta queste disposizioni alla formulazione piú tesa e felice, nel resoconto delle battaglie perdenti di un capitano dei carabinieri o di un professore di liceo contro la mafia, o di un intellettuale del secolo dei lumi contro le resistenze dell'antico regime. I tre brevi romanzi disegnano una parabola discendente che da qualche illusione ancora nello sfondo delle opere giovanili sulla possibilità di una razionalizzazione della vita dell'isola — ma forse della vita umana in generale — arriva alla constatazione della inguaribilità, della totalità del male e delle sue infiltrazioni immedicabili: è già il tema del «contesto», punto d'approdo di tutte le delusioni storiche e personali e della «desertificazione» ideale in Italia.

Tutto ciò verrà reso esplicito nel 1971 appunto in *Il contesto* (ivi) strutturato ancora una volta nella forma di romanzo poliziesco ma, nella sostanza, calato in una tematica politica di assoluta attualità. Per Sciascia il potere è sempre corruttore e corrotto e coinvolge in questa dimensione negativa tutti coloro che vi partecipano o vi si accostano da qualunque parte provengano[31], danneggiando irrimediabilmente l'intera società. Il quadro, «rappresentato con evidente distacco e ironia»[32], diceva Sciascia, ma non per questo con minor convinzione, si ripresentava con tinte ancora piú fosche e sanguinarie in *Todo modo* (ivi, 1974)[33], un altro «giallo mafioso», secondo la de-

---

1981 con la nota pasoliniana *Dittatura in fiaba*. Pasolini sottolineava soprattutto il valore poetico di quelle pagine e scriveva: Sciascia «ha depurato il suo contenuto fino a farne uno squisito pretesto di fantasia. La dittatura e il servilismo, i due termini complementari, contro cui, con valore retroattivo, egli incide le sue tavolette, cosí isolati, distaccati dal resto di tutti gli altri sentimenti umani, echeggiano nel vuoto della pagina, come se fossero irreali, gioco ed esercizio di raffinato evocatore». Da questi incunabuli della presenza della politica nell'opera di Sciascia ai testi dei decenni successivi il passo sarà assai lungo nella direzione della concretezza del bersaglio e dei mezzi usati per colpirlo.

[31] Questa accusa generale non mancò di provocare risposte fortemente polemiche dalla sinistra che accusò Sciascia di qualunquismo per aver messo sullo stesso piano coloro che detengono il potere e coloro che non lo detengono; con replica di Sciascia: «Le critiche di parte comunista sono state le peggiori: sono stato giudicato a seconda che m'accostassi o mi allontanassi dal partito» (*La Sicilia come metafora*, Mondadori, 1979, p. 121). C. Madrignani scriveva nel '77 (*Belfagor*, luglio): «Prima che si iniziasse a parlare di compromesso storico, Sciascia, indipendente di sinistra, aveva già detto — e inequivocabilmente — la sua al proposito» (ora nel volume *Leonardo Sciascia*, Lacaita, 1985, a cura di Antonio Motta, al quale si rinvia per un'ampia antologia critica).

[32] Il sottotitolo dell'opera era «Una parodia».

[33] «Io ho tentato di fare definitivamente i conti con il cattolicesimo in *Todo modo*.» (*La Sicilia come metafora*, cit., p. 64)

finizione di Pietro Cimatti che con la sua stessa aggettivazione demolisce la struttura classica della *detective story*: «Il mondo ordinato — egli scrive — dove bene e male, delinquenza e innocenza erano, se mai avvenne, divisi e riconoscibili, è sconvolto e confuso. Tutti possono essere uccisi in qualsiasi momento, all'oscuro, secondo un disegno impenetrabile... Tutte le notizie e le rivelazioni su "chi è stato" sono illusorie, insostenibili, beffarde... il colpevole non è neppure cercato»[34].

Il tema politico era stato direttamente affrontato da Sciascia anche in forma teatrale fin dal 1965 con *L'onorevole* (ivi), storia di un'integrazione nel sottobosco politico, e poi nel '72 con *I mafiosi*[35] e ancora con *Una commedia siciliana* (Catania, 1983). Ma il testo teatrale di maggiore respiro politico perché dedicato alla secolare questione dei rapporti fra Stato e Chiesa, e contemporaneamente attento ai conflitti degli anni nostri come mostrava la stessa intitolazione, era la *Recitazione della controversia liparitana dedicata ad A. D.* (ivi, 1969; dove A. D. sta per Alexander Dubček, il campione soccombente del «socialismo dal volto umano»). L'azione è infatti collocata nella Sicilia del primo '700 e prende le mosse da un modesto fatto di tasse e di privilegi, per allargarsi però allo scontro generale fra una concezione laica e illuminata dello Stato e la perpetuazione di vecchie strutture, con l'immancabile vittoria del potere — anzi, dei poteri: statale ed ecclesiastico — sulle illusioni dei riformatori. Ed è qui che il motivo settecentesco si lega alla piú bruciante attualità con un riferimento persino letterale (d'altra parte frequente in Sciascia) alla terminologia odierna: — «Il meno che vi capita di sentire a Roma, è che la sovranità di uno Stato cattolico non è illimitata. — Già: la teoria della sovranità limitata... Mi pare sia stata agitata, da qualche parte».

La tendenza di Sciascia a leggere la storia dei nostri giorni attraverso apologhi o riferimenti (accuratamente documentati) a tempi andati si ripete in *I pugnalatori* (ivi, 1976), sia pure spostando questa volta i termini cronologici al secolo XIX, appena all'indomani dell'unificazione. L'allusione si fa perciò piú precisa, ed è ancora quella al «contesto» di complicità ai vertici e di comportamenti equivoci che soffocano scandali, violenze, tradimenti, secondo un modello che si sarebbe già presentato in Sicilia nel 1862 per diffondersi e perfezionarsi poi nelle successive generazioni della classe dirigente italiana.

Piú legati ai destini individuali sono, o sembrano, gli *Atti relativi alla morte di Raymond Roussel* (ivi, 1971), ricerca sulle motivazioni

---

[34] In *Leonardo Sciascia*, cit.
[35] Ora nel volume einaudiano *L'Onorevole. Recitazione della controversia liparitana. I mafiosi*, 1976.

psicologiche che portarono al suicidio (a Palermo) dello scrittore francese, e *La scomparsa di Majorana* (ivi, 1975), che Sciascia considera il meno politico dei suoi libri; e lo è certamente, poiché affronta un caso di coscienza personale fattosi negli anni nostri acuto e drammatico, la responsabilità dello scienziato di fronte agli effetti delle sue scoperte; ma il racconto lascia intravedere il destino dell'intera umanità consapevolmente o meno coinvolta nella scelta di morte di questo moderno e tacito eroe.

In *Candido ovvero un sogno fatto in Sicilia* (ivi, 1977), è il grande modello voltairiano ad essere preso come chiave di lettura della nostra società[36], ove pare a Sciascia che dominino due universali ideologico-politici, il cattolicesimo e il comunismo spesso confluenti o rispecchiantisi con tutte le loro contraddizioni, le incongruenze e le assurdità, che Sciascia affronta in un racconto veloce e leggero nelle intenzioni e che esce invece meticoloso e quasi preoccupato di restare aderente alla cronaca greve di quei giorni che in qualche modo lo invischia. Questo accade soprattutto nell'ultima parte del racconto, dove la polemica nei riguardi del Pci si fa martellante e si lega a tutte le pieghe dell'organizzazione del partito e a tutte le oscillazioni della sua politica, vista ormai come luogo delle verità peggiori — e sia pure ancora con un ultimo residuo di nostalgia o di speranza: «E il partito comunista deve tornare a viverle tutte, se non vuole uscire dalla sinistra...» e una maggior dose di scetticismo — «E se l'insieme di tante verità fosse una grande menzogna?».

Con *Candido* si chiude la larga stagione dello Sciascia narratore secondo una misura di equa ampiezza e di grande scorrevolezza; dopo di allora, la sua produzione diverge su due direzioni non remote fra loro ma abbastanza nettamente distinguibili, l'una decisamente saggistica, l'altra piú estemporanea ed estrosa affidata a brevi paginette per lo piú stimolate da particolari letture. Nascono cosí, su questo secondo versante, i volumetti selleriani *Dalla parte degli infedeli* (1979), *La sentenza memorabile* (1982), *Kermesse* (1982), *Stendhal e la Sicilia* (1984), *Cronachette* (1985). Si tratta ora di ricognizioni paremiologiche siciliane, ora di divagazioni su uno scrittore che ha sempre desiderato di andare in Sicilia senza però mai riuscirvi; ora di brevi cronache a mo' di parabola o di veri e propri racconti; fino a quella *Sentenza memorabile*, che riprende il tema appena un anno prima trattato in *Il teatro della memoria* (Einaudi) che legge in chiave pirandellia-

[36] «Voltaire, quest'esempio di professionalità della scrittura, questo modello di scrittore, chiaro, svelto, conciso, intelligente, sintetico, ironico: ecco tutto ciò che per me rappresenta la chiave della scrittura e del vero mestiere» (*La Sicilia come metafora*, cit., p. 57). E aggiunge: «L'esatto contrario di Jean-Jacques Rousseau»; ma poche righe prima aveva scritto che Diderot «finirà per risultare piú importante di Voltaire».

na il famoso caso Bruneri-Canella, e che ci riporta allo Sciascia forse più tipico, quello che scrive «con sottile divertimento» su fatti dei secoli andati (nel caso specifico, ancora una sostituzione di persona nel secolo XVI con conseguente processo e condanna a morte) sui quali in genere altri autori si siano già fermati (e gli «autori» più propri sono per lui Manzoni, Borges, Brancati, ecc.). E Sciascia ne approfitta per avanzare una precisa dichiarazione di lavoro: «Mi piace sempre più scrivere cose come questa; e sempre più mi piace pubblicare piccoli libri come questo... Mi avviene persino di credere di avere inventato un genere letterario». Un genere che continua a piacergli tanto da praticarlo anche quando con *La strega e il capitano* (Bompiani, 1986) egli sembra tornare alla misura precedente del racconto, in realtà stremandola alle proporzioni minime di un breve volume dove è ancora la storia di un processo e di una condanna per stregoneria ad essere narrata con una collocazione storica ormai emblematica nella cronologia interna ai testi sciasciani. Qui le cose accadono o nell'età crudele che precede l'illuminarsi della ragione o quando i «lumi» si siano accesi ma debbano combattere, e spesso soccombere, per penetrare le tenebre persistenti dell'ignoranza e del fanatismo. Considerato il più illuminista dei nostri scrittori, Sciascia in realtà non ha mai coltivato ottimismi sulle sorti della storia umana, ma la sua convinzione che una vena dell'universale ragione scorra persino nei tempi più oscuri, ha impedito che le sue diagnosi impietose arrivassero a tingersi o di disperazione metafisica o di fastidioso moralismo.

La saggistica letteraria di Sciascia ha per principale oggetto «scrittori e cose della Sicilia» riuniti in buona parte nel volume dal pirandelliano titolo *La corda pazza* (Einaudi, 1970), contenente una trentina di saggi di argomento siciliano fra cultura e costume, sulla realtà siciliana, o «sicilianità» o «sicilitudine», che trapassa dalla Sicilia araba o spagnola fino a quella di oggi. La Sicilia diventa ormai per Sciascia «metafora del mondo» — come dice un suo titolo — un mondo che forse sta tutto diventando «Sicilia», ma proprio nel momento in cui è lui a sentirsi almeno in parte sottratto all'isola[37].

L'affaire Moro (Sellerio) era stato il *pamphlet* più legato alla drammatica cronaca del terrorismo italiano; scritto e pubblicato nel '78

[37] «C'è stato un progressivo superamento dei miei orizzonti, e poco alla volta non mi sono più sentito siciliano, o meglio, non più solamente siciliano. Sono piuttosto uno scrittore italiano che conosce bene la realtà della Sicilia, e che continua ad esser convinto che la Sicilia offre la rappresentazione di tanti problemi, di tante contraddizioni, non solo italiani ma anche europei, al punto da poter costituire la metafora del mondo odierno.» (*La Sicilia come metafora*, p. 78) Ma poi aggiunge: «Odio, detesto la Sicilia nella misura in cui l'amo, e in cui non risponde al tipo d'amore che vorrei nutrire per essa. È un sentimento che posso estendere all'Italia, tutta quanta» (p. 118). E «anche la mia sintassi si è fatta progressivamente meno dialettale» (p. 77).

a pochi mesi di distanza dal rapimento e dall'uccisione del presidente della Dc, il testo faceva il punto sul tragico evento conducendo una puntuale analisi politica e linguistica[38] delle lettere che Moro aveva scritto dalla prigionia ai capi del suo partito. Due erano i motivi fondamentali su cui puntavano le stringenti argomentazioni sciasciane, il primo riguardava l'imprevisto e quasi assurdo sussulto di senso dello Stato che aveva bloccato i dirigenti democristiani in un irrigidimento mai praticato in altre e meno gravi occasioni in cui pure era in gioco l'onore dello Stato; quello Stato italiano — scrive Sciascia — «che da piú che un secolo convive con la mafia siciliana, con la camorra napoletana, col banditismo sardo. Da trent'anni coltiva la corruzione e l'incompetenza, disperde il denaro pubblico in fiumi e rivoli di impunite malversazioni e frodi... Ma ora di fronte a Moro prigioniero delle Brigate rosse, lo Stato italiano si leva forte e solenne... »[39]. Il secondo motivo toccava personalmente Moro e la credibilità delle sue lettere, rifiutata dai capi della Dc i quali, se non altro per difendersi dalle pesanti accuse che venivano loro dal presidente-prigioniero, dichiaravano che ormai Moro era «un altro»: «il Moro che parla dalla "prigione del popolo" non è il Moro che abbiamo conosciuto», scrive Sciascia parafrasando il testo di un documento della Dc[40].

Ma la conclusione ultima che egli ne trae è che «Moro vede una Democrazia cristiana che è la sua: invertebrata, disponibile, cedevole e al tempo stesso tenace, paziente, prensile; una specie di polipo che sa mollemente abbracciare il dissenso per restituirlo, maciullato, in consenso»; è il «suo» partito per il quale appena pochi mesi prima aveva organizzato il «quadrato» in parlamento a difesa di un deputato, ma per difendere, piú che l'uomo, il partito, e che non si capacitava non facesse ora «quadrato» intorno alla sua vita.

Il quadro tutto negativo dei rapporti politici in Italia che usciva dall'«affaire Moro» trovava commento e conferma nel volume appena successivo *Nero su nero* (Einaudi, 1979) che raccoglieva articoli e scritti vari apparsi sui giornali di quel periodo; «il titolo — diceva Sciascia - vuole essere parodistica risposta all'accusa di pessimismo

[38] «Sto scrivendo queste pagine sull'*affaire* Moro in un mareggiare di ritagli di giornali e col dizionario del Tommaseo solido in mezzo come un frangiflutti.» (p. 108)

[39] Il motivo riprende quello analogo ripetutamente battuto dallo stesso Moro: «L'Italia si rifiuta, dimenticando di non essere certo lo Stato piú ferreo del mondo» (p. 70); «Possibile che siate tutti d'accordo nel volere la mia morte per una presunta ragione di Stato?... per insensibilità e rispetto cieco della ragion di Stato?» (pp. 88-89); «Questo rigore proprio in un paese scombinato come l'Italia» (p. 135).

[40] «Non è l'uomo che conosciamo, con la sua visione spirituale, politica e giuridica che ha ispirato il contributo alla stesura della stessa Costituzione repubblicana.» (p. 102) E Moro dalla sua prigionia ribatte il 27 aprile: «Ma sono, si dice, *un altro* e non merito di essere preso sul serio» (p. 104), e poi: «Muoio se cosí deciderà il mio partito».

che di solito mi si rivolge: la nera scrittura sulla nera pagina della realtà»; e in effetti veniva verificato solo in parte dai testi che si allargavano a considerazioni di ogni genere, storiche, letterarie, linguistiche e a riferimenti a libri appena pubblicati[41], anche se non mancavano precisi accenni o giudizi sulla «situazione italiana» dominata dalla doppiezza e dal conformismo, condizionata dalla mafia, retta da leggi o cattive o non applicate, e giudicata ora da Sciascia da quella particolarissima specola che è la Sicilia, anzi Racalmuto. Due motivi sembrano ormai prevalere sugli altri, un piú deciso fastidio nei confronti di un cattolicesimo sempre piú miope e clericalizzato (e quindi un frequente richiamo a Voltaire o, piú recentemente, a Brancati) e una ormai totale polemica nei confronti del partito comunista. Gli attacchi sono in genere diretti e inequivoci, ma la forma che ora Sciascia sembra prediligere per cercare di fissare aforisticamente alcuni concetti che piú lo stimolano è quella del paradosso, anzi della contraddizione in termini[42], punto d'approdo forse inevitabile di una personalità sempre sulla breccia alla ricerca di una logica delle cose alla quale non riesce a credere e alla quale forse non ha mai creduto.

4. Rodari

Il nome di Gianni Rodari è forse tra i non molti degli scrittori italiani che goda di notorietà internazionale per la generosa e originale vena che distingue la sua attività nel campo della letteratura per l'infanzia. Una vena nativa esercitata inizialmente quasi per istinto e poi rafforzata e razionalizzata entro uno schema teorico di lavoro che ha trovato nella *Grammatica della fantasia* (Einaudi, 1973) una formulazione organica, punto d'arrivo dell'opera fino allora compiuta e punto di partenza per quella futura (Rodari è mancato nel 1980). Sulla

[41] In particolare a quello su Moro cui Sciascia aggiungeva, desumendola dal «memoriale» delle Brigate rosse, questa altra impressionante citazione: «Ci sono cose di splendida verità: di quella verità cui Moro, ormai tragicamente libero, era finalmente approdato: "Ho un immenso piacere di avervi perduto — dice agli amici di un tempo che gli sarà sembrato lontanissimo — e mi auguro che tutti vi perdano con la stessa gioia con la quale io vi ho perduti"; parole che sembrano arrivare a noi dall'antica ed eterna tragedia del potere» (pp. 237-38).

[42] Si veda, ad esempio: «Il piú bello esemplare di fascista in cui ci si possa imbattere... è quello del sedicente antifascista unicamente dedito a dare del fascista a chi fascista non è»; «Quelli che pensano come noi appunto sono quelli che non la pensano come noi»; «La sicurezza e la chiarezza con cui riusciamo a parlare delle cose che appena conosciamo; e l'incertezza e l'oscurità con cui invece parliamo delle cose che conosciamo benissimo»; «Dei cretini intelligentissimi. Sembra impossibile: ma ce ne sono». Ma si veda in particolare: «Sono cosí soddisfatto della mia mente che una paura mi assale: di doverne vivere il contrappasso nella follia», che ci pare uno strano esempio, in uno scrittore ironico come Sciascia, di mancanza di autoironia, d'altra parte abbastanza integrabile nella sua figura di docente del costume.

base di testi di psicologia, di pedagogia, di linguistica, ma soprattutto sulla base delle esperienze condotte a contatto con le scolaresche elementari, Rodari spiega i momenti di partenza e i meccanismi da cui può nascere e svolgersi una letteratura che deve per sua destinazione interessare e divertire insieme, stimolare le facoltà inventive e avviare a quelle logiche: una parola scelta a caso, o meglio ancora una coppia di parole per il fondamentale carattere binario della struttura del pensiero[43], la formulazione di ipotesi fantastiche in forma di domanda («Che cosa succederebbe se..?»), la deformazione delle parole mediante prefissi o altri mezzi, lo sfruttamento di lapsus o errori, i ritagli di testi esistenti, la tecnica del nonsenso o del «limerick» («usare le parole come un giocattolo»), il ricalco di vecchie fiabe per farne uscire una nuova[44], la costruzione di indovinelli[45], sono tutti strumenti di facile impiego e su cui può farsi esercitare la fantasia del fanciullo e con i quali Rodari ha effettivamente costruito gran parte della sua opera, sempre nella convinzione che «anche inventare storie è una cosa seria».

Ma alla individuazione di queste condizioni piú immediate, egli ne ha fatto poi seguire una sistemazione piú scientifica fondata eminentemente sulle teorie di Propp e le sue trentuno funzioni, usabili anche dai bambini per costruire infinite storie; o un allargamento del testo mediante la sua illustrazione, o l'applicazione di concetti matematici (ad esempio, la teoria degli insiemi), o la comunicazione attraverso simboli come accade con le marionette[46] («Comunicare per simboli non è meno importante che comunicare per parole. Qualche volta è il solo modo di comunicare con il bambino»).

Proprio alle marionette si ispiravano le poesie di *Marionette in libertà* (Einaudi, 1974), che adottavano la soluzione formale piú semplice, strofette di due versi a rima baciata in cui si alternavano misure sillabiche diverse ma non stridenti e che anzi contribuivano a dare al testo una veste piú comunicativa e parlata. Piú libere e articolate erano la metrica e la rima delle due raccolte di filastrocche (*Filastrocche in cielo e in terra*, 1960, poi Einaudi, 1972, e *Il secondo libro delle filastrocche*, ivi, 1985) e piú vari anche i temi, dalle situazioni particolari della giornata agli astri e alla luna, dagli animali alle stagioni, ecc.; ma c'è un motivo su cui la fantasia dell'autore preferibilmente

---

[43] Questo concetto viene dedotto da Rodari da *Le origini del pensiero del bambino*, di Henry Wallon.

[44] Esempi se ne trovano in *Gip nel televisore e altre storie in orbita*, Mursia, 1982.

[45] «"Straniamento-associazione-metafora". Sono i tre passaggi obbligati per arrivare a formulare l'indovinello.» (p. 46)

[46] «Il re è... fondamentalmente il padre, l'autorità, la forza... La regina è la madre. Il principe è lui, il bambino (la principessa, la bambina). La fata è "la cosa bella", la magia buona... Il diavolo riassume tutte le paure... » (p. 115)

ritorna e si esercita in finissime variazioni, ed è quello linguistico, la grammatica, l'ortografia, l'interpunzione, forse anche con l'intento di un insegnamento specifico, ma rivolto poi ad un ammaestramento piú alto. Quale che sia il particolare argomento su cui si aggira la poesia, vi è al fondo dei testi di Rodari un ammonimento "politico", ora sottinteso ora apertamente espresso, sí che appare chiaro che per lui la funzione capitale di una letteratura per l'infanzia non può prescindere dalla formazione del carattere, dalla instillazione di determinati valori, dal suggerimento di determinati impegni. Cosí può accadere che una scena fra Pulcinella e Arlecchino termini con l'auspicio di un mondo di libertà

> Dove vanno? Ma questo si sa:
> van nel paese di Libertà,
>
> una terra felice e onesta
> dove nessuno ha un filo in testa
>
> una terra senza padroni
> né brutti né buoni.
>
> Questa terra, se ancora non c'è,
> la faremo io e te

e lo stesso accade a una filastrocca ortografica detta da un bambino messo in prigione per aver scritto sui muri

> «Con un pezzetto di gesso in mano
> quel che scrivevo era buon italiano,
>
> ho scritto sui muri della città
> "Vogliamo pace e libertà"
>
> «Ma di una cosa mi rammento
> che sull' — a — non ho messo l'accento.
>
> «Perciò ti prego per favore,
> va' tu a correggere quell'errore,
>
> e un'altra volta, mammina mia,
> studierò meglio l'ortografia

Sono gli stessi fondamentali caratteri che troviamo nell'opera in prosa di Rodari[47] a cominciare dai raccontini delle *Favole per telefono* (1962, poi Einaudi, 1971) e ancor meglio in quelli piú ampi di *Il gioco dei quattro cantoni* (ivi, 1980), forse l'applicazione piú fedele e viva della «grammatica», per cui spesso i racconti sgorgano da una

---

[47] Talvolta prose e poesie sono accostate nel medesimo volume; si veda, ad esempio, *Il pianeta degli alberi di Natale* (Einaudi, 1962) e *La gondola fantasma* (ivi, 1972).

suggestione puramente fonica (qui spesso di carattere geografico) e poi si sviluppano attraverso una serie di associazioni libere o legate da un filo che li riconduce a una logica tutta fantastica; né mancano allusioni politiche a riportarci al consueto traguardo delle intenzioni rodariane, mentre *La gondola fantasma* fonde i due motivi delle maschere italiane e delle fiabe orientali e *C'era una volta il barone Lamberto* (ivi, 1978) ha come tesi fondamentale, forse con una memoria zavattiniana, che «i ricchi sono matti» e sempre tutto fila in una serie di avventure passo passo imprevedibili, raccontate in una lingua sbrigliata, ironica e fortemente dialogata, che contiene spesso il germe della teatralizzazione. E al teatro Rodari era giunto con le *Storie di re Mida* (ivi, 1983), ma senza mutare sostanzialmente la natura della sua fantasia sempre alla ricerca di colpi di scena, talvolta connessi allo svolgimento di una storia talvolta stuzzicati da un fatto puramente linguistico.

5. Zanzotto

L'esordio di Andrea Zanzotto avviene in pieno clima neorealista con *Dietro il paesaggio* che è del 1951[48], ma il poeta non sembra subirne condizionamenti; se mai i suoi versi lo avvicinano alle reviviscenze neoermetiche[49], che pur circolavano in quegli anni, per i legami con la tradizione simbolista, per l'aspirazione metafisica che si delineava *dietro* la fisica[50] (che in questo caso era il dolce *paesaggio* delle colline venete), per la letterarietà del lessico e delle immagini. Erano i caratteri che si ritrovavano anche nelle due raccolte successive, *Elegie ed altri versi* (1954) e soprattutto *Vocativo* (1957), dove tornano i modi dell'ermetismo — scriveva Fortini — «ma innestati su di una tematica di titanismo esistenziale e cosmico»[51]. L'indicazione era preziosa ma si limitava a segnalare l'aspetto ideologico rintracciabile nel testo, quando ormai la fondamentale esigenza dell'autore

[48] Vi è però un antefatto nella raccolta scheiwilleriana del 1972, *A che valse?*, contenente versi giovanili (1938-1942).

[49] È significativo che il primo riconoscimento sia venuto a Zanzotto da una giuria composta da Montale, Ungaretti, Quasimodo, Sinisgalli e Sereni, che nel 1950 gli assegnò il premio San Babila-Inediti.

[50] Recensendo *La beltà* (*Corriere della sera*, 1° giugno 1968) Montale notava che «la sua mobilità è insieme fisica e metafisica».

[51] *Menabò* 2, 1960. Ma Fortini notava anche la contraddizione che nasceva nei testi zanzottiani dall'uso di un «lessico neoclassicheggiante», e avanzava un auspicio che presto si sarebbe avverato, quando Zanzotto avesse spogliato «una passione come la sua, devota alle alte cose, da un'erronea identificazione di quelle con le alte parole, con le conchiglie fossili».

era quella di una «rottura dell'istituzione linguistica italiana»[52] che sarebbe stata di lí a poco attuata nelle *IX Ecloghe* (1962), la prima raccolta definibile «zanzottiana» nel senso che l'aggettivo può avere acquistato da allora fino ad oggi; un senso che non interrompeva, tuttavia, quello che lo aveva preceduto, ma riusciva a fonderlo ad un livello linguistico nuovo e sorprendente, «un vero tuffo in quella preespressione che precede la parola articolata e che poi si accontenta di sinonimi in filastrocca, di parole che si raggruppano per sole affinità foniche, di balbettamenti, interiezioni e soprattutto iterazioni» (Montale).

Era il risultato di un espresso desiderio — «vorrei trovare / parole nuove» — che già ora si esprimeva, ma non sempre, in forme esasperate - «Luna puella pallidula, / Luna flora eremitica, / Luna unica selenita, / distonia vita traviata, / atonia vita evitata, / mataia, matta morula... ». Queste forme portate all'«esperienza del limite» — secondo le parole di Zanzotto a Camon[53] — si accentuano ulteriormente e divengono norma in *La beltà* (Mondadori, 1968), dove la rottura del «rapporto significante-significato»[54] si attua programmaticamente e polemicamente contro la lingua consumata, arbitraria, inautentica, una «lingua che passerà». La nuova raccolta porta cosí avanti e perfeziona l'invenzione di uno strumento novissimo[55] in cui vanno del tutto scomparendo le forme istituzionali della comunicazione, sostituite da figure puramente linguistiche o retoriche che ormai si pongono esse stesse come fondatrici e portatrici di senso.

Forse nessuna delle possibili risorse viene trascurata in questo ossessivo tentativo di ricostituire, al di là della distruzione del linguaggio, e in una dimensione totalmente reinventata, un sistema di segni che riesca finalmente a significare la realtà nella sua estrema degradazione e a comunicarla. Una semplice elencazione, vasta ma certamente incompleta, potrebbe segnalare parole fuse tra loro («serachiusascura») o congiunte da trattini («mai-mai-non-lasciai-andare»), parole forzate o deformate o inusitate («scoiattolizzare», «si ikebanizza il mondo», «nanobiscroma») oppure arcaiche o preziose («soffolce», «ubertà», «nivale») o, al contrario, del tutto usuali («Pronto. A chi parlo?»), parole che si affiancano per semplice assimilazione fonica

---

[52] Dichiarazione dello stesso Zanzotto in F. Camon, *Il mestiere di poeta*, Lerici, 1965, p. 158 (poi Garzanti, 1982).

[53] In quell'intervista, che è del '65, Zanzotto affermava però ancora che «il terreno comune, riflesso nella lingua-norma, non deve essere mai perduto di vista»; nel processo della sua destrutturazione della «lingua-norma», egli evidentemente supererà quella posizione.

[54] S. Agosti, Introduzione a A. Zanzotto, *Poesie (1938-1972)*, Mondadori, 1973, p. 18.

[55] L'aggettivo non è casuale; l'accostamento di Zanzotto alle neoavanguardie è stato piú volte proposto, ma altrettanto spesso negato.

(«consolazione insolazione», «allenate, alleate») o come varianti («circoscritto descritto trascritto / non scritto») o in contraddizione («babele e antibabele / volume e antivolume», «"Non far fuori" "Far fuori"»), parole dialettali («Slumbrot, «ϑ pal»), parole francesi, inglesi, latine, greche, parole balbettate in apertura («bru-bruciore», «p-poeti») o in chiusura «bambucci-ucci», «molteplice-plice»), sintassi ellittica di elementi fondamentali («E. Congiungere. Con.»), proposizioni di soli avverbi o preposizioni o prefissi («-malgrado tutto nonostante- / -forse benché, cosí-», «L'archi-, trans, iper, iper (amore)»), anafore e iterazioni («in quale occhio-pupilla, piccola pupa, pappo e dindi, / in che trapungere, in che trapunto d'omega / tu renitente all'omega, / in che commedia col pappo, col dindi, / ...»), sillabazioni e allitterazioni («salti saltabecchi», «perla perlifera»), citazioni colte (da Hölderlin: «siamo un segno senza significato», da Palazzeschi: «cloffete clocchete ch ch»), onomatopee («ding ding ding») anche ornitologiche greco-pascoliane («un uccello-augello torotorotix / torotorotorolililix») o fumettistiche («gnam gnam yum yum slurp slurp»), linguaggio infantile o petél («Mama e nona te da ate e cerco e pepi e memela»)[56].

Ma si deve riconoscere che la pura elencazione, pur utile a cominciare un avvio di penetrazione nell'universo linguistico e poetico zanzottiano, non solo non ne esaurisce l'indagine ma rischia di lasciarsene sfuggire il senso globale che risiede non tanto nella aritmetica dei suoi addendi quanto nella impreveduta organicità che essi acquistano all'interno della irrinunciabile ipotesi dello iato che è intervenuto fra le parole e le cose, e l'assunzione da parte delle parole dell'intera responsabilità non solo rappresentativa ma costitutiva degli oggetti.

Questa operazione ormai decisamente iniziata continua in *Gli sguardi i fatti e senhal* (Pieve di Soligo, 1969) e in *Pasque* (Mondadori, 1973) per il quale varrà la pena anche di sottolineare l'uso di un titolo, come già per *La beltà*, fortemente ironizzante e antifrastico, se è proprio il senso tramandato e classico della bellezza (poetica) o della sublimità religiosa che viene messo fuori gioco («Fa' o Signore che — ma il tuo fare cos'è? / Fa' o Signore che — ma non vedo perché»),

---

[56] Agosti (cit.) aggiunge e precisa: «fatti di *annominatio* (sostituzione di lettera o di gruppi di lettere), di derivazione, di propagazione fonoetimologica... cancellazione o degradazione all'insignificante degli elementi verbali "pieni"... assunzione allo statuto del significato di entità linguistiche normalmente non significative... Valorizzazione linguistica dei fatti interiettivi... Costellazioni proliferanti di significati internamente svuotati del loro contenuto assiologico, o, viceversa, riempiti di un valore che normalmente non sono in grado di produrre». E Marco Forti parla di «stilemi schizoidi» e in particolare sottolinea «uno stile sostantivale, iterativo, balbettato, un'oltranza verbale tutta giuocata sui legami o i contrasti fonici, le allitterazioni, i neologismi, i francesismi... e comunque i linguaggi di riporto, e soprattutto la riconduzione delle parole-chiave del componimento... al loro nucleo etimologico» (*Le proposte della poesia e nuove proposte*, Mursia, 1971, p. 362).

in un'operazione ancor piú spinta[57] che agli strumenti già noti altri ne aggiunge. Sono segni che, in un piú avanzato gesto di sfiducia, vanno al di là delle lettere dell'alfabeto utilizzando non solo i caratteri a stampa — % °°°°°°° -273 ↓ → ∪-∪ ≅ √ — ma graffiti a penna o per incorniciare una parola o per presentare nella scrittura dello stesso autore un intero testo (si veda *Microfilm*) contenente, fra l'altro, una sorta di triangolo magico — IODIO ODIO DIO IO O[58].

Sono le risorse espressive che (dopo le «filastrocche press'a poco veneziane, o in veneto urbano» di *Filò*, Venezia, Ruzante, 1976) ritroviamo allargate e complicate in *Il Galateo in bosco* (Mondadori, 1978), dove la breve nota introduttiva di Contini nella sua ancipite aggettivazione segnala l'aspetto attraente e quello inafferrabile dei testi e del loro autore — «un edificio tanto seducente quanto difficilmente penetrabile», «questo difficile e pur tanto affabile poeta ctonio». Questa volta gli interventi a penna si fanno complessi, si allargano sulla pagina, occupano facciate intere, si ingrandiscono, si direbbe, a misura della diminuzione della fede nella parola. Eppure Zanzotto, anche in questi testi piú di sempre ardui ad una comprensione che voglia arrestarsi alla delucidazione delle loro cellule, resta legato al suo paesaggio veneto, anzi vi aggiunge alla dolcezza della geografia la tragicità della storia orribilmente documentata dalle battaglie sul Montello e dagli ossari che ne sono l'avanzo

> Rivolgersi agli ossari. Non occorre biglietto.
> Rivolgersi ai cippi. Con il piú disperato rispetto.
> Rivolgersi alle osterie. Dove elementi paradisiaci aspettano.
> Rivolgersi alle case. Dove l'infinitudine del desio
> (vedila ad ogni chiusa finestra) sta in affitto.

Sono, questi, momenti molto importanti dell'opera di Zanzotto, perché portano in piena luce quei motivi che lo muovono dal profondo, insistendovi in questo caso anche in una nota che ce li fa piú violentemente vissuti: «E di tutte le stragi, guerre e sacrifici umani: resta l'intimazione a vederne la squallida inutilità e, a un tempo, di patirli a fondo, di ricomprenderli in totale convivenza, "perché possano esserne sventati altri nel futuro". Si fa per dire (mentre continua

[57] «Sfasciume verbale» , «pandemonio di segni», «spore linguistiche» sono le espressioni con cui la raccolta viene presentata in copertina.

[58] Come già la raccolta precedente e le altre che seguiranno, il volume è munito di abbondanti note finali d'autore che chiariscono, almeno in parte, il significato dei testi o le intenzioni dell'autore. In *Pasque* troviamo questa nota che ci pare riferibile allo stesso Zanzotto: «*Xenoglossie*: la xenoglossia è un fenomeno parapsicologico per cui un soggetto si esprime in una o piú lingue a lui sconosciute in condizioni normali. — *Glosalie*: 1° significato: la coniazione, talvolta patologica, di associazioni sillabiche prive di senso; 2° significato: la presunta facoltà di pregare e lodare Dio in una lingua misteriosa».

ogni giorno lo stillicidio del sangue); occorrerebbe fondare il partito del "vomito continuo". Decine di migliaia di morti sul Montello e dintorni: quella tragedia.è rimasta nella terra e nella gente». Forse allo stesso bisogno di un ordine razionale, un ordine che non sia ripetizione, conformismo, viltà, risponde la riassunzione della forma del sonetto, formula magica di una religione letteraria alla quale il poeta può ancora chiedere sostegno: «cosí ancora di te mi sono avvalso, / di te sonetto, righe infami e ladre — / mandala in cui di frusto in frusto accatto».

Ma per tornare poi ai suoi «mutanti alfabeti», ai suoi «vortici di segni» o *Fosfeni* (ivi, 1983), secondo libro, dopo *Il Galateo in bosco* di una progettata trilogia, che riprende alcuni motivi tra i quali quello pedagogico che già avevano aperto *Pasque*, e riprende l'eterno paesaggio veneto con le «falcate colline» anche se, nella barbarie generale, sono divenute «effettivamente impossibili»

> Dimmi che cosa ho perduto
> dimmi in che cosa mi sono perduto
> e perché cosí tanto, quasi tutto
>   ho lasciato a pie' del muro
> ...
> Dimmi quale e che modo di collassarsi
> Dimmi quale lingua ho perduto e lasciato collassarsi
> Dimmi in che lingua ho perduto ho collassato
>   e perché in questa cinta amata per la sua tanta
>   perdita
>   mi sono aggirato senza mai perdermi
>   ma pur sono stato perduto da alcuno da alcuno
> Dimmi perché ogni nervo d'erbe verdissime su
> dal collassato campo di mura e pomerii
>
>   percepisce quel che io non percepisco
> nello sfatato, nel collassato, nel simil-nato ·
> in cui mi sono guadagnato e ripetuto.

E ancora: «Pasqua, inutile rincorrerti», e «ogni voce / si soffoca dolcissima inutile», ed è «impossibile accedere alla dolce ruina / dell'osteria immota sull'angolo». È questa sensazione della inutilità di ogni cosa e della vita stessa che penetra le pagine, della vanità di quello che si è fatto e di quello che ancora si potrà fare, del venir meno delle illusioni aggravato dalla coscienza per sempre acquisita del «crudelissimo imperversare di / mondani beni fosfeni» — e allora «si ha voglia di lasciar andare tutto», di non cedere piú ai «singoli appelli che mi hanno, / veramente, anno per anno, / reso incomprensibile questo mio sperato comprendere».

6. Fo

Dario Fo si autodefinisce «autore-attore» e questa condizione rende non facile la considerazione dei suoi testi al di fuori di una recitazione caratterizzata da un'inconfondibile vocalità, da una gestualità personalissima e da una mimica che, erede di una secolare tradizione, viene sviluppata in modo autonomo e reinventata a seconda dell'occasione. A ciò si aggiunga che gli stessi testi (ora giunti ad una redazione stabile nelle edizioni Einaudi) sono il prodotto di un'elaborazione che ha risentito delle sollecitazioni del pubblico, mutandone, aggiustandone e sveltendone la forma iniziale. E si aggiunga ancora che quella definizione non esaurisce tutta la personalità artistica di Fo che è anche scenografo, regista e insomma «uomo di spettacolo in senso totale»[59], ed è anche una figura fortemente impegnata nella battaglia politica in stretta connessione con la sua attività teatrale dal giorno in cui egli non vorrà piú essere «giullare della borghesia». Quest'ultima vocazione, sviluppatasi dal '68 in modo veemente, non appare però immediatamente[60], se non per atteggiamenti interlocutori, nei testi degli anni in cui Fo sta superando i tempi dell'apprendistato e dando inizio alla prima fase del suo teatro scritto, mosso fondamentalmente, dal punto di vista etico, da una forte carica di satira di costume[61].

Gli arcangeli non giocano a flipper (1959) mette in scena infatti una «ghenga di balordi» che non hanno connotazione politica[62] e la satira è rivolta all'inefficienza ministeriale. Gli strali cominciano ad essere piú diretti, questa volta contro l'esercito e l'autorità militare in *Aveva due pistole con gli occhi bianchi e neri* (1960)[63], mentre *Chi ruba un piede è fortunato in amore* (1961) se dal punto di vista teatrale aumenta la girandola delle situazioni, dal punto di vista politico torna alla battuta estemporanea quando deve toccare livelli piú compro-

[59] F. Quadri, Premessa a *Le commedie di Dario Fo*, v. I. Quadri scrive anche che Fo è «lo scrittore del nostro teatro di oggi piú rappresentato all'estero»; e F. Rame nella Premessa al III v.: «Dal 1964 al '68 siamo sempre rimasti in testa a tutti gli incassi delle maggiori compagnie italiane».

[60] Alla possibile tripartizione delle *pièces* — teatro leggero da *cabaret*, critica morale e di costume, satira e impegno politici — corrisponde grosso modo anche una tripartizione organizzativa: recite nel giro dei teatri normali, fondazione di «Nuova Scena» con recite nelle Case del popolo, in locali di fabbriche occupate, ecc., fondazione di «La Comune» autogestita.

[61] Questo non impedí che fin dagli inizi ci fossero interventi della censura e denunce all'autorità giudiziaria. Si veda la Premessa di F. Rame.

[62] Una battuta all'inizio della commedia dice: «Non cominciamo con la politica, adesso», che è ancora frase usuale cui non si può attribuire un reale senso polemico (ma nemmeno, ovviamente, letterale-qualunquistico); né la bomba cui si accenna al secondo atto ha un possibile riferimento a un terrorismo ancora da nascere.

[63] F. Rame lo definisce uno «spettacolo che trattava la connivenza fra fascismo e borghesia, tra malavita organizzata e potere».

mettenti, per esempio la morale dei cattolici. Questo medesimo bersaglio, anzi l'intera gerarchia e la sua corruzione, è piú duramente colpito in *Isabella, tre caravelle e un cacciaballe* (1963), — «Povera croce, quante brutte ombre deve mascherare»[64], — ma ad essere presa di mira è l'Italia tutta, gli opportunisti, i furbi, i potenti che incastrano i sottoposti: «Ad ogni modo qui c'è qualcuno che ruba, e piú di uno: è una ruberia generale... Pare d'essere in Irlanda... — Irlanda? Ma che c'entra? — Beh, mica potevo dire Italia: troppo scontato». La polemica contro certa dottrina e certe istituzioni cattoliche verrà ripresa due anni dopo in *La colpa è sempre del diavolo*, una commedia di streghe e demoni che per la prima volta ci porta indietro di molti secoli, al tempo del papato di Avignone, e sfrutta persino un testo medioevale.

Fo si sta ormai avviando alla fase piú politicizzata della sua produzione, che si accentua con *Settimo: ruba un po' meno* (1964)[65]; qui siamo in pieno umor nero fra tombe, becchini e voci dall'aldilà (naturalmente fasulle), ma il sapore della commedia, emergente particolarmente nel secondo tempo, sta nel risvolto politico che entra in primo piano con i cortei dei disoccupati, le cariche della polizia, l'allusione al Vietnam, il voto delle monache; ma due sono gli aspetti piú direttamente presi di mira, da una parte gli imbrogli, le corruzioni, gli intrallazzi di chi esercita qualche potere, con l'avallo finale dell'Eccellenza che dà un colpo di spugna su tutto, dall'altra l'atteggiamento dell'Italia succube dell'America, totalmente annullata nel consesso delle nazioni. Contro c'è solo chi non accetta la morale del «Siccome tutti rubano, beh... ruba anche tu, magari un po' meno», e non si unisce alla «canzone dell'italiota»: «Se diranno: quello ruba, quello truffa, quello frega, / gli daremo i nostri voti, tutta quanta la fiducia».

Alla metà degli anni sessanta Fo ha messo a punto un linguaggio, uno stile e una macchina teatrale originali e funzionali. Le sue commedie sono tutte in lingua (se si esclude qualche sporadica parola o breve coro in dialetto preferibilmente lombardo, e il caso del diavolo Bracalone di *La colpa...* che parla in veneto arcaico) ma con una sensibile patina padana che viene da una generale impostazione del discorso e da alcune espressioni tipiche non frequentissime ma ricorrenti («raviolare i piccionati», «il pallino da rigolo», «giocare a topa

---

[64] E parlando degli indigeni d'America: «In fondo, quei disgraziati hanno da guadagnare. Perdono la libertà, è vero, ma in cambio trovano il conforto della nostra religione, diventano nostri schiavi, ma anche nostri fratelli. Si beccano un sacco di malattie che prima non conoscevano, ma un giorno conosceranno la salute dell'anima e moriranno felici».

[65] È anche l'anno (1963-64) in cui Fo partecipa a una popolare trasmissione televisiva, *Canzonissima*, ma la deve interrompere perché colpito dalla censura che gli impone tali tagli che Fo preferisce rinunciare.

falsa», «faccia di palta», ecc.)[66]. Ma si tratta di una prosa italiana spogliata di ogni aulicità e tendenzialmente popolareggiante (caratteristica potrebbe essere l'aferesi del dimostrativo, questa sí frequentissima: «sto balordo», «sto decreto», «sti scherzi», ecc.), che tuttavia non scade mai nella volgarità e tanto meno nell'osceno (si pensi, per contrasto, alle scelte di certi «comici» di successo!), mentre il suo tono tutto «parlato» pretende, al di là della lettura, la vociferazione e la mimica. Su questo punto i testi abbondano di indicazioni che non solo integrano la stesura scritta ma determinano un vero e proprio intervento d'autore anche nel momento della recitazione; didascalie come «Le battute che seguono vengono dette precipitando, una appresso all'altra, senza pause» o «Recitano contratti, voce portata», ecc. è evidente che sono nate nella mente dell'autore insieme con la scrittura e pensando alla «sua» futura recitazione. Ma altrettanto e ancor piú precise sono le indicazioni scenografiche, luoghi, mobilia, suppellettili, abbigliamento, musiche, luci, rumori, mentre abbondantissime sono le didascalie che descrivono i movimenti e la mimica degli attori[67], sí che tutto appare meticolosamente previsto e tutto dovrà essere millimetricamente rispettato, salvo le eventuali varianti che potranno essere introdotte[68]. Alla prosa si alternano in ogni commedia alcuni canti o cori che contengono e chiariscono il senso o il messaggio con un accento particolarmente tagliente e sfottente per il quale Fo sceglie spesso un verso sdrucciolo che facilmente sottolinea sia il carattere di filastrocca del pezzo sia il suo sapore ironico o sarcastico. Ma l'arte di Fo si avvale poi di tutte le trovate del piú collaudato teatro comico, travestimenti, tecniche alla Fregoli, agnizioni, sosia, smemorati, doppi ruoli, trasformismi d'ogni genere, grida (tipico il lombardo «Oeuh»), cadute sul palcoscenico, scambi e intrecci rapidissimi che portano il pubblico fuori del filo logico degli avvenimenti al godimento delle invenzioni, dei lazzi delle improvvisazioni delle bravure che, al di là dell'impegno ideologico, costituiscono parte non piccola del teatro di Dario Fo.

Ma nel '68 si registra un incremento, per non dire una svolta, sostanziale: il discorso politico si fa «chiaro e didattico», «il linguaggio

[66] Un caso particolarissimo è il «grammelot» dallo stesso Fo definito «una serie di suoni senza senso apparente ma talmente onomatopeici e allusivi nelle cadenze e nelle inflessioni da lasciar intuire il senso del discorso» (*Settimo...*).

[67] Nell'edizione degli «Struzzi» einaudiani si trovano didascalie in corsivo e in tondo, ma non sempre la loro differenza è riconoscibile.

[68] F. Rame: «Solo a gente superficiale, il teatro di Dario Fo può sembrare fatto "a braccio". No, tutto è ragionato, pensato, scritto, provato, riscritto e riprovato, e sempre in un rapporto su e con il pubblico».

è senza orpelli né sofisticherie» (F. Rame) e la tecnica si avvicina sempre più a quella della Commedia dell'arte. *Grande pantomima con bandiere e pupazzi piccoli e medi*, infatti, porta in scena, direttamente o attraverso facili allegorie, Mussolini, il re, la regina, il principe, i generali, i vescovi, il capitale, la Confindustria, l'alta finanza, i carabinieri, tutti fra loro strettamente connessi — dall'altra parte, i «ribelli», il proletariato, i contadini: è la storia d'Italia degli ultimi decenni che si agita con la sua stampa, la televisione, il «tiriamo a campà», e poi il condizionamento dell'uomo in fabbrica, la polemica col Pci, gli scontri fra studenti e polizia, con il coro finale: «Non facciamo che i giovani del mese di maggio / siano sepolti un'altra volta / e per sempre». L'attacco antisovietico (i processi stalinisti dagli anni trenta agli anni cinquanta) si fa ancora più esplicito in *L'operaio conosce 300 parole il padrone 1.000 e per questo lui è il padrone*, con l'intervento di Gramsci che agli operai distratti dalla *routine* e dal consumismo ricorda: «Il nostro è un partito diretto da intellettuali. Gli operai devono diventare gli intellettuali del nostro partito».

Lo sfruttamento del lavoro nelle fabbriche e a domicilio, l'occupazione delle fabbriche sono i motivi di *Legami pure che tanto spacco tutto lo stesso* (1969) — nelle due distinte parti, *Il telaio* e *Il funerale del padrone* — e non solo il discorso politico si fa sempre più chiaro e didattico, ma le situazioni prese a modello sono dedotte direttamente dalla cronaca di quei giorni, i personaggi (dal generale De Lorenzo all'industriale Felice Riva) fanno parte del panorama italiano più prossimo, tanto che i testi devono cominciare a munirsi di note per il lettore futuro che non sarà facilmente al corrente di quei fatti e di quei nomi. In altre parole, il teatro di Fo è diventato definitivamente «militante», polemizza con i nemici che si trova di fronte nel momento, è calato nel contingente ma per salvarne la memoria al fine di accumulare i motivi di attacco ad una classe dirigente disonesta, incapace e repressiva.

Siamo perciò al limite tra la riproduzione diretta e polemica della realtà e la sua traduzione in fatto d'arte. Già con *La signora è da buttare* (1967), la guerra del Vietnam e l'assassinio di Kennedy non sono più detti o allusi ma direttamente rappresentati, e *Morte accidentale di un anarchico* (1970) ricostruisce (con grande coraggio se si pensa al rischio che correva chi sosteneva allora che non si trattava di un suicidio) la defenestrazione dell'anarchico Pinelli dalle stanze della questura di Milano; e *Pum! Pum! Chi è? La polizia!* (1972) riprende la tragica cronaca che va dalle bombe di piazza Fontana alle insostenibili conseguenze poliziesche; e *Fedayn* (1972) e *Guerra di popolo in Cile* (1973) si rifanno esplicitamente ad avvenimenti della storia

175

mondiale contemporanea; e *Il Fanfani rapito* (1975) porta sulla scena due ministri democristiani[69].

In tanta attività, alla quale va aggiunta la produzione di canti popolari legati al *Nuovo Canzoniere italiano* e raccolti nei tre volumi di *Ci ragiono e canto* (Bertani) e *Ballate e canzoni* (ivi), il testo che piú si libera dalle sollecitazioni immediate e tocca forse il momento piú alto e il successo piú sicuro di tutta la carriera dell'autore è *Mistero buffo* (1969). Fo torna, ma con ben altra consistenza, al Medioevo per riscriverne la storia non piú dalla parte degli oppressori, dei padroni di sempre, ma degli oppressi, degli sfruttati, degli espropriati non solo dei beni materiali ma della loro stessa cultura, con un discorso che vale evidentemente per i secoli passati come per il presente. Ma questa volta tutto è affidato al «giullare» che dice, racconta, spiega, allude, protagonista assoluto che non può essere se non lo stesso Fo nella sua veste di «attore-stregone», secondo la sua stessa espressione[70], che mentre compie un vero *tour de force* teatrale sa di combattere una sua battaglia culturale e di compiere un gesto di lotta politica.

[69] Tutto questo portò ad un aggravamento degli interventi della polizia, cui si aggiunsero violenze da parte di squadre fasciste. Fo però ha dichiarato: «Guardi, le persecuzioni che io ho subito fanno ridere in confronto a quelle che vedo dirette sulla classe operaia, perché quelle sono sulla busta paga, sulla sicurezza nel lavoro, sul rischio della vita» (Intervista a *Playboy*, dicembre 1974, riportata in L. Binni, *Dario Fo*, La Nuova Italia, 1977).

[70] «Per piú di tre ore Fo, a scena nuda (*Mistero buffo* viene rappresentato in qualsiasi situazione, al limite senza neppure un palcoscenico e senza luci, in situazioni d'intervento particolarmente precarie) maglia e pantaloni neri, microfono legato al collo, recita, spiega, parla con il pubblico, si inserisce in ogni tipo di "incidente" che possa accadere.» (L. Binni, *op. cit.*, p. 55)

II. Qualche caso letterario

Noi non possiamo conoscere che i
nostri giudizi.
Noi non siamo però i nostri giudizi,
siamo vita. *A. Pizzuto*

L'operazione di Antonio Pizzuto era cominciata negli anni cinquanta[1] fuori da scuole, circoli o tendenze letterarie, ma si era trovata a coincidere con una direzione di movimento ormai in via di esplosione e che di lí a poco avrebbe preso il nome di neoavanguardia. Pizzuto aveva anticipato per suo conto la liquidazione del passato portandola su due piani contigui, la distruzione delle strutture narrative tradizionali e lo scardinamento della lingua con cui esse erano state, e ancora continuavano ad essere, condotte. Sul primo punto lo stesso scrittore dirà con estrema chiarezza il suo proposito, distinguendo tra il «raccontare» che si limita a documentare e pietrificare i fatti, e il narrare che «vince l'assurdo di tradurre l'azione in rappresentazioni poiché riconosce che il fatto è un'astrazione» e di conseguenza non interessa, sicché il racconto che è «racconto del fatterello» non serve a niente. Si trattava, dunque, di narrare ma uscendo del tutto dagli schemi tradizionali, anche se nelle prime opere, da *Signorina Rosina* (1956) a *Si riparano bambole* (1960) a *Ravenna* (1962) sopravvivono ancora alcuni elementi che lasciano sussistere le strutture esistenti e che vanno ricercati sia nello sfondo autobiografico sia nella permanenza di lacerti di trama o di memorie del personaggio sia, soprattutto nel primo titolo, in una lingua che ancora si regge su una sintassi riconoscibile. In verità, già *Ravenna*, sia pur presentato come «romanzo», vede ormai scomparire quei residui e la pagina di Pizzuto imboccare una strada che arriverà a forme estreme di sperimentalismo stilistico[2].

[1] Il primissimo titolo, rifiutato dall'autore, fu *Sul ponte di Avignone*, stampato sotto pseudonimo nel 1938 (ora Il Saggiatore, 1985).
[2] C. Segre cosí riassume l'itinerario di Pizzuto: «Prima un vero romanzo a due personaggi, sia pure con zigzag, salti e inversioni cronologiche di rotta (*Signorina Rosina*); poi un romanzo della memoria, concentrato intorno all'esperienza del rimembrante, e perciò anche piú libero riguardo al tempo oggettivo (*Si riparano bambole*); poi una serie successiva di flashes autonomi

Nel '64 e '66 uscivano presso Lerici *Paginette* e *Sinfonia*, che formano una trilogia con *Testamento* (Il Saggiatore, 1969), e il processo di corrosione delle vecchie strutture subisce un incremento ulteriore; si tratta infatti di «lasse», come le definisce lo stesso autore, «irriducibili negli stampi consueti» e che attuano un esplicito disegno di «indeterminismo narrativo» in cui «resta escluso il concetto di contenuto, poiché — spiega ancora Pizzuto — l'arte non è veicolo»[3]. In una prosa in cui «il fatto non conta», protagoniste diventano le parole, anzi lo «sgocciolio continuo di parole... la congerie di sostantivi e verbi»[4], con una rielaborazione continua a livello lessicale e un'altrettanto continua «frantumazione a livello sintattico»[5] e con risultati via via sempre meno accertabili quanto più ci si avvicina agli ultimi titoli, alla «somma libertà» di *Pagelle I* (Il Saggiatore, 1973), *Pagelle II* (ivi, 1975), *Giunte e virgole* (ivi, 1975), *Ultime e penultime* (ivi, 1978).

Per una siffatta opera di «moderna ingegneria linguistica» fatta di ritmi e di musica, per il suo «"significare" la vita attraverso la letteratura»[6], l'inevitabile richiamo della critica è stato quello a C. E. Gadda, ma con molte cautele che finivano per indicare più le differenze che le coincidenze, e per assegnare nel complesso a Pizzuto una funzione meno mordente sulla realtà attuale sia per il suo eccesso di virtuosismo sia per il distacco con cui si pone di fronte ai problemi concreti della realtà: «Egli riesce sí a cogliere l'incoerenza e il disva-

---

sebbene riconducibili a un preciso ambito familiare, a persone ricorrenti (*Ravenna*)» (*I segni e la critica*, Einaudi, 1969, p. 210).

[3] Intervista in R. Jacobbi, *Pizzuto* (La Nuova Italia, 1971). In un'altra ampia intervista concessa a Paola Peretti, ora nel volume *Pizzuto parla di Pizzuto* (Lerici, 1977, con ampia introduzione di W. Pedullà), Pizzuto chiarisce ulteriormente: «Non è la deduzione che costituisce la struttura intellettuale nostra, ma è il processo contrario, cioè a dire il processo di induzione, il processo induttivo, cioè a dire il processo di generalizzazione, cioè a dire ancora il processo di assimilare l'ignoto al noto... Di modo che, il punto di partenza è questo: fine del deduzionismo, e, quindi, fine del sillogismo, fine della deduttività immediata e rigorosa, e inizio di un indeterminismo». In questo processo, il tempo, «fattore traente della mia narrativa», e lo spazio sono elementi non assoluti, sono elementi condizionati dal soggetto. Se non c'è soggetto non c'è niente. Pizzuto dice anche che non lo si può intendere senza partire dalla sua filosofia, e cita in particolare fra i suoi autori Platone, Berkeley, Kant, nonché il suo maestro Cosmo Guastella, «il più grande filosofo che noi abbiamo avuto».

[4] Cosí C. Segre (*op. cit.*), il quale specifica come si tratti per lo più di «infiniti, participi e gerundi, perciò anch'essi con valore nominale». In particolare, Segre nota la riduzione al minimo delle indicazioni di causalità e la frequenza degli asindeti, e per il lessico, «gruppi risalenti alla mimesi del parlato, con sporadici dialettismi, esotismi mal italianizzati, italiano deformato in bocca straniera o frasi straniere storpiate, linguaggio infantile, onomatopee, e gruppi riferibili alla cultura dell'autore, latinismi, grecismi, forme letterarie desuete, neoformazioni».

[5] Si veda, ad esempio: «E una subitanea lietezza. Vediamo un po'. Cannelloni. Ravioli. Abbiamo. E per dopo. Fegato sulla graticola. Contorno? Di pisellini. Sí, rosso. Poi l'attesa, un primario sorso sgranocchiando grissini. Sulla parete di fondo l'orologio dimenticato occhieggiava. Infine cremcaramél. Caffè? io lo prendo con una goccia di latte» (*Paginette* p. 93).

[6] W. Pedullà, *Miti, finzioni e buone maniere di fine millennio*, Rusconi 1983, pp. 110 sgg.

lore della società contemporanea — scrive, ad esempio, Luperini[7] — e a inventare una struttura del racconto adeguata a tale comprensione; ma resta sempre in lui un residuo del passato che non si scioglie e che degrada a gusto libresco e astratto, senza che lo scrittore riesca a irriderlo e a liberarsene. Invece di far esplodere la sua cultura umanistica nel contatto con l'oggi (come fa Gadda), egli resta prigioniero della dialettica passato-presente»[8].

Quello di Guido Morselli piú che un caso letterario è un caso umano poiché ha toccato i termini della tragedia con il suicidio dell'autore (1973) dopo l'ennesima delusione provata dal rifiuto della pubblicazione della sua opera. Ma è certamente anche un caso letterario che investe la politica, le scelte culturali, il costume delle grandi, o meno grandi, case editrici con la loro assenza di un criterio di valore accettabile, di una discriminazione comprensibile, se si pensa a quanti inutili (o orrendi) romanzi sono stati pubblicati mentre Morselli faceva la sua vana anticamera portando manoscritti che, esclusa la poco sensata questione se si trattasse o no di capolavori, certo reggevano con vantaggio il confronto con quelli che passavano trionfalmente alle stampe. Si dovette cosí attendere la sua morte per veder comparire il primo titolo, *Roma senza papa* (1974) pubblicato da Adelphi (che sarà l'editore di tutta l'opera di Morselli, la quale non vedrà però la luce nell'ordine di composizione). Quel primo romanzo e gli altri due che subito lo seguirono — *Contropassato prossimo* (1975) e *Divertimento 1889* (1975) — rivelavano un primo dato certo, la scelta della dimensione storica, anche se si trattava di una storia riveduta e mutata e inventata secondo schemi e giudizi che erano propri soltanto dell'autore. *Roma senza papa* fa raccontare da un prete svizzero il processo di decadenza e di mondanizzazione della Chiesa, in un linguaggio che dietro l'andamento fantasioso e parodico celava non soltanto una reale preparazione teorica (teologica) ma una problematica autentica. Un linguaggio che nel *Divertimento* diventava aperta satira del re Umberto I, delle sue scarse doti, delle sue circospette avventure (ovviamente di conio morselliano).

Era *Contropassato prossimo* che, oltre a rinnovare un'ancor piú imprevedibile facoltà inventiva, dava — per cosí dire — una verifica

---

[7] *Il Novecento*, II, Loescher, 1981, p. 856.

[8] R. Jacobbi (*900*, X, Marzorati, 1980, p. 10.003) scrive a sua volta che in Pizzuto «la differenza sta in un passo piú innocente dell'animo, senza le acredini, senza le cupe vendette contro il genere umano; e in un materiale erudito di origine soltanto poetica e metafisica, senza sospetti scientifici, senza rapporto con la tecnica e con la prassi, semmai sostituite da un molto meridionale bagaglio di linguaggio giuridico».

filosofica al modo inusitato e "sconveniente" di utilizzare i dati della storia. Il romanzo raccontava gli avvenimenti della prima guerra mondiale sul fronte italiano dove avviene, attraverso uno stratagemma abilmente descritto, lo sfondamento da parte dell'esercito austriaco che porterà alla vittoria degli Imperi centrali con conseguente instaurazione di una loro felice egemonia in Europa. Era, dunque, il puntuale capovolgimento delle verità di fatto, che letterariamente dava luogo a un racconto di ottima fattura, ma che Morselli intendeva anche giustificare in un *Intermezzo critico* che rovesciava qualunque affermazione di razionalità della storia e qualunque entificazione della Storia medesima o della Società; ne conseguiva che quanto realmente accade può essere paradossale, mentre quanto non accade è quello che sarebbe dovuto accadere seguendo la «logica delle cose»: come fu per gli Imperi centrali che avevano dalla loro parte tutte le "ragioni" per vincere e persero invece la guerra.

La immersione nella storia, quale che ne possa essere la lettura morselliana, diventa immersione negli anni recentissimi, e perciò nella politica, in *Il comunista* (1976) (che aveva avuto un lontano antefatto in *Incontro col comunista*, 1980), un romanzo non privo di sapore testimoniale che narra la parabola di un militante del Pci all'indomani della destalinizzazione. Morselli si soffermava sia sul rovello pubblico sia sugli screzi privati del suo personaggio, ma dimostrava soprattutto questa volta che la sua abilità non era solo quella di inventare macchine del tempo o nel tempo, ma di rispecchiare con grande prontezza e fedeltà un dramma ideologico che è stato per molti una realtà lacerante alla metà degli anni cinquanta, e mostrando anche di saperlo affrontare entro una vasta concezione narrativa e una capacità sicura di trasmetterne il senso. Il protagonista di *Un dramma borghese* (1978) aveva qualcosa in comune con il «comunista» Walter Ferrarini, anche lui è un «intellettuale dimidiato, disilluso, che si trascina in stati di inerzia morale, incapace di rapporti salvifici con gli uomini» (Amoroso); ma ora la tematica storico-politica è del tutto esclusa mentre campeggia oscuro, contorto, labirintico, il rapporto padre-figlia che è anche rapporto malattia-sanità, svolto da Morselli sulla scorta anche di una chiave psicanalitica che confermava la sua seria preparazione culturale.

Dissipatio H. G. (pubblicato però un anno prima di *Un dramma borghese*, anche se probabilmente fu l'ultimo ad essere scritto poco avanti l'estrema decisione) riprende il grande discorso della presenza dell'uomo nella storia (H.G. va inteso come *humani generis*), che è la storia di oggi e ancor piú quella di domani, dopo che la terra avrà subito l'estrema catastrofe. Ultimo superstite è il protagonista, un intellettuale mancato suicida, che narra questa sua condizione di unico abitante di un pianeta deserto di viventi, ed è spinto ad una serie di considerazioni sul mondo e su se stesso, nella vita presente e in quella passata, e infine anche alla ricerca della persona che vorrebbe ancora incontrare. È evidente che il romanzo prende le mosse da uno spunto che, come abbiamo già avuto occasione di vedere, ebbe larga circolazione in quegli anni sotto l'incubo della possibile strage atomica, ma il romanzo di Morselli non è solo il rendiconto polemico di questa eventualità; accanto a quella «cronaca esterna», come egli stesso la chiama, più conta la «cronaca interna», le riflessioni che l'anonimo sopravvissuto conduce lungo la sua inedita esperienza, i pensieri e i ricordi che lo avvicinano al suo autore fino a farne quasi il suo sosia, fino a quel progetto di suicidio che, mancato dal personaggio, non sarà fallito dall'uomo.

Nel 1979 un altro nome si aggiungeva alla lista di coloro che in vita non avevano ricevuto riconoscimenti[9], ed era quello del giurista Salvatore Satta autore del romanzo *Il giorno del giudizio* (Adelphi) uscito quattro anni dopo la sua morte. Più che raccontare la storia della famiglia di don Sebastiano Sanna Carboni notaio a Nuoro, Satta dipingeva un quadro sfaccettato e complessivo della sua cittadina nella triplice topografia contadina, borghese-amministrativa e pastorale, abbandonandosi alle memorie e insieme riservandosi un "cantuccio" da cui commentare con la saggezza del conservatore intelligente. Satta guardava a quella città «che non ha motivo di esistere», a quel «nido di corvi», con un fondo d'amore ma pur tenendosi a bada, e perciò senza scivolare né nel campanilismo né in pericolosi intenerimenti, ma tutto dominando con una prosa limpida e classica. Così, quell'angolo di mondo non solo tornava ad essere elevato alla dignità della letteratura nazionale nelle sue reali dimensioni richiamate da una meticolosa indagine, ma finiva per assumere un più vasto senso generale, il passaggio in un mondo fuori del mondo, l'affannarsi e consumarsi dell'esistenza sinché per ciascuno non giunge l'ora del giudizio.

[9] Alla fine degli anni venti Satta aveva scritto il suo primo romanzo, *La veranda*, ambientato in un sanatorio, rimasto totalmente sconosciuto e inedito fino al 1981 quando sarà pubblicato da Adelphi.

Parte terza

Una nuova generazione

I. Una situazione negativa?

Nel programmare tutto e il contrario di
tutto, i progettisti del lavoro letterario
non proposero altro che l'assenza della
medesima letteratura. *E. Siciliano*

La babele della lingua in atto
nella poesia. *M. Forti*

Per l'avanguardia ancora non so se tracciare
linee di sopravvivenza o inventare
un necrologio. *G. Finzi*

1. *Il riflusso, il vuoto, la babele*

La situazione culturale generale negli anni settanta presenta scompensi e contraddizioni non facilmente dirimibili. Per un verso, appare in aumento la domanda di cultura e sembra estendersi l'area di coloro che ne sono cointeressati, ma i risvolti negativi superano talora le previsioni ottimistiche che se ne potrebbero trarre. È sufficiente ricordare per questo la persistenza di una fascia di analfabeti o semianalfabeti esclusi da qualunque ambito culturale o letterario; e che appena ad un livello superiore esiste un'altra piú spessa fascia consumatrice di carta stampata ma di valore infimo (giornaletti, fumetti, fotoromanzi) o appena di poco superiore (collane rosa, rotocalchi femminili) e comunque sempre al di sotto di una qualunque dignità di scrittura[1]. Ma il fenomeno piú grandioso che continua ad occupare via via spazi maggiori è certamente quello della televisione, la quale va sempre piú sostituendosi alla stampa come strumento di comunicazione culturale e no, compreso il settore della letteratura, se è vero che lo sceneggiato e il teleromanzo catturano un pubblico certamente superiore a quello dei lettori di libri o dei frequentatori del teatro e dello stesso cinema.

Il fenomeno televisione (che qui è possibile soltanto sfiorare) presenta aspetti pericolosamente contrastanti: da una parte esso accosta masse ingentissime ad una possibile fonte di cultura, dall'altra dedica la maggior parte del tempo al puro intrattenimento o all'evasione rinunciando ad un coinvolgimento del grande pubblico ai fenomeni artistico-letterari dell'attualità. In altri termini, se i condizionamenti

---

[1] Per tutto questo si veda G.C. Ferretti, *Il mercato delle lettere*, Einaudi, 1979; in particolare i capitoli *Razionalizzazione capitalistica e domanda reale* e *Formule viete per una strategia moderna*.

politici gravano sui criteri dell'informazione Tv, a guidare le scelte artistico-culturali sono i condizionamenti economico-commerciali, con una pericolosa concorrenza verso il basso da quando hanno inizio le televisioni private.

Ma per tornare al discorso sulla letteratura, circolano agli inizi degli anni settanta alcune parole emergenti, veri cartelli segnaletici che, ove non fossero del tutto rispondenti agli itinerari oggettivi, resterebbero in ogni caso a segnare una reale direzione soggettiva, il sentimento o la coscienza che la classe dei colti ha di se stessa, il giudizio che esprime sulla propria attività nel campo letterario.

La piú nota e la piú popolare tra queste parole è certamente «riflusso»[2] che quasi per naturale rovesciamento capovolge sinteticamente tutta la terminologia, nonché l'azione (pseudo) rivoluzionaria che aveva riempito la bocca e le pagine di tanti autori degli anni sessanta. Naturalmente il riflusso non era solo della letteratura, la quale stava piú o meno coscientemente rispecchiando una strutturale situazione di stanchezza per una contestazione che non era riuscita a diventare rivoluzione e che forse non aveva avuto mai la forza per diventarlo, ma che era sí riuscita a scandalizzare e a spaventare ogni benpensante; e alla quale ora si attribuiva per di piú la responsabilità di aver figliato il terrorismo che incominciava a insanguinare il paese. L'istintiva difesa dei valori consueti, il desiderio certo non illegittimo di un quieto vivere e, per quanto ci riguarda, il desiderio egualmente legittimo di avere a disposizione testi letterari ben fatti e leggibili (anche se poi si risolvevano il piú delle volte in una vasta produzione di puro consumo, che segue criteri editorial-commerciali, punta ai grandi premi letterari e guarda alle classifiche dei *bestsellers*) tutto concorre a disegnare un panorama che il termine «riflusso» descrive e compendia.

Ma non è «riflusso» — restando nel campo della letteratura — la parola piú significativa per indicare il senso di preoccupato smarrimento che coglie gli intellettuali all'indomani del crollo abbastanza repentino delle fedi neoavanguardiste; anzi del venir meno di una doppia febbre che aveva servito nel decennio sessanta a tener vivo e all'erta l'organismo cultural-letterario del paese: le proposte shockanti delle neoavanguardie, e la successiva violenta spinta a tradurre in atto politico (rivoluzionario) l'atto di cultura. Venute meno o alquanto

[2] Si veda, ad es., G. Petronio che nel volume, in collaborazione con L. Martinelli, *Novecento letterario italiano* (Palumbo, 1975) parla di «una fase di riflusso e di restaurazione, di "neoconformismo" o "neodisimpegno"» (p. 100).

sbiadite queste condizioni in qualche misura entusiasmanti, si diffonde largamente all'inizio dell'ottavo decennio una sensazione di incertezza, di brancolamento, di vuoto. E proprio «vuoto» è la parola emergente piú autentica, e anche la piú duratura, quando ormai di riflusso nessuno avrebbe avuto piú il buon gusto di parlare.

Cominciò Pasolini su *Nuovi Argomenti* nel gennaio del 1971 a denunciare l'avvento di un «vuoto letterario», creato — diceva — dalla caduta della letteratura-negazione della neoavanguardia e della letteratura-azione del movimento studentesco. Lo stesso anno, Felice Piemontese constatava come la fine del Gruppo 63 avesse determinato «un vuoto a lungo non colmato»[3]. Cinque anni dopo, Giuseppe Conte riprendeva la pagina pasoliniana sul vuoto «che in parte dura ancora» (*Altri Termini*, n. 9-10, febbr. 1976), sulla mancanza di chiavi di lettura e di sottocodici dominanti e di regole di «galateo letterario», e polemizzava con il decennio precedente[4] che aveva dato luogo a «un lungo inerte periodo di restaurazione», a una «tabula rasa». Né diverse ci paiono le conclusioni cui alla metà del decennio (1975)[5] perveniva Asor Rosa allorché negava che avessero ancora trovato risposta alcune fondamentali domande circa il rapporto tra poesia e vocazione politica e parlava di «crollo incontestabile dei valori letterari seguito.. alla crisi del '68», registrabile — scriveva — «in una serie di tentativi che a noi appaiono o casuali o sommamente deludenti o incautamente programmati».

Ancora allo scadere del decennio al discorso di Pasolini si riallacciava Enzo Siciliano, che introducendo nel 1979 la *Poesia degli anni settanta* (Feltrinelli) di Antonio Porta, cosí riepilogava le stimmate del decennio ormai al tramonto: «Nel programmare tutto e il contrario di tutto, i progettisti del lavoro letterario non proposero altro che l'assenza della medesima letteratura, o il suo *vuoto*».

Né constatazioni del genere si esauriscono con l'avvento degli anni ottanta[6]; continuano però a convivere (come, del resto, era già accaduto in precedenza) con giudizi che suonano almeno apparentemente assai differenti se non del tutto opposti. Un altro termine di larga circolazione nei medesimi anni è infatti quello di «babele», evidentemente allusivo non alla mancanza ma alla sovrabbondanza di «galatei letterari» e di scrittori che ne fanno uso. Di «babele della lingua in

---

[3] *Dopo l'avanguardia*, Guida, 1981, p. 29.

[4] «Certo, nel 1971 era già agonizzante l'odioso terrorismo antiletterario, la demenziale ingiunzione uccidere l'arte.»

[5] *Storia d'Italia*, Einaudi, IV, 2, p. 1649.

[6] È abbastanza significativo, ad esempio che, ancora nel 1985, il romanzo di D. Del Giudice *Atlante occidentale* (Einaudi) venga presentato nel risvolto come in grado di «superare l'*impasse* in cui si trova la nostra narrativa».

atto nella poesia» parlava nel '72 Marco Forti[7] e nello stesso anno *Il codice di Babele* (Rizzoli) intitolava Giorgio Barberi Squarotti il suo libro di saggi in cui includeva il capitolo *Requiem per un decennio*[8]. E dieci anni dopo Stefano Lanuzza denunciava «le convulse voci della Babele letteraria italiana»[9]. E del resto lo stesso Siciliano, poche righe dopo aver parlato di «*vuoto* letterario», deve invece constatare «un pullulare di nomi»; e ancora nei primi anni ottanta, Maurizio Cucchi, nelle rivista *L'ozio letterario*, n. 7, denunciava «la nuova ondata degli scriventi versi» che non aveva però aumentato i lettori perché gli stessi scriventi versi non leggono i versi degli altri; e analoga denuncia si trovava in *Discorso diretto* n. 2, che accusava di falsità il cosiddetto *boom* della poesia, mentre constatava che «il numero di coloro che scrivono versi è enormemente aumentato in questi anni» ma nel «vuoto» dei lettori.

Ricapitolando il percorso degli anni settanta, Tiziano Rossi (nell'Almanacco dello Specchio, 1983 n. 11) insisteva pure sulla «gran varietà» di voci e l'assenza di modelli unificanti e calamitanti, ma quel «mosaico (o magazzino)» gli pareva confortante perché vi notava un moto armonico o dissonante che rispecchiava credibilmente la realtà e dimostrava la «capacità di ciascun poeta di colmare uno specifico vuoto»; e a proposito dell'eclettismo — la caratterizzazione meno positiva che soleva essere imputata al periodo — parlava di una prospettiva di crescita a più poli, dove è «l'addizione di esiti estremi (ciascuno in sé estremo) ad assicurare la complessità e la pienezza del paesaggio», nel quale ogni frammento che conta può andare a collocarsi[10].

[7] *Uomini e Libri*, 1972.

[8] Il capitolo, datato 1969, si riferiva al decennio sessanta approdato attraverso l'opera eversiva dell'avanguardia, alla «negazione assoluta di ogni forma letteraria»; dunque al vuoto degli anni settanta riempito da «i sedimenti o le testimonianze dei gruppi più periferici, misteriosi, iniziatici», quasi la letteratura potesse «esistere ormai soltanto come sfogo degli irregolari e dei "diversi", come attività non necessaria in una società bene ordinata». «A tutto ciò Barberi Squarotti contrapponeva l'idea di una letteratura come «utopia», come «profezia di mondi veramente alternativi rispetto a quelli dominati dall'oppressione e dall'inganno».

[9] *Cartografie del negativo. Scrittura e nihilismo*, D'Anna, 1982, p 7. Si ricordi anche l'accusa di «qualunquismo babelico e neutralistico» rivolta all'antologia di A. Berardinelli e F. Cordelli *Il pubblico della poesia*, Lerici, 1975.

[10] Rossi avanzava anche un'ipotesi di periodizzazione del decennio: «Nel '68-70 si era assistito a una sorta di ammutolimento, concomitante con la massiccia ideologizzazione della vita culturale, per cui i facitori di versi — spiazzati e stigmatizzati — avevano spesso optato per il silenzio anziché per la descrizione del divenire, meglio affrontabile con gli strumenti (più analitici e autorevoli) della saggistica; a partire dal '71 si registra una ripresa di parola, ma sempre nel rifiuto di duplicare il verbo della politica o dell'*engagement*, e con la frequentazione — invece — dei territori del sovrastorico e del microquotidiano; a partire dal '75 (o pressappoco) con la fine delle speranze in un rivolgimento o disinnesco decisivo della macchina sociale, ecco una impressionante fioritura di testi "esistenziali" e di autoconfessione (significativi ma di scarso livello artistico) e comunque una più cordiale accettazione della "debolezza" degli

Ci sono dunque palesi contraddizioni nel modo di guardarsi e di giudicarsi, oscillanti tra un senso di solitudine e di improduttività e un senso di preoccupante affollamento. Contraddizioni forse piú apparenti che reali se i termini che si contrapponevano potevano in realtà convivere a patto che si spostasse l'angolo di osservazione dalla "quantità" alla "qualità", o meglio ancora che si considerasse quella folla di scrittori, o aspiranti tali, non soltanto un nulla, come qualcuno dichiarava, ma un modo come un altro di essere vivi in una forma di coinvolgimento che avrebbe avuto presto manifestazioni persino oceaniche, e che non poteva essere ridotto a zero per il fatto di non aver prodotto opere memorabili. E se era vero, come pure si sosteneva, che negli anni settanta c'era stato di tutto, l'importante era riuscire a capirne il senso e il segno, mentre era inutile pronunciare condanne indiscriminate e totali.

Il problema assumeva, se mai, un altro aspetto caratteristico e indecifrabile, la ormai prolungata assenza di figure carismatiche, di maestri (appartenenti alle nuove generazioni) in grado di dare un senso e un tono al panorama culturale e letterario, di fungere da punto di riferimento; ma anche su questo fenomeno il giudizio poteva differenziarsi, se era vero quanto sosteneva Asor Rosa, che «le figure dei "dittatori intellettuali" dalla grandissima personalità, sono in genere l'espressione di una situazione complessiva, dove la *media* è molto bassa»; e dunque ci sarebbe stato da rallegrarsi di quella mancanza di personalità culturalmente egemoni [11].

Ma in conclusione, parlare di «vuoto» per un decennio che aveva visto pubblicare tre raccolte di Montale, due di Luzi e di Caproni, le ultime opere pasoliniane, nonché i romanzi di Moravia, Calvino, Morante, Volponi, D'Arrigo, ecc. potrebbe apparire come un paradosso scarsamente credibile, se esso non nascondesse poi qualcosa di

affetti. Sul piano dei temi e della scrittura occorre almeno elencare come peculiari: l'indagine — a oltranza — circa le potenzialità della parola, con approssimazione e miscela di ogni terminologia; la promozione dei significanti stessi a significati e la felice resa alla loro fluenza ...; il decentramento o la "disseminazione dell'io" con la relativa esaltazione del desiderio "dispendioso" e della primitiva forza del caos, sottratto a qualunque ordinamento da parte del soggetto e della *ratio*; o (su un altro versante) il tenace inventario delle "macchine d'assedio" che cingono il cuore dei nostri giorni; l'affievolirsi o il pacifico convivere delle poetiche che perdono la loro carica di esclusivismo; la crescente tendenza a intrecciare filo lirico e filo narrativo.

[11] Ma poi constatava che il volume di conoscenza e di cultura prodotto nell'ultimo decennio era inferiore a quello prodotto, ad esempio, nel periodo giolittiano. Il giudizio generale che concludeva le considerazioni di Asor Rosa era politicamente severissimo: «La spiegazione principale sta nel fatto che noi subiamo ormai da parecchi decenni la distruzione sistematica di tutti i principali centri di formazione del sapere, a cominciare dalle università, ad opera di un potere borghese senza senno e senza scienza. Fa parte della lotta per la democrazia ricostruire dalle fondamenta gli strumenti *istituzionali* della cultura e della scienza» (*Storia d'Italia*, cit., IV, 2, p. 1663).

piú e di diverso di quanto non appaia nella sua brutale enunciazione. È necessario porre attenzione all'anagrafe dei nomi citati per rendersi conto che all'appello mancano i nomi delle nuove leve letterarie, quelli che alle scadenze degli anni settanta erano al di sotto almeno dei cinquant'anni: la questione era perciò quella del salto di una generazione, non perché essa fosse stata assente o avesse poco lavorato, ma perché i prodotti che aveva esibito non riuscivano a superare i livelli della medietà, o perché mantenuti entro una logica del consumo, — come accadeva prevalentemente per il romanzo, — o perché attardati in forme incerte e ormai non piú accettabili di sperimentalismo — come accadeva per la poesia, o — in ultima istanza — per insufficienti virtú degli scrittori.

Sarà una difficile *impasse* che gli anni settanta trasmetteranno agli anni ottanta che la dovranno vivere come condizione e come condizionamento.

2. *Un po' di conti con le neoavanguardie*.

Se uno dei punti obbligati del cammino dei nuovi letterati degli anni settanta era il confronto con le neoavanguardie di cui si accingevano a usufruire e a smaltire l'eredità, particolarmente ricco, tra dialogo e distacco, era il discorso che veniva fatto sul n. 1 di *Quaderni di critica* (1973), *Sulla Neoavanguardia* [12]. Quello che veniva istituito era un rapporto di *odi et amo*, di accettazione e rifiuto, di ricerca del positivo e del negativo di quell'esperienza, sulla quale i redattori chiamavano a discutere alcuni dei protagonisti, Balestrini, Barilli, Pagliarani, Perriera, Pignotti, Scalia, Spinella. Nella naturale diversità delle risposte alle domande che venivano loro rivolte, emergevano alcuni dati piú diffusi, come — per il verso negativo — il riconoscimento della scarsa omogeneità del Gruppo 63 e della sua insufficiente elaborazione teorica; o — per il verso positivo — il ribaltamento della tradizionale figura dell'intellettuale e la messa in crisi della falsa coscienza neorealistica e della letteratura consolatoria. Né manca chi (Perriera) considerava la fine della neoavanguardia quale conclusione di un impegno ormai assolto, o (Balestrini) allargava il concetto di crisi al concetto di gruppo in generale, affermando che il solo gruppo che continuava ad avere senso era quello politico. Ed

---

[12] Il testo veniva ripubblicato con il medesimo titolo nelle edizioni Bastogi alla fine del 1983, con una breve premessa giustificatoria (il ventennale del Gruppo 63) a firma dei cinque componenti l'équipe di *Quaderni di critica*, Filippo Bettini, Marcello Carlino, Aldo Mastropasqua, Francesco Muzzioli, Giorgio Patrizi.

era proprio il rapporto politica-letteratura a trovarsi, soprattutto agli occhi dei giovani intervistatori, al centro della questione, un rapporto che andava rifondato, a loro giudizio, in termini assolutamente nuovi, che correggessero quello che appariva forse il piú grave "errore" del Gruppo 63, e cioè la concentrazione dell'attività contestativa nella sede extraletteraria della politica senza aver saputo organizzare all'interno delle strutture letterarie un rigoroso ed omogeneo discorso di opposizione. In sostanza, si rivendicava sí la specificità della letteratura, ma all'interno di una ridefinizione della letteratura stessa[13], di cui veniva qui fornito il «primo passo» da Gianni Scalia: «Il riconoscimento della letteratura come produzione; e si tratta di produzione produttrice di contraddizione e contraddittoria; risultato della critica come "crisi permanente"; prodotto di una pratica di trasformazione della stessa produzione».

Alla metà degli anni settanta, anche Giuseppe Conte[14] constatava la distanza che ormai separava la nuova poesia da quella degli anni sessanta, e non solo per un diretto confronto con i suoi autori; la poetica dei "novissimi" — diceva — ruota intorno a due centri nodali: il prevalere del *significante* sul *significato* e dell'asse *metonimico* su quello *metaforico* (Balestrini), oppure un vorticoso metaforismo, un'attitudine parodica, una concezione esorcistica o terapeutica del disordine linguistico che non può non portare a una normalità afasica (Sanguineti). La differenza era data soprattutto dal sopraggiunto avvio di un processo di mutazione antropologica che permetteva, fra l'altro, di considerare il «riflusso» come appena un episodio nei tempi lunghi di un movimento generale le cui caratteristiche erano «la spinta antiautoritaria, la tensione utopica, la pratica liberatoria, la tendenza dell'escluso (la donna, l'omosessuale, il sottoproletario, lo schizofrenico) a porsi allo scoperto e senza pagare il pedaggio dell'accettazione pietosa della propria esclusione e diversità, ma anzi facendo leva su di essa». Anche la poesia — aggiungeva — sembra avere una sorte analoga, una medesima via di salvezza: «Cosí la poesia può parlare del suo futuro: con la stessa pronuncia con cui una donna, un omosessuale, un "pervertito", un Negro dicono in uno scoppio di gioia di essere quello che sono».

[13] Per questa nuova «ipotesi» si veda piú avanti (p. 349); ma già ora era chiaro il compito che ci si proponeva: «Riconoscere (storicamente) l'*esistenza* della letteratura e quindi di *una* sua funzione ad *uno* dei livelli della realtà sociale... La letteratura è parte del processo rivoluzionario... battere prima fra tutte la via dell'accertamento *scientifico* del modo in cui le strutture letterarie si fanno veicolo di messaggi politici».

[14] *Il Verri*, n. 2, settembre 1976.

II. Nuove polemiche

Un poeta e un rivoluzionario non dovrebbero essere la stessa cosa? *M. Bettarini*

L'ipotesi di una fine biologica della specie è là, come un evento *possibile* annidato nelle forze del reale. *F. Cavallo*

1. *Per un neoimpegno*

Agli albori degli anni settanta è Firenze la città dove con maggior convinzione e coerenza si tenta di elaborare l'idea e la prassi di una letteratura che, dando ormai per scontato l'esaurimento della ventata neoavanguardista con tutto quello che aveva comportato di rifiuto conclamato o mascherato dell'impegno civile, intendeva ritornarvi in modo dichiarato e cosciente. Era necessario però reinventare un linguaggio che non ricalcasse i moduli neorealisti e che fosse per sua nuova virtú aderente alla realtà di fatto e alla sensibilità letteraria mutate; e per questo la lezione delle neoavanguardie non veniva del tutto accantonata, almeno come stimolo alla consapevolezza teorica e ad operare con lucida e costante sorvegliatezza senza cadere nel facile trabocchetto di un troppo acritico neocontenutismo. Ma si trattava pur sempre — per grandi linee — di tornare alla prevalenza delle cose sulle parole, della comunicazione sull'espressione, dei problemi della polis su quelli individuali.

La prima ad entrare in scena fu la rivista (o antirivista come molte pubblicazioni del genere amavano allora definirsi) *Collettivo r*[1], apparsa in forma ciclostilata (e tale rimasta fino al '75) nel marzo del 1970. Nata «sullo slancio del '68» con Franco Manescalchi (che proveniva dall'esperienza dell'ultimo *Quartiere*) e Luca Rosi, fra gli altri, in redazione, *Collettivo r* prendeva atto sin dal primo numero del periodo opaco e triste che stava attraversando la nostra letteratura, della non

---

[1] La si può ora consultare nell'ampia antologia *L'utopia consumata* (Firenze, Quaderni di *Collettivo r*, nuova serie, 13, 1982), in cui si parla di volontà di «organizzare voci per niente decadenti o formaliste, senza per questo cadere nel velleitarismo realista»: e si polemizza anche contro gli inesauribili miti letterari di «Firenze, dove la Chimera estetica se ne sta ormai, sigillata nel suo splendore, nelle bacheche del museo del tempo», con evidente riferimento alla rivista neoermetica degli anni cinquanta.

incidenza della cultura sulle modificazioni storiche in atto, della incapacità dei poeti di individuare un proprio «spazio sociopolitico». Una condizione superabile solo con lo sblocco dei divieti del potere amministrativo borghese nei confronti della cultura, mediante l'unione delle forze operaie e intellettuali e la saldatura delle spinte eversive provenienti dall'*underground* culturale. Le indicazioni pratiche, che intendevano andare oltre gli esperimenti di Zanzotto e Roversi nel rifiuto dei consueti canali, proponevano «il ciclostilato di massa e la diffusione alternativa», mostrando subito cosí da quale prospettiva si intendeva riguardare le questioni letterarie le quali, prima ancora di essere considerate nei testi, comportavano la critica dei condizionamenti sociali divenuti ormai clamorosamente pesanti nel pieno *boom* di un neocapitalismo aggressivo anche nel campo dell'editoria.

Il dibattito sull'*underground*, sull'esoeditoria, sulla letteratura alternativa occupa perciò immediatamente un largo spazio nella rivista[2], avviato da Luca Rosi (*Poesia a una dimensione*, 1970, n. 2-3) su una generica scorta marxengelsiano-maoista: «In realtà non esiste l'arte per l'arte, un'arte al di sopra delle classi e indipendente dalla politica». Di fronte alla politica neocapitalista dei monopoli editoriali, della creazione del «bisogno di leggere» per alimentare un consumismo incontrollato, della costituzione di un nuovo proletariato intellettuale[3], di fronte ad un *establishment* che nullifica anche la potenziale carica eversiva dell'alta cultura rimoltiplicata nei *pockets* e divenuta ormai «nelle mani della massa un semplice ordigno esplosivo disinnescato» — le iniziative editoriali alternative appaiono a Rosi soluzioni illusorie e riformistiche appartenenti a tempi eroici. Per contestare la massificazione della poesia, per riportare anche il lettore del «tempo libero» alla coscienza della propria condizione di sfruttato, il primo momento tattico non poteva essere che «la produzione a ciclostile e la distribuzione a braccia», ma in un piú vasto disegno politico di militanza nella classe fuori delle tradizionali forze della sinistra istituzionalizzata.

Ma già nel 1971, lo stesso Rosi operava (n. 4-5) un gesto di autocritica rimproverando alla fase iniziale della rivista un carattere troppo volontaristico e spontaneistico, una sopravvalutazione della scelta terzomondista e una sottovalutazione della componente piú viva

---

[2] Un primo dibattito sulla funzione dei periodici letterari lo si ebbe già nel n. 1 con interventi di Manescalchi, Rosi e Ubaldo Bardi; nel n. 2-3 si ebbe un altro dibattito su *Editoria, antieditoria, ciclostile*, con interventi di Barberi Squarotti, Favati, Gerola, F. Masini, Miccini, Zagarrio.

[3] «che svolge — illusoriamente — mansioni "culturali" ma che in pratica è ridotto a esecutore tecnico ("specializzato" è il termine eufemistico che si usa nel linguaggio corrente) di certe direttive industrial culturali impostegli dal capitale.» (*op. cit.*, p. 10)

del movimento operaio italiano; prendeva anche atto della notevole disparità di impostazioni politiche tra i vari gruppi che usavano il ciclostile, ma soprattutto precisava che per l'esoeditoria non si trattava di mettersi in concorrenza con l'editoria borghese — che sarebbe stato ancora velleitarismo — ma di darsi compiti utili all'interno di una lotta piú vasta e generale. Il punto chiave, infine, era il superamento della demarcazione tra ufficialità e «sottosuolo» e tra politica e cultura, che né l'«impegnismo spontaneistico» né il «radicalismo intellettuale» erano riusciti a realizzare.

La distruzione dei codici comunicativi borghesi (un'ipotesi, si dice, che fu anche delle neoavanguardie ma dilapidata dal loro «disimpegno tecnologico») è anche al centro degli scritti di Manescalchi, con un esplicito invito ad «una rivoluzione culturale, neoumanistica e che preveda l'ingresso della fantasia nella realtà, per cancellare il compromesso fra l'industria culturale (accettazione del mondo) ed arte (sua negazione)». Un'operazione che per Manescalchi troverebbe una specifica dimensione nella cultura del mondo contadino[4] — cosí costantemente trascurata dalla cultura ufficiale italiana — che va considerato «l'anticorpo piú consistente nei confronti dell'alienazione tecnologica» (1977, n. 13).

Ma al centro vi è anche il problema di una tradizione da revisionare eliminando gli eccessi di schematizzazione e cristallizzazione per restituire fluidità ad un percorso accidentato, in cui tuttavia sembrerebbe possibile rintracciare il filo di una logica storica. Manescalchi rifiuta il fuorviante discorso del confronto fra generazioni, e per lui, «come i neorealisti non ebbero l'esclusiva dell'ideologia, intesa come evoluzione interna del pensiero letterario, cosí i neosperimentalisti di *Officina* non la ebbero per il rapporto linguaggio-realtà. Egualmente si dica — prosegue — delle neoavanguardie e dei nuovi poeti nella risoluzione del rapporto con le avanguardie storiche o fra poesia e sua deprivatizzazione. La costante nelle successive modificazioni è una piú o meno cosciente operazione edipica compiuta magari esautorando i padri e recuperando gli avi[5], e che presso la fine degli anni settanta si ripete «saltando» neoavanguardia e realismo per collegarsi all'area minore, decadente e crepuscolare dell'ermetismo con a monte Saba e a valle Pasolini.

Ma a questo punto Manescalchi tentava una piú precisa definizio-

---

[4] F. Manescalchi ha dedicato una particolare attenzione ai canti popolari toscani; si veda per questo i suoi volumi, in collaborazione con Ivo Guasti, *La Barriera*, Vallecchi, 1973 e *La veglia lunga*, ivi, 1978.

[5] «I neorealisti hanno "saltato" gli ermetici per identificarsi nella tradizione autoctona, i neoavanguardisti hanno scavalcato neorealisti ed ermetici per recuperare le avanguardie storiche.» (1977, n. 14-15)

ne della poesia, vista ora non come «documentazione della crisi dei valori» ma come «valorizzazione formalistica della crisi in quanto tale»; e coerentemente con una posizione di neoimpegno, intendeva la poesia come «partecipazione libera, capace di modificare gli aspetti piú interni, soggettivi della realtà e non come fatto sacro e *maudit*, emarginato ed emarginante, da reinserire in un contesto a sé stante».

Decisamente schierata a «valorizzare ogni fenomeno resistenziale» (n. 4) fu l'altra rivista fiorentina *Quasi*, apparsa nel '71, sospesa nel '75 e ripresa nell'81. Ma la scelta di *Quasi* si differenzia a prima vista da quella di *Collettivo r*, nonché di *Salvo Imprevisti*, per l'affidamento del messaggio di contestazione esclusivamente ai testi, non senza qualche accusa per questa ritirata «sull'Aventino dell'antologia poetica» (R. Ricchi, n. 4, maggio-agosto 1972) a chi pareva che la gravità della situazione sia politica che letteraria richiedesse altri e piú circostanziati interventi.

La rivista continuò comunque sul suo modello con la collaborazione di nomi che finiscono per costituire una trama di presenze sufficientemente organiche e che si estende di preferenza sui due paralleli della Toscana e della Sicilia. A cominciare naturalmente da Giuseppe Favati che con Giuseppe Zagarrio dirigeva *Quasi*, per continuare con la Bettarini e Manescalchi, Ida Vallerugo, Silvano Guarducci, Luca Rosi, Ivo Guasti, Silvia Batisti, Attilio Lolini, ecc., nonché i siciliani Terminelli, Scammacca, Calí, ecc. o gli extravaganti Guerrini, Cavallo, Finzi, Viviani, Masini, Toti, Mancino, Vassalli, Socrate, Lunetta, ecc.

Ma i punti di riferimento che fin dal primo numero fissano l'orizzonte d'azione della rivista sono Roversi e Fortini, presentati da Zagarrio l'uno per l'alta zona etica da cui interviene sulla condizione di fallimento dell'*homo sapiens* e per lo «sperimentalismo, inteso a sfruttare al massimo le risorse residue del doppio linguaggio, comunicazionale e letterario», l'altro per l'«ambiguità» come «spazio di urto interiore» e quindi margine di possibilità per un rimedio all'afasia e al blocco ideologico e morale dei tempi.

Né mancano in *Quasi* proposte di poesia rivoluzionaria straniera da Yannis Ritsos a Julio **Cortázar**, a poeti cubani, nero-americani, brasiliani, guatemaltechi; né infine la rivista si esime dall'intervenire nella questione dell'editoria alternativa per la poesia, considerando (si veda Zagarrio nel n. 2 del sett.-dic. 1971) il ciclostilato come soltanto una delle possibili tattiche, cui si può affiancare la stampa di tipo artigianale o una forma mista di ciclostilato e stampa, ma senza scartare l'eventualità di un'editoria competitiva nei riguardi di quella capitalistica e consumistica, in forme cooperativizzate o cogestite dagli stessi autori.

Ed è proprio in questa forma che *Salvo Imprevisti* comparve a Firenze nel febbraio 1973, anche se solo dopo un anno la rivista cominciò ad avere una regolare scadenza quadrimestrale con fascicoli intitolati di volta in volta ad un argomento particolare. Diretta da Mariella Bettarini, *Salvo Imprevisti* volle proporsi come alternativa all'informazione manipolata e ufficiale, secondo una linea che fu affermata, ancor prima che nei testi, nella gestione autofinanziata e comunitaria. Posta sotto il nome di Gramsci — e tuttavia rifiutando l'egemonia materialistico-benjaminiana-lukácsiana non meno di quella idealistico-crociana — la rivista cercò sin dal n. 0 di chiarire la sua idea di cultura: «Realmente non esistono per un poeta, per un rivoluzionario (ma non dovrebbero essere la stessa cosa?), per un filosofo, per un ricercatore di verità e di consapevolezza storica, due verità, due strade, ma una soltanto, e la conquista della libertà di parola e della libertà individuale (poesia, cultura) dovrebbe risultare contemporanea conquista di una coscienza collettiva, preoccupata per il bene di tutti (politica)». Per questo le pagine furono egualmente aperte a cattolici come padre Ernesto Balducci, alle dichiarazioni del FUORI, a chi proveniva per sue strade particolari dalle avanguardie come Pignotti, ad accademici come Barberi Squarotti, a "maestri" come Roversi e Zanzotto, a protagonisti di battaglie parallele come gli scrittori dell'Antigruppo siciliano, e soprattutto a scrittori giovani ma senza far proprio il cosiddetto «giovanilismo»[6] e alle donne e alle loro lotte, fuori e dentro il campo letterario, per una reale e totale liberazione[7].

Il problema dei rapporti fra politica e cultura veniva approfondito da Roversi (n. 6) che lo riportava alla storica questione del *Politecnico*, la quale, come tale, era evidentemente chiusa, ma da cui poteva trarsi un preciso insegnamento: «Non piú Vittorini o Togliatti, Togliatti o Vittorini ma subito Vittorini-Togliatti e Togliatti-Vittorini... Non piú l'opposizione politico-culturale per cercare di raggiungere

[6] Introducendo la raccolta di versi di M. Bettarini, *Vegetali figure* (Napoli, Guida, 1983), Mario Luzi scriveva che l'autrice «ha fondato e dirige un foglio tra i piú estrosi e vivaci, *Salvo Imprevisti*; ma — si direbbe — piú per slancio solidale che per omogeneità profonda con l'*équipe* dei giovani che ha voluto riunire intorno a sé».

[7] Il n. 2 (maggio-agosto 1974) era interamente dedicato alla questione delle donne, il n. 10 (genn.-apr. 1977) era intitolato *Donne e creatività* e interamente scritto da donne, e il n. 14-15 (maggio-dic. 1978) *Donne, mito, linguaggio*, dove, fra l'altro, si leggeva: «Noi possiamo diventare nient'altro che una ri-fondazione del mondo, una diversa cultura, un nuovo modello di produzione e rapporti» (M. Bettarini). E Laura Betti nel n. 17: «La poesia delle donne oggi è l'unica che abbia qualche senso e qualche interesse. Poesia viva, insomma, mentre quella dei cosí detti maschi è — se Dio vuole — defunta, inerte».

agganci opprimenti, rapporti che deludono, ma politica... Oggi da noi non si può far altro che politica»[8].

Insomma, l'idea guida della rivista era la ferma convinzione che «la realtà è sempre *politica*», con la conseguente caduta di ogni illusione sulle possibilità per l'arte «pura» di «sfascistizzare» noi stessi e le strutture in cui viviamo.

Ma *Salvo Imprevisti* cercò contemporaneamente una collocazione anche letteraria che fosse fuori tanto dal fantasma del realismo quanto dalla incapacità delle neoavanguardie di fornire concrete alternative alla cultura borghese, con la rivendicazione al linguaggio della funzione sia espressiva che comunicativa-referenziale (la poesia è testo + storia, linguaggio + ideologia), il rifiuto dell'«idra onnivora della cultura di massa», e il recupero di una interdisciplinarità di tre elementi indissolubili, la linguistica, la psicanalisi e il marxismo[9]. Partita con lo scatto di una lotta quasi istintiva e biologica, la rivista faceva dunque i suoi conti, almeno nelle intenzioni, con la cultura in atto, delle cui componenti il marxismo continuava ad essere il piú visibile e il piú utilizzato, anche se si intendeva essere «marxisti spesso irregolari e consapevolmente critici».

Il concetto di cultura alternativa («una parola ambigua che si presta a tante — troppe — definizioni»)[10] veniva precisato dopo un convegno tenuto a Pistoia nel luglio 1976. Si puntò allora soprattutto sull'organizzazione rifiutando qualunque «produzione cartacea selvaggia» (n. 8) e una contestazione puramente rituale, e si giungeva a dettare quasi una poetica: «Per fare ciò — si diceva — è necessario che il linguaggio da impiegare sia quanto piú possibile svecchiato, privo di gratuite aggettivazioni, mai verboso o sloganistico, ma portato al massimo grado di efficienza significante. In tal senso, la produzione linguistica della cultura alternativa riguarderà non tanto la parola in sé quanto la *significazione*».

---

[8] Nello stesso intervento Roversi proponeva un'interessante scansione dei momenti culturali italiani dal dopoguerra: «Dibattito sulle idee (Vittorini, *Politecnico*); dibattito sulle cose (da accentrarsi intorno al neorealismo e al *Metello* di Pratolini); dibattito sulla lingua (all'inizio degli anni sessanta, con l'invenzione che diventò strategia della manomissione e dello snobismo casareccio, di quel gruppo chiamato dei novissimi vecchissimi); il dibattito sull'uomo, che è lo scontro di oggi ... ma non un dibattito esistenziale ... ma antropologico, cioè strutturale».

[9] Gli stessi elementi culturali che *Salvo Imprevisti* riteneva propri di Pasolini, cui la rivista dedicava il n. 7 del genn.-apr. 1976.

[10] Cosí, nel n. 8, Silvia Batisti, la quale conclude: «In una società consumistica e capitalistica il solo modo di essere alternativi è, a mio parere, quello di salvaguardare la propria autonomia senza lasciarsi condizionare da manipolazioni pseudorivoluzionarie che il capitale stimola e fagocita attraverso i mass media. Stare in guardia sempre: questo è alternativo».

Della linea impegnata toscana gli autori piú rappresentativi sono probabilmente gli stessi che hanno condotto in prima fila la polemica e ne hanno diretto lo strumento, la Bettarini, Manescalchi e Favati. Il primo punto d'approdo di rilievo della Bettarini cade proprio nel '68 con *Il leccio* (Firenze, I Centauri): «Guardare il mondo / e dirne qualcosa tra noi» e scoprire anzitutto un nuovo se stesso, quello che si andava cercando e non si sapeva di averlo già dentro (quando l'autrice si muoveva ancora nell'ambito dell'impegno sociale cattolico all'Isolotto di Firenze), e trovarlo armato anche di una rabbia che non si rassegna e che non vuol trovare il suo ultimo sfogo nella poesia, la quale «non è la medicina di tutti i mali». Al di là c'è sempre la necessità di prendere una posizione e di difenderla fino in fondo: «né piloti né vittime / della eversione, teniamo il piede pronto allo scatto», «e se anche qualcosa / cerca di appassionarmi — materiale fluido — / io sto libera fintanto non abbia deciso / che per questo valga la pena / di farmi a pezzi». Due anni dopo, *La rivoluzione copernica* (Roma, Trevi) confermava la duplice, appassionata ricerca di sé e del mondo, di sé nel mondo: «Tasto il polso del mondo e mi disapprovo», «segno i giorni dell'ira, mi sorpasso / sempre», «ora seguo Copernico. / Prima seguivo Tolomeo», e, insieme, la chiarificazione di cosa sia poesia[11]: «Non sono una mummia da versi» che sopporti «l'esistenza / volta in letteratura».

Gli accenti non mutano sostanzialmente nelle raccolte successive se non per una maggiore argomentazione del discorso poetico, che si fa meno scattante e vicino alla prosa ma non per questo meno aggressivo ed ironico. Cosí in *Dal vero (1972-74)* (Sciascia, 1976) — «perché sono tanto carini tanto comodi poveri cari / anzi no *carissimi* onorevoli dilettevoli ammirevoli / venerabili adorabili impugnabili svendibili / comprabili (subito e senza IVA) stomachevoli / dico»; e *In bocca alla balena*, che esce presso *Salvo Imprevisti* nel 1977 ma che risale in parte a qualche anno prima, agli anni della «strategia della tensione» di cui vuole essere una testimonianza in veste di poemetti nei quali i contenuti della cronaca vengono piú sapientemente allusi; e il problema — almeno nel suo aspetto strettamente personale — resta ancora quello del rapporto poesia-ideologia politica: «Il fatto è / che credo di vedere finalmente piú chiaro / forse / con perdita di poesia et auxilium di Marx»; ed è forse quest'impasse che ha spinto la Bettarini nella plaquette *il viaggio / il corpo* (Torino, L'arzanà, 1980) al-

---

[11] Nel 1980 la Bettarini ha pubblicato, insieme con S. Batisti, il volume *Chi è il poeta?* (Milano, Gammalibri, 1980). In *Felice di essere* (ivi, 1978) ha racccolto i suoi «scritti sulla condizione della donna e sulla sessualità», in cui prende posizione anche sul problema della poesia «femminista».

lo sforzo di uscirne verso un atto di fede per la poesia che, fra l'altro, comporta l'adozione di un linguaggio franto e astuto abbastanza lontano da quello epigrammatico o discorsivo delle raccolte precedenti, e che ritroveremo anche nelle successive *Vegetali figure* poste ancora sotto l'egida di una citazione pasoliniana [12].

Quasi contemporaneo a quello della Bettarini è l'esordio poetico di Franco Manescalchi con *Il paese reale* (Firenze, Collettivo r, 1970), un titolo che allude a quella piú profonda verità umana che viene deformata e cancellata da un'altra realtà trionfante. Ma la lotta dei sentimenti qui si agita tra il privato e il pubblico, tra una storia d'amore («il nostro amore imperfetto») e una storia di lotte («no al potere»), in una Firenze amata e sofferta e con accenti che si rinviano tra protesta, fuga e rimpianto: «vivo una condizione / incerta fra depressa e proletaria / nonostante una vena di poesia / anche questo inciampare alle soglie degli altri / ti delude / ... / ed i giorni si accodano, si annodano / uno sull'altro a modo di groviglio», e della gioventú non resta che il mito. È una profonda malinconia quella che sembra bloccare il moto di avversione per i «nemici dell'uomo» e di solidarietà per «l'uomo offeso / nel girone borghese»: «Sappiamo del napalm / della fame del mondo della repressione e bisogna difendersi diciamo / ma il cuore batte con ritmi diversi / solitamente bassi»; un atteggiamento che libera da ogni accento parenetico, dall'inno o dall'invettiva, la poesia di Manescalchi, da collocarsi perciò tra una prudente sperimentazione formale e una dolceamara coscienza del proprio io e del senso del suo far poesia «con un linguaggio biblico / io marxista».

Nel '76 Manescalchi pubblicava ancora per il Collettivo r il suo secondo libretto, *La nostra parte*, che registra come novità un insistito riferimento vittoriniano (e un esplicito richiamo a Roversi) ma per ribadire la condizione psicologica che gli è propria: «Non per amore per tristezza noi / a volte ci pensiamo come bimbi / senza sesso né senso — alzati in volo / a una lusinga di passato»; e ancora: «la nostra tristezza / d'essere al mondo vivi per non essere». Eppure, non c'è rassegnazione, tanto forte è l'istinto di comunicare e di solidarizzare («non so andare da me per questo mondo / ma insieme a chi lavora a ciglia basse») e l'attenzione ai drammi di quegli anni — la mafia, il Vietnam, la guerra nucleare, solo che Manescalchi appare piuttosto il poeta pensoso delle ragioni profonde dell'esistere e del lottare che non il bardo delle battaglie in atto, di cui peraltro nella sua

---

[12] Nel 1982 la Bettarini ha pubblicato anche un'opera in prosa, *Psicografia* (Milano, Gammalibri) comprendente il breve romanzo a sfondo autobiografico *Storie di Ortensia*, in un linguaggio fortemente sperimentale fra dialetto, discorso continuo, pagine di diario, il tutto interessante per definire la personalità della scrittrice.

rivista aveva provveduto a fornire con convinzione la diagnosi. Ma, seguendo una parabola comune per tanti aspetti ad un'intera generazione, è nella raccolta dell'82 *Il delta degli anni* (ivi) che la poesia di Manescalchi raggiunge gli accenti dello sconforto se non della rinuncia, con la nostalgia delle radici contadine, l'orrore per la «nera voragine» della città con i suoi «cubi di cemento», il «disamore» per un mondo in cui «ha ripreso a cantare / la canzone del consenso», infine «un senso di sconfitta infinita» che induce al silenzio.

Giuseppe Favati giunge alla poesia con la coscienza di sbloccarsi da una situazione storica che l'aveva per decenni impedita: «A mio modo d'accordo con chi / mandò in giro una lettera circolare / "impossibile poesia dopo Auschwitz" / non scrissi. Cosí fino alla soglia, / o press'a poco, degli anni quaranta. Qualche nesso dev'esserci, che sfugge». È una dichiarazione che troviamo in *Controbuio* (Firenze, I Centauri) che nel 1969 inaugurava la sua attività di poeta ponendo la figura dell'uomo al centro della poesia e graffiando di un continuo sarcasmo le schizofrenie e le contraddizioni in cui esso è costretto a vivere. Perché Favati è di «coloro — per dirla con le parole di Walter Pedullà che gli introduceva il secondo volume *Foglio di guardia*, Lacaita, 1972, — che fanno letteratura con almeno un occhio rivolto altrove, verso la vita e piú precisamente verso la politica», e i suoi sono «messaggi politici e ideologici trasmessi con una perentorietà che non si cura di evitare una rissosa o arguta eloquenza»; e valga come esempio quella che ricorda l'alluvione di Firenze del '66: «Passata l'alluvione / arrivederci ai prossimi / cadaveri con azalea / arrivederci / gente alla ventura / sottoscrizione». Ma non c'è momento del dramma del vivere negli anni settanta che non riecheggi in qualche maniera nelle pagine di Favati, i vietcong e le stragi di Stato, la luna e gli slums, l'Isolotto e l'impiego abnorme della scienza, la pazzia e la delinquenza. È la vena civile e satirica che si continua in *ip(p)ogrammi* (Firenze, Collettivo r, 1978) ancor piú formalmente movimentati in versi che si spezzano, in espressioni maiuscolate, in «parasintagmi», in citazioni, il tutto teso ad allargare e sottolineare la polemica sempre un po' offesa e risentita che Favati porta contro questo mondo.

Ma oltre alle tre figure forse piú in vista, il panorama del neoimpegno fiorentino è segnato da altri nomi, la cui presenza gli dà consistenza anagrafica e storica, come i già citati Luca Rosi, Silvia Batisti, Ivo Guasti, ecc. e Renzo Ricchi, fiorentino d'adozione. Ricchi ha dedicato alla sua terra d'origine, con le poesie *Pontine*, i suoi primi versi, *Uomo dentro la prova* (Nuovedizioni Vallecchi, 1971) avallate da Luzi con una nota che sottolineava «la puntuale enumerazione di gesti e di oggetti triti»; un'osservazione che poteva valere anche per

La storia ha tempi lunghi (ivi, 1973), che tuttavia si allargava tra le emozioni personali e la partecipazione alla vita sociale (Libertà / è la lotta politica / ma anche ricerca degli echi dentro di noi, / di verità segrete e altrui»), ed era certo sintomatico che anche nella poesia di Ricchi tornasse l'Isolotto, un'esperienza evidentemente centrale per gli intellettuali fiorentini impegnati di quegli anni. L'accento batteva piuttosto sulle insicurezze sentimentali in *Dal deserto* (ivi, 1977) e *Itinerari della coscienza* (Marsilio, 1977) («Penso / ai silenzi dell'oggi / sempre piú fitti / a com'è difficile / pronunciare parole / che pure rodono dentro»), una condizione di spirito che in *Notizie del mondo scomparso* (ivi, 1979) diventava senso angoscioso dell'esistere, brivido dell'attimo che non si arresta, legittimando l'ipotesi di Aldo Rossi di una collocazione di questa poesia «nella forbice fra una tematica di riflusso e una scrittura alla deriva», che veniva allontanando l'autore dal suo *engagement* iniziale, al quale egli restava ora legato con opere saggistiche sul fascismo e l'antifascismo in Toscana e sulla «morte operaia».

Alla fine degli anni sessanta, anche sul parallelo siciliano, e particolarmente alla longitudine ovest, si verificò un forte rilancio dell'impegno in letteratura, con la formazione di un «Antigruppo 73»[13]. Le anime che costituivano il movimento finirono per portare presto a contrasti e scissioni, ma il senso fondamentale dell'operazione era stato comunque fissato fin dall'autunno del 1969 in ventuno punti stilati dall'italo-americano di Trapani Nat Scammacca[14]. In essi si affermava che ciò che piú conta nella poesia non è il linguaggio ma il tono e l'atteggiamento del poeta, che devono essere anarchici e polemici contro ogni capogruppo o autorità editoriale e contro lo *status quo* ma tolleranti della realtà degli altri[15]. Il poeta, si continuava, deve sempre basarsi sulle proprie esperienze, deve creare espressioni semplici e concrete, dare piú importanza al contenuto che alla forma e piú peso alla passione e alla spontaneità che all'intelletto, e deve sentire un naturale amore per il caos e la confusione specialmente in campo letterario. Infine, prova della validità della poesia è la sua comunica-

---

[13] Si veda, per tutto, G. Zagarrio, *Febbre, furore e fiele*, cit. pp. 356 sgg.

[14] Riportati poi nel volume a piú voci, curato dallo stesso Scammacca, *Una possibile poetica per un Antigruppo*, Trapani, Celebes, 1970.

[15] Per questo, mentre si diceva che lo scrittore non fa piú parte di una classe privilegiata, si lanciavano parole d'ordine di ultrademocrazia letteraria: «Viva tutti i presumibili sottoboschi letterari, l'espressione degli insignificanti è democrazia diretta ... Che i peggiori scrittori, i balbuzienti suonino pure la loro campana imparando da quel suono il linguaggio».

bilità attraverso la recitazione, e suo scopo è l'essere ricerca dell'esistenza e della sopravvivenza dell'uomo.

Se altre proposte si muovevano in ambito non dissimile[16], non mancarono voci discordi come quella di Ignazio Apolloni («Si combatte l'autorità con l'autorità?») che proponeva lo scioglimento dell'Antigruppo, al quale peraltro personalmente non aveva mai aderito.

Il nucleo iniziale dell'Antigruppo comprendeva Rolando Certa, Crescenzio Cane, Gianni Diecidue, Nat Scammacca, Pietro Terminelli, ai quali poi si aggiunse Santo Calí, ed ebbe inizialmente il suo organo in *Impegno 70* (divenuta *Impegno 80*) diretta da Certa. Questi, presentando la rivista, ribadiva che il primo impegno dell'intellettuale doveva essere «quello di mobilitare tutte le sue energie e la sua volontà per riscattare l'uomo dai gravami dell'illibertà e della barbarie»[17]; da qui, il rigetto di un linguaggio artificioso, il passaggio da una fase di lotta individuale ad un'altra di lotta collettiva, infine la battaglia contro i burocrati e i padroni dell'editoria cui andavano opposti non solo gli ormai consueti strumenti del ciclostile e degli opuscoli[18], ma i *recitals* in piazza, largamente sperimentati, e con notevole successo, dall'Antigruppo in Sicilia.

Non tardarono però ad emergere differenze tra le varie componenti dell'Antigruppo, quella populista e democratica, e quella neosperimentalista. La prima intendeva continuare la lotta contro il disimpegno ideologico e per la valorizzazione dell'*underground* e della cultura siciliana e lo scambio culturale con tutti gli «anti» d'Italia e gli «under» d'Europa e d'America, rimproverando agli scrittori dell'altra componente l'esasperato individualismo, il massimalismo verboso e l'«ottica gruppettara ed aristrocratica».

Questi (Terminelli, Apolloni, ecc.) replicarono fondando una loro rivista (*Antigruppo Palermo* poi divenuto *Intergruppo*) e accusando gli ex amici di riadottare schemi neorealistici e populistici. Il loro neosperimentalismo si accostò poi alla poesia visiva, superata successiva-

[16] P. Terminelli, ad esempio, scriveva contro la «funzione generatrice deformante dell'attuale sclerosi della sinistra ... L'Antigruppo si identifica con il movimento studentesco ... con le masse proletarie responsabilizzate ... » (*op. cit.*, pp. 89-90).

[17] Su questo punto, è sintomatico che nel n. 2 della rivista si enunciasse esplicitamente il legame Sicilia-Toscana, realizzato con la collaborazione di molti poeti toscani da noi già ricordati. Molte furono anche le collaborazioni straniere (Neruda, Alberti, Seferis, Ritsos, Ferlinghetti, ecc.).

[18] Certa si rifaceva esplicitamente alle tesi del I Congresso nazionale del Psiup ove «all'intellettuale si riconosce piena autonomia e libertà d'azione, ma gli si ricorda un dovere di primo piano: di non dimenticare mai, nel suo lavoro culturale, di legarsi alle masse, di restare fedele interprete alle istanze delle classi lavoratrici». Nel n. 4-7 (genn.-dic. 1972) la rivista si impegnava direttamente contro la mafia.

mente dalla «singlossia», cioè la «complementarità di due o piú linguaggi tradizionalmente autonomi», quale già si realizza nei mass media con un processo di sovrapposizione o identificazione delle cosiddette Arti belle e le cosiddette Arti minori. Queste posizioni portarono alla rivista un congruo numero di collaboratori che veniva da esperienze avanguardistiche già collaudate negli anni sessanta, Lamberto Pignotti, Luciano Ori, Lucia Marcucci, Sebastiano Vassalli, Gianni Toti, cui si affiancarono nomi nuovi o diversamente atteggiati, Ignazio Navarra, Luciano Cherchi, Domenico Cara, Elvezio Petix, Attilio Lolini, Ciro Vitiello, Andrea Genovese, Luigi Di Ruscio, Antonio Saccà, nonché i già ricordati poeti stranieri. Nel frattempo Apolloni e Terminelli proseguirono il loro lavoro, ma in modi assai diversi; Apolloni puntando sullo *humour* e la vena fiabesca accompagnata però ad una illuministica fiducia nella scienza; Terminelli affidandosi prevalentemente all'invenzione di un verso lungo, articolatissimo, dove si affastellano, in un magma che deborda da ogni misura, riferimenti, citazioni, motivi, nomi e richiami da tutte le provenienze in una sorta di dialogo senza limite e forse senza interlocutori e risposte.

Ma per tornare al nucleo "storico" dell'Antigruppo, i suoi prodotti vanno ricercati nei due ponderosi volumi antologici curati da Santo Calí[19], *Antigruppo 73* (edito dalla Cooperativa Operatori Grafici Giuseppe Di Maria) e dal successivo *Antigruppo 75* (ed. Trapani Nuova) curato da Nat Scammacca. I nomi piú interessanti sono probabilmente quelli che abbiamo già ricordato, ma un messaggio particolare viene da Danilo Dolci, che riprende e chiarisce il suo tema preferito della non violenza

> Vi lascio
> una vita scoperta intensamente
> giorno per giorno:
> ho cercato con voi
> di guardare oltre l'attimo, vivendolo,
> di vedere oltre i giorni, oltre gli anni,
> di imparare a collaborare,
> di premer con la gente per cambiare
> questa terra, ma non contrapponendo
> l'azione nonviolenta alla violenta
> se rivoluzionaria, praticando
> l'impegno nonviolento per il nuovo
> come figlio, sviluppo piú perfetto
> dell'impegno violento

[19] Calí morí nel dicembre 1972; il secondo volume uscí perciò a cura degli amici sulla traccia che lui aveva lasciato. Rimane infatti l'inconfondibile impronta editoriale che fa dell'opera un *unicum* per carta, formato, grafica, ecc., a testimoniare la notevole personalità di Santo Calí.

Rivoluzione è curare il curabile
profondamente e presto,
è rendere ciascuno responsabile
coscientemente ed effettivamente —
non credendo che solo la violenza
possa cambiare.

Al punto estremo di una poesia civile caratterizzata dalla popolarità e comunicatività dei contenuti si colloca Rolando Certa, di cui va ricordato almeno *Sicilia pecora sgozzata* (*Impegno 70*, 1974), poesia di «uno come tanti, con un po' di cuore». Certa è morso costantemente da un'autentica passione che si tinge spesso di toni sentimentali («Ovunque è cenere in contrada Giangreco / ... / ... Eppure io so / che, fra quella cenere, è raccolto / il rantolo dei vecchi, il pianto dei bambini, / il mesto sorriso delle madri, l'ultima carezza innamorata») che ne fanno forse il piú convinto epigono di una poesia che meriti ancora il nome di neorealista. E la passione si fa rabbia nella poesia di Crescenzio Cane, particolarmente in *La bomba proletaria* (Palermo, Movimento-anti, 1974): «Non siamo piú gli àscari / i coloni mansueti dello stivale: / ... Non siamo piú la feccia della terra / torturati a morte dall'inquisitore: / ... / Non siamo piú un branco di pecore / come i nostri poveri antenati».

Anche Gianni Diecidue ha scritto poesie non dissimili sui temi tipici di questa letteratura siciliana — Portella della Ginestra, il Belice, il 1° maggio, la «Sicilia madre contadina», il Cristo bracciante — ma accanto a questo dolente attaccamento alla sua terra fiorisce il «diario d'amore» (*Le antinomie*, Castelvetrano, Mazzotta, 1981), la lirica come espressione di un sentimento individuale altrettanto genuino in lui quanto quello che lo lega alla battaglia comune. E lo stesso potrebbe dirsi per Carmelo Pirrera, narratore e poeta vicino letterariamente al mito della Sicilia saracena (si veda in particolare *Luna saracena*, Palermo, il Messaggio, 1971) e biograficamente alla Sicilia interna di muli e trazzere da cui deriva una patina di tristezza arcaica che lo accompagna sempre, se a temperarla non sopraggiungesse spesso un accento di ironia e un andar leggero e quasi disincantato che tolgono alle sue pagine quel tono, in altri talvolta troppo greve, di protesta o di lamento o di preghiera. Con Nat Scammacca, infine, l'Antigruppo registra quasi una posizione di cerniera tra l'effusione epico-lirico-didascalica e la ricerca neosperimentale; ma lungi dal trattarsi di una pacificatrice mediazione, è l'instancabile spirito polemico a rilanciare di continuo le sue proposte valide soprattutto per l'*a-*

nimus che le muovono e le rinnovano. Scrittore in inglese con i testi tradotti a fronte, Scammacca si arricchisce di questa doppia sollecitazione culturale, che è americana per le origini e le forti esperienze giovanili, e siciliana per appassionata elezione letteraria e politica, riuscendo a fonderle nel fuoco della sua prorompente personalità: «Io sono con la gente silenziosa / e ne conosco le passioni che ribollono / allo scirocco vento di vendetta» (*Sicily*).

Ma la figura che garantisce l'immagine culturale dell'intero movimento letterario siciliano è stato indubbiamente Santo Calí, geograficamente un siculo orientale (della zona etnea di Linguaglossa) ma con stretti legami con l'occidente dell'isola. Calí, poeta prevalentemente in dialetto siciliano (spesso con traduzione a fronte) aveva rielaborato dal profondo del passato il mito della Sicilia saracena (si vedano, ancora nelle sue opulente ma non sgarbate edizioni, *Saraceni di Sicilia*, Edigraf, 1972), carica di mille memorie luminose e di segni drammatici, ricca di grandi testimonianze e misera di un'attualità senza speranza di riscatto. Il rifiuto della grecità sicula assume quindi il valore di un gesto polemico che si rinnova nei confronti dei romani, dei normanni, degli spagnoli, dei napoletani, dei piemontesi, e per il quale la sola patria storica è quella che ha dato all'isola un'età fiorente. A quel passato ormai del tutto remoto fa riscontro la povertà e l'umiliazione del presente che ritroviamo in quasi tutta l'opera di Calí e principalmente nei suoi *Canti siciliani* (in *La notti longa*, 2 vv., Linguaglossa, 1972) scritti in un dialetto che trascrive la lingua del sottoproletariato pastorale dell'Etna, ma che pur si arricchisce, in un impasto nonostante tutto credibile, di apporti poetico-culturali novecenteschi. Gli stessi del poemetto in italiano *Yossiph Shyryn* (Trapani, Antigruppo, 1980), spietata filippica contro tutte le violenze, gli inganni, gli orrori di cui è autore il mondo del capitalismo sfrenato, e vittima la vittima di sempre, l'umile, il povero, l'emigrante, l'erede espropriato della Sicilia saracena — come Giuseppe Cirino che in America ha perduto perfino il nome.

Ma il versante orientale della Sicilia ha subíto poco o nulla l'influenza dei gruppi occidentali, dando vita ad una poesia autoctona di cui il catanese Armando Patti e il ragusano Giovanni Occhipinti appaiono oggi come i nomi piú raccomandabili. Patti si segnala per il «barocchismo iberico-cristiano» e la sua «spericolata sintassi» (R. Jacobbi) esercitata ora come moto parodico nei confronti di certi sperimentalismi (*Avanguard'aria*, Roma, Crisi e letteratura, 1977) ora come voce del drammatico contrasto di chi si dibatte tra l'angoscia della realtà e la nostalgia per quel suo spicchio che risponde al luogo natio (*Terra d'uomo*, Rebellato, 1978). Ma ciò che piú colpisce nella poesia di Patti, al di là della dovizie delle soluzioni foniche e grammaticali, è l'intensità di una richiesta di senso come emerge dalla piú recente raccolta, *Un punto fuori pagina* (Lacaita, 1983), e che non pare trovare ancora una risposta: «Sto balbettando solo ora a capire, dopo tanto / che mi girano / gli occhi a vuoto, / che non ha senso in quale senso scivoli il pallino / nel rincorrere l'ombra che gli passa avanti / e che potrebbe / correre all'inverso anche, / segnando i soliti angoli allo stesso cerchio di parole».

Occhipinti, nella raccolta piú rappresentativa, *Agl'inferi all'Averno* (Lacaita, 1980; che seguiva *Il giuoco demente*, Rebellato, 1975), prorompe in un discorso totale che rimette pure in discussione il senso della vita, del mondo, della sorte dell'uomo — «esprimo in segni-simbolo nella smorfia / dell'ansia il mio dolore»; «questi son giorni di attesa / e di paura» —; quello che piú caratterizza questa riscrittura della realtà cui solo labili segni sembrano assicurare un esito favorevole — la nostalgia d'amore su tutto — è la sovrabbondanza del materiale lessicale che o sgorga da una drammatica generosità inventiva o incastona schegge letterarie liberamente usufruite tendendo a modellarsi sugli esempi piú alti della nostra poesia novecentesca (da Montale a Zanzotto).

2. *Per un discorso piú problematico*

Piú problematiche e destinate e sviluppi ideologici meno monolitici furono altre riviste quali *Aperti in squarci*, *Altri Termini* e *Pianura*[20]. La prima, nata a Verona nel 1976 con la direzione di Domenico Cara, e Franco Verdi, Flavio Ermini e G. Bellini in redazione, «sembrò cercare una sintesi tra sperimentazione linguistica e funzione politica» (G. Conte), ma in realtà coltivò fino alla fine la nostalgia per i bei tempi, durati poco, in cui i poeti uscivano dalle case per cercare di coinvolgere la gente, in compagnia delle forze di opposizione operaia e giovanile: «Ora la poesia è di nuovo imbottigliata in una stanza — si diceva — e la voglia di cambiare faccia al mondo è passata». E Nino Majellaro rincalzava: «Le poesie scritte allora si sono consumate, molte di quelle come si scrivono ora, tra gli ultimi lampi della neoavanguardia, orecchiano un neorealismo di ritorno in una maniera piú accorta e meno sentenziosa. Il furore politico si è

---

[20] Per queste e in genere per tutte le riviste, si veda l'utile repertorio di Elisabetta Mondello, *Gli anni delle riviste. Le riviste letterarie dal 1945 agli anni ottanta*, Lecce, Milella, 1985.

disfatto in colloquiali nostalgie di gruppo o in ironici fraseggi di rifiuto individuale». Tutto questo si scriveva nell'ultimo numero (8-9, agosto-dic. 1978), mentre si invocava «un nuovo spazio... per diffondere le male erbe in campi fioriti e sani», uno spazio presto occupato da *Anterem*, che avrebbe preso l'eredità di *Aperti in squarci*.

Anche *Altri Termini*[21] si presenta, nella primavera del '72, con una diagnosi spietata del mostro tecnologico del neocapitalismo, di una società disumanizzata dal contrasto sempre piú aspro tra oppressi e oppressori che rinnova un medio evo già in atto[22]. Crollati tutti i miti, constatata la dilagante malafede, la rivista, pur negandosi ad una rigida coerenza, intendeva «soprattutto *rappresentare* la realtà di un mondo spaccato dalla contraddizione, invaso dalla mistificazione e dall'inganno, in cui l'uomo appare avviato — e proprio attraverso quelle strade che dovrebbero condurlo alla liberazione — verso l'isolamento piú totale, verso la piú agghiacciante solitudine». Nonostante l'esplicito richiamo a Marx, Freud, Jung, alle avanguardie storiche[23], ciò che piú caratterizzava l'impostazione iniziale del lavoro di Franco Cavallo e dei suoi amici, e la distingueva dalle altre parallele e contemporanee, era la prospettiva escatologica su cui veniva proiettata la condizione dell'uomo degli anni settanta, cioè degli anni del riarmo atomico, degli insanati conflitti fra i due blocchi, dei disastri ecologici, e insomma dell'inarrestabile «processo autodistruttivo dell'uomo»: «L'ipotesi di una fine biologica della specie è là, come un evento *possibile* annidato nelle forze del reale, a confermare che tutto potrebbe finire nel giro di un istante, senza lasciare la benché minima traccia di quel gran *pastiche* che è stato e rimane il passaggio dell'uomo sulla terra»[24].

Sul piano delle scelte letterarie, *Altri Termini* oscillò in quegli anni con larga disponibilità. Già nel n. 3 si affiancavano due saggi diametralmente diversi, di Giuseppe Conte (*La letteratura, l'utopia e l'impossibile*) tendente a una rivalutazione del fare letteratura, e di Roberto Esposito (*L'ideologia dell'avanguardia*) tendente invece ad una sua svalutazione in nome della prassi politica. Conte confermerà e

[21] La rivista, che si definisce *Quaderni internazionali*, è diretta da Franco Cavallo, con G. Barberi Squarotti, A. Jacomuzzi, R. Sanesi e A. Testa in redazione. La sede della rivista è a Marano di Napoli.
[22] F. Cavallo, il probabile estensore della nota che apriva la vita della rivista, si rifaceva qui al libro di Roberto Vacca, *Medio Evo prossimo venturo* (Mondadori, 1971) largamente noto in quegli anni.
[23] E nel n. 3 si aggiungeva: «Ernesto Che Guevara e Camilo Torres ... per noi rimangono i due "modelli" imprescindibili anche per qualsiasi ipotesi di letteratura futura».
[24] Questa situazione dell'umanità, ritenuta ormai insostenibile, riportava al discorso sulla violenza, che F. Cavallo affrontava nel n. 2.

replicherà[25] nel n. 4-5 nell'epistola in versi a F. Cavallo, esplicitamente ispirata ad Anceschi, *Epater l'artiste*: «La letteratura / l'unica voce che tenta di non parlare il linguaggio del capitale». La risposta di Cavallo, in versi risalenti agli anni '64-65, è interessante per la nota in cui si parla di «assenso-dissenso» — allora — nei confronti del Gruppo '63; per l'oggi: «Edoardo Sanguineti era una specie di Robin Hood, il Cavaliere Misterioso uscito dalla notte per liberare la cultura italiana dalle secche del piú vieto provincialismo / oggi Sanguineti ci fa sapere da Salerno — la cosa non mi meraviglia affatto — "che i giuochi sono tutti fatti, le avventure sono tutte esaurite, le combinazioni tutte sperimentate, le vicende tutte incrociate, e già vissute, e che infine, per i nostri destini, *rien ne va plus*».

Restava, comunque, il giudizio risolutamente negativo sul panorama «informe, frantumato e fratturato» (1975), che porterà ad una sensibile svolta della rivista sulla quale avremo modo di tornare.

Nel maggio del 1974, *Pianura* riprendeva la linea condotta fino ad allora da *Ant. Ed.*, con un'antologia di testi[26] in cui la diagnosi negativa sulla realtà letteraria veniva ripetuta alla lettera («i giuochi (con la u) son tutti fatti; le avventure: tutte esaurite; le combinazioni: sperimentate; le vicende incrociate e vissute») evidentemente con intenzione ironica, e la individuazione dei nemici da battere si faceva del tutto esplicita: «l'accademismo da un lato; l'estetismo politico imperversante dall'altro»[27]. Nei loro riguardi, si riaffermavano «le virtú dell'inconsulto e del riso! Dell'osceno e del volgare e di tutto quello che occorre per provocare uno scandalo!».

Vassalli, che era presumibilmente l'estensore della nota, negava anche che esistesse una reale fioritura di cenacoli letterari, ma la sua conclusione non era priva di una speranza: «La letteratura non è morta, e catalettica vive disseminata in libretti, autoedizioni, roba stampata alla macchia o in poche copie economiche: ma in fondo è bene, davvero, che gli alfabeti la ignorino. Sono, questi, i giorni delle catacombe».

Nel 1974 usciva il numero monografico curato da Raffaele Perrotta, *Letteratura e prassi*, che partiva dal preannuncio di un prossimo

<hr>

[25] A Esposito replica anche Barberi Squarotti imputandogli un uso terroristico del marxismo.

[26] *Pianura. Poesia e prosa degli anni Settanta*, Ivrea, Ant. Ed., 1974, a cura di S. Vassalli (comprendente testi di F. Albertazzi, N. Orengo, G. Davico Bonino, C. Greppi, S. Vassalli, M. Biondi, A. Accattino, R. Perrotta). In una nota finale si ribadiva il carattere non di gruppo di *Pianura* come già di *Ant. Ed.*: «*Pianura* piú che una rivista, un "progetto", è spazio aperto e luogo di transito» (Vassalli).

[27] «Certo estetismo politico ... ci regalò Carducci, Crispi e la miseria politica e culturale di tre generazioni. Imperversò tra liberty e crepuscolarismo: e ci regalò il fascismo. È tornato ad imperversare, adesso: e imperversando oscilla. (Da sinistra a destra).»

salto qualitativo di vita individuale e sociale, e dall'auspicio di una letteratura che doveva farsi extraletteraria e profetica, «missionaria» della «volontà di operare per la liberazione dell'uomo». Cosí scriveva Adriano Accattino. Ma assai meno ottimisti e trionfalisti erano gli interventi di Gilberto Finzi e Barberi Squarotti. Alla speranza di una «prossima età classica *che* scaturirà dalla sintonizzazione delle parole con le cose» (Accattino), Finzi replicava, riprendendo molto da vicino il discorso delle neoavanguardie, che l'offesa maggiore alla mediocrità dei benpensanti era lo scarto della norma, e perciò rivendicava «il nonsignificato, il nonsenso, la reale significazione che si annida nel significante e che dai "suoni" prolifera con significati "altri", e globalità complessivamente differenti da quelle apparenti in prima istanza»; e dunque respingeva tutti i *revivals* di poesia patetica e di «contenuti», di segno sia tardoermetico che neo-neorealista o di epigonismo avanguardista, per una poesia autenticamente «sperimentale»; dove lo «sperimentale», come ricerca continua, il tentare il possibile e il futuro, è da distinguere da un'«avanguardia» ormai fuori dalla sperimentazione [28]; una poesia — infine — «inutilizzabile dal sistema e dagli editoriali burocrati/sicari», e prefigurazione di una politica.

Anche Barberi Squarotti partiva da una constatazione: lo spazio della scrittura viene sempre piú restringendosi; ciò accade da una parte perché il consumo divora con una velocità maggiore di quanto l'invenzione e i progetti letterari riescano a produrre; dall'altra per l'oppressione ideologica con le sue richieste alla scrittura di giustificazioni (politiche, morali, sociali, economiche, ecc.). «Il ragionamento è molto semplice — spiega Barberi —, e parte dalla richiesta borghese dell'utilità per ogni atto e per ogni operazione che si compiano»; da qui la conclusione che «non è *moralmente* e *politicamente* proponibile una scrittura che non serva, che non sia in funzione di qualcosa d'altro al di là di se stessa». E da qui anche la sua reazione e la sua proposta: «Credo che alla scrittura non resti, allora, altro spazio che quello di essere il negativo continuamente dichiarato dell'utilmente detto ... nel senso di una gestione ironica della scrittura stessa ... penso che l'ironia sia, in questo momento, l'unico luogo della scrittura ... l'unica forma in cui [ci sia] la "verità" di un'infinita possibilità di situazioni, di eventi, di movimenti al di là di quell'unica che le ideologie cercano di definire come doverosa, inevitabile». E questo la scrittura ironica l'otterrà mediante l'impiego di ossimori, di antifrasi, di paradossi, di litoti, ecc. per esprimere, contro la rassegnazione alla volga-

[28] Per l'avanguardia, scrive Finzi, «ancora non so se tracciare linee di sopravvivenza o inventare un necrologio».

rità e alla mediocrità del reale, «il possibile, il diverso, il mutabile, l'inutile, anche l'arbitrario e l'assurdo, l'irragionevole e l'insensato, il folle e il riso», ma sempre sottintendendo l'esistenza, invece, del livello alto della parola e dei temi.

Gli argomenti di Barberi Squarotti sulla impraticabilità di ogni compromesso con il potere e la sua connaturata violenza, venivano ripresi da *Pianura* nel numero monografico del gennaio 1977, *La violenza simbolica*[29], cioè la violenza che si esprime nel linguaggio e attraverso il linguaggio (Vassalli)[30]. Partendo dal presupposto del linguaggio come emanazione diretta del potere obbediente a una «calcolatissima coreografia» (stampa quotidiana e settimanali, linguaggio dei politici, ecc.) l'impegno doveva essere quello della riappropriazione della parola, in una posizione che andasse al di là di quella marxista che non è riuscita a bene intendere il valore dell'«industria della coscienza». Respinto il neoilluminismo di sinistra (*L'Espresso*) e ancor piú «il richiamo all'*ordine*, alla *leggibilità*, alla *comprensibilità* immediata e senza sforzo» (S. Lanuzza), la conclusione era forse quella che traeva Accattino nella prosa finale *La confusione*, e speriamo non senza, qua e là, qualche dose di provocatorio sarcasmo: «La confusione è momento fondamentale; è momento beato ... è principio per eccellenza vitale ... Scegliere di proposito la confusione delle cose, delle idee, delle lingue ... Primo passo è di fare confusione con se stessi ... scegliere l'animalità, la vegetalità. Rinunciare al linguaggio articolato per i grugniti, rinunciare a muoversi per rifare la vegetalità ... La verità stabile è che non esistono verità stabili».

[29] Il numero riprendeva gli interventi del convegno su «La violenza simbolica», tenutosi il 25-26 settembre 1976 presso il collegio Cairoli di Pavia.
[30] «Assunta la definizione di violenza simbolica come l'insieme delle rappresentazioni del mondo che la classe dominante impone alle classi subalterne, l'abbiamo riconvertita nel campo del linguaggio ... che, di tutte le armi di sfruttamento è la piú insidiosa, la meno studiata, la piú efficace.» (Carlo Carlucci)

III. Poesia visiva e concreta

Poesia da vedere e pittura da leggere. *L. Pignotti*

Nelle proposte poetiche in cui abbiamo avuto o avremo occasione di imbatterci, si ripresenta frequentemente anche quella della poesia visiva o concreta, la quale riprendeva sperimentazioni già in uso nei primi anni sessanta, ma che potevano essere ancora utilizzate se aggiornate nelle intenzioni, nelle tecniche, nei risultati. In effetti, nel corso di circa un ventennio, quel genere di poesia ha subíto un'evoluzione che passa dalle prime forme ingenue ad altre in cui la coscienza teorica dell'operazione e l'aspetto tecnologico del prodotto si fanno via via piú avvertiti e presenti.

L'autore che meglio rappresenta l'arco di questa vicenda è Lamberto Pignotti, il quale aveva iniziato la sua attività sul cadere degli anni cinquanta con una produzione poetica, di cui l'esito piú maturo era stato *Nozione di uomo* (1964), mantenuta ancora entro le norme della parola scritta, ma caricata, specie nel settore *L'industria poetica*, di una forte dose d'ironia che aveva già come mezzo e come mira il linguaggio della pubblicità: «La Poesia ve lo dice prima / la Poesia ve lo dice meglio». Era il modo di affrontare l'*impasse* di una situazione oggettiva sempre meno naturale e sempre piú dominata dalla tecnologia, cui doveva rispondere, appunto, una «poesia tecnologica», cioè un «far poesia cercando di superare una concezione pressoché istituzionalizzata di far poesia». Su questi fondamenti, il lavoro di Pignotti procederà soprattutto operando nel campo della poesia visiva, di cui egli è stato sin dagli inizi in Italia tra i piú convinti assertori[1]. Contemporaneamente però Pignotti continuava a lavora-

---

[1] Si vedano gli interventi di Pignotti al principio degli anni sessanta sulla rivista fiorentina *Quartiere*, poi su *Dopotutto*, inserto di *Letteratura*. Ma si veda in particolare il n. 1 dei *Quaderni del «Verri»* (1976) che riporta un'ampia antologia dei testi di poesia visiva di Pignotti con molti interventi critici, tra cui quello introduttivo di Anceschi che sottolinea l'espressione tutta pignottiana «monotonia di sorprese».

re anche nel campo della poesia scritta, facendo uscire nel '67 *Una forma di lotta* (Mondadori), prose e poesie «contro l'anonimato dei prodotti in serie della civiltà tecnologica»; e nel '76 *Parola per parola, diversamente* (Marsilio) (qui la «diversità» è affidata in particolare agli inserti in lingue straniere e soprattutto in russo con la speciale impressione grafica che può dare il cirillico); e negli anni ottanta, *Vedute* (1981), *Gran varietà* (1982), *Questa storia o un'altra* (Guida, 1984) dove si riprende in forma di poemetti «l'assalto al confine del linguaggio / con accadimenti improbabili, attraverso il gioco / di rapide scomposizioni, ricomposizioni, contaminazioni, / atte a mettere meravigliosamente in allarme».

Può essere una definizione della poesia visiva, il cui punto di partenza era la constatazione dell'enorme diffusione dell'immagine come mezzo di comunicazione piú duttile, rapido e universale della parola — «là dove le attuali lingue nazionali dividono, un linguaggio visivo potrebbe unire»; ma insieme la certezza che le immagini, lungi dall'eliminare le funzioni della parola scritta, ne mettono in risalto le peculiarità e ne fanno intravedere nuove insospettabili dimensioni. Per questo Pignotti poteva riprendere da Max Bense[2] la definizione della poesia concreta e visiva[3], nelle quali «la parola non viene usata principalmente come veicolo intenzionale di significati, ma anche come elemento materiale di figurazione, sí che significato e figurazione si condizionano e si esprimono reciprocamente»; in altri termini, come diceva Pignotti, «poesia da vedere e pittura da leggere»[4].

Posizioni del genere erano già in circolazione al principio degli anni sessanta in perfetta sincronia con il proporsi delle neoavanguardie[5]; nel 1963 si era avuto un I Convegno su arte e comunicazione

[2] L. Pignotti, *Fra parola e immagine*, Marsilio, 1972, p. 11.
[3] I due termini individuano posizioni affini ma differenziabili. A. Spatola, ad esempio, (in L. Pignotti, S. Stefanelli, *La scrittura verbo-visiva. Le avanguardie del Novecento tra parola e immagine*, Editoriale L'Espresso, 1980, p. 120; degli stessi autori si veda anche *Verso la poesia totale*, Paravia, 1978) dice che «il poeta concreto usa le parole *come* immagini, mentre il poeta visivo si serve delle parole *e* delle immagini». Per Pignotti (*Istruzioni per l'uso degli ultimi modelli di poesia*, Lerici, 1968) «la poesia concreta è il risultato della pancomunicazione. Niente può essere "detto" senza che possa anche essere "visto"». G. Dorfles, al contrario, sottolinea la «profonda divergenza tra la poesia concreta (dove l'aspetto iconico è totalmente devoluto alla distribuzione tipografica del materiale alfabetico), e la poesia visiva (dove entra in gioco una vera e propria figurazione fotografica)». Dorfles spiega questo genere di poesia con l'insufficienza del verso italiano per far fronte alle esigenze espressive d'una società tecnologica in espansione e una società politica che non riesce a trovare sbocchi alle sue esasperazioni; suoi caratteri sono «una maggiore concettualizzazione dei linguaggi visivi (e musicali)» e «una maggiore "iconizzazione" di linguaggi poetici e narrativi» (*Il Verri* n. 2, sett. 1976). Per tutto, si veda anche la rivista fiumana *La Battana*, n. 12, giugno 1967 e *Uomini e Idee*, n. 18, aprile 1975.
[4] *Letteratura—Dopotutto*, n. 69-71, maggio-ott. 1964.
[5] R. Barilli individuava nella presenza dell'immagine l'elemento discriminante tra Gruppo 63 e Gruppo 70 (si veda Pignotti e Stefanelli, *op. cit.*, p. 171)

seguito l'anno dopo da un II Convegno su arte e tecnologia e nel 1965 dalla prima *Antologia della poesia visiva* edita a Bologna da Sampietro[6], e infine dalla costituzione del Gruppo 70 comprendente poeti, pittori, musicisti, critici d'arte e di letteratura[7]. Il problema di fondo riguardava il rapporto dell'artista nei confronti dei mezzi tecnologici, un rapporto che si stabiliva in una possibile concomitanza («linguaggio poetico e linguaggio pubblicitario hanno in comune un massimo di imprevedibilità compatibile con un massimo di controllo della decodificazione») e in una apparente bivalenza — fruizione e demistificazione — che in realtà si risolvevano tutte in una critica spietata nei riguardi dei loro stereotipi, delle contraddizioni, delle falsità: «adottare i codici tecnologici allo scopo di farli entrare in crisi», riassumerà Pignotti tutto il senso dell'operazione[8].

Un'operazione che si svolge attraverso due fondamentali momenti, quello del prelievo dei materiali dall'universo dei mass-media o da altri possibili campi, e quello del loro montaggio. La considerazione sul diverso impiego di questi due momenti ha reso possibile, ancora secondo Pignotti, una sia pur succinta storicizzazione del fenomeno. Agli inizi del movimento (primi anni sessanta) prevale la tecnica abbastanza semplice del *collage* operato con materiali logorati dagli usi giornalistici, pubblicitari, ecc.[9]; in un secondo momento, si passa dal singolo sintagma verbo-visivo a un discorso testuale, infine si arriva a un'interazione verbo-iconica, a una vera sintassi verbo-visiva, nella quale si affronta l'autentico problema di questo linguaggio (o piuttosto metalinguaggio poiché tutto è costruito su citazioni) che è quello del rapporto tra parola e immagine. Nella fase piú matura (anni settanta) esso può attuarsi in due modi, o l'equivalenza (parola trattata come immagine, immagine sottoposta allo statuto linguistico della parola) o l'integrazione (i due codici sopperiscono ai limiti reciproci e si completano); in ogni caso la parola perde le sue valenze semantiche a vantaggio di quelle iconiche, il risultato finale è del tutto nuovo rispetto alla somma degli addendi[10], la sua fruizione avviene me-

---

[6] L'Introduzione a questa antologia è ora riportata in L. Pignotti, *Istruzioni...*, cit. che contiene esempi di poesia visiva di vari autori.

[7] Si veda anche la diffusione della poesia visiva in area napoletana con la rivista *Linea Sud* di Luigi Castellano (Luca).

[8] Pignotti e Stefanelli, *op. cit.*, p. 170; a questo volume rinviamo per tutto l'argomento qui trattato; ma per questo aspetto specifico, si veda in particolare di L. Pignotti, *Il supernulla. Ideologia e linguaggio della pubblicità*, Firenze, Guaraldi, 1974.

[9] Pignotti individua sei regole semantiche fondamentali per il loro montaggio: calco, trascrizione, contaminazione, paradosso, ripetizione, concentrazione.

[10] «Parole e immagini sembrano mostrare — proprio nel punto in cui s'incrociano — qualcosa che non è né parola né immagine.» (Pignotti e Stefanelli, *op. cit.*, p. 212.) E altrove (*Fra parola e immagine*, cit., p. 76), lo stesso Pignotti: «La poesia visiva non è né una pittura con le parole, né una poesia con le figure».

diante una percezione globale e simultanea, il senso generale che se ne ricava è la coscienza dell'insensatezza verbale che ci circonda con la conseguente forte carica di critica sociale.

Quest'ultimo aspetto comporta il problema del rapporto col destinatario, cioè la necessità di una sempre maggiore conoscenza del messaggio, che si accompagna a un sempre piú vasto perfezionamento tecnico; sicché da un lato si suggerisce o si pratica la diffusione della poesia sulle scatole dei fiammiferi, attraverso gli altoparlanti negli stadi o i microsolchi per juke-box o le scritte al neon sui palazzi, dall'altro si utilizzano strumenti nuovi o si complicano quelli già in uso. Il *collage* può diventare *decollage* o abrasione, l'iconismo narrativo può assumere l'aspetto del fumetto, l'«ur-testo» può essere costituito da francobolli, biglietti ferroviari, santini, carte geografiche mute, conti d'albergo (tanto che si è parlato di un realismo della poesia visiva); la scrittura autografa si sostituisce ai caratteri a stampa, il codice verbo-iconico si apre a nuovi codici, quello musicale o gestuale o spaziale, o a nuove sensazioni tattili, gustative, olfattive, uscendo cosí definitivamente dalle tradizionali forme del libro o della tela. Ma lo strumento nuovo piú importante è certamente quello della fotografia (con annessi i fotoromanzi) che offre alla poesia visiva tutto il suo specialissimo potenziale semantico, e per la quale vale quanto già si è detto, e cioè che «il contenuto della foto non è la foto almeno nella stessa misura in cui il contenuto della parola, per il poeta visuale non è la parola»[11], che nel caso specifico si presenta in forma di didascalia.

[11] Il giudizio è di Vincenzo Accame, riportato in Pignotti e Stefanelli, *op. cit.*, p. 199.

Parte quarta

Scrittori degli anni settanta

I. Verso gli anni ottanta: nuovi dibattiti, nuovi scrittori

> L'imprevedibile ci assedia. *L. Anceschi*
>
> La poesia è un sogno che non è stato sognato da nessuno. «*Niebo*»

1. *Nuovi dibattiti*

All'approssimarsi della fine dell'ottavo decennio stavano venendo a maturazione nuove condizioni generali e letterarie. La tragedia di Aldo Moro (primavera 1978), che segna il momento di maggior successo delle Brigate rosse, il perpetuarsi del terrorismo nero con una impressionante serie di stragi regolarmente rimaste impunite, il moltiplicarsi di delitti di mafia e di camorra, e d'altra parte l'avanzata del Pci nelle elezioni del '76 e nei referendum del '74 e dell'81 e il concomitante appannamento della Dc, l'avvento di Craxi alla segreteria del Psi (1976) e di Pertini al Quirinale (1978), disegnano un panorama italiano ormai consolidato nel dramma quotidiano, e in cui i fermenti nuovi non riescono a scalfire un sostanziale immobilismo politico. Contemporaneamente, il panorama internazionale si abbuia ancor piú: comincia l'invasione sovietica dell'Afghanistan (1979), si apre il conflitto iran-irakeno (1980) con punte di grande violenza e di inguaribile cronicità, è sempre accesa la questione mediorientale tragicamente addensatasi nel Libano, e la questione centroamericana particolarmente nel Salvador e nel Nicaragua, mentre si spengono le speranze di una liberalizzazione in Polonia; la morte di **Brežnev** (1982), l'avvento di Reagan (1980) e di Giovanni Paolo II (1978) sembrano indicare piuttosto un aggravamento che un allentamento della tensione.

Sono pochi cenni e su alcuni aspetti macroscopici della storia d'Italia e del globo, ma sufficienti a rivelare una situazione di cosí alta conflittualità da suggerire per lo piú all'uomo e alle masse (salve, come sempre, le eccezioni) nausea per la storia, fuga dalla cosa pubblica, sfiducia nel potere (ogni potere), indifferenza, cinismo, egoismo, qualunquismo.

Si è già detto che il riflesso di tutto ciò sull'animo e l'attività dello

219

scrittore non è meccanico, ma ci parrebbe storiograficamente un'eresia distaccare la vita e la produzione dell'intellettuale dalle condizioni concrete in cui opera; certamente egli le vive e le soffre, e le restituisce, come può e come sa, in forma di scrittura o altro mezzo per comunicare.

Svolte piú o meno pronunciate e formulazioni teoriche estreme sono le espressioni, per quel che riguarda il nostro discorso, che meglio ci dicono quanto sta accadendo fuori e dentro la vita del poeta, del narratore, del saggista.

Anche le riviste che abbiamo conosciuto come impegnate con maggiore sicurezza, cominciano ad elaborare posizioni piú sfumate, a distaccarsi in qualche misura dalla lotta politica e a praticare la letteratura con migliore cautela critica.

Salvo Imprevisti avviava una revisione con il n. 13 (genn.-apr. 1978) quando prendeva definitivamente congedo dalle ormai non piú vicine memorie del '68 [1] che avevano legittimato la fiducia che qualcosa potesse muoversi anche nella letteratura e nella poesia: «Ora — scriveva invece la Bettarini — so che la poesia *non* è strumento diretto, immediato, espressione di ire proletarie, retorica populista, ritorno ad uno zdanovismo... So che poesia è libera coscienza critica della realtà... luogo aperto, libero, disponibile all'incontro e allo scontro dialettico tra persona singola e persona collettiva», e che pertanto va tenuta ben distinta dalla "politica culturale". Rientrava in questa nuova coscienza letteraria meno istintivamente impegnata e piú complessa nelle motivazioni il n. 18 dedicato a «Poesia e inconscio» che, pur confermando la linea politica — ma ora intesa come «*valorizzazione del corpo* nella sua realtà biopsichica» — intendeva indagare ciò che nel soggetto scrivente e nella realtà obiettiva «si colloca sotto la superficie». E vi rientrava anche il n. 19-20 sul romanzo italiano del Novecento, che per la prima volta abbandonava il terreno dell'attualità militante con una ricognizione storica non facilmente agganciabile in modo funzionale al messaggio di *Salvo Imprevisti*. Questo era ancora affidato, con maggiore coerenza, ai testi poetici sia pubblicati sulle pagine della rivista sia nella collana di poesia nella quale uscirono, per ricordare alcuni nomi, versi di Liana Catri, Giovanni Frullini, Attilio Lolini, oltre a quelli di Silvia Batisti e Mariella Bettarini.

[1] Nel volume *Chi è il poeta?*, cit., S. Batisti e M. Bettarini ponevano un questionario che partiva dalla constatazione di una condizione «ormai abissalmente lontana dagli anni sessanta». Alle domande rispondevano trentatre poeti.

Nel 1977[2] anche *Collettivo r* doveva constatare il profondo mutamento delle linee portanti della cultura italiana dai tempi del Movimento studentesco e dell'autunno caldo, e il costituirsi di «una sorta di Congresso di Vienna degli scrittori tradizionali», con lo sfaldamento, all'opposto, di alcuni centri eversivi (ad esempio, l'Antigruppo siciliano) e la perdita di esemplarità di autori come Zanzotto o Roversi.

In questa nuova situazione, la proposta che emergeva era quella di una politica culturale pluralistica in grado di recuperare un'autosufficienza — «né gregariato né contestazione fine a se stessa» — e di «promuovere la cultura *creativa* "impegnata" in situazioni emergenti dalla rarefazione degli "addetti ai lavori"»; che voleva dire, se non andiamo errati, la rinuncia ad un impegno rigido fra steccati opposti (forse non piú cosí chiaramente individuabili) e l'attenta scoperta di volta in volta dei temi — e dei nemici — da battere.

Ma il senso conclusivo di quell'occaso degli anni settanta era riassunto nel titolo che raccoglieva nel 1982 un'ampia antologia della rivista, *L'utopia consumata* (Collettivo r), estrema constatazione del tramonto dei sogni all'apparir del vero di una società che, per dirla con le parole di Luca Rosi (giugno 1979), aveva «sepolto sotto le proprie macerie il rimasuglio di quelli che furono gli anni settanta, e con essi molte delle nostre illusioni, aspettative, speranze».

Nell'aprile del '79 *Anterem* si accingeva, come si è visto, ad occupare lo spazio di *Aperti in squarci*[3], con l'indicazione di «rivista di ricerca letteraria», una ricerca affidata soprattutto· alla pubblicazione di testi poetici con la volontà dichiarata di «imprimere una cospicua evoluzione al corpo verbale creativo» e di scegliere gli «operatori fra coloro che sanno piú rischiare». Il risultato fu la presenza dei nomi piú autorizzati del versante sperimentale, con una fisionomia delle pagine sin troppo antologica che finiva per registrare piuttosto una larga anagrafe che un preciso progetto. Per questo, gli elementi piú caratterizzanti finirono per essere le «pagine visive» (o «poesie visuali»)[4] proposte con grande frequenza da autori italiani e stranieri, e il tentativo di creare «uno spazio dove far confluire le battute, i fili, le antenne, le sorprese, i sensi rotti, tutte le cose da dire e che finora non sono mai state interamente raccontate. I tasti della pratica creativa del linguaggio — si diceva ancora — sono stati finora spinti dal-

[2] La differenza fra il «'68» e il «'77» veniva cosí enunciata nell'editoriale del n. 14-15; «la generalizzata inquietudine sociale, anche se spesso contraddittoria, del primo; la "disperata vitalità" e la "vitale disperazione" radicale e minoritaria del secondo».
[3] Direttori rimasero Flavio Ermini e Silvano Martini; la numerazione continuò quella di *Aperti in squarci* a partire dal n. 10.
[4] Per una panoramica sull'argomento, si veda Giuseppe Morrocchi, *Scrittura visuale. Ricerche ed esperienze nelle avanguardie letterarie*, cit.

la camicia di forza della disperazione. Ebbene, si tratta di scavare la fossa all'essere angosciati, all'essere soli, al comico girare a vuoto, al tragico pensare a niente. Noi diciamo: è tempo di creare collegamenti tra le mille isole sulle quali a piccoli gruppi i poeti talvolta si ritrovano a coltivare le loro ossessioni». In altre parole, la rivista si offriva come punto d'incontro di poeti e smistamento di testi — opere in corso, frammenti, progetti, e fossero anche semplici parole e nomi — per interventi su di essi di altri autori, in quelli che venivano chiamati «percorsi da poeta a poeta». Ed era evidentemente un progetto nuovo e ardito, ma destinato piú a sollecitare che ad ottenere realtà poetiche nuove e valide, nonostante la soddisfazione apertamente espressa dalla direzione che, chiusa la prima fase dell'operazione con il n. 16, la riaprí subito con il numero successivo dell'agosto-dicembre 1981.

Con gli anni ottanta, *Anterem* avviò una pausa di «riflessione critica» affidata a diversi autori tra i quali Felice Piemontese, che, spingendo lo sguardo «oltre l'avanguardia» (n. 20-21, agosto-dic. 1982), constatava di trovarsi di fronte a continui rimescolamenti di carte anche teorici, a un mutare incessante o a un venir meno di prospettive e di coordinate, all'annebbiamento dei piú tradizionali punti di riferimento. Da qui un'inevitabile tentazione all'apatia, a «tirare i remi in barca», all'ammissione che «tutto era sbagliato», cui Piemontese reagisce — citando J. Baudrillard — con la decisa affermazione «che "la violenza teorica", non la verità, è la sola risposta che ci resta. E che è ancora necessario "portare fino al limite insopportabile per i sistemi egemonici questo tratto radicale di derisione e di violenza"»[5].

La diagnosi negativa che vedemmo formulata da *Altri Termini* sul panorama letterario al cadere degli anni settanta determinò anche per la rivista napoletana qualche mutamento di rotta. Il problema era in primo luogo, anche in questo caso, il definitivo superamento delle neoavanguardie, ma come momento di una piú generale battaglia contro lo spettro della morte dell'arte[6]. Ma si trattava di operare un «superamento in positivo» (D'Ambrosio) che ponesse termine sia alla teorizzazione sfrenata sia ai recuperi neorealistici o neoermetici, ma persistesse nella posizione di rivolta della letteratura, nel richiamo alle avanguardie storiche, nella rivalorizzazione della scrittura e, soprattutto, nella sopravvivenza della poesia, della quale, si sosteneva, non

---

[5] Piemontese richiamava qui anche una sua precedente constatazione, «che al "nichilismo della radicalità", il sistema oppone "il nichilismo della neutralizzazione"».

[6] Per questo ed altri fondamentali aspetti della rivista, si veda l'Introduzione di M. D'Ambrosio e particolarmente il saggio di Carlino nell'antologia di *Altri Termini*, *L'affermazione negata*, Guida, 1984.

si può dire nulla, se non che «occorre disperatamente continuare a farla, o a cercare di farla, anche quando ciò può apparire inutile e stanca ripetizione di eventi già accaduti, di immagini già evocate[7]. E ciò per l'intrinseca necessità che la poesia ha di essere fatta, che la parola ha di essere detta (o scritta)». E Mario Baudino ribadiva: «Chiedere alla poesia l'impossibile (chiedere un'esperienza limite)»[8].

Il salvataggio della poesia aveva anche un preciso bersaglio polemico nei confronti dell'allora proposta «parola innamorata», che pareva ad *Altri Termini* espressione di «quella tendenza di poesia che il mercato ha accettato e l'industria culturale e i mass-media accolgono avendola convalidata il comune senso socio-culturale» (Carlino). *Altri Termini* opponeva un gettito continuo di sperimentazioni — poesia visuale, concreta, tipografica, poesia-spartito, postale, poesia-ricalco — sempre nel «tentativo di negarsi alla koiné letteraria». Nel 1975 usciva nelle sue edizioni il volumetto *Zero, testi e antitesti di poesia*, che antologizzava quindici poeti italiani e stranieri dalle cui pagine — scriveva il curatore F. Cavallo — «se alla fine dovesse venir fuori qualcosa di definito, ebbene: il merito non sarà nostro, bensí dell'*hazard*», dato il paradosso (apparente) in cui non può non vivere la poesia: la ricerca continua e assoluta di un "nuovo" che non c'è». Questa prima antologia veniva ripresa con criteri non dissimili dalla *plaquette Uno* e dai Quaderni bimestrali *Colibrí* (dal gennaio '79) impegnati esclusivamente sui testi che venivano proposti con eclettica, o provocatoria, ampiezza di ventaglio.

Per questo, il messaggio testuale piú rispondente alle intenzioni della rivista lo si dovrà ricercare nell'opera dello stesso direttore Franco Cavallo, già a partire da *Fétiche* (uscito da Guanda nel '69 ma che conteneva poesie fin dal '58), seguito tre anni dopo da *I nove sensi* (ivi) — quando l'autore si veniva rapidamente liberando da impressionismi autobiografici e dal verso ancora cantabile per iniziare una vicenda condotta sul doppio binario di un'aguerrita sensibilità («i nove sensi», appunto) e di una lingua che inseguiva di volta in volta diverse soluzioni, dai vecchi canoni ironizzati, al verso prosaico, all'adesione sempre piú aperta a tecniche di scrittura piú audaci. Questo accadeva in *Frammentazioni* e soprattutto *Ziggurat* (entrambre presso Altri Termini nel '79), che quasi ostentava la polivalenza dei segni persino tipografici oltreché ideologici e poetici. E cosí si dica del poemetto *16 13 2 1 5 16 18* (ivi) una sorta di cabala o di aritmetica poetica (o poesia aritmetica), e insomma un'avventura infinita come la se-

---

[7] F. Cavallo richiama a questo punto il Barthes di *Le plaisir du texte*: «Per sfuggire all'alienazione della società non rimane che questa via: *la fuga in avanti*: tutto il vecchio linguaggio è immediatamente compromesso, e ogni linguaggio diventa vecchio dal momento che è ripetuto».

[8] «facciamola la poesia».

rie dei numeri, la cui somma totale appare zero: «fu / cosí / che giunse al fondovalle / dove lo attendevano / nove numeri a cavallo / — dal 27 al 35 — / che gli fecero gran festa / & / lo condussero / in / spalle / all'*Osteria del Tempo Perso*».

È un'avventura che continua nel narratore con *Romanzo* (Shakespeare Company, 1982), un vero e proprio racconto ma imprevedibilmente frantumato; e *La forma buia del vento* (Altri Termini, 1983), che torna, forse inaspettatamente per il lettore, a una storia di guerre, di tedeschi, di fucilazioni, per un'affermazione ideologica sempre sottintesa nell'opera di Cavallo, ma ora esplicitamente pronunciata: «l'amore per la vita».

Tra i poeti di *Altri Termini* vanno ancora ricordati Ciro Vitiello e Franco Capasso. Vitiello[9] esordiva con il verso lungo di *Corpor.azioni* (Altri Termini, 1976) mimante una sintassi inesistente, un narrato inafferrabile nella ironizzazione di ogni grammatica («feconda ovali nuove distillazioni casuale ma si tratta NO / di plebeo rifiutare l'oltranza ad ogni forma e rigetto ancora, ecc.»); insisteva in *Ciclica* (Guida, 1979) nelle sue sequenze di «noumeni, fenomeni, epifenomeni, desideri, iconogrammi sullo schermo dissolvente e dissoluto di logica neutra e temporalità polivoca» (ma sempre con l'intento di rispecchiare la caduta dei valori personali e storici); per giungere alla misura di un piú classico poemetto con *Le Resistenze* (Napoli, Glaux, 1983) e con *Didimo* (ivi, 1983), in cui un autoritratto può farci da scorta tra le azioni, i gesti, le funzioni, le figure date appena per cenni: «Io mordo assoluti redimibili, / o nidifico notturni noviluni: / colgo delebili colori, ebbrezze / eccedo mentre balbuzie rimo; e / opus ordisco in ignare parodie».

Piú fulminante la storia di Capasso giunto quasi di colpo con *Punto barometrico* (Pianura, 1976) ad un'estrema rarefazione di linguaggio, compendiato pressoché esclusivamente in serie sostantivali e aggettivali prelevate, per la maggior parte, dalle soma e psico patologie o dalle alchimie piú inesplorate del micro o del macro cosmo: «precaria voce insorge / dai miei recessi: / le fibre le ossa / il sangue il cervello / non irrora: / cado in cata-lesi / protesi i miei anelli: / la mia vertebra / la mia arteriosa sclerosi / diaframmata: / l'io emorragico a morirmi estirpato». La parola stremata sembra voler rendere un trauma irrimediabile, la cui continua allusione si rinnova in *Germinario* (Altri Termini, 1979) e poi in *Il segno e l'incisione* (Bergamo, Il Bagatto, 1980) dove, ripresi certi piú collaudati canoni linguistici e poetici a superare il rischio del silenzio che incombeva sulle precedenti pagine

[9] Di Vitiello si veda anche l'opera teorica e critica, *Teoria e tecnica dell'avanguardia* (Mursia, 1984), *Teoria e analisi del linguaggio* (Guida, 1984), *La logica letteraria* (Glaux, 1984).

spaziate e frante, Capasso tornava ancora a dire del dolore senza scampo che accompagna la sua sorte (o forse la sorte di tutti): «La mia coscienza è fonte del mio male» e non ne sgorgano che «parole malate» (*Orme sul lago salato*, Altri Termini, 1983).

Nel 1971 aveva avuto inizio *Tam Tam* di cui Adriano Spatola & Giulia Niccolai[10] furono dapprima redattori poi direttori; essa si definiva «rivista trimestrale di poesia» avendo come progetto «di ritornare alla poesia, semplicemente e soltanto alla poesia» e tenendo fermo il diritto della poesia di «progettarsi come ricerca autonoma sulle proprie ragioni». Decisa nel non lasciar cadere in una qualsiasi forma di nuovo «rondismo» l'esperienza delle neoavanguardie[11], e nello svolgerla, anzi, sia pure in direzioni diverse e persino fra loro inconciliabili (Baudino), ma rifiutando di porsi come una delle tante sottocategorie delle avanguardie (Anceschi), la rivista optò in prevalenza per tre ipotesi, in una ricerca che non voleva essere conclusiva ma continuamente da rinnovare. Statisticamente, l'ipotesi piú frequentata è quella della «scrittura visuale», nella quale Anceschi (n. 10-11-12) vedeva «un atteggiamento di apertura continua rispetto all'irrigidirsi dei codici della poesia». Constatava poi l'insufficienza della parola nell'estendersi delle possibilità semantiche, e la scoperta di campi segnici finora inesplorati: «L'imprevedibile ci assedia», era la formula in cui Anceschi racchiudeva il suo giudizio; e a questa condizione oggettiva molteplice e sfuggente, fertile di verità presto degradate, di prospettive variabili, di rapporti inconsueti, la poesia visiva gli sembrava poter rispondere credibilmente, per la duttilità che le deriva dall'essere punto di confluenza di varie arti, per le sue possibilità suggestive di combinazioni sorprendenti e inattese, infine per l'integrazione di pluralismo e specificità, in una generale tendenza ad una «civiltà dell'ideogramma».

La seconda ipotesi, quella della poesia elementare, poteva considerarsi come la tendenza piú pura per tradurre in immagine la smaterializzazione del linguaggio, e punta estrema della polemica contro tutti i terrorismi verbali, da affondare nel ridicolo con l'arma dell'i-

[10] La & commerciale è indicata in copertina, e non casualmente poiché essa torna nel volumetto della Niccolai *Poema & oggetto*, dove assolverebbe al «fine di porre l'accento, anziché sui termini da esso collegati, sul rapporto stesso del collegamento ... con l'intenzionale sottrarsi del testo alle possibilità interpretative teoriche sul significato» (M. L. Lentengre, n. 13, genn. 1977). *Tam Tam* ebbe la sede a Mulino di Bazzano (Parma).

[11] L. Anceschi: «In un momento in cui molte figure di ciò che si dice avanguardia tendono alle Immobili Toghe dei Senati, o si siedono nei Prestigi Accettati di una Immagine Magistrale, definitiva, o si cristallizzano nella memoria di una Figura Ferma di sé in un tempo che fu vivo ...».

ronia, del *nonsense*, della (apparente) fatuità; essa — era ancora Anceschi a dirlo — non si presentava come una proposta di poetica sistematica o di gruppo, ma come il convergere di stati d'animo, di tensioni, di albeggianti speranze e, al contrario, di insofferenze e rifiuti tanto degli scimmiottamenti tecnologici quanto delle assolutizzazioni storicistiche. Infine, si proponeva la «poesia totale», definibile come «una globalità di tendenza in un momento ben preciso» e di cui primo assertore era Adriano Spatola.

Il senso generale comprensivo dei diversi progetti di *Tam Tam* poteva essere quello della «tradizione del nuovo», un modo cioè di prendere atto che il rapporto tra Avanguardia e Tradizione non può non porsi in una duplice e complementare maniera, di negazione *in primis*, ma poi della constatazione dei diversi modelli di negazione che a loro volta vanno interpretati per poter essere usufruiti fino a costituirsi in una tradizione[12].

Anche per *Tam Tam* le figure dei direttori sono quelle che emergono nel campo della produzione, sempre uscita — come la rivista — nelle edizioni Geiger, tra le piú fedeli e conseguenti, in quel momento, nella pubblicazione di testi sperimentali. Giulia Niccolai raccoglieva nella breve *plaquette Humpty Dumpty* (1969) esperienze di poesia concreta su base linguistica inglese; due anni dopo uscivano i *nonsenses* geografici di *Greenwich* (che utilizzavano questa volta varie lingue): «Treviglio. Rovato brescia asola visano / e adda e oglio e mincio e garda / lograto barghe pastrengo e margaria. / Navi che manerbo! Lodi?». Dopo la poesia visuale di *Poema & Oggetto* (1974), con *Rusky salad ballads & Webster poems* (1977) la Niccolai tendeva a svolgere i suoi testi (sempre fortemente plurilinguistici) in forme almeno apparentemente piú usuali, ma senza per questo rinunciare alla demolizione ironica delle dignitose istituzioni linguistiche, ora scrivendo — per usare le sue stesse definizioni — in «linguaggio-chartered» preso di peso dal dizionario Webster, ora giocando «una specie di ping-pong tra italiano, inglese, francese e tedesco» al puro scopo di complicare le cose e renderle illeggibili.

Piú movimentato e complesso il cammino di Adriano Spatola, partito dal romanzo *Oblò* (1964). Nel 1965 e 1966 Spatola pubblicava a Bologna presso Sampietro la *Poesia da montare* e *Zeroglifico*, due esemplari di frantumazione dei segni in una sorta di prelinguaggio che lo stesso autore definiva «mosaico di frammenti decontestualizzati» tendenti a costituirsi anche in ipotetiche connotazioni musicali. Dal punto di partenza di queste forme ludiche — *puzzles* o giochi

---

[12] Anceschi ricorda come della scrittura visiva esista una memoria addirittura millenaria.

di pazienza — Spatola è riemerso ad una forma poetica piú pacificata e un'intenzionalità politica piú precisata con *Majakovskiiiiiiij* (Geiger, 1971), ed è tornato alla scrittura visiva e nonsensica di *Algoritmo* (ivi, 1973) per avviare «un tentativo non involutivo di ricostruzione», con «la forza di ricominciare nel deserto, di ritrovare gli elementi costitutivi e semplici di un discorso attivo» (L. Anceschi nella Nota a *Diversi accorgimenti*, ivi, 1975).

Intorno a *Tam Tam* e alle edizioni Geiger ruotarono anche autori presenti in altri ambiti operativi, come Leonardo Mancino (*Per struttura s'intende...*, 1973), Mario Lunetta (*Tredici falchi*, 1970), Biancamaria Frabotta (*Affeminata*, 1976), Nanni Balestrini (*Ballate distese*, 1975), Piero Oppezzo (*Sí a una reale interruzione*, 1976), Nicola Paniccia (*Oggetto linguistico*, 1973), ecc. Mentre in un lavoro piú costantemente e strutturalmente connesso con la rivista appaiono Marcello Angioni, che si compiace autopresentare i suoi *Preludiomeni* (1975) come «un uso orgiastico della lingua» in cui «i significati si sciolgono e si ricompongono in modo del tutto occasionale... nascono lí per lí e muoiono altrettanto casualmente» («voglio compace / senno sennò aritengolo / calo come di anche se», ecc.); e soprattutto Carlo A. Sitta (*Animazione*, 1975) che dietro la maschera di un verso lungo e apparentemente descrittivo cela invece la sua personale formula di scomposizione verbale e logica, continuando poi il suo discorso in *Analfabetica* (1982): «tripudio per la morte del sema».

Infine, Nino Majellaro ha praticato sia la poesia visiva sia quella in parole (*La memoria artificiale*, 1974; *La figura lo spazio*, 1978) o, piuttosto, si dovrebbe dire una poesia che si misura con la storia, con la scienza, ma soprattutto con le parole stesse, con gli alfabeti, le voci, le scritture, quasi a cercare di carpirne il segreto o di rinnovarne il senso — «gli angoli del cielo e della terra / s'incontrano in un luogo delle parole ignorato / duro è per un poeta ripetere parole furbescamente collocandole / là dove il lettore non le attenderebbe» (*Una metafora cieca*, Guanda, Società di poesia, 1979) — sempre nella convinzione del valore inventivo e non mimetico delle parole: «La forma esce da me / prima di essere fotografia dell'oggetto» (nel settore della raccolta intitolato, appunto, *Le fotografie*). Ma poi Majellaro le parole le ha trovate e forse nel modo meno prevedibile, se nel 1984 ha pubblicato un romanzo storico (*Il secondo giorno della primavera*, Spirali) ambientato nella Milano del secondo Cinquecento e che da quell'ambiente trae non soltanto l'affollata e ingarbugliata società con sullo sfondo la grande storia delle guerre e delle riforme religiose, ma la lingua stessa arieggiante modi antiquati e arricchita di apporti dialettali.

Nel giugno del '77 usciva a Milano una nuova «rivista di poesia» diretta da Milo De Angelis, *Niebo*[13], nel cui progetto — e nella sua verifica — non è difficile scorgere il punto estremo cui erano giunte la teoria e la prassi della poesia nel loro processo di allontanamento da ogni forma di compromissione con null'altro che non fosse l'immediatezza di un lampeggiamento irrelato e inspiegabile entro uno spazio e un tempo senza momenti contigui, «dopo l'attesa e prima dell'incontro»[14].

L'articolo redazionale che chiudeva il primo numero colpisce, prima ancora che per il tentativo di una forse impossibile chiarificazione teorica, per la ripresa di un linguaggio ermetizzante e iniziatico dal quale sprizzavano alcune schegge — «la situazione di un verso è sempre di emergenza e non permette l'immersione in un verso "reale"»; «in una pratica di poesia l'invenzione è ciò che impedisce l'instaurarsi di un accertamento o di una scommessa» — per concludere col «credo quia impossibile» della poesia, con la negazione di ogni suo carattere documentario o dichiarativo o metodologico, di ogni sua coscienza o falsa coscienza. E perciò, dinanzi alla poesia si apre «lo spazio estremo di ciò che è facoltativo», essa «non potrà mai dire a qualcosa "ascolta, ora parlo di te" senza disdirsi»; la poesia « è un sogno che non è stato sognato da nessuno».

Il primo richiamo era naturalmente a Rimbaud, l'autore che *Niebo* sentiva piú vicino insieme con Hölderlin cui la rivista dedicava il n. 2-3 (ottobre 1977), secondo una traccia che essa continuerà a seguire dedicando via via la sua attenzione a autori o temi particolari. Il n. 4 sarà dedicato a Lucrezio da cui verrà abilmente dedotto il concetto di declinazione degli atomi a giustificazione di una teoria della indeterminazione della realtà: «Il clinamen è *immotivato*. Non dipende dalle leggi del destino (come nelle teorie fatalistiche della congiunzione dei corpi) e non dipende nemmeno da un'*occasione che lo mette in moto*. Non potendo avere una causa alle spalle della sua deviazione, esso *sibila* a qualcos'altro. Ma non a un altro atomo. A un altro clinamen». E nel n. 11 (febbr.-marzo 1980) una definizione opportuna veniva ripresa dal poeta polacco Boleslaw Lésmian: «Qualunque cosa si dica della poesia — è sbagliato. La poesia viva sfugge a tutte le definizioni. La definizione per lei è un triste genere di bara di vetro, che — rendendo chiaro — uccide».

[13] Una nota in fondo al primo numero spiega che «niebo» in polacco significa «cielo»; rimasta senza spiegazione la scelta della lingua polacca, il significato della parola può essere già una prima indicazione del carattere della rivista.

[14] V. Zeichen cosí riassumerà poeticamente la posizione della rivista: «Niebo sancisce / che alla fonte della poesia / l'Essere sapiente / detta in frammenti / poiché aborre la sintassi / degli storicismi» (*Pagine di gloria*, Guanda, 1983, p. 27).

Tra gli autori cui veniva demandata la verifica di questa idea della poesia vanno almeno ricordati Giancarlo Pontiggia, Mario Baudino, Adriano Spatola, Nanni Cagnone, Roberto Mussapi, Angelo Lumelli, Michelangelo Coviello, Giuseppe Conte [15]; ma l'interprete piú autentico ne era lo stesso Milo De Angelis, la cui prima raccolta, *Somiglianze* (Guanda, 1976 ma i testi partono dal 1970) si sporge in una quasi disperata tensione a cogliere nell'inattaccabile scorrere del tempo il frammento minimo che dà inizio, differenza e fine al «gesto». È questo il momento in cui la realtà fenomenizzandosi ci fa contemporanei a noi stessi, ci dice di «cosa ha bisogno / un evento per accadere», ci scopre «un territorio / dopo le parole ma prima dell'azione». Se nella prosa teorica di *Niebo* l'immagine che tentava di attingere questo privilegio assoluto era quella di una «letteratura della scalata», di una poesia come «tragitto di andirivieni tra attimo e attimo», ora «solo una briciola separa / la morte dal vantaggio», e «nella solennità / che divide il pugnale / dal gesto», e «lo spazio che divideva / il movimento dal bacio».

In questa sospensione piena di un'angoscia prenatale o di un irrefrenabile desiderio di regressione o di una pungente nostalgia materna («e poi la paura / di cominciare con uno sbaglio / e non si può dirlo a nessuno / o gettarsi indietro, fino alle aste / e ai puntini, al grembo, quando ci amavano / senza chiamarmi»; «sto crollando sfinito in mia madre») ma che può sfociare nella puntualità di una «gioia» totale, si consuma l'unica possibilità del vivere, anzi dell'«esserci». Sono evidenti nella poesia di De Angelis anche influenze heideggeriane («questo scontato essere per la fine») sia pure tenute su un registro domestico dove la donna, nella completezza della sua funzione fisica, è l'ineliminabile secondo dell'istantaneità, del miracolo, e certi rapidi scorci milanesi uggiosi di pioggia e neve richiamano dalla dimensione dell'esistere a quella del vivere. Ma al di là di questo sfondo realistico che connota labilmente il testo di una memoria autobiografica, tutta la ricerca è «un'immediatezza essenziale e aforismatica» [16] verso la «parola primogenita» [17], immotivata, senza tappe, senza meta e senza «la disonestà di progettare», come quella delle fiabe [18], e perciò spesso fratturata nelle successioni logiche, collocata a sorpresa, imprevista, gratuita; o, al contrario, iterata in una cal-

---

[15] Conte (in *Tabula*) cosí riassume le poetiche presenti nei testi pubblicati da *Niebo*: «una poetica del *selvatico*, una poetica dell'*istantaneo*, una poetica del *mito*, una poetica dell'*animismo*, una poetica della *metamorfosi*, una poetica della *gioia*, una poetica del *dono*».
[16] R. Carifi, *Il gesto di Callicle*, Milano, Società di poesia, 1982, p. 48.
[17] Cosí lo stesso De Angelis, *Porgevo l'olio per una fiamma d'oro*, in *Niebo*, n. 4, genn. 1978.
[18] *Niebo* aveva dedicato un numero al tema poesia e fiaba.

colata enfasi che è l'estremo tentativo per risolvere l'«impossibile / quadratura del parlare»: «*e allora dillo pure, dillo che stai vivendo, dillo*».

Quella minima struttura ideologica che pareva ancora sorreggere le illuminazioni della parola scompare del tutto in *Millimetri* (Einaudi, 1983), dove resta soltanto la «successione di abbagli» o di «bagliori»[19] come unica giustificazione e solo strumento in cui le coordinate della realtà cedono totalmente alle nuove dimensioni, oggetto di possesso ma non di conoscenza: «In noi giungerà l'universo, / quel silenzio frontale dove eravamo già stati». La successiva raccolta, *Terra del viso* (Mondadori, 1985) non muta sostanzialmente il linguaggio di De Angelis, geloso nella sua «serra» di parole, anche se tornano a farsi presenti motivi autobiografici (corse infantili, gare sportive, allusioni di paesaggi), ma sono appena «filamenti», come suggerisce la copertina — che non si surrogano a quella sintassi tutta poetica attraverso la quale ci risuona, sibillina e angosciante, una «musica di sottomondo», un «ritmo di essenze», le «briciole del conosciuto» e, insomma, «questa prima vita», «la vita che è solo vita»; ma: «cadono a straccio le nostre vite»; e poi

> Abbiamo camminato verso un perfetto nulla
> ed era troppo muto l'oriente, nel filo, nel
> pensiero: ciò che tocchiamo adesso
> è una fabbrica di cui non capisco i mutilati
> per piú di una vita.

All'area di *Niebo* può in parte ricondursi anche la poesia di Gregorio Scalise, la cui espressione piú compiuta è finora *La resistenza dell'aria* (Mondadori, 1982). Ad apertura di libro sarebbe possibile scorgere già nella scelta del lessico una tendenza alla smaterializzazione dei

---

[19] L'espressione è di Cesare Viviani, in T. Kemeny, C. Viviani, *I percorsi della nuova poesia italiana*, Guida, 1980, p. XIX, il quale però aggiunge che quei bagliori «non mettono mai in crisi la base unitaria, quel sottile e resistente involucro rotondo che è la memoria indiscutibile ..., la premessa assoluta di una realtà senza mediazioni». R. Carifi (*Marka*, n. 14) dirà che qui è soprattutto «la furia millimetrica e puntiforme delle metafore a creare esiti che potremmo definire metafisici, di una fissità congelata ed estrapolata da qualunque flusso temporale». Lo stesso De Angelis ha fornito indicazioni sulla sua tecnica poetica (*Andare a capo (autobiografia)*, in *Poesia e destino*, Cappelli, 1982): «Ho cercato una rottura della frase che fosse obbligata ma non innalzabile dalla frase stessa né dalla totalità delle frasi. Che fosse innalzabile da una specie di dettatura, la quale imponeva di spezzare la frase senza spiegazioni e di amare questa spaccatura in una visione totale della poesia, non di quella poesia: "totale" qui inteso come l'insieme di ciò che preesiste — una poetica — e di ciò che incombe, un brancolamento *che si farà poetica* ... Ecco cosa può significare, tra l'altro, andare a capo. Una storia inesorabilmente accaduta, da una parte. E dall'altra una spaccatura improvvisa, incatenata a quella storia e al tempo stesso ignara di essa, accadendovi». De Angelis è anche autore del breve romanzo *La corsa dei mantelli* (Guanda, 1979) costruito nella forma di una «caccia» ad una misteriosa fanciulla e svolgentesi nel clima di un'ovattata leggenda probabilmente di derivazione slava.

dati reali — orme lucenti, suoni d'erba, atomi di speranza, simboli frantumanti, atmosfere invalicabili, boschi sontuosi, cieli indifferenti, favolosi giardini, ecc. si susseguono con chiara frequenza; ma l'operazione non si limita al piano lessicale alzandosi a quello di una «sintassi dello spazio» che spezzi i nessi logici e li sostituisca con legami indecifrabili e puramente fantastici («se nascono i ciliegi / tutti abbiamo il diritto di morire»; «se le parole / crescono come foglie / vuol dire che hanno narrato i loro sogni») e infine proponendosi come un'ideologia dell'esistere che si disegna però composita e a doppio fondo.

Nonostante le citazioni sopra riportate e i «brividi» che corrono per le pagine, la poesia di Scalise non ha infatti nulla di magico o di fiabesco, o piuttosto dissemina molecole di favolosità in un contesto che afferma in trasparenza una solida fede razionale («io che non sono un mistero») rintracciabile al di là delle continue e immanenti deviazioni cui la lettura è sottoposta. Una razionalità e una storicità (ma non uno storicismo) che vanno ritrovate piú che in espliciti riferimenti, nel senso generale dell'opera, nella polemica di chi rifiuta «l'oscurità del tempo» e vorrebbe dimenticarlo per ricominciare da capo la storia, come il bambino che, secondo una ripetuta nostalgia dell'autore, incomincia la vita

> Ritorno bambino per equilibrare
> ciò che è giusto.
> La memoria colloca sotto la pelle
> la nostra storia:
> si impara presto che ogni cosa
> è spietata, se è ridotta
> alla dissolvenza dei segni
> ...
> Ma ricominciare da un segno
> ...
> Il giorno sarà di chi guarda
> gli elementi che salvano la pioggia.
> Ora canto l'ozio e la vergogna.

Cosí nel settore *I segni*, il piú risolto e il piú significativo della raccolta, dove Scalise sperimenta, fra l'altro, un diverso ritmo poetico; alla tendenza discorsiva e poematica ne succede qui una brachilogica ad andamento epigrammatico, spezzante in segmenti generalmente di uno o due versi il filo del discorso che volge verso la parenesi o la definizione: «Ci vuole fatica uomini semplici. / Ma nel passato per l'uomo c'è tutta / la notte»; «Fa parte della preghiera agire con calma. / Si procede per anatomie, come l'ansia, / le occasioni. / La stupida scusa che non esistevano / paragoni. / Non è colpa nostra se il mondo / diventa orribile».

Fuori di una visibile influenza di scuola e per questo comparso imprevedutamente ma ben dentro al tema della piú angosciata sfiducia sulla sorte dell'uomo, è stato il volume di Giovanni Ramella Bagneri, *Autoritratto con gallo* (Mondadori, 1981), carico di un'inusitata fantasia medioevaleggiante tragico-beffarda; ma sotto le esplosioni delle immagini ossesse corre anche un saldo filo logico, una decisa accusa contro l'orrore nazista e contro ogni attentato alla disumanizzazione della persona. Un motivo che torna esplicito in *Il teatrino del mondo* (Forum, 1984) — «nel tempo tra due svastiche» — ma sempre piú assumendo un duplice significato, di doveroso memento della piú orrenda cronaca del nostro secolo, di simbolo universale per un'umanità che si distrugge per sua stessa mano. Ramella Bagneri appare cosí, con i suoi poemetti che incalzano il lettore come un discorso che non dà tregua, tra i poeti che piú hanno sentito il «mito della fine» con il terrore per l'avvento di un millennio senza speranza.

2. *Poeti (e narratori) fra due generazioni*

La produzione poetica di Giovanni Giudici aveva avuto inizio nei primi anni cinquanta con la sigla, piú implicita che esplicita, di un cattolicesimo aperto e riflessivo, poi superato ma mantenuto come punto di confronto mai del tutto smaltito. Quella fase ancora giovanile ebbe il suo compimento nella raccolta *La vita in versi* (Mondadori, 1965) che diceva già nel titolo quale fosse l'intenzione e il senso del poetare di Giudici: il continuo riscontro del fare e del dire o, per dirla con Zagarrio[20], «la possibilità di un reale incontro tra le pulsioni della vita e la ricerca di tradurle in forma». Era dunque una poesia che nasceva dalle continue e minime occasioni quotidiane, il che poteva anche giustificare la collocazione di Giudici su una posizione neo-crepuscolare, ma che in realtà conteneva due vie d'uscita verso una meno semplicistica lettura della realtà, la nota ironica anzi l'aperta denuncia dello stato d'assedio in cui quelle occasioni ci tengono (e sono occasioni di ordine storico e sociale, o meglio, schiettamente legate al miracolo industriale milanese), e la condizione di attesa di qualcosa che le possa infine trascendere

> Un'altra Voce,
> oggi mi parla, ma non so, mi dice:

[20] *Febbre, furore e fiele*, cit., p. 65.

> lo sai perché resistere. E resisto
> a un assedio di giorni e di rotaie,
> d'empi orologi, di tramvai, di strade
> affollate al mattino...
> È la mia vita,
> forse come la tua, fatta d'attesa.

Questo stato di rifiuto sempre piú sprezzante e di speranza sempre piú delusa si continua nella seconda opera «autobiografica», *Autobiologia* (ivi, 1969)[21], un titolo che questa volta sembra voler enunciare la fine del libero arbitrio, l'assoggettamento alle leggi oggettive che ci governano, o ci condannano: «Per fabbricare la morte serve solo la vita». Sullo sfondo, tuttavia, sembra rimanere ancora la nostalgia del passato rifiutato e il senso di vuoto che esso ha lasciato e che non ancora è stato colmato

> Mia sola scienza è anamnesi del mio errore
> la speranza cristiana mia viltà,
> mia mancanza di fede l'uso di ragione

e poi

> Nemmeno piú quale mestiere faccio mi ricordo.
> Rispetto l'orario ricevo un giusto salario.
> Il piede del mio signore è lustro come uno specchio.
> Ogni brusio di questi topini l'intendo al tatto
>
> Nemmeno piú quale amore se amare mi ricordo.
> Nemmeno piú quale Dio se pregare.
> Nemmeno piú quale parlare se parlare — nemmeno piú
> a che strappi essere sordo.

Il «nostro brancolare» nella vita, l'ambiguità dell'essere e dell'apparire, il senso, anch'esso assediante, dell'amore e della morte, l'amara oscillazione della «doppia verità» — «Amo due chiese che sono diverse» —sono ancora i temi di *O Beatrice* (ivi, 1972); da qui la necessità di inventarsi un cammino non ancora rintracciato, e l'aggiunta della tenerezza all'ironia per un bisogno di consolazione che come un fanciullino accompagna l'adulto fino alle soglie della morte

> Poiché era ormai una questione di ore
> ed era nuova legge che la morte non desse ingombro,
> era arrivato l'avviso di presentarmi

---

[21] «Il neologismo — scrive S. Ramat (*Storia della poesia italiana del Novecento*, Mursia, 1976, p. 671) — ...denota piú radicali implicazioni e soprattutto la vitalità di un meccanismo dell'essere, rispetto al quale la poesia si sobbarca il ruolo di volontà umilmente-fedelmente descrittiva». Ma lo stesso Ramat aggiunge poi che «la memoria in Giudici è inventata di sana pianta».

...
Ero il bambino che si accompagna dal dentista
e che si esorta: sii uomo, non è niente.
...
Non è un problema, non faccia il bambino.

Forse perché piangevo. Ma a quel punto dissi: basta,
paghi chi deve, io chiedo scusa del disturbo.
Uscii dal luogo e ridiscesi nella strada
che importa anche se era solo questione di ore,
c'era un bel sole, volevo vivere la mia morte,
morire la mia vita non era naturale.

Il debito nei confronti di tutto il «grigio» della vita di questo uomo di «pena» è ancora esibito in *Il male dei creditori* (ivi, 1977), il
dimidiamento di se stesso in una irraggiungibile pienezza del vivere,
che Giudici continua a dirci nel suo stile pronto a tutti i mezzi che
forse qui comincia a toccare la maniera. Fin dal principio era stato
possibile rintracciare poesie discorsive e quasi narrate accanto a fol-
gorazioni taglienti, accenti epigrammatici e sottigliezze logiche, fruizione di vecchi canoni poetici (rime, assonanze, strofe) e spezzature
d'ogni genere, «stacchi, illusionismi, giochi di parole, lapsus e altri
derivati da tipiche funzioni dello sperimentare»[22], come una continua e rinnovata e deviata volontà di superare quella «lingua di silenzio» di cui si diceva in *O Beatrice*. Ma una cosa seguitava ad essere
accuratamente evitata, la cantabilità, l'enfasi, le vibrazioni di qualunque tipo — e insomma la poeticità intesa in un senso o retorico
o patetico; anzi il rischio coscientemente assunto era se mai quello
dell'impoeticità per il lessico poco canonico, le impuntature sintattiche, le misure apparentemente casuali del verso che lo rendono simile alla prosa, la generale «desublimazione del linguaggio» (Luperini).
Con le piú recenti raccolte, *Il ristorante dei morti* (ivi, 1981) e *Lume dei tuoi misteri* (ivi, 1984) Giudici compie un ulteriore giro nella
ruota della sua irrisolta dialettica dell'«esserci» e dello «sparire», «fra
l'enigma e la bugia»; dove a tormentarlo o a consolarlo pare sia rimasta sola la verità del sesso nella sua «biologica» naturalezza

Stammi vicino in tutti i sensi amore mio
mio esistere non veduto —
Chi parla al Vuoto parla a Dio
a un telefono muto.

Giudici è ancora a dibattersi tra le due opposte (non) verità, a sentirsi afflitto da un male che lo sgomenta — «Fede bambina in corpo

[22] G. Finzi, *Poesia in Italia. Montale, novissimi, postnovissimi 1959-1978*, Mursia, 1979,
p. 113.

di vecchiezza» —, a dubitare piú di sempre che la ragione abbia un senso e che in questa vita esista una via d'uscita, sicché non è meraviglia che *Lume dei tuoi misteri* termini con una lunga invocazione a Dio — metà preghiera metà filastrocca — rifugio di ogni orgoglio ma anche sede di un'appena «minima verità».

Bartolo Cattafi (la cui produzione iniziata nel 1951 è pressoché totalmente raccolta nei due volumi mondadoriani *Le mosche del meriggio*, 1958 e *L'osso, l'anima*, 1964) ha svolto una sua metafora di continuo ripresa e allargata, un rinnovato errare per mari e paesi. Talora il paesaggio sembra fissarsi in una Sicilia dolorosa e problematica, talora assume colori e contorni di un vago esotismo, ma la lunga odissea non è in fondo che l'affannata condizione dell'«anima avventurosa» che cerca una misura nell'incalzare della vita, «qualcosa di preciso» nel fluttuare del tutto. Entro questi termini si muove dunque la poesia di Cattafi: tra un infido e inquieto abbandonarsi alla sorte travagliosa e lo sforzo di uscirne col metro della ragione, tra la contraddizione tutta moderna dell'angoscia dell'incommensurabile (ritorni metafisici e religiosi, la strapotenza delle prossime conquiste) e una schietta vocazione scientifica. In questa situazione egli rifiuta i «dadi truccati» delle soluzioni facili e rischia il naufragio pur di guardare in faccia la realtà. E se naufragio non ci sarà è perché proprio nell'ultimo settore di *L'osso, l'anima* — *La campagna d'autunno* — Cattafi ci pare uscire dal suo captante gioco di bravura, da un ormai rarefatto circolo di rinvii senza uscite, per toccare la terraferma dell'oggetto, che è ancora la sua Sicilia, «squallido approdo / ... / con riserve mentali / con meste meraviglie».

In questo dramma biografico perfettamente costituito, il dramma metafisico sembra dileguare e le angosce privilegiate cedono all'umiltà del vero dolore, ed è in questa dimensione umana che Cattafi si è rimesso in moto nelle altre raccolte, e non tanto nel prezioso volumetto *Ostuni* (Milano, Edizioni Trentadue, 1975), dove un nobile andamento classico sembra momentaneamente placare la sotterranea angoscia, quanto nei volumi mondadoriani *L'aria secca del fuoco* (1972) e *La discesa al trono* (1975). Ma è come un interminabile viaggio immoto che porta al nulla — «compio cosí viaggi interminati / sul rotondo veicolo / della mia solitudine» — un continuo «arrancare di stazione in stazione», la cui meta sembra debba essere il vuoto e il silenzio o la descrizione dell'«ovale perfetto dello zero».

Le ultime raccolte di Cattafi, *Marzo e le sue idi* (Mondadori, 1977), *L'allodola ottobrina* (ivi, 1979) e la postuma *Chiromanzia d'inverno* (ivi, 1983) (Cattafi era morto nel 1979) riprendevano le linee fondamentali della poesia cattafiana, il legame nostalgico e polemico con la sua isola, la visività-visionarietà degli oggetti, della materia grezza del mondo, della merce alla rinfusa spesso nominata in elenchi surreali, e il senso incombente di un *redde rationem* — «Vengano alfine marzo e le sue idi», che suonano come preannuncio di una fine che non sarebbe stata lontana e verso la quale sospingeva una coscienza ormai disincantata e straziata. Nell'*Allodola ottobrina* è divenuto chiaro che la vita è un filo, una linea che si svolge e si aggroviglia a formare disegni e trame e labirinti e matasse, o talvolta si organizza in scacchiere e reticoli o si snoda in ellissi e sinusoidi: sempre «per quelle linee passò la storia» e l'uomo, « statua nel tumulto», ne è catturato nell'immobilità di una condanna, per la legge del suo corpo e l'insufficienza del suo spirito

> Un lieve gioco
> di lacci
> fili nodi intrecci
> ahi gole
> polsi caviglie
> meraviglie del corpo umano
> cadute nell'imbroglio
> ahi spiriti leggeri
> non libera non taglia
> la lama del pensiero.

La seconda parte della raccolta non è possibile non leggerla come un'approssimazione alla «fantasiosa morte», tra la speranza di una serenità da chiedere ancora alla poesia — «Ripetere l'immagine / rintracciarla con linee di memoria / estratte dal groviglio»; «Con dolcezza impazzire al declino / di nostra vita / su questa proda di sopravvivenza» — e l'orrore per il «disastro piú vasto /d'una prossima forma». In questa condizione la presenza di Dio sembra appena profilarsi per misurare l'infinita differenza: «Ex nihilo Dio / da ritagli rottami / carcami cascami io». Cosí procedeva ora la poesia di Cattafi con quello «scatto in piú» che produceva il discorso breve simile all'epigramma che sa dire nella sua concisione «l'insopportabile vista / che corrisponde alla vita».

Nelle raccolte di Giovanni Raboni (*Le case della Vetra*, Mondadori, 1966, *Cadenza d'inganno*, ivi, 1975) certe luci tipiche del paesaggio lombardo e della poesia che ne è stata l'interprete, certi sfumati nebbiosi si incupiscono e si drammatizzano trasferendosi dalla campagna alla città a contatto con un momento storico in cui vecchie condizioni umane e poetiche sembrano oramai del tutto consumate; forse per questo il discorso di Raboni si frantuma quasi alla ricerca di un'altra realtà su cui posare, trapassando dallo scorcio familiare alla cadenza politica inconsciamente puntando ad una «quota zero» o a un terreno neutro dove «non si cacciano mostri, non si allevano morti». Se, per restare nella «linea lombarda», è possibile cogliere nei testi di Raboni qualche accento sereniano («Eppure; meno male pensavo, siamo arrivati sotto la tettoia / prima che i provocatori siano morti, / in modo irrimediabile lenito l'acciaio, / acciaccate le punte che ci vogliono morti»), l'influenza piú sensibile pare essere quella montaliana (degli *Xenia* in particolare) là dove la poesia può essere dedotta dai minimi oggetti del vivere quotidiano («Lo specchio, il dentifricio / lasciato fuori per sbaglio, il pettine da restituire / tra i battenti socchiusi»).

Contemporanee nella stesura alla prima raccolta di versi sono state le prose di *La fossa del cherubino* (Guanda, 1980), che se all'inizio si organizzano quasi nella forma del racconto, in genere si tengono nella misura del breve spunto e nel gusto di uno stile non lontano dalla prosa poetica per lo piú portata al discorso ininterrotto. Ma ciò che piú colpisce, al di là degli echi mozartiani o del tono «straziante» che avvolge molte delle pagine, è la frequenza di due immagini che ci appaiono fra loro complementari — movimento e stasi, fuga e clausura — quella della partenza (le stazioni con le loro tettoie e le biglietterie e gli alberghi vicini) e quella di una riduzione in un interno accogliente, buio e silenzioso, dal quale si guarda al mondo esterno tra il desiderio e la preoccupazione (un cinema, una stanza con una donna, una corriera da cui si può vedere il paesaggio). È il motivo che ci conduce direttamente alle poesie di *Nel grave sogno* (Mondadori, 1982)[23]: l'«appartamento» con i figli e i gatti e altre quasi misteriose presenze di animali, «la casa / nell'ombra, nella penombra», il mollusco dentro e fuori della conchiglia, la camera nuziale senza finestre, la calda birreria da cui si gusta il grigio mezzogiorno, e i paesaggi invernali e innevati. C'è sicuramente un dato psicologico, il crogiolarsi in uno «stato di tranquilla disperazione»; ma su di esso si innesta un valore simbolico che trasferisce sul piano del dramma la morbida e ironica compiacenza dell'io, dell'«omaccione pingue, malinconico» che si aggira tra libri e gatti[24]: « ... Il batticuore / di sempre quando aspetto / di partire da solo — non sarà, / mi dico, cosí diversa la morte». Ma sarebbe incompleta la lettura della poesia di Raboni

[23] L'ultima sezione della raccolta comprende le poesie di *Il piú freddo anno di grazia* (Genova, San Marco dei Giustiniani, 1977) dove in prefazione Vittorio Sereni scriveva: «Raboni si è gradatamente scostato dalla componente piú dubbia della cosiddetta linea lombarda, cioè dall'ingrediente geografico-affettivo di questa. E in quanto alla poetica dell'oggetto o degli oggetti, che per convenzione l'accompagna, direi che se ne è servito alla rovescia ... In Raboni ... gli oggetti sono lí nel loro enigma, nel loro indecifrato senso incombente».
[24] Si veda *Le storie 1968-1973* nell'antologia a cura di A. Porta *Poesia degli anni settanta*, Feltrinelli, 1979, p. 311.

che non riuscisse a cogliere questa disperazione e questa malinconia non come un atto di rinuncia, ma un gesto pieno di nostalgia per «quando ancora / tutto ... / era possibile», la scelta di una consapevole alternativa davanti all'«infantile disastro del mondo», che non esclude il verso duro e l'invettiva quando l'offesa appare insopportabile

> Giuda dice che l'alibi del morto
> era crollato: per questo il morto è sceso nel cortile.
> Ma l'alibi era buono; il morto è riabilitato:
> nessuno dice che Giuda aveva torto [25].

La produzione poetica iniziale di Amelia Rosselli è stata raccolta in *Primi scritti (1952-1963)* (Guanda, 1980) che comprendono, come dice la stessa autrice, «esercizi poetici prima di scegliere una lingua», cioè un apprendistato in senso assoluto di chi ancora non sa, fra italiano, inglese e francese, quale sarà lo strumento cui affidare la propria parola [26]. Ma già nel 1958, il poemetto *La libellula* [27], che portava come sottotitolo «Panegirico della libertà», mostrava come il punto d'approdo fosse stato trovato con la padronanza, libera e duttile quanto si vuole («il farneticare in malandati versi») ma proprio per questo sicura e personalissima, della lingua italiana. Ma quel panegirico «ispirato al tema della giustizia ebraica» era poi, in realtà, un quasi straziato appello alla vita e all'amore («io cerco / ... / Ed io non so cosa cerco»; «Io non so / ... / io non so / ... / non so / ... / non so ... »); « ... Io non ho nessun appello / e nessun credo con cui cominciare il mio lungo / appello»), un continuo sperimentare il cui scacco pareva inevitabile: « / Io non posso / più ricordare d'esistere / ... / La malattia non ha diritto d'esistere».

Si entrava così nei motivi fondamentali delle prime raccolte importanti, *Variazioni belliche* (1964) e *Serie ospedaliera* (Il Saggiatore, 1969): la malattia («il leggiero giogo della mia inferma mente»), la notte («il tuo disfare della mia notte / a piena notte»), la morte («tra una morte / e l'altra, tiro un sospiro di sollievo»), la vanità del vivere («il mio crescere vano vitalizio») — cercando sempre una risposta che la vita, «rovina lenta ma adempiuta», non riesce a dare. Il verso lungo che caratterizza quasi sempre le poesie continua a dare spazio ad una invenzione logica che segue regole puramente fantastiche, ma non

---

[25] *L'alibi del morto*, nella medesima antologia di Porta. La poesia è evidentemente ispirata alla morte dell'anarchico Pinelli.

[26] Figlia di Carlo Rosselli assassinato in Francia dai fascisti nel 1937, Amelia Rosselli è vissuta a lungo in Inghilterra e negli Stati Uniti.

[27] Lo si legge ora nell'edizione milanese di *Studio Editoriale* (1985) con una breve nota introduttiva dell'autrice.

vi è, in questo, alcun sentore di fiancheggiamento neoavanguardistico ché troppa è la pena che muove allo scrivere, un dolore tutto soggettivo che istintivamente rifiuta tecnicismi e astuzie dello scrivere, pur restando sempre alto il tono della testimonianza affidata ad un flusso talora al limite del delirio talora piú controllato. Come può accadere in *Documento* (Garzanti, 1976)[28], «un lavoro quasi architettonico e intenzionale» secondo la definizione dell'autrice, ma che non placa il senso di orrore del mondo e di se stessa, «son doppia, son malfatta, son incolore», che culmina nella drammatica ambiguità del *Dialogo con i morti*.

A differenza della produzione narrativa tutta fondata su motivi autobiografici, la poesia di Luca Canali (raccolta inizialmente nel volume riassuntivo *Resa condizionata*, Firenze, Lalli, 1976) poggia su una solida base culturale che è quella delle letterature classiche usufruite però in modo non libresco e archeologico ma piegate a dire le cose attuali, un tormento fra storico e esistenziale, la gioventú rimpianta anche per la vitalità delle lotte politiche ormai sbiadite: («La nostra giovinezza scioperata / di politiche risse, di passioni / confuse e ardenti / ... / La nostra giovinezza se n'è andata». Ma Canali procedeva poi anche ad una formulazione piú complessa della sua visione del reale: «Necessaria è la coscienza che nulla / ha senso, né l'esistere o il morire / ... / L'eroismo / piú vero è questo necessario e lucido / abbandono alla legge dei contrari»; e ancora, quasi riassumendo l'intero senso della sua opera poetica: «A me basterebbe nell'ultima e definitiva delle mie morti / il tuffo a picco nell'aria e il canto spiegato dell'allodola. / Purché non si ridestino i guerrieri della legio quinta Alaudae / annaspando su un fiume di lamiera come fantasmi di cigni».

Da qui parte quello che potremmo chiamare il secondo momento della poesia di Canali (*La deriva*, Rizzoli, 1979 e *Il naufragio*, ivi, 1983) che si distingue per due motivi definitivamente emergenti, il passato di un'esperienza politica esaltante ma ormai distaccata, e l'assalto del male che corrode il fisico e distrugge lo spirito fino a ridurre l'uomo a un «automa disperato». «Erano inganni / le mie giovani fedi, la realtà / è questa in cui m'imbatto con la mia lucida / follia, tremando ai pochi gradi / di febbre di mia figlia».

[28] Nel 1983 sono usciti gli *Appunti Sparsi e Persi* (Reggio Emilia, Aelia Laelia) che, come spiega la Rosselli introducendo il testo, furono scritti contemporaneamente a *Documento* (1966-1973); si veda in particolare, la poesia dedicata a Pasolini che le presentò agli esordi ventiquattro poesie sul *Menabò* (1963): «Faticavo: ancora impegnata / ad imparare a vivere, senonché / tu tutto tremolante, t'avvicinavi / ad indicarmi altra via». Nel 1981 era uscito anche *Impromptu* (Genova, San Marco dei Giustiniani).

C'è in quest'ultima espressione forse l'ultimo spiraglio di fuga dalla «maledetta camicia di Nesso» che lo stringe alla sua dannazione, e lo vediamo riaprirsi in *Il sorriso di Giulia* (Editori Riuniti, 1980) che con *La Resistenza impura* (Mondadori, 1965), *La vecchia sinistra* (ivi, 1970) e *Autobiografia di un baro* (Bompiani, 1983) costituisce una tetralogia narrativa valida, almeno per quanto riguarda il lato pubblico della testimonianza, come autobiografia di un'intera generazione o quanto meno di un suo qualificato settore. Canali vi narra infatti — in quella sua maniera che predilige il breve capitolo, il ricordo diretto o, al massimo, il racconto che però non nasconde le origini memoriali — gli anni eroici dopo il '45 e la militanza nel Pci, le grandi speranze e le lotte per le strade e gli intensi legami con i compagni, quelli sopravvissuti e quelli caduti; e poi i dubbi, le delusioni, «la svolta del '50», il sorgere di una nuova sinistra — e sempre «la mostruosa disparità fra risultato e sacrificio» e l'impassibilità della storia. Il motivo dell'impegno politico si salda cosí con quello tutto privato della nevrosi, dell'angoscia metafisica, cui appena e fuggevolmente sembra talvolta poter venire in soccorso una speranza religosa: «Signore, se esisti affonda una luce benigna / sulla natura, gli uomini, le cose / che a me sembrano immersi sempre in lividi / riflessi infernali»; «Se mai / potessi credere in fiabe / stupende di Vangeli e Corani, / affronterei la storia sfidando / fiumi di fango e geli, / donando la vita a grani / a grani». Cosí nelle poesie del *Naufragio*, né mancano accenti simili nelle successive raccolte, *Toccata e fuga* (Garzanti, 1984) e *Giuro di dire* (Rusconi, 1985) che nella stessa loro frequenza verificano un'ormai avvenuta saldatura tra vita e poesia per questo asceta solitario e disarmato profeta: «scrivere — il mio unico / superstite modo di vivere».

Forse per questa ritrovata formula di sopravvivenza, emerge un poco alla volta una disposizione d'animo piú articolata o comunque meno univoca, come se qualcosa si stesse sbloccando nella psiche dell'autore; lo testimonierebbe anche il coevo romanzo *Spezzare l'assedio* (Bompiani) che si aggiunge come ulteriore tappa dell'autobiografia (ora eminentemente rintracciata nelle avventure dell'eros) trascritta però sulla pagina non piú per insistere nella piaga ma come suo cosciente rimedio: «Scrivo per cercare scampo».

Lo strazio di un dolore immedicabile è il motivo che rinnova la poesia di Franco Matacotta (*La peste di Milano e altri poemetti*, Ancona, L'Astrogallo, 1975) pur legata nella carica aggressiva alle lontane poesie partigiane pubblicate negli anni quaranta e cinquanta con lo pseudonimo di Francesco Monterosso, ma rovesciandola in rabbia e disperazione. È ormai il tema privato a prendere però il sopravvento e a segnare drammaticamente anche la forma dei poemetti: frammenti di storia e di biografia, squarci di stagioni, barlumi di considerazioni, sfoghi irrefrenabili, interrogativi senza risposta, invocazioni al nulla, affermazioni e negazioni avventate in una dizione tronca, connessioni spezzate, tutto viene gettato nel magma di quella che Fortini, introducendo il volume, definisce «una sfarzosa e disperata enciclopedia disposta attorno a un morto e a un sopravvissuto». Dalla medesima condizione di sofferenza totale prende avvio anche la successiva raccolta (*Canzoniere d'amore*, ivi, 1977): «Ho perduto tutto»[29]. I testi assumono perciò l'aspetto di una insistita allucinazione sul motivo del sesso nel disperato e apparentemente dissacrante e persino blasfemo tentativo di cancellare il vero; la poesia diventa cosí strumento di esorcizzazione, litania che dovrebbe indurre all'oblio, formula magica che, nell'immobilità dell'iterazione, illude sull'orrore del tempo e la possibilità della gioia momentanea

> È il nostro amore
> morso coi denti, combattuto amore,
> che dalla morte sorto, nella vita caduto
> perduto nella vita, come un fiore vivrà.

Carlo Villa aveva cominciato come poeta ma era poi dirottato verso la narrativa producendo alcuni smilzi ma densi volumetti einaudiani (*La nausea media*, 1964; *Deposito celeste*, 1967; *I sensi lunghi*, 1970; *L'isola in bottiglia*, 1972), quasi una tetralogia sull'impietoso tema della vanità o della ridicolaggine del vivere nostro entro i paragrafi delle istituzioni, degli appartamenti a scatola, delle progettazioni senza sbocco, svolto in una lingua duttile ad ogni movimento ma sul fondo costante del grottesco o della caricatura. E l'operazione era continuata con *Muore il padrone* (Editori Riuniti, 1978) che riprendeva nella forma di un tormentato diario la triste e quotidiana storia di un travet anni settanta con le sue frustrazioni e i suoi sogni di sopravvivenza economica. Ma dal '73 Villa era tornato alla poesia con la *plaquette* geigeriana *Gorga*, cui hanno fatto seguitoaltre raccolte fra le quali *La maestà delle finte* (Guanda, 1977), *Nell'infanzia del dettato* (Bologna, Seledizioni, 1981), *Corpo a cuore* (Bastogi, 1985). Già nella narrativa di Villa serpeggiava o talvolta emergeva una vena

[29] Nel 1982 usciva presso Feltrinelli, con un'ampia introduzione di Alfredo Luzi, il romanzo *La lepre bianca*, la cui stesura risale però al periodo 1937-40. Di quella stagione risentiva certamente la pagina di Matacotta, che tuttavia riusciva ad usufruire della raffinata prosa degli anni trenta per costruire la ricca e complessa storia di un'infanzia e di un'adolescenza. Matacotta è morto nel 1978.

sensuale[30] da intendere nei modi generali di una sensibilità acutissima che riesce a cogliere i minimi segni sia della realtà oggettiva sia di quella fantasticata o allucinata, ma da intendere anche nel significato piú preciso del termine come vocazione alla visione del corpo femminile nella sua linea anatomica, contemplata e goduta con grande gusto quando bella, con disgusto e nausea quando brutta; e Villa ci si accanisce ora a delinearlo con desiderio ora ad offenderlo, sempre con quella sua scrittura un po' ossessa e abnorme, eppure lucida come lo possono essere certe descrizioni paranoiche che obbediscono rigorosamente alla loro inafferrabile logica; ma infine con una perfetta coscienza dell'operazione che sta compiendo: «Per l'amore tutto è immagine / è ogni immagine una realtà, / proprio come in poesia».

Nella poesia di Roberto Sanesi (*Rapporto informativo*, Feltrinelli, 1966; *Il feroce equilibrio*, Guanda, 1969; *L'improvviso di Milano*, ivi, 1969) torna talvolta il ricordo del «cielo bianco e pudico della Lombardia» e della topografia milanese ma in quell'aspetto «acido e aggressivo» in cui si annegano le ultime nostalgie e Milano viene assimilata a qualunque altro agglomerato umano. Ma i succhi che la nutrono non sono soltanto lombardi, alimentandosi puttosto ad un'area anglosassone dalla quale Sanesi trae elementi lessicali e culturali e qualche accento specifico da quegli autori come Eliot e Dylan Thomas che egli ha particolarmente studiato. Le raccolte successive — che inglobano anche plaquette precedenti — (*La paura*, Milano, Cerastico, 1975; *Recitazione obbligata*, Guanda, 1981; *Il secondo profilo di Alterego*, Seledizioni, 1982) confermano una scrittura agguerritissima in cui l'apparente freddezza del laboratorio formale maschera una continua partecipazione, una vera passione per «la luce dura della volontà». È questa pregnanza ininterrotta che fa coincidere l'esercizio dello scrivere con quello del vivere a collocare Sanesi al di là delle linee o delle legittime genealogie, in una zona in cui esistono poeti che operano una loro invenzione di mondi e di linguaggi potendosi rifare a meno consuete e domestiche fonti.

L'approdo dal campo della critica militante o accademica a quello della creatività narrativa o poetica, non è un fatto isolato o casuale; si ricordino i nomi di Ferruccio Ulivi o di Luca Canali, ma è questo anche il caso di Claudio Marabini che a partire dalla fine degli anni sessanta ha rivelato una ricca vena narrativa pubblicando presso Mon-

[30] Si vedano anche i «racconti fantastici e paradossali» *Mandrake arcivescovo di Salem* (Newton Compton, 1981).

dadori una serie di romanzi (*La notte vede piú del giorno*, 1978; *Il passo dell'ultima dea*, 1980; *Malú*, 1984) in cui oltre la preferenza nella scelta del racconto epistolare, risulta evidente la propensione all'analisi dei sentimenti che tende ad avvolgere i personaggi in un clima vagamente elegiaco e disperato. Piú lontano nel tempo e dedicato esclusivamente alla poesia è il lavoro di Giorgio Barberi Squarotti, che fin dal 1960 aveva raccolto i primi risultati di questa sua attività, frutto insieme di una sorvegliatissima attenzione letteraria e di una vissuta partecipazione umana, il cui esito era in generale una versificazione ampia, quasi un commento ininterrotto al vivere, come ci pare volesse esprimere il titolo stesso della raccolta, *Notizie dalla vita* (Bastogi, 1977) che testimoniava un decennale impegno poetico. Barberi Squarotti ha continuato con intensità anche negli anni ottanta la sua «declamazione onesta», a fornirci il suo «ritratto d'intellettuale», fino al volume *Dalla bocca della balena* (Torino, Genesi, 1986) che faceva precedere le nuove poesie da un'ampia documentazione antologica delle raccolte precedenti.

Il passaggio da terreni diversi a quello della letteratura creativa ha avuto altri illustri protagonisti. Gabriele Baldini e Ruggero Jacobbi (mancati nel 1969 e nel 1981), protagonisti nel campo degli studi di anglistica e di lusitanistica, sono stati anche autori in proprio, Baldini di un volume di memorie, *Le rondini dell'Orfeo* (Einaudi, 1965), Jacobbi di numerose raccolte poetiche di cui si ricordino *Le immagini del mondo* (Rebellato, 1978) e *E dove e quando e come* (ivi, 1980)[31]. Ma alla «tentazione» di varcare i confini della critica per entrare in quelli della memoria o della fantasia hanno ceduto altri nomi importanti, da Geno Pampaloni a Marco Forti, per non parlare di quell'altissima forma di saggistica artistica e letteraria, liberamente ma pur sempre rigorosamente intesa, di grandi maestri come Mario Praz o Giovanni Macchia.

Forse la figura che meglio caratterizza la doppia frequenza del campo critico-filologico e della poesia è quella di Angelo Maria Ripellino, slavista insigne e poeta raffinato e sapiente la cui vena tragico-grottesca (si vedano *La fortezza d'Alvernia*, Rizzoli, 1967; *Sinfonietta*, Einaudi, 1972; *Lo splendido violino verde*, ivi, 1976) si alimenta a una vasta cultura mitteleuropea ma anche al senso drammatico degli errori assurdi del mondo e della malattia che insidia sempre piú da presso. Il preannuncio della fine è ancor piú conclamato in *Autunnale barocco* (Guanda, 1977) — «Sai che significa esser bruciati», «Come rassegnarsi al termine della morte» — comprendendo nell'orrore del di-

---

[31] Di Jacobbi si ricordi anche *L'avventura del Novecento* (Garzanti, 1984), ampia storia della nostra letteratura del secolo XX rimasta purtroppo incompiuta.

sfacimento l'intera visione del mondo e coinvolgendo l'estremo dubbio sul senso stesso del poetare: «Quando parli coi morti, ti chiedi / se i vivi parleranno con te, morto. / Se ci sarà qualcuno a ricordarsi / delle tue chiacchiere, rosso geranio». Questa vita che fugge diventa cosí un luogo irreale popolato da strani e inafferrabili personaggi, ombre e larve che emergono dai fondi della cultura, affollato da vegetazioni strane e animali ripugnanti e appena consolato da qualche sorriso infantile. Il barocco di Ripellino va perciò inteso come un folto di immagini tra il «corrusco», il deforme e il buffonesco o tra lo stregato, il repellente e l'orrendo, eppure tenuto entro un verso ritmato e persino quasi cantabile cui talora soccorre anche la rima o la giusta misura della quartina.

Mario Lunetta ha finora equamente diviso il suo lavoro tra l'attività critica, narrativa e poetica. La prima è stata inizialmente raccolta nel volume *La scrittura precaria* (Roma, Argileto, 1973) cui hanno fatto seguito *Sintassi dell'altrove* (Lalli, 1978) e *Da Lemberg a Cracovia* (Siena, Quaderni di Messapo, 1984), mentre il narratore ha al suo attivo tre romanzi che si caratterizzano per il duplice ed egualmente aspro impegno sul versante del politico e su quello del linguaggio, anzi su questo come unico possibile strumento per rendere, al di là dei facili mimetismi, i sensi assurdi e feroci di quello. Nel primo titolo, *Dell'elmo di Scipio* (Marsilio, 1974) l'occhio pungentissimo di Lunetta si appuntava su certe tragicomiche figure che si aggirano per la scuola italiana, tradotte in una lingua grottesca che imita e stravolge i modelli di una pseudocultura di cui «l'elmo di Scipio» è l'eloquente emblema. Pure fedele ad una base reale, ma questa volta allargata all'intero continente e trasmessa in un romanzo-pamphlet favoloso e corrosivo, è *I ratti d'Europa* (Editori Riuniti, 1977). L'opera di corrosione del linguaggio agisce qui su tutte le fibre cancerose della vita pubblica, a Varsavia come ad Atene e come nella Roma democristiana dove vive la sua avventura un intellettuale illuso e sconfitto. Né diversa è la chiave di scrittura di *Mano di fragola* (ivi, 1979), un romanzo sul terrorismo che vede ancora la cronaca violenta dei recenti anni romani sconvolta, e per questo piú verosimilmente rappresentata, dal consueto ardito espressionismo della prosa lunettiana.

È questa serie di continue «lacerazioni e diffrazioni di idee e di sensazioni»[32] il segno piú tipico anche del poeta dall'esordio di *Tre-*

[32] Cosí A. La Torre nella postfazione alla *plaquette Chez Giacometti 13 poesia 13* (Roma Carte segrete, 1979). La Torre precisa ulteriormente: «Lunetta è un sintassiere che tratta i suoi materiali "con coscienza critico-autocritica di segno materialistico". Prima di tutto, le

dici falchi (Geiger, 1970). Esiti piú convincenti li troviamo in *Lo stuz-zicadenti di Jarry* (Lacaita, 1972), dove anche piú esplicita e dramma-tica è la dichiarazione ideologica — «l'uomo a questo punto della sua storia ... [è] ... il piú spregevole degli esseri viventi» — e piú totale è la polemica contro «gli avvoltoi della cultura borghese»; tanto che tutta la prima parte è un vero e proprio manuale di educazione alla disubbidienza, e solo il gesto nullificante del poeta francese che in punto di morte nient'altro chiede a questo mondo se non uno stuzzi-cadenti, può esprimere il senso di disprezzo e di rifiuto che muove anche il poeta italiano. È il «sarcasmo liquidatorio» (Gramigna) an-che di *La presa di Palermo* (ivi, 1979) che moltiplica le soluzioni for-mali, talvolta puramente esteriori, dello stile di Lunetta, ma sempre e se è possibile con maggiore sdegno, «per cacciare di casa la vecchia zia: / la Borghesia». Le piú recenti raccolte, *Flea Market* (Guida, 1983), un *réportage* dagli Stati Uniti che ritrae uomini e luoghi con ironia e con affetto, e *Cadavre exquis* (Roma, Rossi e Spera, 1985) conti-nuano l'arduo «gioco tragicomico», che implica — è lo stesso autore a definirselo — «l'autoironia, lo sberleffo, la sghignazzata» all'inter-no di una «griglia linguistico-espressiva» da usare contro la scrittura poetica celebrativa e autolaudatoria e attraverso la quale pur filtrano una quantità di referenti «*reali*».

Altri hanno cercato e talvolta trovato le fonti della loro parola nei linguaggi scientifici, forse memori di un'antica ammonizione gaddia-na ad avvalersi di quell'enorme patrimonio che è il linguaggio delle tecniche, piú probabilmente mettendo soltanto a frutto le proprie co-gnizioni personali per risolvere il problema di un'espressione origi-nale che avesse in sé i caratteri della modernità.

Cesare Ruffato, ad esempio, già nella sua prima opera di rilievo, *Cuorema* (Rebellato, 1969), deriva con naturalezza macroscopica il suo mondo poetico dal campo dell'anatomia, e in *Caro ibrido amore* (Lacaita, 1974) prosegue la sua operazione fornendoci una serie di casi clinici chiariti da un glossarietto; certo, potrebbe trattarsi di una pura trasposizione esteriore se non fosse compiuta con una sorveglia-ta attenzione a tutti i possibili apporti linguistici, e soprattutto alla strutturazione, o destrutturazione, dell'opera in versi. Questo spiega

parole. Le sottrae, intanto, alle relazioni grammaticali del codice d'uso e le propone in una rete di motivazioni che sopprimono ogni residua dimensione di arbitrarietà, ogni distanza fra significante e significato. Sottoposta al trattamento dell'immaginario, la parola modifica il suo statuto e la sua funzione. Il significante non rinvia al significato, ma si istituisce esso stesso come significato. Piú che al significato e alla comunicazione, Lunetta è interessato alla dinami-ca del significante».

la maniera, nonché il titolo, dell'opera successiva, *Minusgrafie* (Feltrinelli, 1978), come dire radiografie dell'essere minimo, in cui le ultime cellule della corporalità e la parcellizzazione lessicale e sintattica, che non esclude composizioni di largo respiro, si corrispondono e si significano reciprocamente senza cercare referenti fuori del loro sistema. La poesia, o diciamo meglio il testo, è tutto in quell'arduo gioco che si continua in *Parola bambola* (Marsilio, 1983) allargandosi ad uno scibile piú ampio («nel rumore cosmico laboratorio / di adesioni fasi facilitanti / esibizioni della deriva eterea») ma sostanzialmente non mutando né la struttura della pagina né le componenti che vi entrano; se mai aggiungendo un'indicazione — con quella «bambola» che si fa aggettivo della «parola» — che potrebbe essere preziosa come invito a leggere queste e le altre pagine che ostentano tanta scienza, come il balbettio semiafasico dell'infante, il bamboleggiamento extrarazionale dell'uomo che della scienza si fa tormento, che con la scienza si scava la bara.

Carlo Felice Colucci, medico anch'egli come Ruffato, oltre alla produzione narrativa (si veda *La corsia*, Rebellato, 1972 e *I figli dell'arca*, Cooperativa Scrittori, 1979, particolarmente legati alla sua professione) ha al suo attivo alcune raccolte di poesia in cui appare talora in vista il riferimento alla terminologia medica (*Placebo*, Lacaita, 1975) ma il senso del suo messaggio non si limita a valori puramente lessicali o linguistici toccando piuttosto con emozione e con grande pudore i dolori e i misteri del vivere e del giungere alla morte attraverso il piano inclinato della malattia e della vecchiaia, come appare soprattutto in *La bella afasia* (Lacaita, 1983).

E *Dopo la scienza* (Castelplanio, Ribichini, 1982) intitola una delle sue piú recenti raccolte Leonardo Mancino, ma per dire il fallimento delle illusioni che la scienza può aver creato e invocare dal caos di oggi un ritorno alle coscienti matrici razionali: «scavare nella babilonia degli atti / un luogo / per attestarvi tragica / una ragione». Ma la poesia di Mancino conosce una molteplicità di atteggiamenti (a parte la sua attività di critico e di organizzatore culturale particolarmente in terra pugliese) come mostrano le poesie di *Il sangue di Hébert* (Lacaita, 1979) che si muovono «fra l'entusiasmo e la negazione ... dall'esistenziale al politico» (per citare le parole introduttive di Roversi) o quelle di *La dissipazione del talento* (Bari, Levante, 1985) che segnano il momento della nostalgia per l'infanzia, gli affetti, i «colli marchigiani».

La personalità di Dario Bellezza appartiene prevalentemente alla poesia, ma i suoi esordi furono di romanziere (*L'innocenza*, De Donato, 1970) ed ancora al romanzo egli è tornato con *Lettere da Sodoma* (Garzanti, 1972) per ribadire una tematica dalla quale egli sembra sin troppo condizionato, quella, per usare una sua stessa espressione, della «vergogna del sesso sconclusionato», dell'«eros alcibiadeo» (Contini). Questo costituisce il dato centrale di una condizione «gloriosa e ingloriosa», ma infine dolente e straziata che dà alle pagine di Bellezza un che di cupo e lacerato che non solo ne segna il dato psicologico ma ne struttura il valore letterario; è infatti questo grigio continuo di abiezione e di morte portato avanti in una prosa «semilavorata» (come diceva Moravia nella prefazione al primo romanzo) a sostenere il racconto e a mantenerlo con sapiente equilibrio tra biografia e sogno, tra cronaca e allusione, tra verità e menzogna; in una scrittura dove comunque appare particolarmente apprezzabile la capacità di cogliere una Roma sfumata tra vizio e mistero. La dolorosa appartenenza «alla razza semimorta dei diversi» non poteva non occupare anche l'opera del poeta, le sue *Invettive e licenze* (ivi, 1971) cui ha fatto seguito *Morte segreta* (ivi, 1976). Piú che certe ostentazioni le quali, d'altra parte, possono intendersi come disperate rivendicazioni in faccia a un mondo che non lo sa intendere, quello che può lasciare perplessi è la univocità di questa parola poetica, di cui lo stesso autore sembra rendersi conto («Sciagurato solo di me so parlare / ... / E il piangermi addosso») e che finisce per bloccarlo in un continuo rovello sul proprio io, nel quale non sempre il mero dato biografico viene superato.

Eppure, è proprio questa monotonia, cioè questa impossibilità di dir altro, a rendere quasi agghiacciante il senso di sòlitudine e di tristezza, l'atmosfera di incertezza e di lutto nella poesia di Bellezza. Ad essa concorre un verso difficilmente gridato o lamentoso, teso piuttosto ad un andamento discorsivo e quasi dialogato per l'uso frequente della seconda persona, con un tono medio insistito e martellante (a testimoniarlo sta anche l'uso frequente delle allitterazioni, solo abbellimento poetico che egli si conceda), esaltato piú che sconvolto; «un verso lungo», che Contini fa discendere dalle pasoliniane *Ceneri di Gramsci*, «grondanti di *enjambements* fra determinante e indeterminato, e addirittura fra proclitica e parola "piena" ... risultante da una spiritosa alterazione e manipolazione dell'endecasillabo»[33].

L'alternanza di raccolte poetiche e di romanzi fa registrare nel 1979 *Angelo* (ivi), l'unico testo di Bellezza che, pur nella fondamentale struttura narrativa, intercala alla prosa alcuni passi di poesia in funzione di precisazione e commento. Scritto in prima persona, piú che autobiografia dell'autore il romanzo può apparire come resoconto di un

[33] *Schedario,* cit.

modo di vivere proprio di una generazione che sbarca malamente il lunario tra Campo de' Fiori e piazza Navona nella noia, nella banalità, nella ripetitività e anche un po' nella letteratura, avendo come massimo traguardo la droga e le violente schermaglie d'amore. E il medesimo, anzi assai peggio, accade in *Turbamento* (Mondadori, 1984), dove si segnala un'ancor piú disinibita libertà di linguaggio, ferma restando però quella grigia litania di pagine che appare lo strumento piú congeniale per raccontare i magri fasti di queste sregolatezze senza genio, la falsa eccezionalità delle sublimazioni o delle frustrazioni di miseri eroi abitatori di fetide stanze d'affitto.

Ma quasi contemporaneo a *Turbamento* (e subito dopo la raccolta *Libro d'amore*, Guanda, 1982, che non si discosta dal tema piú tipico) è il volume mondadoriano di poesie *io* (1983) che l'autore considera complementare al romanzo, e certamente lo è e nel modo migliore. Si direbbe che, a questo punto della sua carriera, Bellezza abbia abbastanza nettamente diviso le funzioni della scrittura, assegnando alla prosa l'esplicitazione fattuale delle esperienze biografiche raccolte anche nelle loro manifestazioni meno gradevoli, alla poesia il sommesso, dolente riflesso di quel vivere, o piuttosto — ormai — di quell'aver vissuto, se il motivo centrale di *io* è in questa amara coscienza di una gioventú che sta sfuggendo: «dopo che / perversione e peccato / via fuggirono da me reso pesante / dagli anni». In questo assedio del tempo, in questa solitudine nasce anche la nostalgia religiosa per «un Dio che non c'è», e la possibilità di godere le poche dolcezze che possono venire dalle piccole cose, la gentile figurina di un gatto o un felice scorcio romano. Ma nasce dai versi anche il dubbio sulla serietà dello stesso lavoro poetico e sulla collocazione che l'autore vi può trovare, espresso in quelle forme autocommiseranti e narcisistiche (questa volta messe in chiaro sin dal titolo della raccolta) tipiche della maniera con cui Bellezza riesce a cogliere non solo se stesso ma tutto il mondo in cui vive: «Io relitto semiserio di un mondo / scomparso ... / io poeta, genere / alimentare fra i piú scadenti / e ispessiti dalla volgarità del consumo / ... / e piango sulla comune sorte / di rimanere dentro l'umano».

Abbiamo già accennato agli interventi di Giuseppe Conte a sostegno di una linea anceschiana di rivendicazione dell'autonomia della letteratura; ma a differenza di altri provenienti dall'esperienza del *Verri*, la verifica di quelle premesse teoriche (si veda anche *La metafora barocca*, Mursia, 1972) non si affidava ad un esercizio tecnico sul linguaggio ma ad una vena sovrabbondante (Anceschi: «un vero impeto di liberazione, rarissimo») eppur saldamente organizzata in forme metriche, nonostante il continuo debordare dalla misura di parole e immagini[34]. Conte risulta cosí, della sua generazione, uno dei pochissimi in cui la modernità della scrittura non è stata pagata dalla indecifrabilità, né è andata a scapito della ricchezza del messaggio. Lo dimostrò *L'ultimo aprile bianco* (Società di poesia, Guanda, 1979; lo si veda poi, con aggiunta di altre poesie in *L'oceano e il ragazzo*, Rizzoli, 1983) che trasforma il sin troppo consueto tema della degradazione della natura in una sgomentante leggenda di vita e di morte le cui coordinate sono indelebilmente segnate già nel primo poemetto: «fu semplice il cominciare della geografia / ... / ma poi fu costruito il labirinto»; e le cui figure sono il sole, il vento, il mare, gli alberi, gli animali e anche le presenze divine di mitologie remote, ma soprattutto l'«io». C'è nella poesia di Conte un'aperta vena di pannaturalismo, una continua dichiarazione di solidarietà o piuttosto di identificazione fra io e mondo, fra l'io e le cose del mondo, pietre, acque, fiori, luci, mattini, dio, in una forma di esorcismo della morte che incombe, morte individuale o totale

> pensiero, io strada, io notte. Non ho piú
> giochi, voglia di ridere, di godere, soltanto un
> poco, al riparo di una disperazione decorata; le
> parole di sopravvivenza cercate e spese, unico
>
> dono: le palme fitte di sogni poi, le
> ultime, sul ciglio diseguale del gran mare
> di buio: l'amore che non vale a far tornare
> i mattini: io cammino, c'è sempre meno
>
> luce, meno strada: al culmine
> della tenebra e delle acque io non ho piú
> giochi, cadono: solo imparo ad attendere
> l'ubiquità dolce e fiorita della
>
> morte.

«Cosa sarà domani di noi?» compendia tutti i possibili quesiti; alla domanda forse può dare una risposta l'«amore che eterna» («sii / mio, apparteniamoci, in noi il mondo può // salvarsi») o «la gioia della poesia», che affida anche al piú remoto futuro la memoria di noi («Un giorno se mi leggerà il lettore del / terzo millennio, saprà che c'erano

---

[34] È quanto lo stesso Conte ci dice in sede teorica: «Mi sembra dunque che proprio in ciò che *produce* e *istituisce* il linguaggio poetico in quanto tale concorrano i due momenti, uno libero e decodificante, che però diviene comunicabile solo se accetta di passare attraverso l'altro momento, di ordine e di codificazione» (*Le istituzioni del desiderio*, in *Il Verri*, sett. 1976).

gli / alberi e i desideri, le palme e i pini, e gli / eucalipti dalle foglie
a quarto di luna, e le // rose»); non certo la religione («per noi l'inganno / atroce dell'anima e il prete con la // croce») se non quella di
un panteismo assoluto che accoglie e risolve tutte le pene dell'io

> Giuseppe era il mio nome di
> cristiano, ora non ho piú nome: sono
> api e lucertole, pietre e mimose, il
> mare: lei non mi potrà riconoscere.
> ...
> ... essere due conchiglie nel silenzio
> del fondale.

Non è difficile cogliere, qui ed altrove, echi montaliani, come me-
re coincidenze verbali e come suggerimenti metafisici legittimanti un
accostamento del ligure Conte ad una tradizione, rivissuta tuttavia
con una coscienza anche teorica aggiornata e personale, per la quale
è vero che «gli alberi di cui la poesia ci parla sono gli alberi di un
giardino dell'erba voglio» e il carattere primo della poesia resta quello della «superfluità», essendo però altrettanto vero che quegli alberi
e le pietre e gli animali somigliano inconfondibilmente a quelli del
paesaggio in cui il poeta vive[35] sicché ancora una volta fisica e metafisica si occhieggiano.

Quella di Maurizio Cucchi è una poesia che contiene in trasparenza o sullo sfondo una possibile trama, una storia, un racconto[36], ma
che si manifestano in primo piano attraverso mille imprevisti e fran-
tumazioni conservando di quella possibile origine solo un frequente
andamento da poemetto. Cosí fin dalla prima raccolta, Il disperso (Mondadori, 1976), cui non sarebbe del tutto errato attribuire a prima vista, come è stato fatto, un tratto realistico, lombardo e persino crepuscolare, tanto puntigliosi sono i riferimenti alle infime cose di una
bassa quotidianità[37] — i mediocri interni piccolissimo-borghesi con i
piatti di alluminio in cucina e il salotto con la Tv, e le camere da letto
con la sveglia, la vestaglia e tutti gli «effetti personali» e quel tanfo
di chiuso e poco pulito. Ma da questo inventario di miserie, di rima-
sugli del campare, esce qualcosa di piú di un quadretto di vita mila-

[35] Ad apertura della prima pagina: ginestre, acanti, palmizi, margherite, ciliege, erba a ciuffi,
papavero selvaggio, ecc. D'altra parte, il discorso di Conte sulla «fame di vita», sull'uscita dal-
l'«inferno» dei sentimenti che tengono prigionieri contro l'immersione nella natura, continua
nel romanzo Primavera incendiata (Feltrinelli, 1980), che si muove tutto lungo la Riviera tra
Italia e Francia.
[36] È lo stesso Cucchi a metterci sulla strada dichiarando in Nota a Il disperso che alcune
delle poesie raccolte «traggono spunto da altrettanti brevi racconti scritti nel 1963».
[37] Su questo punto sono significativi i termini usati dalla critica: «microsegnali» (Porta),
«microdettagli» e «microframmenti» (Carifi).

nese nelle periferie grigiastre e violente abitate da portinaie e percorse da filovie; in quei poveri fantasmi, in quelle trame scucite, nei nomi sghembi o negli elenchi privi di nessi[38], si nasconde, o si rivela, una piú generale e disperata e miserabile concezione del vivere, angosciata di sospetti, di sensi di colpa, di attese paurose, di sottintesi, una vita come «magone» che non si riesce a smaltire e che va consumato con amara commozione o con simulata disinvoltura: «E in piú, dopo, uscire, fare il giro della casa, / tenerti la bocca, dire al primo che incontri e ti saluta: sai / devi scusarmi se parlo male, o mostro un riso macabro. / Ma vedi, / mi mancano i denti, proprio qui davanti ...».

Del resto, che «quell'inghiottire forsennato di giornate», quell'«insopportabile credito di affetti» andassero letti non come la cronaca di una biografia (nonostante l'uso continuato della prima persona) ma come orrido segnale di un mistero, che quello «sguardo del voyeur» non fosse solo il mezzo di una curiosità un po' patologica, era dimostrato dalla seconda raccolta, *Le meraviglie dell'acqua* (ivi, 1980), dove tendono a scomparire i riferimenti geografici e resta nella sua nudità raggelata ed ermetica l'essere uomo, lo sminuzzare senza senso le briciole della vita, la brevità insignificante degli anni vissuti tra la vertigine e l'accidia[39]. Cucchi continua ad usufruire senza parsimonia del suo lessico vile, della sua aggettivazione qua e là ripugnante, ma ormai il messaggio si fa esplicito

> Lo scorrere degli anni è diventato
> orrida cosa ... lettera morta ... morte;
> sia pure vivo, attiva nel presente,
> è un camminare cieco, futile,
> appiccicoso in oscuri, incompiuti affari ...
>
> Cosí, quasi tradotto, Giuseppe pensa; mentre fa.

Forse è possibile cogliere già in quest'ultimo verso una via d'uscita

[38] «Mi ricordo / sempre / del nonno in questi casi, della nonna, / del casotto (dell'orto) tutto ruggine, / riempito di badili, pezzi di legna, tolle, / bellissime cianfrusaglie tenute dacconto / sacchetti di plastica con cordine fatte su, elastichini, lucchetti, palline di gazosa (verdi), chiodi, bulloncini, cacciavite, cerotti: cosí come in casa al primo piano, in basso i detersivi nell'armadio a muro / e le bottiglie dell'olio e dell'aceto e sopra / scatolette zeppe di roba che chiusa / potrebbe servire a qualche cosa / e cosí correre ravanare / bottoni pennini / e la boccetta dell'inchiostro, tutto asciugato, i tacchetti per le scarpe da pallone, naftalina, immaginette, la coroncina del rosario dello scout e: / contagocce, bottiglini, turaccioli, la macchinetta / per forare i biglietti / del tram (vecchio cimelio). Tutto, tutto / tutto potrà servire chi lo sa.» (*Il disperso*, pp. 27-28.)

[39] Pur riconoscendo nelle due raccolte un progetto poetico unitario, R. Carifi (*L'Altro Versante*, n. 1) nota il passaggio «da un *realismo critico* ad un *realismo magico*», con la scoperta di «meraviglie di regioni enigmatiche e segrete».

dall'impudicizia dell'esistere; ma altri segni lasciano intendere spiragli nuovi, ora un amuleto che ci protegge (e naturalmente si pensa a Montale) ora un accento di tenerezza o i colori della primavera in un quieto paesaggio, ora infine una chiara forma femminile, che sembrano voler preparare al «caro adorabile piccolo tanghero idiota» che chiudeva la prima raccolta un futuro meno infestato da putride presenze.

La poesia di Giorgio Manacorda ama infiltrarsi negli spazi minimi della realtà, dove si annidano parvenze quasi impalpabili eppure vive e dolenti, e dove il verso disegna arabeschi delicati, sottilmente angoscianti, o raffinati mazzi di «ikebana» composti di «haikai sperimentali». Ma sarebbe un errore fermarsi alla vaghezza delle parole («un'altissima selezione lessicale», per dirla con Cordelli) e ridurre il valore del testo a un ricercato calligrafismo pago del primo traguardo dell'eleganza. Già nella raccolta *Iconografia* (Lacaita, 1974) c'erano almeno due direzioni di fuga da questa comoda soluzione, una ricostruzione dell'essere dalla frantumazione dei gesti e degli istanti, — ed ecco un mondo di cantieri e architetti, mattoni e costruzioni, — e il sogno di un paesaggio remoto come il deserto dell'antico Egitto; ma c'era poi, soprattutto, sulla leggerezza del verso, l'allungarsi di un'ombra che non permette troppe illusioni: «l'età ti permette / movimenti leggeri / ma la marcia è lunga e silenziosa».

Non mutano nella seconda raccolta, *Tracce* (Guanda, 1976), le fondamentali scelte, dai rottami di *Iconografia*, a questi «residui», alla vita cercata e trovata nelle impronte piú labili e apparentemente insignificanti o addirittura nei vuoti, negli spazi fra le cose, in tutte le mancanze, le assenze, le cancellazioni e le sottrazioni del vivere in una regressione ad un punto iniziale dove la realtà può essere data «in via ipotetica». È certamente questa la figura retorica dominante, in cui però l'ipotesi è sempre data in una forma di protasi senza apodosi, sicché gli elenchi paratatticamente predisposti a ristabilire una logica appaiono come una fila di fantasmi che non colmano il vuoto. O lo colmano, ma allora repentinamente l'immagine si abbuia e si drammatizza in una serie di violenze e di massacri che non sai se sono piú la proiezione della paura del futuro («i poeti nascono dalla paura») o l'eredità dell'«infanzia malata». Forse la soluzione è in *L'esecutore* (ivi, 1981) che ristabilisce un equilibrio in una scelta di «vita come una professione / senza odio e senza passione», e ancora: «mi sono ritagliato un'esistenza». Le cose poi non stanno esattamente cosí se proprio in questa raccolta, che in qualche misura si configura come un momento di ricostruzione dell'io, gli affetti domestici e le passioni politiche riprendono il loro posto, anche se i primi in accenti spesso di un «lamento» ironicamente crepuscolare, e le seconde nella forma della satira *ad personam* e, in ogni caso, da una posizione non di certezze ma di interrogativi. Il consuntivo, tuttavia, è fallimentare — «Superata metà della vita / non so se l'ho vissuta»; «... che / me ne faccio della vita / se non è finita?» — ed è allora naturale che questa «amara poesia / avara di musica e parole» concluda con la figura narcisistica dell'«esecutore», l'altra metà dell'io amata e odiata, la coscienza giudicante.

Il primo libro, comprendente prose e poesie, di Valentino Zeichen, *Area di rigore* (Cooperativa Scrittori, 1974) fu tenuto a battesimo da Pagliarani che vi riscontrava un'aura «fra neo-liberty e neo-crepuscolarismo»; un'ipoteca che veniva esplicitamente respinta dalla presentazione editoriale della seconda raccolta, *Ricreazione* (Società di poesia, Guanda, 1979). In realtà, quella prima indicazione andava letta e corretta almeno tenendo conto delle intenzioni dell'autore che si dettava un autocommento probabilmente sin troppo vibrante di esibizionismo, ma comunque accettabile come primo contributo alla critica di se stesso. «Invano, simulando maestria — scriveva dunque Zeichen nel '74 — ricalco fonemi bilanciati nei periodi rimati, costretti dalla moda dei bei tempi a l'eleganza dello stile. Sprezzante di belle lettere, le traccio nell'aria, svaniscono senza lasciare traccia»; e ancora: «Dai rimpasti indescrivibili della materia, estraggo residuati fantastici, sotterro agonie di concepimenti mancati... scavo cercando organi appartenutimi che mi scagionino dall'anonimità... sprofondo nell'informe viaggio destituito d'essere»; e infine, molto manganellianamente: «Vado verso la sconclusione»[40].

Azzardi alquanto giovanili che *Ricreazione* verificherà solo in minima parte per dar vita a un testo che rassomiglia assai piú alla figura anche sociale dell'autore, fiumano trapiantato a Roma per bilanciarsi sapientemente tra emarginazione e integrazione. E Roma è qui ben presente in una selezionata topografia, luogo di «patimenti amorosi» e termine ultimo di un autoironico desiderio

> Se di me sopravviverà un nulla
> di qualche movimento
> sarà il cognome
> scritto all'estremo della tabella
> di una linea di autobus
> a patto che un altro poeta
> acconsenta che col suo nome
> si intitoli l'altro capolinea
> cosí da poterci scambiare
> **delle visite.**

[40] Va però ricordato che *Sconclusione* di Manganelli è del 1976.

Oscilla spesso la poesia di Zeichen tra la tendenza a narrare e qualche «a fondo» che da un'apparente nonchalance tocca qua e là il nodo dolente dell'esistere, — «Questo nulla a mala pena / le parole ci nascosero»; «le date / di nascita e morte / ... unite / da un corto trattino / di vita»; — e questi modi, quello che l'autore chiama «la nostra illusione investigativa», continuano in *Pagine di gloria* (Guanda, 1983), sempre spaziando dalla minima cronaca romana alle amicizie, agli amori o magari alla contemplazione delle opere d'arte. Ma via via un punto segreto sembra prevalere, ed è quello dell'origine, anzi della «genesi» dell'essere e del suo svolgersi lungo un determinismo dal quale si generano i singoli nostri momenti: «In questa estesa tipografia della natura che è il mondo / si ristampano tutte le memorie genetiche»; e poi: «Contempliamo l'immutabilità / dello stato generale / donde accidentalmente / siamo scaturiti simili / a infinitesimali espressioni / del mutamento».

Il primo testo di Nanni Cagnone era in doppia versione italo-inglese (*What's Hecuba to him or he to Hecuba?*, New York-Milano, Out of London Press, 1975) e alternava poesie e prose ma con una sostanziale eguaglianza di linguaggio fatto di «disiecta membra, lessico errante, consanguineità inapparenti». Quando nel 1979 pubblicherà *Andatura* (Società di poesia, Guanda) Cagnone riprenderà quell'autodichiarazione collocando nell'ultima sezione, *Prima o poi*, un breve prontuario di poetica, indispensabile per affrontare le pagine che lo precedono. Lí Cagnone teorizzava che «il poeta è impovvisamente smemorato», è «sorpreso dal linguaggio», e la poesia non è un dire qualcosa intorno a qualcosa, poiché «si tratta di essere in una percezione senza percepito, compito vuoto, ironia che la cosa detta non è mai piú la cosa», e che si tratta non di porre il valore del senso ma solo di «fare cenno». E appunto cenni sono le sue poesie, spesso brevissime e moventisi lungo lacerti di sintassi con i quali l'autore sembra invitarci a non soffermarci per trascegliere, pena il tradimento del testo e dell'intenzione che lo ha sospinto e rinnovato ad ogni tratto, forse per ruotare intorno a «lo zero unico senza fondamento». La raccolta verificava in tal modo alla lettera il n. 5 della poetica: «La pretesa di vedere attraverso il testo è inefficace, perché il testo è opaco». Né esso si fa piú limpido quando nel 1984 esce *Vaticinio* (Società Ed. Napoletana) e Cagnone articola quelle sparse membra in un ampio poema di quasi duemila versi. Il senso di fondo era comunque questa volta individuato dalla premessa di Fredi Chiappelli «nell'integrazione "contemplatio mortis-interrogatio vitae"»; su questo motivo scorrevano con abbondanza immagini e metafore a rinnovare una sapienza poetica che qui sommava «tensione ontologica, sublimazione linguistica, molteplicità emotiva, improvviso e imprevedibile della fantasia» (Chiappelli); ma il tutto — viene il sospetto — per dire che si tratta di testi intrisi di un esoterismo letterario inavvicinabile per i non iniziati.

Si è visto come Sebastiano Vassalli fosse giunto, sulle pagine di *Pianura* alla conclusione che l'unica possibile via di resistenza contro le falsità sociali e letterarie era quella del riso e dello scandalo, e questa via egli ha fedelmente battuto a partire dagli anni settanta, appena superata la fase piú legata ad uno sperimentalismo vicino alle neoavanguardie. «La poesia oggi — scriveva in una *plaquette* del '71 cosí intitolata — è dove la parola verificata si elimina / da una realtà che è tale soltanto per un errore stilistico»; ma la verifica piú importante egli ce l'ha data nella prosa, particolarmente con i romanzi *L'arrivo della lozione* (Einaudi, 1976), *Abitare il vento* (ivi, 1980) e *Mareblú* (Mondadori, 1982). Nel primo — protagonista il trasparente nome di Benito Chetorni — ad essere preso di mira è il fascismo strisciante, il qualunquismo brado collocato per l'occasione in area pugliese; nel secondo è la situazione senza uscita di un terrorismo picaro e dilettantesco; mentre in *Mareblú* è il rivoluzionarismo ultrasinistro parolaio e ripetitivo. In ogni caso, ciò che sostiene e caratterizza là pagina di Vassalli non è tanto la scelta del bersaglio — tuttavia fondamentale dal punto di vista ideologico — quanto una lingua reinventata ad ogni istante, franta eppure senza respiro, interrogativa e apodittica nel medesimo tempo, aggressiva, incalzante e sempre immersa nella dimensione della presa in giro o della sfottitura.

I primi anni ottanta sono il momento delle piú violente punte polemiche di Vassalli anche contro l'*establishment* letterario italiano; si veda per questo il *pamphlet Arkadia* (Bergamo, El Bagatt, 1983) che passa in una corrosiva rassegna uomini e fatti della recente poesia italiana per concludere: «1961-1983. Ventidue anni d'Arkadia: una generazione d'impoeti». Per suo conto Vassalli ha continuato a scrivere le sue poesie abrasive e impietose (*Il finito*, ivi, 1984; *Ombre e destini*, Guida, 1983 che antologizza anche *plaquettes* precedenti) che dissacrano con le parole quei valori che già da tempo una prassi ingannatrice ha provveduto a svuotare; e traccia dell'Italia un ritratto senza maschere, «un paese arato e devastato / da industrie di rapina con il suo / mare deserto, i fiumi morti, i colli / che ritornano bosco anzi no, sterpi: / restano i morti, quelli da "incidente" / e quelli da veleno».

Il registro muta — almeno nella forma, poiché la sostanza è ancora una protesta contro le falsificazioni indotte dai sentimenti, dall'educazione, dai rapporti letterari — con *La notte della cometa* (Einaudi, 1984) che racconta la vita di Dino Campana. Vassalli ci appare ora nella veste finora inedita del rigoroso ricercatore che vuol liberare il suo personaggio da una leggenda troppo deviante, ma anche nella veste, egualmente inedita, di scrittore ormai pacificato, altrettanto lontano dagli sperimentalismi giovanili quanto dagli scoppiettii sarcastici dei romanzi successivi.

Cesare Viviani, dopo aver filtrato gli ultimi esiti possibili della tradizione ermetica in *Confidenza a parole* (Parma, Nuovi Quaderni di poesia, 1971), ha dato inizio con *L'ostrabismo cara* (Feltrinelli, 1973) ad un manierismo lessicale (di cui già il titolo della raccolta era il primo indizio) che lo affiancava agli sperimentalismi piú azzardati. Questo suo «giuocare a parole» (l'espressione era di Michel David che gli aveva introdotto il volume)[41] arrivava con *Piumana* (Guanda, 1977) al vero e proprio *nonsense* con il suo programmato carattere di gratuità caricabile a volontà di qualunque senso storico (p. es. Dada) o ideologico (p. es. il comico), oppure da lasciare al suo puro svolazzo insignificante. Certo è che la raccolta successiva, *L'amore delle parti* (Mondadori, 1981) ha dovuto ricostruire qualcosa da quel quasi nulla, e lo ha fatto, si direbbe, mimando la realtà letteraria e non, sicché il giuoco si è venuto via via facendo piú serio e il mondo ha ripreso i suoi diritti e si è scavato vie impervie ma infine vittoriose per ripresentarsi con i suoi attributi positivi e negativi al di là dello schermo delle parole tornate ad essere se stesse[42].

Ad una poesia dell'impegno che si riallaccia ancora alle memorie della guerra e della prigionia ma soprattutto si alimenta alle lotte operaie di giorni piú vicini, è ancora assegnabile l'opera di Alberto Di Raco, che ha raccolto la sua produzione (*Il silenzio intorno*, Rebellato, 1968, ancora firmato Alberto Raco; *Le urbaniche*, Cappelli, 1971; *Rurbaniche*, Lacaita, 1975) nel volume mondadoriano *Metàmeri* (1978). L'intento esplicito di Di Raco è la modificazione sociologica dello

[41] «Asignificanza del sintagma e ipersignificanza del lemma» è il carattere della poesia di Viviani secondo la definizione di S. Lanuzza (*L'apprendista sciamano*, D'Anna, 1979, p. 19), il quale precisa ulteriormente che il programma di questa poesia è «nominare, poi subito smentire o distorcere, generare dalla degenerazione semantica una grammatica algoritmica, gonfiare poi verticalizzare il codice stratificandolo nella mimesi, la cui chiave ha lo spazio di una cruna di un ago».

[42] Pur riconoscendo la scomparsa del «dalismo sperimentale giocato sulla noncuranza del senso», Rosita Copioli (*L'Altro Versante*, n. 1, 1980) dice che «probabilmente in questo libro non si assiste ad un rovesciamento radicale dei modi, quanto ad una metamorfosi abile e amorosa delle tradizioni prime di Viviani».

«scrittore letterato» in «scrittore cittadino», che egli intende attuare sia attraverso l'assunzione dei temi piú opportuni — la vita nella fabbrica o negli uffici, la disumanizzazione delle macchine, gli scioperi, ecc. — sia attraverso la reinvenzione di testi che stanno tra la «poesia racconto e il canto di protesta» (O. Lombardi), e dunque in un linguaggio che supera d'istinto le teorizzazioni stilistiche per giungere direttamente a farsi interprete dei grandi rivolgimenti culturali e sociali dei nostri giorni.

In questo genere di espressione, la punta piú aguzza è quella di Ferruccio Brugnaro, che si è affidato il piú delle volte ai ciclostilati (poi raccolti in volumetti dell'editore veronese Bertani o della Cooperativa di Bergamo «Punti di Mutamento») o a riviste impegnate politicamente. Con una poesia che ha spesso le sue motivazioni all'interno della fabbrica (nel caso specifico, l'industria inquinante di Porto Marghera) e che si muove tra sarcasmo e invettiva, quella di Brugnaro appare come una delle pochissime voci letterarie autenticamente operaie.

Nella folta presenza di coloro che hanno continuato a tenere in mano il testimone della poesia in anni in cui pareva dovesse definitivamente cadere, è ancora possibile individuare la prosecuzione di quella che abbiamo già chiamato «linea romana». Ma non si tratterebbe, anche in questo caso, né di una pura indicazione di nascita né di una coerente scelta di interessi e di linguaggi; c'è però la lunga convivenza nella stessa città, che non è solo un dato anagrafico ma una condizione culturale nonché una condizione biografica complessa che si ritrova, per lo piú con accenti duramente critici, in molti testi.

Le pur brevi date, fra il '68 e il '76, che contengono le poesie raccolte da Alfonso Berardinelli in *Lezione all'aperto* (Mondadori, 1979) consentono una succinta ma esauriente storia di una generazione, le sue impennate e le sue rinunce. Se nel '68 (e il titolo della sezione, non a caso, è *Servi dei padroni*) i testi si muovono tra l'invettiva contro i banditi e gli assassini di professione (industriali, burocrati, banchieri, ecc.) e il sarcasmo contro i semivivi disposti a tutte le umiliazioni (e il timore di potersi confondere con questo ospizio di ottusi, muti, diseredati) — già pochi anni dopo è subentrata la depressione: «mente che suggerisce composizioni / ... / appena foghe di parole»; ancora poco — siamo alla metà degli anni settanta — e si arriva alle parole senza foga: «Non potremo / fare altro che sederci / a scrivere: // ... // Non faremo altro che raccontarci / scrivendo quello che non avremo / potuto fare: nient'altro». Il punto d'approdo su questo «futuro invecchiato» appare come una nullificazione della storia: «È una storia già vista e sentita / ... / Tutto scivola via. / ... / Il luogo è senza volto. / Indecifrabile, indicibile».

La lingua che si muove fra una scorrevole logicità e la secchezza di lapidarie elencazioni, e l'assidua coscienza partecipe degli anni suoi consentono a Berardinelli di scrivere un epitaffio, certo non esaltante, per tutta la sua generazione (*Sguardo indietro*)

> Tutti quelli che hanno voluto
> fermamente chiarire la situazione
> hanno chiarito ma anche perduto
> la ragionevole soluzione.
>
> Tutti quelli che del disordine
> erano appassionati
> hanno finito per scontrarsi con l'ordine
> ma disarmati.
>
> Tutti quelli che con giudizio e freddezza
> si son tenuti in disparte
> della realtà non hanno mancato una parte
> ma l'interezza.

Biancamaria Frabotta ha raccolto in *Il rumore bianco* (Feltrinelli, 1983) le sue poesie dal 1970, dove la carica del femminismo altre volte direttamente espressa appare piú sapientemente mediata e disseminata, e anche piú drammaticamente vissuta in una duplicazione di sé — «due metà in una», «affermazione di due negazioni» — cui anche la scrittura porge un rimedio forse fittizio ma, per l'autrice, ineludibile: «essere leggibile per tutti e per me indecifrabile»; ma poi: «Scrivo per non darvela vinta moschettieri del vento e del falso / ma se piú non vivo e scrivo ahimè / vinta voi sempre l'avrete su di me». Questa duplicità di fondo che la arricchisce e la tormenta — «i miei due rivali emisferi / entrambi mi tormentano» — è tutt'altro che smaltita nelle «altre poesie» (1982-84) che completano la plaquette *Appunti di volo* (Edizioni della Cometa, 1985), ma il motivo nuovo apertamente metaforizzato nell'immagine del viaggio in aereo verso gli Stati Uniti è quello dell'ora che fugge, del bagaglio che si fa piú leggero, dell'allarme che incombe, della rotta sempre piú ardua, e insomma della posta del gioco della vita che sale alle stelle, mentre come «premio di una guerra perduta» nasce nel cuore che si è fatto di pietra un'accorata nostalgia di quiete: «aiutami a tirare a secco la rete».

Le prime raccolte di Fabio Doplicher (*Il girochiuso*, Roma, Trevi, 1970; *La stanza del ghiaccio*, ivi, De Luca, 1971) già segnalavano una

tendenza al poemetto, al racconto in versi portato fin oltre il discri-
mine fa poesia e prosa, in una zona dove il linguaggio o tendeva a
rapprendersi nelle sue cellule primarie trattenute al di qua di una costruzione sintattica o, al contrario, si prolungava nella serie degli *enjambements*. L'oggetto di quel frantumato o smisurato modo di «raccontare» erano paesaggi tristi e scostanti, l'immondo della realtà cui
Doplicher affibbiava il suo lessico tratto dalle zone del morboso e dello
sfatto — acque morte e saponosi residuati, biancastre lanugini e putride marrane, rettili alati e uomini-polipo, ecc. e ogni altra cosa che
segua alla degradazione biologica o sociale. Punto d'arrivo e di superamento di questi impraticabili inferi era *I giorni dell'esilio* (Lacaita,
1975) che conteneva un'esplicita dichiarazione di fede nella parola
poetica: «La parola, / oggi prefabbricata, inquinata, ridotta entro canali significativi / prefissati, resta sempre una pianta del deserto, / capace di rinascere alla prima pioggia ... / ... / ... Compito del poeta / ... / ... è ricreare le parole / in un momento comune di sofferenza e di speranza. / ... / ... Contro le consolazioni / del vedere o del
sentire, bisogna riaffermare / la poesia come necessità per un modo
di esistere». Cosí Doplicher superava quello che Jacobbi ha chiamato
«un disperato sentimento metafisico della sorte terrena e delle sue
implicazioni cosmiche»; un sentimento che si è venuto però via via
sempre piú legando ad una «presenza nella polis», come testimonierà
la *Cronaca del terzo stato* (1977) e come testimonierà anche la sua presenza nel campo teatrale come autore e come critico e la fondazione
di una rivista, *Stilb*, che dall'81 all'83 ha seguito le vicende italiane
particolarmente dello spettacolo. In *Stilb* Doplicher è venuto anche
svolgendo una sua idea di «poesia della metamorfosi»[43] che nasce
dalla constatazione di essere in presenza di un ambiente umano dominato dal movimento e dal continuo rispecchiarsi della materia e
quindi dalla compresenza del vecchio e del nuovo, che egli scorge in
una «visione spettacolare», cioè in un immanente confronto fra la
parola-pensiero e lo «spettacolo». Di questa poetica, la raccolta (in
parte già edita) *La rappresentazione* (Roma, Quaderni di Stilb, 1984)
è l'espressione piú fedele, dominata ancora da un'ottica desolata, sconvolta, repugnante dei luoghi in cui viviamo, nel caso specifico Roma,
«questa città tatuata / nelle parti piú intime, donna dell'accoltella-
tore, / segnale del rischio per chi vuole, / ma che progresso, questo,
macché, / una controriforma controfede, / l'Indice-libri, l'iscrizione-
recinti il registro-fedeli, / pubblico obbligatorio, / immersi nell'odio-

---

[43] *Poesia della metamorfosi* (Roma, Quaderni di Stilb, 1984) è anche il titolo di una grossa
antologia di poesia internazionale, con proposte critiche, curata da Doplicher, e che riprende
gli interventi di un convegno tenutosi a Fano nel maggio 1982.

letamaio, / viva lo sterco dei cavalli impestati, smog, ultimi esploratori / della storia nei sassi, / l'orina e viva la vagina, dove attacchino pazzo, inoltri / suplica al Comune, perché semini pannelli-asfalto, / candidati, / arte di turno... / ... / il silenzio della poesia non asciuga / qui neppure una cucchiaiata di fango».

Di un'inusitata ricchezza è colma là poesia di Andrea Rivier già presente negli anni quaranta e poi svoltasi nei decenni intessuta di memorie, di profondi succhi religiosi, di una vigile attenzione alle cose del tempo, mentre insieme si veniva perfezionando una prosodia ricca pur essa di una discorsività generosa che può accogliere come in un grande alveo tutti i messaggi che giungono attraverso una sensibilità vivissima e una cultura vasta e articolata, quasi a testimoniare una civiltà del vivere e dello scrivere ormai introvabile. Si vedano, tra le piú recenti raccolte, *La violenza morgana* (Lacaita, 1969) in cui vibra particolarmente l'eco dei giorni nostri, *Campionario* (Bastogi, 1980) che Barberi Squarotti definisce «insieme con quella di Fortini, l'unica vera poesia politica di questi nostri anni» (dove «politica» sarà da intendersi nel suo senso piú alto e piú lato) e *La bottega* (ivi, 1982) che raccoglie anche poesie giovanili e traduzioni da· antichi e moderni.

Ed è fiorita ancora nell'area romana la poesia giunta tardiva ma freschissima di Ettore Violani, di cui si ricordi il *Memoriale teucro* (Carte segrete, 1979) e soprattutto *I disincanti* (Lacaita, 1980), esemplare manifestazione di scrittura insieme affabile e segreta, imprevedibile da una pagina all'altra per le variate sollecitazioni eppure saldamente unitaria per una certa aura di saggezza e di ironia di questo poeta che vive la sua «infanzia dalla barba bianca», un'aura di «disincanto» — appunto — che la rende immediatamente simpatica al lettore mentre pur gli suggerisce di non abbandonarsi a quella prima impressione. E «il tono immenso del fantasticare» di Gabriella Sobrino, attiva organizzatrice culturale e autrice di versi italiani e inglesi (si veda *Flauto and concertina*, Lalli, 1977 e *Ricordi di un secolo*, Rusconi, 1985).

Tra Roma e New York si bilanciano la vita e la poesia di Luigi Fontanella, i cui primi testi poetici (ai quali si dovranno aggiungere i racconti di *Milestone*, Quaderni di Messapo, 1983) sono del '72 (*La verifica incerta*, De Luca) e del '78 (*La vita trasparente*, Rebellato); la raccolta piú compiuta, che in parte raccoglie anche poesie precedenti, è però *Simulazione di reato* (Lacaita, 1979) che dall'esperienza americana trae alcuni accenti esemplari nel rendere l'ambivalenza tra orrore e pietà (si veda la bellissima *A una ragazzina di uno speedwash*) e lo squilibrio fra tutte le schizofrenie, le malattie, i bisticci, di fronte ai quali il poeta esule vive come un «gabbiano smarrito sull'acqua / che cerca la sua casa d'un tempo». Poiché la poesia di Fontanella non vuole essere descrizione sociologica di un paese per tanti versi estraneo, ma nasce da uno stato di periodica crisi fra malinconia e furore rotti da momenti di «ozio gioioso», e allora le memorie dell'infanzia, l'accento di protesta, la nostalgia degli amici lontani — «saremo tanti bicchieri / sulla tavola da riempire / tutti in una volta» — si alternano e si compensano di continuo a disegnare una parabola del vivere accidentata e forse incontrollata, un «consumar di pagine di giorni di rabbie / senza scopo apparente fine definito». Ma tutto ciò trova voce in parole studiosamente, accanitamente cercate (tipiche certe associazioni lessicali) e in una libertà di connessioni sintattiche che avvicinano, ma con grande cautela, alcuni testi a certe soluzioni sperimentali da cui seguitano a tenerli lontani la pienezza di sentimenti e una sincera reattività umana.

Da una lontana apparizione ancora in clima neorealista negli anni cinquanta, il lucano Vito Riviello è saltato negli anni settanta con la disinvoltura di un *clown* di razza ad una forma di poesia giocosa affidata a imprevedibili assonanze, impertinenti richiami, inserti che mimano lingue straniere, ma anche ad un'apparente colloquialità (si vedano, fra le altre cose, *L'astuzia della realtà*, Vallecchi, 1975; *Dagherrotipo*, Scheiwiller, 1978; *Sindrome dei ritratti austeri*, Il Bagatto, 1980; *Tabarin*, Carte segrete, 1985). Tutto però concorre a deviare di continuo il senso verso il *nonsense*, e a spostare il tono dal ludico all'ironico, ad una moderata e implicita satira i cui bersagli si profilano dietro un sorriso che talora si increspa ancora nella nostalgia del sud abbandonato, più spesso si lascia andare ad un palazzeschiano gusto di divertirsi.

Una poesia come quella di Rodolfo Di Biasio (si veda soprattutto *Le sorti tentate*, Lacaita, 1977 ma, sia pure scritti in un *sermo* più *humilis*, lo stesso può dirsi per i racconti di *Il pacco dall'America*, Roma, Gremese, 1977 e *La strega di Pasqua*, Bastogi, 1982) è invece esemplare nel coniugare autobiografia e dimensione esistenziale, nel trapassare dall'«angolo di paese» al «mio angolo di angoscia», da una quotidianità gentile o drammatica — è il tema della fine della civiltà contadina che Di Biasio vive in quel vero inizio del sud che è il Lazio meridionale — al «grido di dolore». Da un verseggiare poco sontuoso ma sottilmente musicale, alieno da sconvolgimenti quanto da stereotipi, esce infine una testimonianza che ha il carattere della genuinità sul tempo che ci è toccato in sorte di vivere e sull'ambivalenza con cui lo viviamo: «Sono felice e disperato / di vivere questo mio tempo / cosí in guerra / per troppo amore».

Paolo Prestigiacomo batte una strada rischiosa ma arditamente percorsa (*Grotteschi*, Società di poesia, Guanda, 1981), di una poesia satirica e satiresca, scritta in una lingua beffarda fino ai limiti dell'invenzione totale, che arieggia medievalismi di vario genere, una lingua "impossibile" ma che quasi per sortilegio riesce invece a trasmettere passioni violente, ironie rabbiose e persino lucidità epigrammatiche. Alle quali accosteremmo i *Fendenti fonici* (Società di poesia, Guanda, 1982) di Jolanda Insana, altrettanto taglienti nella loro forma epigrammatica e arditi nella ricostruzione di accenti antichi.

Si vedano ancora la doppia mitologia di Gino Scartaghiande (*Sonetti d'amore per King-Kong*, Cooperativa Scrittori, 1977) centrata sul dramma storico di Rosa Luxemburg simbolo di una permanente condizione di violenza subita e di morte; e sulla strapotenza del grande mostro, figura di un amore non piú innominabile. E la versificazione apparentemente ingenua di Vivian Lamarque (*Teresino*, Società di poeti, Guanda, 1981) che procede lungo il sentiero della fiaba di Pollicino aggirandosi attorno al trauma dell'amore materno. E lo straripare di parole di Patriza Cavalli (*Le mie poesie non cambieranno il mondo*, Einaudi, 1974; *Il cielo*, ivi, 1981) scritte nella condizione irrisolta tra azzurri e nuvole, tra sentimenti e tradimenti, tra nostalgie e tiepidi rancori, in una solitudine ora desiderata ora paventata — in un verso quasi privo di chiaroscuri nella sua semplice esibizione di una «banalità fresca e indigesta», ultimo residuo di una scontentezza profonda che non riesce a darsi un futuro: «Sembra uno scherzo / ma passano gli anni e accompagnati da questa sensazione / di avere qualcosa da fare, molto importante, / molto urgente, si resta sempre / in un eterno l'altro ieri». E Francesco Paolo Memmo, la cui poesia, comparsa per la prima volta nel 1975, è stata poi parzialmente antologizzata nella raccolta *La sezione aurea* (Vallecchi, 1985); ed è, anch'essa, una poesia costantemente angosciata dalla scommessa del «vivere in attesa di vivere», tra eventi indecifrabili, ripetizioni estenuate, lotte tra verità e menzogna, e un susseguirsi di vuoti che danno per risultato il nulla; eppure: «... sai cosa ti dico: ch'essere innamorati della vita / è proprio bello».

Valerio Magrelli è probabilmente il poeta dell'ultima generazione che meglio ha conquistato un posto di rilievo con il conforto della critica, nonostante la sua produzione, dopo alcune poesie sparse, sia per ora limitata al solo volume *Ora serrata retinae* (Feltrinelli, 1980), un titolo che sembra voler alludere a una visività ugualmente intenta all'io e alle cose. In realtà, in una ripetuta testimonianza poetica, la poesia di Magrelli nasce per lo piú in quello stato di cedimento delle tensioni che interviene a sigillare gesti e membra «prima di prender sonno» e di «scendere nell'inferno del silenzio»: «C'è un momento in cui il corpo / si raccoglie nel respiro / e il silenzio si sospende ed esita... È il tempo che cominci / il pellegrinaggio serale del pensiero... l'arrivo del sonno». Ma quella di Magrelli non è una poesia onirica; al contrario, il suo sguardo è lucido e la scrittura è limpida e «innamorata», pur se consapevole dei problemi e dei tormenti che la accompagnano, è una «scrittura della ragione» che ha per soggetto-oggetto («io non so ancora / se essere il paese che attraverso / o il viaggio che compio»; «Qui arrivano a coincidere / l'oggetto che cerco e la causa / di questo ricercare») il poeta nella sua corporalità culminante nel cervello «cuore delle immagini», e l'ammirevole vita delle cose. È forse qui il nodo e la giustificazione da cui nasce il testo, il doppio rapporto con gli oggetti che si nascondono, parlano per enigmi e vengono sottratti a quella condizione dalla chiarezza della voce; e il rapporto dell'io con se stesso, per cui il corpo è la penna del poeta che gli consente di «diventare da carne segno», con l'ausilio di un Berkeley esplicitamente richiamato.

II. Una narrativa che resiste

> Bisogna vedere nella morte un'altra
> sponda dell'essere. *G. Bonaviri*
>
> Il romanziere non si sente piú di tenere il capo
> del gomitolo. *G. Gramigna*
>
> Il Congresso di Vienna degli scrittori
> tradizionali. *F. Manescalchi*

Quello italiano, salvo le dovute eccezioni, raramente è stato un terreno fertile per una narrativa di largo respiro paragonabile ad altri europei o extraeuropei, una narrativa capace di produrre possenti correnti nelle quali trovassero luogo opere di livello mondiale; particolarmente nel secolo XX, il succedersi di frammentismi, prose d'arte, sperimentalismi, antiromanzi ha talora messo in angolo e persino indotto in sospetto di antiletteratura coloro che seguitavano a cimentarsi con le trame, i personaggi, le descrizioni e insomma tutto il bagaglio contenutistico e linguistico-comunicativo tipico del romanzo-romanzo o, se si preferisce, di un narrare di derivazione ottocentesca ma che dimostrava — in altri paralleli o meridiani — di saper ben aggiornarsi e sopravvivere anche ai giorni nostri. Tuttavia, pur nel mezzo di stagioni di avanguardismo trionfante o ancora sulla breccia, non sono mancati narratori autentici che sono andati avanti per la loro strada quasi incuranti delle grandi o soltanto sottili dispute teoriche affidandosi a una nativa voglia di raccontare, o legata a motivi locali, storici e autobiografici o assolutamente libera nei soggetti e nella scelta dei luoghi. Il panorama del romanzo italiano degli anni settanta non può dirsi perciò povero di presenze; anzi, per ragioni talora connesse all'aggrovigliato e quasi tumultuante processo della società che sembra richiedere un continuo accompagnamento di voci che possano contestualmente narrarlo, tal altra piú semplicemente legate alle provocazioni dell'organizzazione editoriale, del mercato e del costume della società letteraria, continuano ad addensarsi un anno dopo l'altro una grande quantità di titoli.

1. *Una nuova generazione di mezzo* (2)

Primo Levi era stato forse il piú alto e tragico memorialista degli orrori dei *lager* nazisti con un libro, *Se questo è un uomo* che uscito nel 1947 aveva poi avuto la sua maggiore consacrazione di pubblico nell'edizione einaudiana del '56, la stessa che fece uscire sette anni dopo il secondo tempo di quella biblica cronaca, *La tregua* che raccontava il tempo del ritorno. Con questo secondo volume Levi chiariva di essere uno dei pochissimi, tra coloro che avevano raccontato della guerra e della prigionia[1], a non restare legato come scrittore a quella particolarissima esperienza biografica, anzi mostrava di averne potuto dare una cosí universale testimonianza proprio perché, accanto allo strazio della memoria, aveva già nella penna la forza del grande narratore. Nella *Tregua* egli riusciva in un resoconto egualmente vivo e toccante sia che narrasse le situazioni piú impreviste ed emergenti (e memorabile fra tutto resta il disegno che ne vien fuori del popolo russo) sia che descrivesse i momenti di torpore e di vuoto; ma anche si allontanava dal biografismo piú atroce per avviarsi ad una narrativa dalla scrittura lucidamente illuministica con la quale entrava in una tematica a lui professionalmente piú congeniale, le scienze naturali e la chimica in particolare, mai però, pur nella precisione scientifica e terminologica, raffreddate in discorsi tecnici e sempre invece tenute vicino ai problemi dell'uomo e della società. Cosí accadeva nei racconti delle *Storie naturali* (ivi, 1966, con lo pseudonimo di Damiano Malabaila; in realtà si tratta di testi in gran parte precedenti a *La tregua*) e di *Vizio di forma* (ivi, 1971), dove venivano però registrate piuttosto le sconfitte o le «aberrazioni della ragione» (F. Vincenti), tutti i «vizi di forma» da cui derivano i pessimi usi che l'uomo ha fatto e continua a fare dei progressi scientifici e tecnologici.

Con queste due raccolte Levi conquistava una precisa ed efficientissima misura narrativa, e questi due caratteri — la base culturale scientifica fruita in senso non trionfalistico e la costruzione nel giusto ambito del racconto — trovavano la loro espressione piú organica in *Il sistema periodico* (ivi, 1975) che si apriva con una polemica affermazione: «Il Sistema Periodico di Mendeleev... era una poesia, piú alta e piú solenne di tutte le poesie digerite in liceo». Poteva essere una generale dichiarazione filosofica sulla sublimità della materia e la sua corrispondenza con la storia dei viventi, ma era anche un'astuzia letteraria per introdurre una ventina di racconti ciascuno intito-

---

[1] Pensiamo naturalmente anche a Mario Rigoni Stern, che tuttavia, dopo *Il sergente nella neve* (1953) si è mantenuto quasi costantemente nella tematica della guerra con *Il bosco degli urogalli* (1962) e soprattutto con *Ritorno sul Don* (Einaudi, 1971) e *Quota Albania* (ivi, 1974); né mancano riferimenti alla guerra, la prima guerra mondiale, nella sua opera forse letterariamente piú matura, *Storia di Tönle* (ivi, 1978). È da quest'opera che Levi cita Rigoni Stern nel volume *La ricerca delle radici* (ivi, 1981) che antologizza gli autori che egli predilige: da *La Bibbia* e l'*Odissea* fino al Porta e al Belli, dal manuale di chimica e le opere di Darwin fino a Swift e Conrad, da Marco Polo a Stefano D'Arrigo, ecc. egli ci comunica piú che i legami letterari, le simpatie umane nelle quali affonda le sue radici di scrittore.

lato ad un elemento naturale, Argon... Idrogeno... Zinco... Quello spunto veniva poi diversamente svolto o a metaforizzare situazioni umane (per esempio, la famiglia ebrea) o a suscitare ricordi del passato legati anche agli studi e alla professione di chimico; ma il ricordo finiva poi per portarsi dietro altre e piú graffianti tracce, il fascismo, le leggi razziali, la guerra, la prigionia, sin quasi a mostrare in trasparenza il diario di anni infausti e a ricongiungere queste pagine a quelle ormai lontane del Levi memorialista. Ma questa volta a prevalere è il narratore, l'abile montatore di personaggi e di vicende che nelle pagine centrali dà ancor piú pieno sfogo alla sua vena scrivendo due racconti a tutto tondo in forma di antica leggenda o di romanzo di avventure in cui l'elemento iniziale resta un'appena remota provocazione della fantasia.

Questa felicità di raccontare torna nei quattordici episodi di *La chiave a stella* (ivi, 1978) centrati sulla figura dell'operaio montatore Tino Faussone, giramondo del lavoro che racconta i suoi tanti casi a un tecnico che è lo stesso Levi in prima persona. In una lingua giustamente infarcita di piemontesismi e in uno stile «piuttosto monotono» (ancora un'astuzia dell'autore che non tanto scarica sul personaggio eventuali e improbabili insufficienze, quanto preavvisa il lettore su come deve leggere le pagine che seguono) compaiono non solo situazioni spesso eccezionali — eccezionali anche nei confronti dei contenuti piú consueti della nostra narrativa — ma un personaggio di grande rilievo, lo stesso Faussone, silenzioso e loquace, padrone di una specifica tecnologia ma non del tutto sradicato dal suo vecchio Piemonte contadino, e in definitiva un uomo non immediatamente simpatico per qualche vistoso carattere, ma degno di rispetto per la serietà e l'impegno con cui ha deciso di vivere.

Ma l'opera finora piú impegnativa nel campo della narrativa è stata *Se non ora, quando?* (ivi, 1982), un libro con il quale Levi tocca per la prima volta la dimensione del romanzo sia pure strettamente connesso con la cronaca di guerra. È già qui il pregio non piccolo dello scrittore, di aver ridato credibilità, e al piú alto livello, alle cronache partigiane ormai da tempo decadute dal panorama letterario; la lotta partigiana di cui si parla è però del tutto particolare, poiché a combatterla è una piccola formazione di ebrei russi che si affiancano ai gruppi sovietici nella fascia di confine con la Polonia, e cosí la specifica competenza dell'autore può farsi valere e riuscire a penetrare con fascinosa precisione nei comportamenti e nelle psicologie dei suoi personaggi. Ma l'opera risponde soprattutto ad una generale tesi che sta quasi visceralmente a cuore a Levi, il voler testimoniare le virtú di lotta di un popolo umiliato, la sua riconquista di una dignità assoluta guadagnata sul campo, anzi sul piú terribile e folle campo quale poté essere una regione impraticabile tra paludi e foreste battuta dalle truppe naziste[2].

Negli anni cinquanta e ancora nei primi anni sessanta, Ottiero Ottieri era stato tra i protagonisti di quella «letteratura industriale» caratterizzante una discreta fascia di anni della nostra narrativa, con una serie di titoli — da *Tempi stretti* (1957) a *Donnarumma all'assalto* (1959) fino a *Taccuino industriale* (1961), *La linea gotica* (1963) e *L'impagliatore di sedie* (1964) — che attuando un originale sincretismo fra racconto, diario e inchiesta avevano ripetutamente trattato la vita in fabbrica o la distorta industrializzazione del sud. Con *L'irrealtà quotidiana* (Bompiani, 1966) e *Il campo di concentrazione* (ivi, 1972), egli operava una svolta nella operazione ideologica e letteraria o, per meglio dire, rivedeva e allargava quei suoi temi reinterpretandoli non piú alla luce di interessi sociologici con i loro tipici strumenti d'indagine, ma in una universalizzazione che li sottraeva alla contingenza storica nella quale fino allora erano stati considerati. Questo non significava un distacco dai contenuti concreti degli anni in cui Ottieri scriveva, ma una loro lettura in una chiave diversa, che era quella psicanalitica, per la quale la condizione di strettezza, di espropriazione, di reclusione e — appunto — di «irrealtà» e «concentrazione» (o, se si vuole, concentramento) non è propria della classe operaia o di altri settori socialmente definibili, ma dell'uomo in quanto tale, dell'umanità nel suo destino di malattia e di nevrosi, perfettamente interpretato dalla borghesia abbiente.

Simbolo di questa direzione nuova o allargata era lo spostamento dei luoghi dalla fabbrica alla clinica e il conseguente spostamento dei problemi dalla miseria e dalla disoccupazione alle ossessioni e alle depressioni psichiche, mentre rimaneva sostanzialmente fedele a se stessa la scrittura movimentata, dialogata, dettagliata. Vi era tuttavia la novità del passaggio dalla prosa alla poesia, per la sensazione di un «fallimento della prosa», nelle due raccolte *Il pensiero perverso* (ivi, 1971) e *La corda corta* (ivi, 1978), che hanno però l'andamento da poemetti, un tono parlato e il contenuto da racconto facilitato dalla versifi-

[2] Nel 1975 Levi aveva pubblicato una raccolta di poesie, *L'osteria di Brema* (Scheiwiller), ripresa nell'84 nel volume garzantiano *Ad ora incerta*, con l'aggiunta delle altre poesie (e traduzioni) che hanno accompagnato negli anni, «ad intervalli irregolari», la sua attività di prosatore, e che coprendo quattro decenni di una vita per tanti aspetti eccezionale, ne riflettono i diversi momenti. In una forma ora colloquiale ora piú legata a strutture chiuse, la poesia di Levi passa cosí da un'ancora bruciante memoria della prigione a considerazioni sulla sorte dell'uomo, sugli affetti e gli odi e le ironie della vita.

cazione libera e discorsiva; i temi sono ormai quelli obbligati della nevrosi, del dubbio che produce l'ansia e l'ansia che produce il dubbio, della «sofferenza clinica» delle case di cura nelle loro quotidiane mansioni, nei rapporti ossessivi e nelle tentazioni erotiche a cui inducono, nella esclusione a cui condannano, e insomma quel «miscuglio di vivere e scrivere» che è diventato per Ottieri la dialettica motivazione di sofferenza e liberazione: «Poiché la ricerca / e questa specie di fuga / sono la medesima cosa».

Nel tentativo di una ristrutturazione della prosa che riuscisse a render conto dei grovigli che si agitano nella mente dello psicopatico (o forse soltanto della «persona comune») Ottieri è ricorso anche al dialogo (*Di chi è la colpa*, Bompiani, 1979); ma della «scala di malori» che sostituisce un'ormai impossibile scala di valori, non si troverà il responsabile in queste pagine che eliminando nel titolo l'attendibile punto interrogativo sembrano voler subito segnalare che non ci sono risposte a quella che non è una domanda ma la constatazione di una condanna senza colpevoli. Ottieri era però anche tornato al romanzo (o forse sarebbe piú esatto dire che vi era giunto per la prima volta) nel 1975 con *Contessa* (ivi); questa volta il tema della psicopatologia è duplice, ché la protagonista per professione è una psicosociologa e coma donna è affetta dalla contrastata ossessione dell'erotismo e della frigidità e ne è stretta in una morsa da cui non la sottrarrà l'alcol ma il suicidio. E ancora una donna alle prese con la falsa liberazione dell'alcol o di una mondanità vacua e fasulla è la protagonista del successivo romanzo (*Il divertimento*, ivi, 1984) con la disperata paura di invecchiare e uno spasmodico desiderio di recuperare la gioventú perduta che porta a dilapidarsi in inutili avventure; ma è qui che si inserisce una figura che sembra poter ricongiungere Ottieri alle sue opere piú lontane, un operaio con il suo lavoro e la sua famiglia, un semplice in un mondo di illusi e di drogati, uno che «non ha le doglie della vita meditativa».

La carriera di Goffredo Parise (morto nel 1986) passa attraverso momenti sufficientemente discreti fra loro, tali da segnare, piuttosto che una parabola continua, una linea spezzata che parte dalle prove giovanili di sapore metafisico e surreale (*Il ragazzo morto e le comete*, 1951 e *La grande vacanza*, 1953), passa attraverso una fase satirica che si esercita nei confronti della società provinciale veneta democristiana e bigotta (*Il prete bello*, 1954; *Il fidanzamento*, 1956; *Amore e fervore*, 1959, poi col titolo *Atti impuri* nell'edizione Einaudi 1973) e approda nel '65 a *Il padrone* (Feltrinelli) uno dei romanzi piú noti sul tema della condizione umana all'interno del mondo industriale. Parise però, a differenza di altri autori che scrivevano allora sul medesimo soggetto, non ci dava il ritratto veristico della fabbrica e della società neocapitalistica, ma portava all'estremo il rapporto fra padrone e dipendente fino alla totale spersonalizzazione, all'ultima rinuncia della volontà e della coscienza. Pressoché contemporanei nella stesura a *Il padrone* erano altri due volumi, *L'assoluto naturale* (ivi, 1967) e *Il crematorio di Vienna* (ivi, 1969) che avevano a fondamento la medesima filosofia del negativo; ma quasi a dimostrarne fino in fondo l'impossibilità di una razionalizzazione, Parise arrivava a demolire ogni struttura di racconto, ogni trama che non fosse ridotta a pura parola come nel dialogo di *L'assoluto naturale* che vede il logico trionfo del male sul bene; o a breve e anonimo racconto alle cui spalle si staglia l'orrore irrecuperabile del nazismo. Questa maniera prosciugata di scrivere è anche dei due successivi volumi, *Sillabario n. 1* (Einaudi, 1972) e *Sillabario n. 2* (Mondadori, 1982), «approfondimento e verifica del primo *Sillabario*» (Amoroso); ma questa volta la freddezza dell'anatomia dei casi torna almeno in parte a cedere a una nuova trepidazione sugli eventi umani colti nella concretezza delle biografie, tanto da aver fatto pensare ad una saldatura del circolo ideologico e narrativo con le prime mosse di circa un trentennio avanti. Del resto, la partecipazione in ogni caso sempre viva alle vicende degli anni che intanto erano passati veniva testimoniata dai numerosi volumi di Parise viaggiatore e *reporter*, testimone dei principali epicentri dei grandi fatti storici con il loro segno positivo o negativo, dalla Cina al Biafra, dal Vietnam a New York.

Quello di Alberto Bevilacqua può quasi definirsi un «caso», perché la sua collocazione nella nostra letteratura soffre di scompensi insanabili che solo con difficoltà riescono ad indurre lettori e critica a un giudizio sereno. Il desiderio di successo, la conquista di un pubblico che si sente poco meno che obbligatoriamente catturato, la personalità prorompente e scontenta dell'autore sono tutti elementi che non agevolano il contatto con i testi, ma si pongono piuttosto come schermo o come motivi di possibili deviazioni nella loro considerazione. Ma non è soltanto una questione di psicologia o di sociologia letteraria, è questione di scrittura, è lí che si annida la contraddizione e persino l'enigma di una personalità che sfiora il successo mondiale e subisce emarginazioni[3], è per antonomasia scrittore di successo ma offre alle eventuali masse di lettori pagine non sempre di lettura gradevole o facilmente accessibile. Bevilacqua aveva comin-

[3] La piú scottante può essere quella inflitta da G. Spagnoletti, che nella sua *Letteratura italiana del nostro secolo* (Mondadori, 1985) ignora del tutto l'opera di Bevilacqua.

ciato come poeta, ma già alla metà degli anni sessanta era approdato con buona fortuna al romanzo (*La Califfa*, 1964; *Questa specie d'amore*, 1966, che lo avrebbero in seguito portato alla regia cinematografica). Nel 1968, *L'occhio del gatto* (Rizzoli) riprendeva il tema della crisi dei rapporti sentimentali e coniugali ma per proiettarla anche sui parametri generali della condizione umana con una qualche superfetazione linguistica e contenutistica. È questo il modo caratteristico dello stile di Bevilacqua che, per parafrasare la sua stessa pagina, lo induce a smontare, spostare, sostituire con furia e di continuo le molte tessere del suo gioco letterario, quasi nello spasimo di giungere a darci tutta l'intricata matassa del nostro vivere, forse con l'esito di una indiscriminata proliferazione di motivi non sufficientemente graduati e organizzati. È lo stesso generoso eccesso — e questa volta si direbbe ancor piú programmaticamente assunto come strumento narrativo e collocato già in vista nel titolo — che ritroviamo in *Umana avventura* (Garzanti, 1974), dove la disperata intenzione di rendere il senso totale della incontrollabile molteplicità delle situazioni biografiche o esistenziali non può non andare a scapito di un rigoroso controllo fantastico.

I toni e gli strumenti narrativi non cambiano molto anche quando Bevilacqua stringe il suo racconto entro una cronologia esatta, come accade in *Una scandalosa giovinezza* (Rizzoli, 1978) che vede accadimenti compresi fra i moti contadini nella Padania del primo Novecento e la guerra d'Etiopia degli anni trenta; ma siamo lontanissimi dalla dimensione e dalla tecnica del romanzo storico, ché qui la storia è piuttosto il luogo delle «meraviglie del possibile», dove i personaggi acquistano un sapore mitico e gli avvenimenti hanno un che di leggendario; ma soprattutto la consueta scrittura a mosaico spezza il filo degli eventi allargandosi di continuo su uomini e fatti che divengono di volta in volta i protagonisti. È la stessa scrittura interrotta che si articola nel succedersi delle deviazioni, allusioni, citazioni, degli *ex abrupto*, dei sottintesi e di ogni altro genere di spezzature, e che entro una pagina arieggiante la norma comunicativa contiene invece il ribollire domato a stento delle cose da far passare entro la cruna dello stile, — la stessa scrittura che ritroviamo in *Il curioso delle donne* (Mondadori, 1983) e *La donna delle meraviglie* (ivi, 1984). Il primo titolo piú che romanzo può definirsi una divagazione sul carattere delle donne verificato attraverso la loro diretta conoscenza nei rapporti privati o in quelli pubblici, e naturalmente le variazioni bevilacquiane trovano campo per esercitarsi in ogni direzione; nel secondo continua il fitto gioco del Bevilacqua «illusionista», i *flash-back*, i preannunci, le epifanie, gli improvvisi e imprevisti lacerti di memoria («Penso, chissà perché...»), inseriti questa volta in una vicenda-sogno carica di mistero e di percezioni extrasensoriali che si sciolgono soltanto all'ultima pagina.

Bevilacqua raggiunge in genere maggiore convinzione ideologica e maggiore compostezza stilistica quando si accosta con partecipazione sincera e con fresca memoria alla sua Parma. È quanto accadeva in *Una città in amore* (1962, poi Rizzoli, 1970) e in *Il viaggiatore misterioso* (ivi, 1972) che ricorda con grande adesione politica la strenua resistenza antifascista d'Oltretorrente e il suo eroe Guido Picelli caduto in Spagna combattendo contro Franco; e quanto torna ad accadere in *La festa parmigiana* (ivi, 1980), dove i ricordi domestici, le tradizioni storiche, i valori artistici, la topografia, gli echi dialettali concorrono a creare un quadro segmentatissimo ma a suo modo organico della città amata.

Ma la stessa maggior limpidezza di stile troviamo anche nel Bevilacqua poeta, che dopo la lontana *Amicizia perduta* (1961) si è rinnovata nelle due raccolte *L'indignazione* (ivi, 1973) e *La crudeltà* (Garzanti, 1975), e infine in *Vita mia* (Mondadori, 1985), dove tornano, in modo diretto o meno, i motivi autobiografici e parmensi nonché il dialetto, anzi «la lingua *clandestina* della Leggera», ma in un tono insieme piú fresco e pensoso che funge da controcanto alle circonvoluzioni di una prosa troppo spesso pletorica.

Scrittore eclettico e prolifico come pochi altri in Italia, Giovanni Arpino aveva esordito nel '52 nei «Gettoni» einaudiani, ma i suoi migliori successi li aveva conseguiti a cavaliere degli anni sessanta con una sorta di trilogia (*La suora giovane*, 1959; *Un delitto d'onore*, 1961; *Una nuvola d'ira*, 1962) che aveva rivelato la prontezza sia nel cogliere alcune particolari motivazioni psicologiche o sociali sia nell'adeguarvi una lingua gradevole, comunicativa senza sciatterie o scolasticismi. Le piú complesse motivazioni dei romanzi successivi, *L'ombra delle colline* (1964) sulla delusione postresistenziale, *Un'anima persa* (Mondadori, 1966) con le sue tinte demoniache; o delle raccolte di racconti (*La Babbuina e altre storie*, ivi, 1967 e *27 racconti*, ivi, 1968) piú che arricchire di nuovi approfondimenti la narrativa di Arpino ne confermavano l'inesauribile versatilità (che non può non farci ricordare la sua attività di giornalista) usufruita tuttavia sempre con dignità di scrittura e sapienza di costruttore di storie[4].

[4] «professionista del prodotto narrativo congeniale con i gusti del pubblico» lo definisce Spagnoletti (*La letteratura italiana del nostro secolo*, cit., III). Va anche ricordata la non parca produzione poetica e teatrale.

La versatilità e la prolificità si sono, se possibile, ulteriormente incrementate nel decennio successivo, lungo il quale Arpino ha fornito sette romanzi oltre due consistenti volumi rizzoliani (*Un gran mare di gente*, 1981 e *Raccontami una storia*, 1982) che raccolgono tutti i suoi racconti. Il lungo elenco comprende *Il buio e il miele* (Rizzoli, 1969), *Randagio è l'eroe* (ivi, 1972), *Domingo il favoloso* (Einaudi, 1975), *Il primo quarto di luna* (ivi, 1976), *Azzurro tenebra* (ivi, 1977), *Il fratello italiano* (Rizzoli, 1980), *La sposa segreta* (Garzanti, 1983), per i quali un discorso — inevitabilmente tenuto nei termini generali — dovrebbe ancora una volta sottolineare l'attenzione ai problemi dell'uomo d'oggi, la meticolosità nel cogliere i comportamenti e gli atteggiamenti interiori, la tendenza a proiettare le condizioni biografiche lungo una tangente tra esistenziale e religiosa, uno stile che si mantiene in presa diretta con il lettore, comunicativo senza cadute, estraneo a ricerche formali, corretto con qualche inflessione dialettale: tutti elementi che giustificano e confermano la dimensione tra letteratura e consumo nella quale si muove con grande disinvoltura e successo la narrativa di Arpino.

Di un largo e crescente successo di pubblico ha pure goduto la narrativa di Giorgio Saviane, la quale si è mossa tra i due poli della grandiosità del messaggio e della quotidianità sentimentale, tuttavia con una prevalenza della prima tendenza, come già appariva in *Il papa* (1963), punto d'arrivo della fase iniziale della sua attività di scrittore. Se due anni dopo *Il passo lungo* (Rizzoli) sembrava almeno in parte concedere maggiore spazio ai rapporti umani centrati sulla dialettica sesso-denaro[5] e nel 1976 *Eutanasia di un amore* (ivi) confermava la disposizione all'analisi dei comportamenti in relazione con i sentimenti; *Il mare verticale* (Rusconi, 1973) tornava ai contenuti assoluti, alla vicenda dell'umanità nell'intero corso dei millenni, a una «fantastica corsa attraverso l'impossibile galleria dell'io», evitando tuttavia una puntigliosa rassegna di tappe e affidandosi alla grandiosa creazione di un mito, aiutando in questo un linguaggio, già ripetutamente sperimentato, in cui le parole germinano «in progressione geometrica» per «un'amplificazione dell'idea» (le espressioni sono dello stesso autore). È il medesimo linguaggio con cui viene trasmesso l'analogo messaggio universale che ritroviamo in *Getsemani* (Mondadori, 1980), in cui Saviane riprende quella tematica religiosa che a lui pare particolarmente congeniale, riferendola ora alla dialettica amore-dolore («il dolore e la felicità sono la stessa cosa») e personificandola addirittura nella figura di Gesú, naturalmente non nella sua verità storica né in

---

[5] A questo versante può ascriversi anche *Il tesoro dei Pellizzari* (Mondadori) che, pubblicato nel 1981, è in realtà un'opera giovanile dello scrittore.

quella strettamente ortodossa, ma in quella mitica e perenne che può trovare spazio anche nel mondo sofferente della cronaca d'oggi.

La poliedrica presenza di Enzo Siciliano nel campo letterario dei nostri decenni non si esaurisce certamente nella sua attività di narratore, alla quale tuttavia egli ha dedicato fin dagli anni sessanta alcuni volumi feltrinelliani (*Racconti ambigui*, 1963; *La coppia*, 1966) cui hanno fatto seguito nel '71 *Dietro di me* (Garzanti) e nel '73 *Rosa (pazza e disperata)* (ivi), che aveva avuto una precedente stesura teatrale, e nel '75 *La notte matrigna* (Rizzoli). Già con questo romanzo che spazia negli anni e nei paesi dalla Germania nazista e l'Italia fascista fino al dopoguerra e ai giorni nostri, Siciliano mostrava di aver raggiunto una sicurezza di scrittura e di impianto narrativo (qui forse fin troppo sapientemente scandito nei suoi brevi passaggi); ma il punto più alto di questa sua produzione ci pare lo abbia raggiunto con *La principessa e l'antiquario* (ivi), un romanzo epistolare condotto su una duplice struttura di eventi e di psicologie, ambientato nel '700 in una Roma trasfigurata dal peso funesto del suo grande passato e dall'assurdo del suo vivere quotidiano. Una analoga e diversa atmosfera notturna e maligna si ritrova in *Diamante* (Mondadori, 1984) che ci riporta ai giorni nostri in una Calabria in cui — come dice Sciascia presentando il volume — «la paura che si vive e la paura che si incute fanno groviglio e incubo»; quello che pure rimane costante nella pagina di Siciliano è la ricerca di un'eleganza di lingua poco appariscente ma sostanziale, che si realizza nella precisione e nella non casualità del lessico e in una sintassi semplice ma che lascia spazi a qualche eco più vasta, una lingua fermentante al di là della prima impressione di una facile godibilità.

La biografia letteraria di Carlo Coccioli presenta caratteri introvabili in altri autori: siamo con lui di fronte a uno scrittore che in quarant'anni di lavoro ha dato vita ad una produzione narrativa vastissima e per più di un aspetto originale, ma che non ha mai goduto in patria di quei vasti riconoscimenti non mancati ad altri autori. L'eccezionalità del fatto ha la sua prima radice nella vita dello scrittore; dal 1949 Coccioli ha abbandonato l'Italia per trasferirsi prima a Parigi e poi stabilmente nel Messico, ed è divenuto anche scrittore (e pare di maggior successo) in lingua francese e spagnola, al punto che alcune sue opere solo in un secondo momento hanno avuto una versione (d'autore) italiana o addirittura attendono ancora di essere tradotte. Questo respiro linguistico e culturale eccentrico, accentuato da specifici studi di culture camito-semitiche ed orientali con una personale propensione per la religione ebraica, può almeno in parte spiegare la non grande considerazione sia del pubblico che della critica italiana per un romanziere fecondissimo che dal primo titolo (*Il migliore e l'ultimo*, pubblicato da Vallecchi nel 1946) ne ha collezionati almeno altri venticinque (dei quali si ricordi soprattutto *Il cielo e la terra* del '58, un romanzo impregnato di cattolicesimo problematico) di cui sei non in lingua italiana.

È però possibile riscontrare un aumento di interesse nei suoi confronti lungo gli anni settanta, da quando la sua opera comincia ad uscire nelle edizioni Rusconi; nel 1976 esce *Davide* e un anno dopo *Requiem per un cane* (ma il romanzo era uscito sei anni prima in Messico con il titolo *Fiorello, réquiem para un perro* e conserva parecchie citazioni della lingua originaria) storia di un rapporto di amore fra l'uomo e la bestia, o piuttosto di un'angosciosa confessione dell'inesausto dibattito tra la rabbia di vivere, lo scandalo del dolore innocente e la pena oscura della morte. E libri d'amore sono anche il romanzo *Fabrizio Lupo* (1978)[6] e i racconti di *Uno e altri amori* (1984) dedicati pur essi alla memoria di un amatissimo cane; con la consueta prosa spesso vibrante di note eccessive, scrive Coccioli: «Dio: sarà possibile che io per la morte di un cane non sappia piú essere?... Dio parla chiaro ti prego! Senza il mio Oliver soffro tanto che non capisco piú niente...». Quello di Fabrizio Lupo è un amore omosessuale che Coccioli, in largo anticipo su una tematica e un costume che nei decenni successivi avrebbero largamente modificato il rapporto del «diverso» con la società, affrontava nei termini dolorosi ma coraggiosi di una rivendicazione totale: «Sappiamo — dice il protagonista — la nobiltà, la dignità, l'"ordine" di un amore come il mio. La fattibilità, la credibilità di un amore come il mio. La sua bellezza, la sua autenticità, la sua gloria. La sua verità anche davanti a Dio»; una verità tragica fino al suicidio e sublime fino alla serenità ultima che è insieme rinuncia e conquista. Coccioli ha sempre amato i problemi di fondo, gravi e insanabili, descritti con larghe e prolisse circonvoluzioni narrative che per un verso li sfocano e per un altro, avvolgendoli in ambagi stilistiche, li esasperano. Sono i problemi che ritroviamo anche in *Uno e altri amori* pur se nella misura piú ridotta e vivace del racconto, dove amore e morte tornano ad intrecciarsi e si rinnova il legame fra tutti gli esseri viventi, ma questa volta non senza qualche vena di ironia e sullo sfondo dei paesaggi che biograficamente

[6] Molto complessa anche la vicenda di questo romanzo: scritto inizialmente in italiano, ma pubblicato dapprima in versione francese nel '52 e, dopo numerose traduzioni in altre lingue, ripubblicato in Italia nel testo originale con molte varianti rispetto al testo francese. La data cosí remota della prima comparsa dell'opera spiega anche lo scandalo che essa sollevò nei paesi in cui fu presentata.

appartengono all'autore, Firenze, Parigi, l'America latina, e per dire in ultimo che «in fin dei conti non conta che il bell'amore: quello della quasi ridicola e sommamente scomoda ma se ci pensiamo bene inevitabile fedeltà».

Gli anni settanta hanno visto l'uscita anche delle ultime opere di Lucio Mastronardi, morto suicida nel 1979 (*A casa tua ridono*, Rizzoli, 1971; *L'assicuratore*, ivi, 1975); e i romanzi di Alberto Vigevani, sulla breccia letteraria fin dagli anni trenta e che recentemente ha pubblicato *Il grembiule rosso* (Mondadori, 1975), *La Lucia dei giardini* (ivi, 1977), *Fata Morgana* (ivi, 1978) restando il piú fedele interprete di una linea lombarda nella narrativa; e il confermarsi della vena sovrabbondante, vivacissima e sempre facilmente cinematografabile di Piero Chiara (morto nel 1986), il costante impegno di Alcide Paolini nel cogliere le amarezze di vite fallite per lo piú all'interno del rapporto di coppia (si vedano gli ultimi titoli, *Paura di Anna*, Mondadori, 1976; *La bellezza*, ivi, 1979; *L'eterna finzione*, Bompiani, 1983; *La donna del nemico*, ivi, 1985) che torna a parlare dell'occupazione tedesca e della lotta partigiana; gli interni familiari di Mimí Zorzi (*Il medico di famiglia*, Rusconi, 1981); le figure femminili di Laudomia Bonanni (tra le cose piú recenti ricordiamo i racconti di *Città del tabacco*, ivi, 1977, e i romanzi *Il bambino di pietra*, ivi, 1979 e *Le droghe*, ivi, 1982) con le loro nevrosi e i problemi del matrimonio, della maternità, del lavoro.

Il caso di Stefano D'Arrigo è stato del tutto particolare, perché il romanzo *Horcynus Orca* (Mondadori, 1975) può dirsi la sua opera prima[7] alla quale egli ha lavorato duramente per oltre un quindicennio inibendosi ogni altra attività che non fosse quella di portare a termine il libro. Le componenti che convergevano a costituire l'opera vastissima appaiono a primo esame disparate e sovrapposte: dallo spunto storico del ritorno a casa dopo la disfatta del '43, con il commento di un'esplicita satira politica che qua e là affiora e ritorna, alla simbolizzazione di quel primo motivo in un viaggio che è insieme verso le origini e verso la fine, dalla descrizione anche tecnicamente sapiente del comportamento delle «fere» (i delfini che passano a branchi per

---

[7] In verità, D'Arrigo aveva pubblicato nel 1957 presso Scheiwiller la raccolta di versi *Codice siciliano*. Lo stesso *Horcynus Orca* aveva visto la luce, in un frammento di un centinaio di pagine, nel *Menabò 3*, 1960, con il titolo *I giorni della fera*, e un glossario a cura della redazione della rivista.

lo stretto di Messina) e dell'immane orca, alla loro trasposizione metaforica nel concetto orrendo e laido della morte. Sicché è questa favolosa capacità di D'Arrigo di reinterpretare il reale in una chiave che travalica il dato sensoriale e lo trasforma in monito e allusione universale, questa sua capacità di rivivere gli eterni valori — la vita e la morte, l'amore, il viaggio, il padre, la lotta, la gara — attraverso una possente trasfigurazione mitica, a dare all'opera una grandiosa unitarietà che raccoglie tutto il sovrabbondante materiale e lo organizza finalizzando ad una visione tragica dell'essere. Il romanzo si riallaccia per questo ad una tradizione di mitologia moderna che è alle nostre spalle, con chiari riferimenti ora biblici ora classici ora specificamente omerici, mediante il quale esso può apparentarsi ad un consistente filone della narrativa otto-novecentesca italiana e straniera, da Melville a Joyce.

Ma la riproposta di questi miti in *Horcynus Orca* va anche letta in tutte le sue sin strabocchevoli articolazioni e parcellizzazioni, dove simboli opposti possono giungere ad elidersi e sommarsi nel medesimo tempo producendo significati sempre piú complessi; ecco l'Orca-Morte subire lei stessa la morte e divenire, nella sua orrenda carcassa, simbolo della fine del male (il fascismo o la guerra che sono finiti?); e le fere apportatrici di distruzione che distruggendo l'Orca-Morte divengono strumento di liberazione (gli eserciti alleati?); ecco, ancora, nelle parole finali di Luigi Orioles, il tramonto delle vecchie regole di saggezza e la prefigurazione del futuro (ritorno a una mediocre normalità o prossimo avvento neocapitalista?); ecco nell'amore-conflitto di 'Ndria il perenne scontro con l'autorità, e infine nella sua morte, cosí inutile e casuale eppure quasi cercata, l'eterna sorte delle vittime predestinate. Sarebbe certo un errore voler estrarre con puntigliosa meticolosità i singoli sensi velati nella grande favola, ma errore ben piú grave sarebbe quello di leggerla come scatenata produzione fantastica e linguistica, là dove tutto il senso culturale e letterario sta nella pregnanza di significati che essa scopre nel reale e trasmette con le piú libere e complesse associazioni. L'invenzione va qui perciò intesa nel suo senso piú proprio di scoperta di un vero che è sempre al di là della immediata certificazione dei sensi, e sempre si arricchisce di nuove fenomenizzazioni; cosí come, appunto, vuole il mito.

E forse proprio per questo carattere mitico dell'opera, il filo che corre lungo le oltre milleduecento pagine solo apparentemente si può dire che disegni una trama, poiché il senso del libro non è dato dalla vicenda, riducibile quasi a nulla, ma dalle continue superfetazioni che cessano di essere tali perché sono la stessa ragione stilistica del romanzo, il quale cresce ad ogni istante sui propri motivi dilatandoli talora fino al parossismo linguistico. D'Arrigo è riuscito a crearsi una lingua inusitata e quasi inesistente, in cui l'apporto piú macroscopico alla base italiana è certamente quello del dialetto siciliano, tuttavia reinterpretato e utilizzato in una maniera niente affatto realistica ma fantastica e creativa; ed alla stessa stregua entrano nella pagina apporti dalla tecnica della pesca o del mare o altre piú disparate e impreviste provenienze, non esclusa quella che lascia ampi residui di letteratura e bello scrivere. Le varie operazioni avvengono anzitutto a livello lessicale, con i sostantivi spesso raddoppiati o divisi o interpolati e gli aggettivi modificati nei piú strani diminutivi e accrescitivi o peggiorativi; ma continuano a livello sintattico (dove si nota di piú l'influenza siciliana) e a quello generale della struttura del periodare (dove prevale invece un gusto piú colto di grandiose associazioni). Frequentissimi sono infatti i periodi di enorme ampiezza, in cui lo strumento dell'amplificazione è dato di solito dalla ripetuta ripresa della stessa proposizione che spezza e congiunge insieme una lunga articolazione risultante da segmenti di diversa misura ma abilmente calcolati all'effetto spossante di una lingua che vuol essere la prima testimonianza di un mondo lucido pur nella sua complessa esplosività[8].

Dopo ancora una lunga elaborazione e un silenzio durato oltre un decennio, D'Arrigo è tornato al pubblico con *Cima delle nobildonne* (Mondadori, 1985), che pareva presentare differenze quasi radicali rispetto all'opera precedente. Abbandonata la risonanza epica e accantonata qualunque forma di ibridismo dialettale, il romanzo appariva come una complessa operazione cui l'intreccio di antichi motivi egiziani e modernissime tecniche mediche aveva imposto un linguaggio studiosamente scientifico. Tra il mito di due Faraoni celebratori delle virtú vitali della placenta e la cronaca della costituzione di una vagina artificiale che un emiro dei nostri giorni ottiene per una sua favorita; tra questa prima storia e la seconda che racconta la morte di una cagnetta e l'angoscioso problema della comunicazione della notizia, si allacciano però cosí arcani legami che le pagine finiscono, attraverso differenti e imprevedute vie, per acquistare vibrazioni che ci riportano a *Horcynus Orca*: una certa tendenza qua e là affiorante

[8] Cosí G. Contini riassume i caratteri della lingua di D'Arrigo: «Un linguaggio con lunga pazienza deformato secondo un'unica modalità caricaturale di suffissi e di fusioni verbali: questo siculo-italiano iperbolico, qualche volta memore, nel dialogato particolarmente, dei libri siciliani di Vittorini, non sarebbe concepibile prima del dilagare del neorealismo vernacolare, e in particolare degli applicatori di Gadda... L'impasto linguistico di D'Arrigo, fiammante ed eccentrico al primo esame, si grammaticalizza però assai presto e dà piú indizio di sedula perseveranza che di sempre risorgente invenzione» (*Schedario di scrittori italiani moderni e contemporanei*, Sansoni, 1978).

a un periodare lungo e complesso, il ricorso a espressioni non canoniche, l'uso quasi ieratico della terminologia medica e la stessa proiezione dell'attualità in una prospettiva metempirica sulla quale domina il senso di morte rivelano infatti una parentela non immediatamente appariscente ma calata nelle ragioni profonde della cultura e del gusto dell'autore.

2. Nel realismo

Saverio Strati è rimasto il piú fedele alla tematica realista e meridionale, specificamente calabrese, che aveva cominciato a frequentare fin dagli anni cinquanta con i racconti di *La Marchesina* (1956) e *Gente in viaggio* (Mondadori, 1966, che raccoglieva racconti precedenti) e i romanzi *La teda* (1957), *Tibi e Tascia* (1959), *Mani vuote* (1960) e *Il nodo* (ivi, 1965) con al centro il mondo dei contadini, dei carbonai, dei pastori nonché dei briganti, il mondo delle umiliazioni, delle speranze deluse e delle vane fughe dal sud. Ma il romanzo in cui il dramma dell'emigrazione è stato piú direttamente affrontato in tutte le sue conseguenze e le sue contraddizioni è *Noi lazzaroni* (Mondadori, 1972), storia della vita lacerata tra i diversi condizionamenti dell'arretratezza mafiosa del sud e il freddo efficientismo del nord entro cui rimangono compresse o stritolate le esistenze predestinate di chi non possiede risorse: «Capii che si è soli come cani randagi noi che abbiamo niente altro che la pelle». `

La narrativa di Strati non intende né registrare la rassegnazione né indurre alla immediata ribellione, il senso sta piuttosto in una lunga opera di acquisizione di conoscenze e di coscienza dalla quale potrebbe uscire un destino migliore; talvolta in questa eterna lotta di riscatto si insinuano note di sconforto, e non è casuale che esse risuonino principalmente in un romanzo come *È il nostro turno* (ivi, 1975) che vede in scena il mondo piccolo borghese cittadino, annoiato e meschino (come già era accaduto in *Il codardo*, Bietti, 1970) ritratto per di piú alla metà di quegli anni settanta che avevano visto in Calabria lo scatenamento della violenza reazionaria.

Strati ha continuato con feconda intensità anche negli anni a noi piú vicini a testimoniare una condizione oggettiva che anziché evolversi si è bloccata e incancrenita. In *Il selvaggio di Santa Venere* (Mondadori, 1977) tutti i motivi fondamentali vengono ripresi e in primo luogo, entro il rapporto o l'attrito padre-figlio, quelli della mafia e dell'emigrazione; ma questa volta ci pare che il dito dell'autore sia puntato non tanto sui mali "eterni" della Calabria quanto sulle piaghe di oggi, le connivenze tra potere politico e malavita organizzata, la frustrazione delle iniziative piú moderne o piú generose, con una particolare accentuazione polemica. Dopo il racconto lungo *Il ciabattino nel catabuco* (nel volume *Il visionario e il ciabattino*, ivi, 1978, comprendente anche un secondo racconto lungo, *Il visionario* che si differenzia per alcuni aspetti dalla piú consueta tematica stratiana) in cui è ripreso il motivo dello scontro padre-figlio, Strati è ritornato alla dimensione del romanzo con *Il diavolaro* (ivi, 1979) con il quale si rinnova, per l'ampiezza e l'intensità, la misura del *Selvaggio di Santa Venere*, o addirittura una misura verghiana che, insieme con il punto di riferimento alvariano, era sempre stata un'implicita aspirazione dello scrittore. Nelle vicende, ancora una volta entro un contrastato rapporto familiare, dell'uomo che dal nulla si costruisce il potere della ricchezza, e che si scontra con le esterne forze distruttive e le interne presunzioni di chi si è fatto da sé, quello che ne vien fuori è un mondo polarizzato tra violenza e solitudine, in una forma narrativa che non abbandona nulla della sua naturale comunicatività ma che la arricchisce in una struttura piú movimentata e sapiente. È una conquista che, ulteriormente sottolineata da un inconsueto filo di *humour*, si riscontra anche negli ambienti familiari ritratti in *I cari parenti* (ivi, 1982)

Nino Palumbo parve ai suoi esordi uno dei pochi scrittori in grado di continuare con legittimità il discorso (neo) realista, per la ricchezza dell'esperienza umana e l'adozione di una lingua emotivamente comunicativa; in realtà, accanto a questa vena che si alimentava alla cronaca (*Impiegato d'imposte*, 1957) o alla storia (*Pane verde*, 1961) egli aveva rivelato un complementare interesse per situazioni estranee a forme naturalistiche e per personaggi scorporati dalla concretezza biografica sin quasi a trasformarsi in simboli; ed era il caso di Domenico Chessa de *Il giornale* (1958) afflitto da nevrosi da carta stampata. Questa seconda linea tendeva decisamente a prevalere nelle opere successive e particolarmente in *Il serpente malioso* (Editori Riuniti, 1977) e *Domanda marginale* (Bastogi, 1982, un anno prima della scomparsa dello scrittore). Ma nel primo titolo, accanto al problema psicologico che blocca l'inibito protagonista (un ex cattolico in cerca di un disperato rapporto d'amore) si poneva, e finiva per emergere, il problema della lingua, — ricerca del lessico (il protagonista è anche un linguista), uso dei mezzi di registrazione e di comunicazione, — e del linguaggio come invenzione letteraria che liquidasse definitivamente gli strumenti degli anni cinquanta ma senza adottare gli sconvolgimenti degli anni sessanta. Era il tipico *impasse* generazionale per un autore nato alla letteratura nel momento della crisi del neoreali-

smo, che aveva corso il rischio di essere travolto dalle neoavanguardie e ne era uscito con una proposta coraggiosa, che se poteva sembrare dettata piú da una volontà culturale che da una scelta istintiva,
significava, per uno scrittore dalla sovrabbondante umanità come Palumbo, non certo una rinuncia ma una conquista. Il tentativo continuava in *Domanda marginale*, anche se questa volta a prevalere era
lo scandaglio psicologico, la descrizione della parabola che porta un
uomo alla totale autodistruzione; Palumbo optava ora per il referto
meticoloso e impassibile di una condizione umana nella quale potevano anche riflettersi i caratteri negativi del mondo esterno, ma che
rimaneva sostanzialmente un grigio dramma individuale.

La vocazione di scrittore di Dante Troisi era nata da un'impellen-
te vocazione morale sollecitata ed alimentata dalla professione di giudice che gli aveva dettato il suo primo fortunato volume, *Diario di
un giudice* (1955), cui erano seguiti *I bianchi e i neri* (Laterza, 1965)
e *Viaggio scomodo* (ivi, 1967). Ma contemporaneamente Troisi aveva
svolto attività di narratore dapprima ispirandosi alle memorie di guerra
(*L'ulivo nella sabbia*, 1951; *La gente di Sidaien*, 1957), poi a una problematica sociale e religiosa che ha avuto in *L'odore dei cattolici* (1963)
il risultato migliore. Con *Voci di Vallea* (Rizzoli, 1969), nel dare il
referto di una minuscola società di provincia, Troisi forse smussava
un poco la polemica morale, quasi ripiegato e deluso in una «anonima
opaca mestizia dell'anima» che lo induceva anche a riflessioni religiose, pur se di una religiosità laica e aconfessionale.

Dopo oltre un decennio di silenzio, Troisi ha pubblicato nell'81
La sopravvivenza (ivi), un racconto nella forma di una doppia confessione e di inserti epistolari, che riporta la sua narrativa ad una scrittura franta e quasi nevrotica immediatamente allusiva della situazione insieme di attrito e di strazio in cui si svolge il muto dialogo fra
una donna morente e il marito che le è accanto e che ricapitola e anticipa in sé la condizione di sopravvissuto alla persona amata prima
ancora che essa muoia. Personaggio "sgradevole", come altri dell'autore, per il suo fondo di egoismo e di doppiezza («Daniele è un paras-
sita del dolore e della speranza degli altri»), esso realizza ancora una
volta il modello psicologicamente problematico e contorto, l'uomo che
soffre il disagio del vivere (e del morire), costantemente immerso in
una irta dialettica, che trapassa dal Giovanni Tenda dei primi romanzi
al Cosimo di *La finta notte* (Rusconi, 1984). È questo un romanzo-
via crucis, che lungo le sue stazioni rinnova, nel consueto stile spigoloso, la schizofrenia delle lacerazioni interiori senza giungere ad un

approdo: la condizione della semincoscienza, del dormiveglia, della «finta notte» sembra la condanna di un personaggio che rivive nella stanca memoria le proprie esperienze dolorose identificandole con quelle del mondo intero, e soffre il presente di un rapporto con una donna che già fu di altri con i quali ora a lui pare di confondersi. L'assunto ideologico del romanzo è, in ultima istanza, una concezione della vita come colpa che soltanto un assassinio funzionante da suffragio potrà paradossalmente riscattare.

I personaggi dei primi romanzi di Ferdinando Camon appartengono a quel profondo sud che è il Veneto contadino tra le province di Padova e Verona, dove la gente, «fatta per nascere e morire fuori storia», dal nulla del passato viene e nel nulla della prossima massificazione sta per essere precipitata. Questo il tema dei due romanzi *Il quinto stato* (Garzanti, 1970) e *La vita eterna* (ivi, 1972) in cui Camon vuole recuperare un mondo cui è stato vietato di elaborare una propria coscienza e una propria parola, schiacciato da una perenne sorte di oppressioni, invasioni, guerre e violenze di ogni genere. Lo strumento in cui egli ha cercato di adeguarsi a questa realtà emarginata è una lingua che per ragioni di opportunità mimetica concede qualcosa al dialetto ma che è caratterizzata soprattutto da una specie di ininterrotta tiritera che imita il movimento ma resta poi chiusa nel giro delle iterazioni, cioè dell'immobilità, solo reintroducendo le normali scansioni là dove l'«eternità» finalmente si approssima alla storia.

Il ciclo dedicato a questo mondo senza tradizioni e senza testimoni, nel quale l'economia conosce solo la permuta in natura e la politica si manifesta con il reclutamento per qualche guerra di cui si ignora il senso cosí come si ignora la lingua di chi la vuole, è concluso da *Un altare per la madre* (ivi, 1978), un'«epigrafe» per la figura in cui si incarna l'immortalità dell'essere al mondo secondo le proprie norme di vita non vulnerate da ferite esterne. È chiaro, tuttavia, che Camon non è nostalgico di quella sopravvivenza preistorica, ma è certamente accorato e forse irritato per la violenza che le vien fatta, per il modo in cui viene non liberata ma in diversa e peggior maniera sfruttata; in piú, in questo terzo romanzo, accanto all'accento elegiaco rispetto ai due volumi precedenti, quel che emerge è l'indicazione di una soluzione religiosa e cristiana che, d'altra parte, serpeggia in molte delle pagine di Camon[9]. Il quale era rimasto con «gli ultimi del mondo» anche quando dalla prosa era passato alla poesia con *Liberare l'a-*

[9] Si vedano per questo alcuni degli articoli raccolti in *Avanti popolo. I fatti della cultura e del costume che hanno contribuito alla storia degli anni '70* (Garzanti, 1977), e in particolare *Essere cattolico è una colpa, e la parola «cattolico» è un insulto* (p. 86).

nimale (ivi, 1973) dove sotto i semplici ritmi e le rime da cantata popolare si contiene un tono violento e sferzante, preludio agli epigrammi del settore *Cartina topografica* che sposta la mira dal «quinto stato» alla società letteraria.

Ma fin dal 1975 la storia aveva fatto irruzione nei romanzi di Camon con *Occidente* (ivi) e perciò i luoghi si erano trasferiti dalla campagna alla città e i temi dall'«eternità» alla cronaca piú lacerata dei giorni nostri, dove agiscono gruppi politici di un ambiguo terrorismo. Su questi gruppi l'autore è tornato con la «parabola» di *Storia di Sirio* (ivi, 1984), cui la linearità della vicenda sottolineata dall'andamento biografico del racconto (il figlio di un grosso industriale che abbandona il suo campo e passa attraverso esperienze politiche estreme) si salda con il groviglio delle posizioni ideologiche che sembrano voler culminare in suggerimenti di parte cristiana. Ma tra *Occidente* e *Storia di Sirio* esce, nel 1981, *La malattia chiamata uomo* (ivi) che ha la maggiore ambizione di scavalcare le coordinate storiche, pur non ignorate, per toccare il fondo della condizione, o della condanna, umana: «Ho sempre l'impressione che se qualcuno dice: "Sono contento di esistere" ci deve essere un errore, in lui o in me». Ma anche questa volta forse una soluzione può esserci, se il personaggio che dice «io» (ma che l'autore si premura di distinguere da sé) afferma, differenziandosi da Pasolini e da Moravia: «io penso a una soluzione non lontana da quella religiosa»[10].

Si devono anche aggiungere Davide Lajolo (morto nel 1985) che, oltre a importanti testimonianze su Pavese e Fenoglio, ha lasciato un libro in forma di romanzo autobiografico (*Veder l'erba dalla parte delle radici*, Rizzoli, 1977) che narra con grande coraggio l'esperienza di chi, colpito dal male, è stato a tu per tu con la morte; e Aldo De Jaco che ha continuato il suo discorso, condotto anche in veste di storico, avviato fin dagli anni cinquanta e che spesso fa centro su Napoli, come il romanzo poliziesco *Con finale in prigione* (Marsilio, 1975) che si muove su uno sfondo politico perfettamente individuato; nel '78 De Jaco ha affrontato con *Vocazione agitprop* (ivi) la descrizione della vita e dell'attività del Pci e, restando ancora fedele ai suoi fondamentali interessi, ci ha dato nell'83 una vivacissima e caustica descrizione della Cina di oggi (*Nel giardino del cattivo amministratore* (Bari, Levante) seguito un anno dopo da un prezioso *reportage* sul Nicaragua (*Nica libre*, Roma, Il Ventaglio).

---

[10] In un altro passo del romanzo, che è in gran parte costituito da sedute psicanalitiche, si dice: «C'è qualcosa che imparenta la nevrosi con la religione. C'è qualcosa che imparenta la religione con la nevrosi. Non sto dicendo che la religione è una nevrosi; ma che la nevrosi è una forma di religione».

Né si possono tacere, infine, pur se appartenenti a un particolarissimo genere letterario a metà tra la memorialistica, la saggistica polemica, la prosa giornalistica, il «romanzo ideologico» (secondo la definizione della stessa autrice) le opere di Oriana Fallaci, non foss'altro perché tra quelle di maggior diffusione internazionale dei nostri autori. I suoi successi piú recenti sono *Lettera a un bambino mai nato* (Rizzoli, 1975) sul problema dell'aborto, e *Un uomo* (ivi, 1979) ampia biografia degli ultimi giorni di Alexandros Panagulis, il combattente greco ucciso dai colonnelli, raccontata con forte emozione e ricostruita con grande minuzia di particolari.

3. *Oltre il realismo*

Ci sono molti modi per superare i confini formali del realismo pur intendendo restare legati alla realtà; Luigi Compagnone, ad esempio, non ha mai tagliato il cordone ombelicale che lo lega a Napoli, ma la sua lettura e la sua scrittura della città hanno tali accenti avventurosi o favolosi da fornirne piú che la fotografia un'immagine che è fedele proprio nella sua esasperazione, nella fantasiosa o bislacca reinvenzione in chiavi imprevedute e deformanti. Questo modo di soffrire e di rappresentare il cosmo napoletano aveva avuto le sue prime espressioni già negli anni cinquanta e aveva poi trovato la sua piú complessa e insieme piú sintetica formulazione in *L'amara scienza* (Vallecchi, 1965); le due opere successive, *Capriccio con rovine* (ivi, 1968) e *Le notti di Glasgow* (ivi, 1970), pur non smentendo l'ambiente o la radice partenopea, sembrano voler alludere ad una piú generale condizione umana cosí com'è vissuta all'interno di un mondo popolato oggi da assurdi idoli, nevrotizzato dalla falsa coscienza, umiliato dalle malattie del corpo e dello spirito.

È con *Città di mare con abitanti* (Rusconi, 1973) che Compagnone riafferra il tema di Napoli pur senza nominarla e rinnovandolo in una interpretazione che supera definitivamente i canoni ancora sostanzialmente descrittivi delle opere precedenti per arrivare alla pantomima, alla «ballata» o all'espressione poetica. Certo, la pagina di Compagnone era stata sempre movimentatissima per il frequente discorso diretto, i dialoghi spesso concitati, le inflessioni dialettali, le improvvise inserzioni che allargano il narrato, ma ora perveniva al caleidoscopio dei brevi frammenti buoni a cogliere i minimi accenti, i tic, le vane parole degli abitanti di una città sognata ma non troppo. Una città che torna ad essere chiamata con il suo nome nella *Ballata e morte di un capitano del popolo* (ivi, 1974), una «favola storica» di stampo campanelliano, che nella vicenda di Pulcinella Cetrulo, asceso al potere come vindice popolare e presto abbattuto da chi continua ad essere ben piú forte di lui, allude sí all'eterno contrasto fra chi comanda e chi è nato per obbedire, ma immergendolo nella specifica storia di una città che non a caso è quella di Masaniello. E il tema Compagnone lo riprende anche in versi, pur se la poesia gli giunge piú spesso dai ricordi familiari, dalla nostalgia di una giovinezza delusa, dall'attesa della morte; ma Napoli e la sua gente non sono mai lontani: «Ma se questa gente si desta, Dio / davvero si mette alla sua testa? La sua folgore / gli dà veramente? Ma le Madonne, le vecchie / Madonne, apriranno i mantelli e gli diranno: "Accampatevi qui sotto, fate i buoni e pregate / se davvero volete la grazia". Cosí dissero sempre».

Compagnone continua ad essere tra i piú fecondi nostri narratori, sicché numerosi altri titoli si sono aggiunti ai molti della sua lunga carriera, *Dentro la Stella* (Rusconi, 1977), *L'allegria dell'ozio* (ivi, 1979), *Malabolgia* (ivi, 1981), *Nero di luna* (ivi, 1985) e sempre piú evidente si è fatta la sua funzione di scrittore grottesco, di inventore di metafore che espressamente non dicono ma chiarissimamente alludono a vizi e difetti, a errori ed orrori di un'umanità che pare irrimediabilmente miserabile, vittima di se stessa o della propria parte peggiore; e sempre piú assimilabili alla teatralizzazione sono i comportamenti e le parole degli «abitanti» di questo «nero» mondo.

Il lungo lavoro di Giuliano Gramigna, poeta, narratore, critico e teorico della letteratura parte dalla metà degli anni cinquanta e si pone perciò parallelo alla nascita e allo svolgimento delle neoavanguardie, da lui fiancheggiate ma mai direttamente fatte proprie. Nel volume *Il terzo incluso* (Milano, I.P.L., 1971) veniva raccolta la sua produzione poetica, che non si discostava però totalmente dall'impegno narrativo, in via ormai di divenire prevalente, sia per l'ampiezza prosastica del suo verseggiare sia per l'ideologia letteraria che vi si sottendeva[11]; due anni prima *Marcel ritrovato* (Rizzoli) segnava la sua prima importante opera di romanziere, tutta particolare poiché nell'atto stesso del narrare Gramigna non perdeva di vista l'intento di verificare un'ipotesi teorica di struttura, che nel caso specifico era

[11] «La nevrosi di Gramigna poeta si supera mascherandosi nella parola, tentando di deviare il significato nel significante, ma senza scalzare del tutto una estrema parvenza di "messaggio" ... Contro la mistificazione Gramigna propone l'opposto dell'ordine, l'autenticità dell'inautentico, la rottura verbale e nominale che arriva all'elencazione (solo apparentemente vuota...)» (G. Finzi, *Poesia in Italia. Montale, novissimi, postnovissimi*, cit., p. 125). Nella piú recente raccolta poetica, *Es-o-Es* (Guanda, 1980) a prevalere è l'idea di una poesia come sogno.

una struttura avvolgente come prima significazione della condizione del protagonista alla spasmodica ricerca di se stesso. In *L'empio Enea* (ivi, 1972) riprendeva la disperata caccia all'identità condotta entro il cerchio odio-amore che congiunge e divide il padre e il figlio; e in *Il testo del racconto* (ivi, 1975) — un titolo che già allude alla struttura di metaromanzo dell'opera — piú che l'individuo a sfuggire a se stesso è il reale a sfaldarsi in piani che si rispecchiano moltiplicandosi e rendendosi cosí incerti e inafferrabili. Gramigna continuava insomma a realizzare una sua idea di romanzo che infine codificherà in un volume dall'etichetta volutamente provocatoria e antifrastica, *La menzogna del romanzo* (Garzanti, 1980), dove la «menzogna» è da attribuirsi alla sopravvivenza dei modi classico-ottocenteschi o, se riferita al romanzo novecentesco, va intesa come sua costruzione autonoma di un reale che non coincide con quello con il quale siamo, nella vita, abituati ad avere a che fare. Gramigna, avvalendosi anche dei principali teorici della letteratura della metà del secolo, contrapponeva al romanzo tradizionale, o «romanzo definizione», il romanzo di oggi o «romanzo ipotesi», in cui «il romanziere non si sente piú di tenere il capo del gomitolo», un'opera che non ha un linguaggio, una struttura, un metodo ma è «per definizione un *mixtum compositum... un organismo metaforico per eccellenza». In questa nuova condizione si verificano l'erosione del personaggio[12], la fine della prospettiva antropocentrica e della plausibilità del rapporto causa-effetto, la riduzione del tempo al racconto stesso che via via lo crea e lo distrugge, la denuncia delle comuni convenzioni narrative, mentre chiave dell'universo narrativo diventa la sottoconvenzione[13]; — e sono anche i caratteri che Gramigna ha voluto imprimere alla sua opera di romanziere, alla quale nel '78 si era aggiunto *Il gran trucco* (Rizzoli). Qui però, per rappresentare in una deformazione esasperata e grottesca uomini e cose d'Italia, Gramigna aveva puntato soprattutto sulla lingua, sgorbiata in mille modi, con tutti i ''trucchi'' che la personale cura dell'autore e la diffusa abitudine a (mal)trattare le buone maniere linguistiche potevano escogitare; e con un risultato, inevitabilmente, tanto ardito quanto difficilmente sopportabile.

Giuseppe Bonaviri aveva esordito nei «Gettoni» vittoriniani coniugando con innata felicità l'attaccamento alle memorie siciliane con

---

12 «Anche il personaggio che dice ''io'' sembra disgregarsi man mano che s'insegue con la maggiore concentrazione» (p. 54).
13 E Gramigna spiega: «La vera (e necessaria) convenzione non è che io scriva: ''La marchesa uscí alle cinque'', ma che io creda che lo scrivere ''La marchesa uscí alle cinque'' basti a istituire una realtà immediata ed effettiva (autentica)» (p. 22).

una inarrestabile disposizione alle rarefatte evasioni in un sopramondo decifrato attraverso una personale cabala di sapore greco-arabo. A quel primo libro, *Il sarto della stradalunga* (1954), erano seguiti *La contrada degli ulivi* (1958) e *Il fiume di pietra* (1964), ma era stato alla fine degli anni sessanta con il trittico *La divina foresta, Notti sull'altura* e *L'isola amorosa* che egli aveva attinto una dimensione filosofica e letteraria esemplare e del tutto originale nel nostro panorama.

La divina foresta (Rizzoli, 1969) è addirittura la storia delle origini della vita che si districa dalla materia e comincia una sua avventura eracliteo-lucreziana, in una vicenda che non disegna una lineare evoluzione ma assume l'aspetto di una fantasiosa metamorfosi che salta gli anelli intermedi e ripropone la realtà di un essere in continua mutazione. Si incrementa cosí un processo di antropomorfizzazione mentre si comincia ad intravedere un paesaggio noto, una lontana Sicilia che ha ormai perduto ogni connotato realistico pur conservando una sua favolosa topografia, un suo rigoglio vegetale e animale su cui si esercita la sempre piú acuta vena linguistica dello scrittore. Questa celebra i suoi trionfi in *Notti sull'altura* (ivi, 1971), dove tutte le scienze, quelle vere e quelle occulte, concorrono ad una incredibile ricchezza terminologica per svolgere un grande tema magico-cosmico, la ricerca — che presto si dirama in una disperata caccia verso ogni possibile direzione — del tanatouccello in cui si è reincarnata l'essenza del padre morto. Ma la conclusione è che «la tanatodimensione è la componente fondamentale dell'esistere umano» e che «bisogna vedere nella morte un'altra sponda dell'essere, un "di là" di forza raggiante, a noi celata, in cui ogni uomo si chiude e finisce nel suo scorrente universo». Le filosofie presocratiche, le scienze arabe medioevali, i naturalismi rinascimentali sono piú che mai le grandi fonti, anche lessicali, di Bonaviri e servono ad indicarci le tappe di un itinerario che si è svolto dalla memoria alla fantasia alla scienza; dove però ogni momento contiene già in sé il successivo e questo a sua volta conserva il precedente, sí che la memoria della «stradalunga» o della «contrada» è già intrisa di una fantastica libertà stellare, la fantasia del trittico rende favolosamente remota ma non elimina la memoria siciliana, e insieme si arricchisce di motivi scientifici perfino raffinati cui però viene demandata la soluzione di teoremi squisitamente poetici. Sono i complessi strumenti che Bonaviri utilizza ancora in *L'isola amorosa* in cui la favola si fa piú irta alla comprensione proprio perché tocca il punto estremo dell'indeterminatezza dei simboli e della scorporazione del linguaggio, pur se esplicito appare il completamento del circolo tematico dalla storia della vita che nasce al misterioso trionfo sulla morte alla fuga dall'essere. Proprio per questo rovesciamento della prospettiva dall'evoluzione in un'avventura infinita alla regressione per scampare a un mondo ormai inabitabile, *L'isola amorosa* si pone come punto d'approdo del trittico e *La beffaria* (ivi, 1975) se ne colloca fuori per un piú trasparente perseguimento dei simboli che, nella lotta tra i pupi saraceni del teatro siciliano e gli uomini d'oggi, coglie gli aspetti piú insopportabili del nostro vivere.

Ma senza esagerare, ché la musa di Bonaviri continua ad essere quella di un particolarissimo favoleggiare che si sceglie come punto d'osservazione il cielo alto sui campi e le città di una Sicilia piú ipotetica che reale, simbolo dell'antico e del nuovo dolore del mondo che supera ogni coordinata storica. È questo, ci pare, il senso piú proprio di *L'enorme tempo* (ivi, 1976) che lega l'avventura giornaliera del medico che torna alla sua terra per esercitarvi la professione all'amara constatazione dell'eternità dei problemi irrisolti. Se questa volta la pagina di Bonaviri era piú visibilmente legata all'autobiografia, subito dopo, con *Dolcissimo* (ivi, 1978), la fantasia toccava l'estremo opposto, riportandoci — in una Mineo divenuta ora Zebulonia — agli accenti di *Notti sull'altura* e all'incombere della morte che torna ad unirsi al desiderio, anzi al progetto, di immortalità: «Saprete che Sinus, raccogliendo la sostanza salinica dei morti, o spirito mumialis, immettendolo nel suo stesso seme, voleva creare un essere immortale nella cui intemporalità avrebbe goduto della beatitudine degli iddii».

La carriera di Bonaviri ha continuato ad allungarsi e ad intensificarsi con un ritmo giovanile proprio per il continuo alimento che egli riesce a carpire dall'inesauribile cornucopia di Mineo; ma il prodigio, se cosí vogliam dire, sono le possibilità sempre nuove che egli ne trae per la sua fantasia. Le *Novelle saracene* (ivi, 1980), pur nella fedeltà al paese doppiata dal legame strettissimo con la madre (che svolge qui la funzione fondamentale della narratrice), rinnovano totalmente, almeno nei loro aspetti esteriori, le strutture narrative assumendo esplicitamente l'aspetto di leggende religiose, di fiabe e novelline e sorprendono, da un lato, per l'imprevista invenzione di un Gesú saraceno, dall'altro, per la mineizzazione (se è lecito) di un fondo fantastico che appartiene a culture disparate e remote, ricondotte alla piccola patria da un linguaggio che si adegua con perfetta naturalezza all'andamento favolistico.

Ma fin dal 1976, quasi per un inevitabile sbocco della carica contenuta in tutti i suoi testi, la pagina di Bonaviri era apertamente approdata alla poesia con il volume *Martedina* (Editori Riuniti) — ancora un racconto bilanciato tra vincoli familiari e fughe nei cieli — che conteneva anche la raccolta poetica *Il dire celeste* (poi presso Guanda, 1979). Era e non era una sorpresa, perché se per la prima volta l'autore, ormai piú che cinquantenne, confessava questa sua attività fino allora gelosamente nascosta, era facile per il lettore saldare il passaggio ritrovando alle origini della poesia le medesime fonti culturali, il medesimo fantasioso rigore e persino la costanza dei personaggi; ma il passaggio c'era stato e indicava non una tappa contingente ma una conquista duratura[14]. Lo dimostravano i due volumi successivi, *O corpo sospiroso* (ivi, 1982) e *L'incominciamento* (Sellerio, 1983), dove alle «microstorie» mineole e siciliane si alternano poesie che le commentano e ne allargano il senso dalla fiaba-cronaca al mistero-esistenza: «Ma, come sempre, per ognuno, tutto si concludeva col nero dio della morte — barca, rema! rema oscura — che, per invisibili vie, immergeva ogni uomo nell'incorporeo Nulla».

Il titolo sotto cui Raffaele La Capria ha riunito nel 1982 l'intera sua opera narrativa, *Tre romanzi di una giornata* (Einaudi)[15], coglie molto esplicitamente l'aspetto dominante della loro costruzione, che è di condensare in quella sola breve dimensione del tempo il senso dell'intera esistenza, quasi come a voler dire — *ab uno disce omnes* — che il destino dell'uomo non soffre deviazioni o eccezioni di rilievo, e che il canale in cui scorre la vita ha un percorso già segnato entro il quale il movimento subisce solo minime variazioni. La Capria aveva cominciato nel '52 con *Un giorno d'impazienza* (un romanzo che sarebbe stato riscritto nel '76 sempre presso Bompiani) adottando alla lettera quella sua misura cronologica e riempiendola di tutte le minuzie del dire, del muoversi, del riflettere, aiutandosi anche con l'alternanza del corsivo e del tondo e comunque già rivelando la sua maggiore virtú che era, e sarà, di afferrare i fatti quasi impercettibili della vita quotidiana senza però ridurre il racconto al piccolo riquadro di un neorealismo crepuscolare. Ed era quanto si ripeteva in *Ferito a morte* (1961), che riprendeva anche il ritratto di una Napoli frugata nei minimi particolari, amata e sofferta nel momento in cui sta per essere abbandonata; e in *Amore e psiche* (Bompiani, 1973) con un piú spiccato carattere autobiografico che porta fra l'altro l'azione, se di azione si può parlare, a Roma. Ma la prosa di La Capria

[14] Cosí anche G. Spagnoletti introducendo *O corpo sospiroso*: «Quasi tutti i libri di poesia e di narrativa che Bonaviri ha pubblicato possono considerarsi non solo legati fra loro, ma interdipendenti, parti o sezioni del medesimo disegno: avventure del pensiero e della fantasia, che egli insegue fissando di volta in volta capricciosamente gli avvenimenti della sua vita familiare, un piccolo mondo dove i parenti e gli antenati anche remoti hanno un posto privilegiato». A Mineo e alla Sicilia Bonaviri ha anche dedicato il volume di saggi *L'arenario* (ivi, 1984), che raccoglie studi in prevalenza sulla letteratura siciliana.

[15] Il volume è preceduto dalla ristampa di alcuni brani da *False partenze* (Bompiani, 1975), che rispecchiano le difficili esperienze letterarie, e non soltanto letterarie, di un'intera generazione.

sostanzialmente non muta, ancora una volta superando i limiti della «meschinità qualunquistica» — per dirla con Pasolini — per librarsi tra «quotidianità» e «scintilla cosmica»: «i luoghi normali in cui si vive quotidianamente sono per La Capria il modo di concretarsi del cosmo»[16].

Rossana Ombres è stata per lunghi anni fedele alla poesia (*Orizzonte anche tu*, 1956; *Le ciminiere di Casale*, 1962; *L'ipotesi di Agar*, Einaudi, 1968; *Bestiario d'amore*, Rizzoli, 1974) ma a partire dal 1970 ha spostato la sua attività anche verso la prosa, sia pure non mutando in modo sostanziale le sue categorie culturali e di scrittura che si muovono tra un fondo ebraico e una inverificabile biologia, con gli accenti che oscillano tra il mostruoso e il delirante, tra patologie mitomaniacali e dilatazioni in forma di incubo; cosí era stato nei testi poetici (si veda, ad esempio, in *Bestiario d'amore*: «l'animale da teatro, dunque, portava con sé / saggi gemini sauri e lumache screziate come i gatti, / e le lumache trascinavano sulla loro bava / una coppia di gechi da scacchiera, e sulle antenne / mosconi intenti a contemplarsi gli avambracci. Tutte / le squisite creature della genesi evocano due per due / per affidarsi alle nuove arche della prossima catastrofe»), cosí è in *La principessa Giacinta* (1970), storia di fantasmi che emanano da una follia visionaria e solipsistica. Le condizioni di clausura spirituale prima ancora che materiale ritornano nelle *Memorie di una dilettante* (Rizzoli, 1977) a riproporre un'ancor piú scostante e sempre piú abile serie di variazioni sul tema dell'ossessivo fino al ripugnante, ma paradossalmente tradotti in una lingua poetica e innocente che riesce a non offendere. Questi aspetti sono alla base della scrittura di *Serenata* (Mondadori, 1980), storia di un amore intenso e «devoto» che si consuma tutta all'interno di un dolce desiderio, di un femminile languore che sfiora appena, e con grande gentilezza, le immagini lubriche di altri testi.

La lettura della prima parte del romanzo con il quale Piero Sanavio dava inizio alla sua attività di narratore (*La Maison Dieu*, 1964) poteva lasciare intendere una scrittura attentamente descrittiva di una famiglia borghese della provincia veneta; ma già la premura con cui l'autore collocava gli avvenimenti sotto la sigla malefica del piú funesto dei tarocchi e tutto il substrato peccaminoso e demoniaco che accompagnava il racconto lasciavano vedere lo sforzo di spostare il rac-

---

[16] Pasolini (*Descrizioni di descrizioni*, Einaudi, 1979, p. 146) definisce *Amore e psiche* un «ipo-romanzo», cioè il romanzo di una piccola famiglia della borghesia dell'*élite* intellettuale, «il cui svolgersi coincide con lo scorrere (indescrivibile perché assolutamente illusorio) del tempo (o, meglio, della giornata)». Ci sarebbe dentro, poi, secondo Pasolini, anche un «meta-romanzo», in cui l'autore «interviene per spiegare culturalmente la propria opera», e che nascerebbe da un cedimento alla moda neoavanguardista e sarebbe pertanto fallito.

conto fuori delle coordinate del realismo; a ciò si aggiungeva — ed era fondamentale per la struttura dell'opera — una seconda parte in forma di commedia dell'arte (Sanavio è anche autore di teatro) e una terza che raccoglieva documenti relativi al testo narrato. Questa tendenza a superare le esatte dimensioni della realtà e dei modi per riferirla si vedeva anche negli altri romanzi, *Il finimondo* (Rizzoli, 1967), che la presentazione di Zanzotto riportava a Borges[17] e a certa fantascienza d'avanguardia, il romanzo "storico" dall'antifrastico titolo *La Patria* (Marsilio, 1971) e *Caterina Cornaro in abito di cortigiana* (Bompiani, 1981), in cui Sanavio rende esplicita la sua poetica o quanto meno la sua poetica intenzionale, e cioè fare un libro che, come i precedenti, sia «essenzialmente un conglomerato di segni» privo di un messaggio o di significati estranei alla sua struttura. In realtà, il romanzo era ancora una cronaca familiare puntualissima e meticolosa, cui però di nuovo si sovrapponevano — non senza un sospetto di due opposti eccessi, la casualità o la programmazione a freddo — gli strumenti per andare oltre le categorie oggettive della realtà: la divaricazione del tempo fra età napoleonica e anni del fascismo e della Resistenza, la parte documentaria finale con l'accostamento di un personaggio del romanzo a Caterina Cornaro, la «stilizzazione del contesto politico» — per dirla con le parole dell'autore — che ci pare resti tuttavia ugualmente delineato con precisione.

Il fascino dei romanzi di Francesca Sanvitale è di altro genere; dopo l'esordio di *Il cuore borghese* (Vallecchi, 1972) che aveva affrontato con un forte impatto, fra cronache e mitizzazioni, la condizione di un uomo negli anni nostri, è stato il romanzo *Madre e figlia* (Einaudi, 1980) a dare, con il successo, la misura della sua sapienza di scrittrice che si affida eminentemente alla memoria degli affetti contrastati, ma sempre avvalendosi di uno stile avvolgente e tendenzialmente liricizzante. Nella descrizione di un amore tormentato fra dedizione e risentimento, la narrazione, pur sullo sfondo della biografia, si svolge entro un tempo a dimensione circolare che di continuo si frammenta e si rimanda risalendo fino alla Milano degli anni trenta e poi ridiscendendo lungo la meticolosità dei ricordi e nel senso generale di una condanna del vivere. Questa abilità di scrittura eccede persino in *L'uomo del parco* (Mondadori, 1984), sottile scandaglio nell'animo femminile invaso dalla malattia del «desiderio senza realtà», della fuga dell'anima che abbandona il corpo lasciandolo ai dubbi eventi

---

[17] In una nota alla ristampa rizzoliana di *La Maison Dieu* del 1982, Sanavio non si dimostrava molto convinto del richiamo a Borges piú volte fatto dalla critica, e citava fra i suoi autori Sade, gli elisabettiani, i giacobini e Ezra Pound.

della vita, di cui la indecifrabile figura dell'«uomo del parco» è il simbolo, e la riconquista di sé la meta.

La strada imboccata da Giuseppe Cassieri fin dal 1960 — l'anno in cui pubblicò *La cocuzza* — è stata quella della satira[18] ma tenuta entro la struttura del racconto sia pure nei modi piú disinvolti e spigliati. Da allora sono entrati nel mirino della sua osservazione pungente e della sua penna graffiante molti degli aspetti meno accettabili e gradevoli del nostro vivere negli anni in cui si parlava di *boom* economico e l'incipiente civiltà del neocapitalismo si sposava con le vecchie remore di una mentalità bigotta e burocratica; le condizioni della cultura nella scuola e l'attacco dell'invadenza clericale era al centro di *Il calcinaccio* (1962); la società balneare tronfia o vacua esemplificata nei due protagonisti con il contorno dei molti comprimari è l'oggetto di *Le trombe* (Bompiani, 1965); l'autoanalisi per ritrovare il punto fermo del mondo era la via di *Andare a Liverpool* (Feltrinelli, 1968), mentre *Offerta speciale* (ivi, 1980) offriva il preoccupante quadro di una società ormai votata al consumo e disposta a subire le conseguenze tremende di quello che essa ritiene il benessere. In altri termini, Cassieri centrava qui per la prima volta da noi il problema ecologico mettendone in campo le varie presenze, dall'industria petrolifera inquinatrice alle manifestazioni di quelli che poi si sarebbero chiamati «verdi», alle popolazioni indifferenti alla loro stessa sorte.

Nel suo modo di far satira Cassieri ha costantemente utilizzato due strumenti: stilisticamente, ha adottato un modo di raccontare diretto, concreto, comunicativo, eliminando fronzoli retorici di ogni genere, facendo un frequentissimo ricorso al dialogo e talora utilizzando linguaggi oggettivi (confessioni psicanalitiche, dispacci ministeriali, ecc.) e qualche modesta sottolineatura tipografica; ideologicamente, non ha mai affidato al giudizio espresso, a riflessioni o proclamazioni il suo punto di vista: tutto deve venir fuori — e viene fuori — dalla rappresentazione, dal contesto, dall'eloquenza delle cose e dei loro protagonisti di cui egli sembra essere il semplice registratore o montatore quando, in realtà, ne è la voce critica che, pur pronunciata con il tono del divertimento, nasce da un fondo di sincera partecipazione e di seria preoccupazione.

Questi modi di narrare e ammonire per mezzo di una *vis comica* che riesce ad esercitarsi anche sull'orlo della tragedia, continua nei

---

[18] «Il solo caso apprezzabile di vocazione satirica nella nostra narrativa d'oggi, fuori dei confini segnati da Gadda» lo definisce G. Spagnoletti (*Scrittori di un secolo*, II, p. 1090, Marzorati, 1974).

titoli successivi; *Le caste pareti* (Garzanti, 1973) tocca il tema scottante e rischioso dei rapporti coniugali, pur tenendosi ben lontano dalla sociologia ma introducendosi nei segreti e negli squilibri di coppia dove dominano il frivolo e il grottesco; ma *Ingannare l'attesa* (ivi, 1979) tocca addirittura la condizione dell'uomo sotto la spada di Damocle della fine del mondo, un argomento che ha preso in quegli anni molti altri scrittori (si ricordino Moravia, Cassola, Morselli, Volponi, De Stefani) e che in Cassieri non può non risolversi nell'ironizzazione un po' sdegnata contro la mentalità consumistico-tecnologica con cui l'umanità si avvia alla catastrofe, cui si oppone una comunità che si prepara al cataclisma in una sorta di nuovo monachesimo, beninteso non preso troppo sul serio dall'autore. Piú facile il bersaglio di *L'uomo in cuffia* (Bompiani, 1982) che satireggia in primo luogo modi e suoni dei mass media, se poi, al di là di questo particolare mondo, non venissero coinvolti, nella consueta prosa accidentata e vagante, i mille modi di sprecarsi della nostra non molto nobile umana società. Altre volte, pur rimanendo nei contenuti a lui piú congeniali, Cassieri ha varcato i confini propri della narrativa toccando il terreno della prosa saggistica, che entro una certa misura era già implicita nei suoi romanzi e che vien fuori in *Kulturmarket* (Garzanti, 1977) e ancor piú in *Letture di traverso* (Dedalo, 1985) che l'autore definisce «una caustica passeggiata nel mercato comune delle idee».

4. *Dalla cronaca alla storia*

Non si sottraggono alla pressione degli eventi contemporanei gli autori che hanno preso a tema i fasti del terrorismo; si è già accennato a Bernari, Camon, Lunetta, ma si possono aggiungere ancora i nomi di Carlo Castellaneta, fecondo narratore-cronista degli accadimenti e della psicologia del nostro modo di vivere, che con *La Paloma* (Rizzoli, 1972) ci ha dato il dramma del "suicidio" dell'anarchico Pinelli, e sul terrorismo è tornato nell'82 con *Ombre* (ivi), mentre con *Vita di Raffaele Gallo* (ivi, 1985) si è spostato sul tema altrettanto sconvolgente e attuale della malavita organizzata; e Luce D'Eramo che, dopo la tragica testimonianza sul mondo nazista resa in un «libro duro, quasi scostante» (Pautasso), *Deviazione* (Mondadori, 1979), ha affrontato con altrettanta decisione il mondo del terrorismo con *Nucleo zero* (ivi, 1981).

Il tema è poi apparso in chiavi personali in molti altri romanzi; in una scrittura nevrotica e ironica, Giovanni Pascutto, dopo aver pubblicato un polemico romanzo sul servizio militare (*Milite ignoto*, Marsilio, 1976), ci ha raccontato con *Nessuna pietà per Giuseppe* (Mondadori, 1978) la storia di un quasi involontario eroe del terrorismo; Mario Miccinesi (*Il custode della legge*, Rusconi, 1979) ha strutturato le vicende del terrorismo nelle forme del romanzo poliziesco a raggio internazionale; Giovanni Campana (*Memorie del crudele inverno*, ivi, 1979) le ha invece colorite di sentimenti e sensibilità religiose.

Non lontani dall'argomento, e comunque in grado di cogliere l'atmosfera vissuta in Italia durante il decennio settanta, sono *Per partito preso* (ivi, 1978) di Giuseppe Bonura e *Il palazzo di Tauride* (ivi, 1982) di Elio Bartolini, che degli attriti, delle lotte, delle violenze di quegli anni segnano il momento della parabola discendente, colta nella crisi di un uomo politico comunista nel primo caso, e nella memoria di un tempo che sembra ormai lontanissimo nel secondo, il tempo della contestazione studentesca e di tutte le speranze di rinnovamento che l'accompagnarono. La stessa linea di delusione, quella che fu detta «riflusso», è tracciata anche da uno scrittore, Renzo Paris, che aveva fatto in tempo ad essere giovanissimo nel '68 e che appena cinque anni dopo poteva registrare in *Cani sciolti* (Rimini, Guaraldi, 1973) il venir meno della spinta rivoluzionaria, il ritorno all'individualismo, persino il passaggio degli ex contestatori alla funzione repressiva.

Testimonianza degli anni delle lotte e delle delusioni potrebbe essere anche *Da un'immensa distanza* (Milano, Shakespeare & Company, 1985) di Felice Piemontese se il prefatore Spinella non ci mettesse in guardia preannunciandoci che questo «non è un romanzo sul '68»; e possiamo credergli poiché dentro c'è tutto e soprattutto due cose, le minime fibre di un vivere, o un aver vissuto, un'esistenza fascinosa e disperata con gli immancabili rinvii ai sacri nomi recenti o meno di ogni possibile ribellione; e una scrittura che parte senza un inizio e giunge al suo termine dopo oltre cento pagine di un discorso filato senza nemmeno una virgola — una scommessa, se si vuole, ma anche prova esemplare di come si possa mimare il flusso instancabile della vita nel flusso ininterrotto delle parole (e non a caso Spinella cita Joyce).

La registrazione piú fedele, e insieme piú di parte, dei fatti del '68 la si deve a Giorgio Cesarano (morto nel 1975); *I giorni del dissenso* (Mondadori, 1968) descrivono in forma di diario due episodi delle manifestazioni studentesche e degli attacchi della polizia per le vie di Milano. Cesarano è un testimone-partecipe *sui generis*; «né studente né docente», quarantenne in mezzo ai ventenni, e perciò spiazzato eppure del tutto concorde con quanto gli accade intorno, di cui dà una cronaca minuziosa e scanzonata probabilmente tra le piú credibili scritte su quelle giornate. Il suo è un discorso ininterrotto che mima l'incalzare degli avvenimenti fissandone *flashes* illuminanti e polemici sia sul fronte borghese che su quello operaio, l'iniziale fastidio della popolazione disturbata nel traffico che si va poi mutando in una piú ben disposta sorpresa; o gli operai che «sembrano dormire addormentati dall'imborghesimento narcotizzati dalle false lotte concordate tra sindacati e padroni tanto per non perdere il cerimoniale del dissenso e degli antagonismi addomesticati».

Anche la narrativa di Giuseppe Pontiggia (*La morte in banca*, uscito in volume insieme con altri racconti, presso Mondadori, solo nel 1979 e perciò preceduto da *L'arte della fuga*, Adelphi, 1968 e *Il giocatore invisibile*, Mondadori, 1978, e poi seguito nell'83 da *Il raggio d'ombra*, ivi) appare mossa in prima istanza dalla cronaca dei nostri tempi, ma vi è nel modo di interpretarla una zona di dubbio o di sogno che arricchisce i dati di fatto di un alone che li rende piú preziosi. La disposizione a questo genere di scrittura è resa ancor piú evidente dalla raccolta di saggi vari generalmente assai brevi e talora somiglianti a spunti di racconto che Pontiggia ha riunito nel 1984 in *Il giardino delle esperidi* (Adelphi).

Sembrano dirigersi in senso opposto a quello delle opere immerse nella drammaticità quotidiana degli anni di piombo, i romanzi che riportano in auge le tematiche storiche, e le stesse biografie che, venute in gran moda, invadono non sempre con prodotti di buon livello il mercato e le cronache. Le ragioni di questo ritorno di interesse per la storia e la sua narrazione — con una particolare predilezione per il Medioevo — possono rintracciarsi in una duplice motivazione. Da una parte si paga il debito del fastidio per una narrativa sperimentale spesso inaccessibile contro la quale il romanzo tradizionale costituisce un riferimento a valori letterari acquisiti, una gradita ricostruzione delle strutture spazio-temporali, della narrazione come itinerario di eventi e di vicende di personaggi a tutto tondo (anche se poi non sempre le cose andranno proprio cosí); dall'altra, a queste spinte formali se ne aggiunge, piú o meno cosciente, un'altra che proviene non dal terreno letterario ma dalla vita stessa, e cioè dalla necessità di fuggirla, di sottrarsi ad un'attualità di anno in anno piú amara e insopportabile, e piú indecifrabile. Il passato pareva cosí poter fungere da riparo, e tanto piú quanto piú remoto e sconosciuto, come poteva essere l'evo di mezzo, e perciò tutto da reinventare con una fantasia che ribaltava le asettiche operazioni di laboratorio condotte sul corpo stremato di una narrativa che si negava nel momento stesso in cui si poneva. Bene di rifugio dagli orrori della cronaca o zona di riassestamento letterario, sta di fatto che la storia, già pochi anni prima rifiutata come categoria di interpretazione culturale, torna a diffondersi nelle pagine dei romanzi. Ciò non ne implica di necessità la celebrazione o l'apologia né un semplicistico confronto a tutto vantaggio del buon tempo antico, ma piú semplicemente un rinnovato interesse, la riscoperta di un campo d'azione sterminato e suggestivo in cui ciascun autore agisce a suo modo.

Gian Luigi Piccioli non aveva cominciato la sua attività di narratore entro una visuale storica, ma dapprima, con *Inorgaggio* (Mondadori, 1966) si era addentrato entro la quasi misteriosa realtà della grande industria, e poi, con *Arnolfini* (Feltrinelli, 1970) aveva affrontato, con grande sottigliezza psicologica e di linguaggio, il problema dell'educazione in seminario e dei suoi esiti. Lo scarto che lo porta a scrivere di uomini e cose del passato lo si ha con *Epistolario collettivo* (Bompiani, 1973), dove si racconta la vicenda secolare di un piccolo paese d'Abruzzo attraverso le lettere scritte dai suoi abitanti, dalle quali traspaiono le piccole storie individuali attraverso il prisma della storia maggiore fatta di terremoti, di guerre, di occupazioni delle terre e di repressioni, di borghesia che si inurba e di cafoni che emigrano.

Questa svolta verso la storia continua e si allarga con un progetto di ricostruzione dell'intera storia d'Europa fin dai suoi primordi, a partire cioè dal magma umano successivo alla fine dell'impero romano, donde nascerà in futuro la civiltà occidentale ma che per secoli si mantiene al di qua della storia come momento di razionalità e di umana conquista. Piccioli ci racconta cosí in *Il continente infantile* (Editori Riuniti, 1976) i fatti della comunità di Aporue, un nome che nasce sí dal toponimo Apud·Rhenum ma termina come palindromo di Europa, come a dire che questa vuol essere la storia rovesciata rispetto a quella che sempre si tramanda fatta di re, principi e cavalieri, vuol essere la storia dei senzanome di tutti i secoli, sempre lo stesso strame che rende però possibile il passaggio dal «tempo di nessuno» alla «rentrée della storia». E siamo all'incirca alla fine del primo millennio, mentre con *Sveva* (Rusconi, 1979) ha già avuto inizio il secondo e da quel concime anonimo e proletario sta crescendo la civiltà borghese, delle città che nascono nelle loro nuove geometrie, dei mercanti, dei crociati. Piccioli continua a raccontare frammentando in mille episodi maggiori e minori le vicende sempre folte e confuse, anche se all'albeggiare di questa adolescenza del continente qualche norma già si consolida, certe presenze emergono e i punti di riferimento cronologici si fanno piú precisi. Accade cosí che se nell'età «infantile» la vicenda dell'Europa poteva essere narrata ignorando i personaggi storici, ora il romanzo si apre col nome di Urbano II e la data del 1095; e parallelamente il linguaggio, quasi obbedendo all'ambiente piú raffinato della nascente borghesia, si depura degli umori plebei largamente sparsi nel primo romanzo.

Piccioli non ha continuato a raccontarci la storia del continente ma, dopo la favola *Viva Babymoon* (Bompiani, 1981), ha scritto *Tempo grande* (Rusconi, 1983) che è una vicenda tutta moderna e attualissima sulle emittenti televisive, raccontata dall'autore alla sua maniera franta e incalzante, una vicenda, dunque, remota da quella dei precedenti romanzi storici, se a ricollegarla ad essi non fosse il nome di uno dei tre protagonisti, Apudrum, un segnale, ci sembra, per riallacciare il filo del discorso dal caos barbarico dell'evo di mezzo al caos tecnologizzato dell'evo nostro.

Alla medesima temperie barbarica in cui già balugina la grande promessa dell'anno Mille ci porta anche *L'ordalia* (Rusconi, 1979) di Italo Alighiero Chiusano, un romanzo concepito in forma di itinerario e continuamente rimoltiplicato nella folla di presenze che lo riempiono, «la ressa variopinta e picaresca di volti ora tragici ora grotteschi» (Amoroso).

Anche Giuseppe Pederiali si è immerso nel Medioevo piú barbarico e favoloso, che spazia dall'Italia goto-bizantina (*Le città del diluvio*, Rusconi, 1978) al celebre episodio di Canossa (*Il tesoro del Bigatto*, ivi, 1980), all'età di Federico II e di Re Enzo (*La compagnia della Selva Bella*, Bompiani, 1983) per narrare vicende piene di diavolerie di ogni genere. Epicentro ne è la Padania dagli Appennini al delta del Po, ombelico di un cosmo fiabesco in cui esseri umani avventurosi o diseredati si agitano in un mondo di presenze magiche e demoniache che Pederiali si diverte a raccontare in una lingua popolana fantasiosamente messa in bocca a personaggi realistici e incredibili, antichi e attuali, inventati o storicamente attestati ma sempre, sulla pagina, vivacissimi e gradevoli.

Elio Bartolini ha invece raccontato la fine del Medioevo, e cioè l'ultimo atto del glorioso Patriarcato di Aquileia (*Pontificale in San Marco*, Rusconi, 1978) avvenuto alla seconda metà del secolo XVIII, congiungendo una raffinata documentazione storica con la capacità di creare un'aura di attesa, di dignità e di disfacimento che accompagnò l'evento con cui ebbe termine una realtà storica e religiosa affondante le sue radici nei secoli piú remoti; mentre con *Il ghebo* (Gremese, 1979) ha testimoniato la resistenza antinazista in Friuli.

Il trionfo del romanzo medioevale sarà, come vedremo, *Il nome della rosa* di Umberto Eco, ma intanto a tempi piú vicini ci portano le opere di Angelo Fiore e di Vincenzo Consolo. *L'erede del Beato* (Rusconi, 1981) segna il punto culminante della carriera di uno scrittore già presente nei primi anni sessanta ma rimasto fuori dal grande giro del consumo, Angelo Fiore, romanziere palermitano di grande respiro e di complessa ricchezza. Certo, Fiore nulla aveva da aggiungere, nel suo stile tutto ottocentesco ma perciò dal passo sicuro, ai movimenti che battevano vie nuove dagli esiti imprevedibili, ma almeno in quella sua opera maggiore mostrava di saper architettare fra dramma e ironia una complicata storia fatta di rivendicazioni giuridiche, di vere o false vocazioni religiose, di sfondi storici, di ambienti siciliani e anche — a seguire la nota che gli dedicava Geno Pampaloni in postfazione — di «fiato metafisico», cioè della proiezione di tutto il groviglio delle ambizioni e delle delusioni in una dimensione che non è piú solo quella della cronaca o della biografia.

Dalla grande matrice gaddiana sembra invece derivare l'opera di Vincenzo Consolo, siciliano anch'esso che (dopo un primo romanzo, *La ferita dell'aprile*, 1963) pubblicò nel 1976 *Il sorriso dell'ignoto marinaio* (Einaudi) non senza qualche influenza dal conterraneo Sciascia[19]. Ma il *pastiche* linguistico si avvale qui, oltre che delle molte provenienze dalle scienze naturali, di forti apporti lessicali e sintattici non piú lombardi ma siciliani; e l'ideologia, pur polemica nei confronti degli errori e degli orrori della storia (siamo in Sicilia tra il 1848 e il 1860) contiene quel soffio di fiducia nell'opera degli uomini migliori che par negata ai personaggi gaddiani.

A questo genere di narrativa fortemente impegnato nei temi politici contemporanei o appena trascorsi dovrebbe assegnarsi anche l'opera di Stefano Terra (morto nel 1986), se si pensa al suo passato personale e letterario di partecipe della Resistenza e di scrittore che fino agli anni cinquanta ne ha narrato in diversi modi e in diversi volumi l'esperienza. Ma, smaltita l'ormai lontana emozione, quella vena ha ceduto a una nuova e forse meno occasionale sollecitazione via via sempre piú emergente a cominciare da *Calda come la colomba* (Bompiani, 1971) in cui le coordinate sociali e storiche saltano per un'improvvisa e violenta rottura del sistema delle sicurezze, che sposta dolorosamente il protagonista verso una dimensione di annichilimento e di morte. Questo andamento da giallo psicologico lo troviamo anche nei successivi romanzi *Alessandra* (ivi, 1974) e *Il principe di Capodistria* (ivi, 1976); *Le porte di ferro* (Rizzoli, 1979) riportavano invece Terra al tema politico, o forse fantapolitico, negli anni del dopoguerra mossi da sotterranee rivendicazioni rivoluzionarie. Al pun-

---

[19] È il giudizio anche di R. Luperini (*Il Novecento*, cit., p. 86), il quale giudica Consolo «il narratore nuovo piú notevole degli anni settanta».

to d'incontro delle due componenti psicologiche e fantastiche, quella che si ispira alla lotta politica e quella che si immerge nei rapporti sentimentali, è *Albergo Minerva* (ivi, 1982), dove le trame che ormai rispecchiano gli anni di piombo, e gli affetti che si fanno sempre piú intensi e disperati suggeriscono anche una soluzione stilistica piú intensa, cioè meno immediatamente dedicata alla comunicazione.

Fedele frequentatore di una narrativa in cui la tematica storica sfocia ormai dichiaratamente nella politica è Antonio Altomonte[20] (morto nel 1987), pur se la sua scrittura tende a sfumare l'immediatezza della cronaca lungo percorsi accidentati e quasi imprevedibili dai quali nasce, oltre la novità della sua pagina, la possibilità di sottrarla ai riferimenti alla mera contingenza per indirizzarla a significati piú generali. Cosí accadeva in *Dopo il Presidente* (Rusconi, 1978) chiaramente ispirato al Portogallo postsalazariano ma presto tradotto in una generale metafora del potere; e cosí anche in *Sua Eccellenza* (ivi, 1980), resoconto, in una Roma notturna e spettrale, di due vite parallele e divergenti, vissute dall'idea sacrale dell'autorità alla convivenza ideale con il terrorismo, e dalla bellezza fisica al suo sfacelo — nella sostanziale negazione della razionalità della storia e della politica. In *Il fratello orientale* (ivi, 1984) i termini del pubblico e del privato rimanevano i medesimi, ma veniva invertito il loro ordine di presenza, poiché un fatto apparentemente innocente diventa imprevedibilmente momento di una trama internazionale che finirà per travolgere i due protagonisti. Ma poiché questi sono due sosia, resta ancora lecita, o necessaria, una lettura psicologico-esistenziale, che veda nella duplicazione la frattura interiore dell'uomo, il suo destino di schizofrenia individuale e di alienazione sociale e, al limite, di deiezione esistenziale.

Anche il romanzo *Zefiro* (Rizzoli, 1982) di Aldo Rosselli prende le mosse direttamente dalla storia che è quella, abbastanza trasparente, di un esule antifascista organizzatore in Francia di un volo su Roma che lo porterà alla morte; ma si tratta, nell'interpretazione dell'autore, di un antieroe frustrato e succube dei sensi, che dovrebbe trovare nell'azione politica il riscatto di tutte le sue debolezze. Il fatto è che il romanzo scava soprattutto nella psicologia femminile del personaggio narrante rinnovando modi e atteggiamenti anche dei romanzi precedenti (si veda in particolare *Ottoz*, Mondadori, 1968 e *La trasformazione*, Cooperativa Scrittori, 1977); l'interesse per la storia e per il tema politico, che per Aldo Rosselli è anche di natura strettamente

---

[20] Esiste però un antefatto, raccolto nel volume *Una stagione sull'altra* (Rusconi, 1981) estraneo al tema politico; il volume comprende tre titoli, *Il feudo* (1964), *Adolescenza* (1965 con il titolo *L'idea del corpo*) e *Una storia in frantumi* (1972 con il titolo *La sostanza bruna*).

personale, è testimoniato però dal volume *La famiglia Rosselli* (Bompiani, 1983) in cui viene narrata la vicenda dei fratelli Carlo e Nello vittime della violenza fascista in Francia.

L'attività piú intensa di Guido Ceronetti è quella di traduttore, in particolare da testi biblici e da classici latini, resi in una veste italiana fortemente soggettivizzata pur con grande rispetto filologico. Egli è anche autore del romanzo-favola *Aquilegia* (Rusconi, 1973) e delle *Poesie per vivere e non vivere* (Einaudi, 1979), ma la sua personalità è quella eminentemente del prosatore moralista, del viaggiatore, del testimone del suo e nostro tempo, ricco di una scrittura bizzarra e fantasiosa e di una coscienza che è allo stesso tempo appassionata e scettica, tormentata e sublimata nella cultura, nostalgica e ironica, loica e paradossale. Il risultato di questo imprevedibile intreccio sono numerosi volumi «funebri e luminosi» (di cui ricordiamo *Il silenzio del corpo*, Adelphi, 1979; *Un viaggio in Italia*, Einaudi, 1983; *Albergo Italia*, ivi, 1985) fascinosi e scostanti per un cinismo che però non è mai gratuito, per una rabbia che è animata da intenzioni salutari, per una disperazione compensata da un quasi inconfessato desiderio di recupero: «Non abbiamo una patria, ma soffriamo nel vederla perire, come se l'avessimo avuta» — ma soprattutto per una prosa anticonsumista, spesso da «cronista dell'Apocalisse» (P. Milano), che cattura e rischia di coinvolgere nel piano inclinato di affermazioni o negazioni che non si vorrebbe essere disposti a condividere.

5. Il richiamo della regione. Un po' di Mitteleuropa

Talvolta la storia si fa memoria familiare, indagine su un passato che appartiene ancora al mondo di chi scrive e lo sollecita tenendolo sentimentalmente legato a un paesaggio e a un ambiente[21]. Saldo e frequente è, ad esempio, il legame con la Sicilia; si pensi ai romanzi di Melo Freni, *Le calde stagioni* (Marotta, 1975) e quell'agile saga novecentesca che è *La famiglia Ceravolo* (Rusconi, 1980), o a Laura Di Falco che in *L'inferriata* (Rizzoli, 1976) sembra guardare alla sua terra attraverso la nostalgia delle cose belle (in questo caso l'isola di Ortigia), mentre in *Piazza delle quattro vie* (Mondadori, 1982) la vede come punto di partenza e di distacco verso una vita meno legata al nucleo isolano. Si veda ancora la Sicilia garbatamente ironizzata in *L'ultima provincia* (Sellerio, 1983) di Luisa Adorno; o quella incandescente, e non solo in senso metaforico, di *Le notti giganti* (Rizzoli,

---

[21] Per questo aspetto si può vedere di C. Marabini, *Le città dei poeti*, SEI, 1976.

1968) di Vanni Ronsisvalle, passato poi dallo scontro tra il vecchio e il nuovo nell'isola natia alla piú vasta e movimentata geografia di *Tour Montparnasse* (Editori Riuniti, 1977) e alla satira politica di *La grande mummia* (Rusconi, 1980). Anche per Livia De Stefani la Sicilia è stata a lungo un luogo incantato dell'anima ricco di risonanze misteriose e di ossessioni, ma anche un luogo geografico carico di segrete nefandezze o di tragici destini; si ricordino i romanzi *La vigna di uve nere* (1953) e *Passione di Rosa* (1958) e i racconti di *Gli affatturati* (1955) e *Viaggio di una sconosciuta* (1963), fino al piú recente *La signora di Cariddi* (Rizzoli, 1971), scritto in forma di una lunga confessione. Poi con *La stella Assenzio* (Vallecchi, 1985) il tema si è improvvisamente allargato prendendo un rilievo addirittura totale quale può essere l'incubo dell'invivibilità del pianeta da cui è schiacciata l'umanità d'oggi; questa volta l'autrice, movendosi fra la cronaca piú attuale e i simboli che se ne possono estrarre, organizza in una struttura complessa le storie di cinque personaggi entro il racconto primo di un'indagine medica sulla «malattia» di coloro che non stanno all'orrendo gioco di chi si accinge senze vergogne all'annichilimento del mondo e dei suoi abitanti.

Si veda ancora l'Emilia nella trilogia di Nerino Rossi (*La neve nel bicchiere*, 1979; *Melanzio*, 1980; *La signora della paura*, 1982) o il Trentino di Gino Gerola (*Il tabernacolo delle sette vedove*, Padova, 1978; *Il castello delle bicocche*, Rovereto, 1980) o l'eterna Napoli di Domenico Rea, che dopo i grandi successi degli anni quaranta e cinquanta si è dedicato alle «illuminazioni napoletane», che tuttavia sembrano piuttosto abbuiarsi nel rifiuto di un folklore frainteso e sfruttato; cosí nel *Diario napoletano* (Bietti, 1971) e nel saggio sceneggiato sui mendicanti napoletani *Fate bene alle anime del Purgatorio* (Società Editrice Napoletana, 1973, poi Mondadori, 1977); o nei racconti, una misura già stata congeniale all'autore negli anni della sua maggior fortuna e tornata ora a tutta la sua efficacia, di *Tentazione* (Società Editrice Napoletana, 1976) e di *Il fondaco nudo* (Rusconi, 1985).

Nei due volumi di Fabrizia Ramondino, *Althénopis* (Einaudi, 1981) e *Storie di patio* (ivi, 1983), il fondo autobiografico perde il preciso connotato del calendario e si frantuma in mille allusioni e occasioni che hanno a teatro Napoli e la penisola sorrentina o, nel secondo libro, la Spagna. Ma nella Ramondino anche la categoria geografica risulta piú evocata che descritta, secondo una tipica oscillazione della sua scrittura tra lirismo e documentazione, come duplice è la chiave del suo testimoniare-raccontare, ora monodica ora corale, sí che l'a fondo nel proprio io e l'emergere di folle di personaggi continuamente si congiungono e si disgiungono.

Il mondo e il paesaggio ligure, con sconfinamenti nelle Langhe, rimangono un punto di riferimento fondamentale per la narrativa di Gina Lagorio, anche se la sua opera tende soprattutto all'analisi dei comportamenti dei personaggi — in prevalenza femminili — nei cui caratteri tutti forse possiamo riconoscerci. In *Approssimato per difetto* (Cappelli, 1971, poi Garzanti, 1976) era il processo della malattia che conduce alla morte a dominare il rapporto dei sentimenti; in *La spiaggia del lupo* (Garzanti, 1977) era invece piuttosto la conquista della vita a dominare, come raggiungimento della piena coscienza in un itinerario esemplare di una ragazza del nostro tempo; e in *Fuori scena* (ivi, 1979) era il conflitto tra l'amore e il successo. Ma compariva qui anche un altro motivo che sarà poi al centro di *Tosca dei gatti* (ivi, 1983), quello della solitudine, affrontato come sempre dall'autrice con una duplice chiave di scrittura che inscrive una lingua limpida e comunicativa entro i cerchi concentrici di un'ambientazione a piú dimensioni.

Non lontano da quella della Lagorio è la recente geografia di Marcello Venturi, che però aveva cominciato individuando un paesaggio un po' favoloso della sua Toscana con *Il treno degli Appennini* (1956) ripreso nel '70 con *Piú lontane stazioni* (Rizzoli). Ma poi Venturi (che nel frattempo aveva dato ottimi racconti di guerra partigiana dei quali si ricordi almeno *Terra di nessuno*, Rizzoli, 1975) ha mutato radicalmente i suoi temi e i suoi registri scrivendo due libri, *Il padrone dell'agricola* (Rizzoli, 1979) e *Sconfitti sul campo* (ivi, 1982), che trattano il problema della proprietà e del lavoro contadino in una specifica localizzazione piemontese. Ma il tono della scrittura, pur nella sostanziale serietà della testimonianza, questa volta è fortemente ironico e autoironico, e la lingua si tinge di intrusioni dialettali acquisite sul posto, con risultati tanto imprevisti quanto gradevoli per un verso e degni di riflessione per un altro. L'accento ironico, ma tutt'altro che malevolo, ha continuato ad arricchire la pagina di Marcello Venturi anche quando il racconto, in un contesto tragico, è tornato a localizzarsi nella non mai dimenticata Toscana appenninica. Ma al di là del dato geografico, al centro dell'interesse dello scrittore è tornato (*Dalla parte sbagliata*, De Agostini, 1985) l'uomo che soccombe, che perde la battaglia della vita; questa volta però l'ormai lontano scrittore della guerra partigiana ha voluto scrivere, se non certo la sua palinodia, una testimonianza pacificata dando al personaggio della parte avversa una figura umana e quasi patetica.

Ma si pensi anche all'America di Alberto Lecco, il quale in verità ha due motivazioni fondamentali che tendono ad alternarsi, quella ebraica rivissuta nelle orrende memorie naziste e quella legata a New York e agli Stati Uniti. La prima aveva avuto già una manifestazione nel 1963 nei tre racconti di *Vieni notte!*, ma è stata poi ripresa con piú sottile dialettica in *L'incontro di Wiener Neustadt* (Mondadori, 1977) e in piú diretto aggancio con la realtà attuale in *L'ebreo* (Città Armoniosa, 1981), ma sempre con l'intento, piú che di rinnovare l'orrore dei fatti, di capire la psicologia divaricata e speculare di chi ne fu protagonista dall'una e dall'altra parte; la motivazione derivata dall'ambiente degli Stati Uniti, dopo il preludio poetico di *My America Judith* (ora Guanda, 1980), ha trovato la sua espressione piú ampia nel romanzo *Un Don Chisciotte in America* (Mondadori, 1979), che nella forma di un viaggio dall'uno all'altro oceano permette una conoscenza ravvicinatissima di uomini e cose; e nei *Racconti di New York* (SEI, 1982) che riscoprono Manhattan nelle sue infinite e contraddittorie dimensioni, vera patria sognata e finalmente raggiunta e poi perduta e ricreata da lontano nel vincolo della memoria.

Se il paese dell'anima di Alberto Lecco si muove fra Roma e New York, quello di Pier Maria Pasinetti è bilanciato fra Venezia e la California, ma sentimentalmente il piatto pende tutto dalla parte veneziana alla quale lo legano ricordi d'infanzia e memorie storiche affidate alle vicende della famiglia Partibon e in particolare del personaggio di Giorgio Partibon, possibile controfigura dell'autore. Da *Rosso veneziano* (1959, 1965) a *La confusione* (1964, poi ampiamente riveduto col titolo *Il sorriso del leone*, Rizzoli, 1985) l'agitarsi delle tante presenze sullo sfondo della città lagunare costituisce il movente e il nucleo della narrativa pasinettiana, sempre condotta in una scrittura densa e minuziosa, folta di fatti, di dialoghi, di riferimenti. Ma è soprattutto nel *Ponte dell'Accademia* (ivi, 1968) e *Dorsoduro* (ivi, 1983) — costituenti con *Rosso veneziano* una trilogia storico-biografica — che l'ambiente e la topografia della città assumono un'importanza primaria. E tuttavia anche in questi romanzi cosí legati ai luoghi natali era ripetutamente apparso l'altro versante dell'ispirazione, quello americano, il versante dell'età adulta e del lavoro, che avrà la sua espressione piú completa in *Il centro* (ivi, 1979), anche se qui il raggio d'azione si allarga all'intero nuovo continente e alla stessa Europa.

Tra gli scrittori della generazione piú giovane chi piú si è legato al paesaggio umano americano (Manhattan in particolare) è Paolo Valesio, che dovremmo però collocare in una topografia letteraria piú complessa, a un punto limite dove scienza e creazione del linguaggio si incontrano e si verificano reciprocamente; questo vale sia per la parte poetica della sua produzione che non a caso si intitola *Prose in poesia* (Società di poesia, Guanda, 1979)[22] sia per quella narrativa, *L'ospedale di Manhattan* (Editori Riuniti, 1978) e *Il regno doloroso* (Spirali, 1983). Nonostante il referente reale grandioso che incombe sulla sua scrittura e piú di una scintilla di partecipazione sentimentale, l'operazione letteraria di Valesio viene condotta con l'attenzione rivolta prevalentemente alla lingua e cioè alla sua frantumazione in lacerti sintattici brevi o brevissimi come tentativo di agganciare un mondo e un'umanità ormai catturati nelle loro miserie. Ne nasce una sorta di puntinismo narrativo, di epica dell'istante, di mistica del minimo dalla cui freddezza di laboratorio può però sprizzare il tetro calore di un'obiettiva solidarietà per i destini comuni

> Quando vedo sorgere dai dormitori delle ferrovie
> sotterranee —
> alla Stazione degli Autobus, alla Stazione Gran Centrale
> alla Stazione Pennsylvania —
> onde di popolo nel mattino;
> quando —
> scrutato dal sole nero
> atroce che agghiaccia il cuore —
> osservo le ondate successive di creature che si abbattono e
> infrangono sulle scalee,
> mi prende lo scoramento
> ...
> Ma mi incolonno ubbidiente; e allora,
> ...
> non mi resta che darmi alla caccia di pensieri, frasi.

Il legame con la propria terra ha sospinto talvolta i nostri scrittori, per ragioni geografiche che fanno tutt'uno con le ragioni culturali, verso zone letterarie di matrice diversa da quelle piú tipicamente nazionali. Questo è accaduto soprattutto ad autori delle regioni al confine nordorientale, dove un'influenza mitteleuropea o, in misura assai minore, slava è riscontrabile per certa particolare problematicità e complessità della scrittura che non assomigliano né alla chiarezza ideologico-linguistica del nostro realismo né alla disperante artificiosità di tanti nostri sperimentalismi. C'è invece una maniera di percepire le cose attraverso echi concentrici che allontanano ma non dimenticano la realtà, dandole se mai uno spessore piú segreto che, al-

---

[22] Oltre al classico riferimento campaniano, si ricordi Sanguineti in *Wirrwarr - Reisebilder 5* (giugno 1971): «ma io copio il tuo corpo, adesso, come l'ho visto in sogno, / questa notte: lo copio con queste parole: / avec ces petites proses en poème».

meno nei casi migliori, fonda una diversa ricchezza, un non molto consueto e proclamato ma pur solido rapporto con il lettore.

Il triestino Renzo Rosso è probabilmente esemplare in questo genere di scrittura che comporta, fra l'altro, un richiamo alla propria città non sentimentale e nostalgico ma funzionale ad una visione della realtà lucida e spietata, sorretta da un'intelligenza laica e da una filosofia materialistica (tutta risolta, ovviamente, nella pagina letteraria). Rosso aveva pubblicato nel '59 tre racconti riuniti nel volume *L'adescamento*, rivelando subito alcune caratteristiche che gli saranno congeniali anche negli anni futuri; ed era in primo luogo la scelta di agganciare le sue pagine a dati concreti, di cronaca — con una specifica e ritornante preferenza per il momento sbandato che seguí alla fine della seconda guerra mondiale — ma poi la forza di liberarsene per sottintendere condizioni meno contingenti, problemi della giustizia umana e della sua insufficienza, iniziazione al sesso, conversioni politiche; il tutto in una scrittura sapiente che verrà via via sempre piú elaborandosi fino a raggiungere quella «bravura» di cui spesso è stato "incolpato" per l'eccesso di dirottamenti e spezzature, che nello sfuggire al sospetto del mimetismo realistico finiranno talora per indurre in quello dell'intellettualismo ricercato a freddo. Era quanto si ritrovava nel romanzo *La dura spina* (1963), come pure vi si ritrovava la localizzazione triestina (e viennese) ancora una volta fruita solo in minima parte con intenzioni autobiografiche[23]. Apparivano invece piú esplicite la componente freudiana, un gusto estetico decadente, un'influenza joyciana nell'adozione del monologo interiore, che davano come esito l'opera forse a tutt'oggi piú convincente dello scrittore triestino.

Sopra il museo della scienza (Feltrinelli, 1967), infatti, portava quasi al limite di rottura le impuntature e i zig zag della prosa[24], anche se — o soprattutto perché — organizzati entro un periodare lungo e persino prolisso. Ma la complessa operazione, che Rosso stesso definisce un «quasi romanzo», intendeva svolgersi su due piani, perché trapassava dalla pagina all'intero volume costruito come un macrotesto contenente tre racconti fra loro in qualche misura connessi; in realtà la connessione, affidata eminentemente a qualche figura che si ripete,

---

[23] R. Damiani (*900*, VIII, Marzorati, 1980, pp. 7950 sgg.) come non è disposto ad accettare la dipendenza sveviana di Rosso, cosí sostiene «la poca credibilità di un retaggio "triestino" nell'attività artistica di Rosso»; e ritiene *La dura spina* «la piú apparentabile alla letteratura di gusto e scuola mitteleuropea».

[24] Damiani (cit.) avanza l'ipotesi di un'influenza delle sperimentazioni letterarie del quinquennio 1963-68: in realtà, in Rosso non vi sono né sconvolgimenti sintattici né plurilinguismo né soluzioni tipografiche anomale; egli appare, piuttosto, incalzato dalla tentazione di superare ad ogni costo l'ovvio e il rettilineo del rispecchiamento.

era molto labile e difficilmente poteva riuscire a salvare l'intera macchina narrativa, la quale appariva convincente nel primo racconto (che non a caso riprendeva il tema del reduce all'indomani della guerra e di Hiroshima) e meno negli altri due. *Gli uomini chiari* (Einaudi, 1974) aveva la medesima struttura ma in modi assai piú agili e con una tensione narrativa rapida e tagliente che faceva degli undici racconti — taluni brevi o brevissimi — dei lucidi *exempla* del terrorismo umano. Questa volta Rosso non si rifaceva alla cronaca ma alla storia, vera o favoleggiata, dove l'uomo non trionfa piú come soggetto razionale ma si livella ad una animalità o a una terrestrità altrettanto prive di virtú elette o di progettualità. Calvino, che scrisse la presentazione di copertina, dovette certamente apprezzare il modo come Rosso aveva risolto la convivenza della diversità dei capitoli nella unitarietà del macrotesto; e non poté fare a meno di notare, quasi avesse già in mente *Palomar*, il guardare di occhi acutissimi che scrutano il mondo, la visione netta — cioè non visionaria — con cui vengono scorti gli orrori commessi dagli «uomini chiari», emblema non privo di riferimenti razzisti cui possono ricondursi tutte le crudeltà dei secoli, che non riescono a trovare riparazione (si veda in particolare, per questo, il racconto *I cavalieri*).

Il segno del toro (Mondadori, 1980) pare riadottare una piú consueta e classica struttura che, ancora una volta, prende spunto dalla cronaca, forse le gravi calamità che colpirono in quegli anni alcuni paesi delle Alpi venete. Ma a metà del racconto si inserisce, con una frattura narrativamente non violenta ma ideologicamente un po' sorprendente, il motivo centrale dell'opera, la sua reale essenza che non ha piú nulla a che vedere con la cronaca, se non per certi modi realistici con cui viene svolgendosi, mentre assume sempre piú evidenti cariche simboliche: la caccia ad un toro feroce e omicida che assomma il concetto del male come un capro espiatorio nel quale possiamo rispecchiare le nostre colpe.

Dall'estrema regione nord orientale provengono anche due nomi, Fulvio Tomizza e Carlo Sgorlon, tra i piú rappresentativi della fedeltà al racconto pieno, allo svolgimento drammatico, alla delineazione psicologica, alla collocazione spazio-temporale precisa, una vocazione garantita, nel pro e nel contro, anche dall'abbondanza o sovrabbondanza della produzione. Per Tomizza l'urgenza a narrare è stata, sin dagli inizi, tutt'uno con l'urgenza a testimoniare; ma la sua complessa e dolente condizione di profugo dalla nativa Istria, con tutte le lacerazioni e la ricerca di nuovi equilibri che comportava, si è sempre risolta in forma di racconto, soltanto entro il quale trovavano posto le azioni e le reazioni che segnarono la cronaca talora tragica di quelle regioni. Cosí sin dai primi titoli, *Materada* (1960), *La ragazza di Petrovia* (1963), *Il bosco di acacie* (1966) — poi riuniti nella *Trilogia istriana* (Mondadori, 1967) — e ancora nei due romanzi successivi, *La quinta stagione* (ivi, 1965), una tenera rievocazione dell'infanzia istriana che vede infrangersi l'incanto dell'età felice per la violenta irruzione della guerra; e *L'albero dei sogni* (ivi, 1969), che sposta l'esperienza del fanciullo ormai diventato grande al momento del conflitto di confine italo-jugoslavo; e nel racconto lungo *La casa in campagna* (nel volume *Dove tornare*, ivi, 1974), che completa quella che appare quasi una seconda trilogia, sciogliendo, almeno in parte, il groviglio di sofferenze e nostalgie in un atto di fiducia nella vita e nella felicità espresso proprio nei luoghi da cui nacque il dolore.

Pareva cosí che Tomizza avesse smaltito l'intero suo blocco sentimentale, come al termine di un'autoanalisi liberatoria che gli concedeva ora una nuova dimensione psicologica e, in conseguenza, letteraria; *La città di Miriam* (ivi, 1972) sembrava confermare l'*iter* percorso e il traguardo raggiunto, per il passaggio dal mondo contadino istriano-slavo a quello cittadino di Trieste, per l'abbandono della tematica del profugo in favore di complessi legami tra un giovane e una ragazza ebrea, per l'adozione infine di scaltriti accenti ironici al posto dei toni elegiaci che avevano caratterizzato finora la sua narrativa. Ma le cose non stavano cosí; Tomizza aveva ancora molto da dire sul suo mondo perduto, e lo disse in un romanzo, *La miglior vita* (Rizzoli, 1977), che senza nulla perdere dell'aspetto testimoniale, organizzava con ampiezza il materiale nella forma del romanzo storico dall'Istria asburgica alla prima guerra mondiale, al periodo italiano, alla seconda guerra, alla lotta partigiana e al passaggio di quelle terre alla Jugoslavia di Tito. Narratore è un sagrestano di una piccola parrocchia dell'Istria interna, e il racconto lo stesso autore lo definirà «la storia di un ideale sagrestano di villaggio in bilico tra la religiosità spesso superstiziosa dei paesani e la dottrina dispensata da alcuni parroci esemplari e da altri un po' meno». Ma attraverso quella figura ideale passa l'intera vicenda reale di una minuscola comunità, che da una condizione di «non-storia» emerge ad una coscienza che è matrice insieme di dignità e di dolori, — «una gente che soltanto a partire dalla mia giovinezza aveva appreso di essere italiana o di essere slava», e che ora giungeva al parossismo di ferocia. La differenza fra il romanzo storico classico e un racconto come questo tomizziano sta nel rapporto in cui l'autore si pone col suo testo, nel suo essere contemporaneamente narratore e testimone, autore di una storia di altri e di se stesso, di anni passati e di anni presenti e persino futuri se essi continueranno a condizionare la vita di uomini d'oggi.

Tre anni dopo, *L'amicizia* (ivi, 1980) pareva ancora segnare una sterzata fuori della tematica italo-slava, intendendo descrivere il legame tra due giovani; ma le condizioni psicologiche, i comportamenti, le decisioni di fronte alla vita dei due protagonisti non erano assunte allo stato neutro, ma ancora una volta in quanto conseguenze o espressioni dell'essere l'uno di origine contadina-slava, l'altro cittadina-italiana.

Soltanto nel 1981, Tomizza — sono sue parole — usciva «per la prima volta fuori dai *suoi* confini geografici» e lo faceva con un romanzo, *La finzione di Maria* (ivi), che rivelava la passione per la ricerca storica e la documentazione d'archivio. Ma, in quello che l'autore stesso definisce un «giallo religioso», per la prima volta Tomizza usciva anche dai suoi confini storici, raccontando un processo per eresia del secolo XVII intercorso tra la provincia di Bergamo e il tribunale di Venezia. Era forse questa la prova di un impegno maggiore che avrebbe avuto il suo esito nel «romanzo del vescovo Vergerio» *Il male viene dal nord* (Mondadori, 1984), un grosso volume che contiene due narrazioni nettamente distinte, una autobiografica e una biografica, ma con una saldatura che spiega il movente vero dell'opera, che non è la nuova vocazione storiografica, ma il desiderio di affondare nella lontananza del tempo la ricerca del perché dei traumi, delle contraddizioni, dei cedimenti cui gli uomini della sua regione sembrano destinati, e dunque la ricerca del legame sommerso che congiunge destini remoti. È lo stesso autore a spiegarci il senso della sua scelta occasionata dall'inaugurazione a Capodistria di un monumento a Pier Paolo Vergerio, vescovo locale nel secolo XVI e poi sostenitore della Riforma: «La mia formazione mentale, lo stato psicologico, la situazione nella quale mi trovavo, mi inducevano a considerare che un italiano di qua poteva suscitare l'interesse del nuovo regime solo nel caso avesse rinnegato la fede dei piú, avesse in qualche modo tradito». L'opzione drammatica si rinnovava dopo secoli e suggeriva allo scrittore di oggi un'indagine che all'accuratezza e all'ampiezza della ricerca storica aggiungeva quel sottinteso calore di partecipazione che serve, fra l'altro, a giustificare le prime sessanta pagine del libro che altrimenti resterebbero avulse dall'opera. La quale poi consiste eminentemente nella biografia del Vergerio, un personaggio da cui l'autore sa mantenere le distanze, a volte intraprendente e spericolato a volte mansueto e diplomatico a volte ingenuo e maldestro, ma comunque tale da stare per decenni al centro della cronaca europea fra papi e cardinali, imperatori e principi tedeschi, re di Francia e letterati e grandi riformatori, che Tomizza inserisce nel racconto, entro l'ipotesi tutta romana espressa nel titolo. Ma è un'ipotesi che sembra anche potersi leggere nella sua attualizzazione, che sposta i punti cardinali dall'asse verticale a quello orizzontale (per cui il male verrebbe dall'est).

Se, dunque, anche il maggiore sforzo di Tomizza di ampliare in misura enorme il raggio della sua narrativa non lo induce a spezzare il filo che lo lega all'oggi e alla sua terra, non è meraviglia che dopo quell'ampio *excursus* storico, egli vi sia tornato direttamente presentando i racconti di un trentennio — 1954-1984 — nel volume *Ieri, un secolo fa* (ivi, 1985), tutti in maggiore o minor misura connessi alla sua biografia di profugo, forse ormai davvero pacificata o cicatrizzata, se si leggono le righe di un racconto del 1968, *Le campane di Materada*, dove si dice dell'intensificarsi dei fuggevoli ritorni degli esuli «forse già a saggiare, sulla terra di sempre, in quale misura la ferita bruciasse ancora», finché «l'antico legame con la terra in una gente che già nel paesetto vicino si era sentita in ambiente estraneo, doveva infine avere il sopravvento».

Il modo di Carlo Sgorlon di restare legato alla sua terra, il Friuli, ci pare assai diverso da quello di Tomizza; quanto lo scrittore istriano era stato costretto ad una scelta e quindi a soffrire una divaricazione e a parlare del paese d'origine con la vena della nostalgia, altrettanto per lo scrittore friulano la scelta è stata libera e convinta e perciò matrice di una narrativa obiettivata, storica o, piuttosto, mitica. Poiché questa è la caratteristica principale delle pagine di Sgorlon, di essere segnate contemporaneamente da una connotazione realistica e da una trasfigurazione mitico-esistenziale della realtà, con la prevalenza via via sempre piú visibile del secondo motivo sul primo. Dopo la produzione degli anni sessanta (*Il vento nel vigneto*, *La poltrona*, *La notte del ragno mannaro*) uscí nel '72 presso Rebellato *La luna color ametista* (poi Mondadori, 1978) in cui comincia ad emergere la seconda tendenza che si allarga e si arricchisce in *Il trono di legno* (ivi, 1973), un romanzo con probabile sfondo autobiografico in cui si narra la conquista della vocazione di scrittore. Due fondamentali aspetti appaiono ormai indicativi della ideologia e della scrittura di Sgorlon: la celebrazione non retorica ma viscerale della civiltà arcaica e contadina della sua regione, con il concomitante rifiuto della civiltà industriale e cittadina; la capacità di costruire trame complesse e non prive di contraccolpi di scena, e personaggi a tutto tondo che si incontrano e si scontrano secondo i canoni di un romanzesco un po' andato ma al quale Sgorlon si adopera a restituire il diritto di esistenza. Insomma, quello che lui stesso chiama il «gusto fabulatorio», al quale corrisponde una lingua abbondante, talvolta ridondante, con una totale indifferenza se non un ripudio aperto di forme di rottura o sconvolgimento stilistico, una lingua che tende a perpetuare il grande romanzo ottocentesco che nulla risparmia nelle descrizioni dei luoghi e dei personaggi sempre numerosi e mutevoli e che narra gli avvenimenti con ogni dovizia di particolari. Sono i caratteri che ritroviamo anche in *La regina di Saba* (ivi, 1975) che di inusitato ha soprattutto qualche accento di natura politica, e in *Gli dei torneranno* (ivi, 1977) in cui l'immersione nel mondo friulano avviene in modo particolare attraverso i canti, la poesia, la letteratura popolare.

La sovrabbondante vena narrativa di Sgorlon ha prodotto quasi senza tregua anche negli anni successivi: *La carrozza di rame* (ivi, 1979), *La contrada* (ivi, 1981), *Il dolfin* (Udine, Le Panarie, 1982, in friulano)[25], *La conchiglia di Anataj* (ivi, 1983), *L'armata dei fiumi perduti* (ivi, 1985). Lo spazio e il tempo si vanno ora allargando e si scopre che la dimensione friulana può essere trasferita, all'interno della coscienza, in paesi remoti, come già nel Perú di *Gli dei torneranno* e ora nell'Alaska di *La contrada*, nella Siberia di *La conchiglia di Anataj* e persino nella presenza mongola nelle terre invase della piccola patria in *L'armata dei fiumi perduti*; e cosí il tempo arretra fino all'Ottocento nell'ampia vicenda familiare di *La carrozza di rame*.

In tanta ricchezza di titoli, *La conchiglia di Anataj* è certamente quello che piú colpisce per l'organicità della struttura lungo il filo degli avvenimenti che segnarono la costruzione della ferrovia transiberiana con il concorso di molti lavoratori friulani; su quella linea si rinnovano intensissimi i rapporti umani con la loro grazia e i loro attriti in un succedersi fitto ma conseguente di eventi dominati da una grande convinzione di scrittura e di partecipazione. Ma ciò che rende non diverso ma superiore questo romanzo rispetto agli altri è anche la capacità di doppiare la descrittività del reale il piú possibile fedele con quella di trascriverlo in una dimensione metaforica; il percorso della ferrovia faticosamente conquistato un giorno dopo l'altro con il termine che alla fine lo attende non sarebbe disdicevole leggerlo anche come allusione al percorso della vita e al suo immancabile esito, e non perché Sgorlon carichi velleitariamente i suoi contenuti di sensi pretenziosi, ma perché è parte integrante della sua scrittura un colore tra fiabesco e sacrale che non blocca il testo ai semplici fatti e che tende a favorire nel lettore la percezione di echi lontani e suggestivi.

[25] Già nel 1970 Sgorlon aveva pubblicato la versione friulana di *Il vento nel vigneto* con il titolo *Prime di sere* (Udine, Società Filologica Friulana).

Riallacciamo al nome di Sgorlon quello di Stanislao Nievo non solo per le comuni origini friulane, ma per l'esplicito richiamo al suo conterraneo fatto da Nievo in una pagina del suo primo romanzo, *Il prato in fondo al mare* (Mondadori, 1974); Nievo vi raccontava le ricerche condotte per svelare il mistero della fine del suo illustre antenato, ma l'occasione gli offriva poi il destro per un'indagine che, pur senza abbandonare la sua linea primaria, si allungava sia nella direzione esteriore dello scientifico e del poliziesco sia in quella interiore della psiche o addirittura della psicanalisi. Certo, vi era nell'idea centrale dell'immersione nella profondità delle acque una possibilità di lettura che andava al di là della pur affascinante ricerca di fatto, e a ciò contribuiva la scrittura nieviana che dalla secchezza iniziale della cronaca ricca anche di precise tinte politiche entra a poco a poco nel clima del «fantastico viaggio», in una ricostruzione degli eventi che è insieme logica e fantasiosa, affidata a calcolatori modernissimi e a tecniche medianiche e articolata in continue svolte e digressioni. Ma ancor piú vi contribuirà la successiva opera dello scrittore nella quale quei modi e quei motivi ritornano e si accentuano a cominciare dai racconti di *Il padrone della notte* (ivi, 1976) che disegnano una geografia remota e piena di fermenti su cui si avviano le strane e allucinanti avventure dei personaggi, condotte con un linguaggio che qualche volta varca il segno della discrezione e del rigore stilistico. Ricerca e immersione sono ancora la linea su cui procedono *Aurora* (ivi, 1979) e *Il palazzo del silenzio* (ivi, 1985) e con un carico sempre maggiore di sensi mitici e straordinari; in particolare, nell'ultimo titolo l'immersione avviene nella terra, anzi «nelle viscere» di Roma, ancora una volta trapassando dalla leggenda alla cronaca e dalla cronaca ad una sfida alla paura, ad un viaggio verso un'altra realtà che non è diversa solamente per la lontananza dei secoli, ma è un altro livello di coscienza che mette in contatto con un mondo sommerso e imprevedutamente riemergente.

La sua disperata visione del mondo Francesco Burdin l'aveva già espressa nelle prime opere, *Caduta in piazza del Popolo* (1964) e *Scomparsa di Eros Sermoneta* (Rizzoli, 1967), rappresentazioni dell'esistenza vissuta come rimorso o incubo descritte in una sintassi franta lungo la linea spezzata dei rinvii temporali e psicologici. Il discorso continuava in *Eclisse di un vice direttore generale* (ivi, 1969), ancora uno scandaglio lanciato nell'illusione di cogliere il senso del vivere e sempre ritornante a confermare che la vita è un insulso e aggrovigliato itinerario verso ciò che non conosciamo, forse un equivoco, un cre-

311

der di vivere, una finzione di senso. Questo il messaggio di *Il viaggio a Varsavia* (Marsilio, 1973), in cui il racconto, organizzato in «21 proposizioni», corre incalzato dalla necessità di trovare una logica che continua a sfuggire: «Non sappiamo perché un uomo compia un'azione piuttosto che un'altra. Tanto meno sappiamo perché un'azione sia peccato e un'altra no. Le leggi sono convenzioni che non danno risposta». Cosí Burdin scrive in *Marzo è il mese piú crudele* (De Donato, 1973), romanzo di un'accavallata complessità, di un'inestricabile equivocità, di un caos irrazionalizzabile, nel cui magma le singole tessere non si dispongono in un significato disteso ma si aggrovigliano, sino a dare quel risultato nullo cui si allude nell'ultimo capitolo: «Si conclude cosí col risultato zero a zero un incontro combattuto fino all'ultimo».

L'allucinato groviglio delle pagine burdiniane come sfaccettato specchio della condizione disumana dell'uomo contemporaneo continua in *Antropomorfo* (Marsilio, 1979). Il protagonista è appena un residuo di uomo, un tronco privo di gambe, braccia e testa, un orrendo testimone che si carica di tutte le colpe della storia e le sconta nelle sue inconcepibili mutilazioni; ma lui, che ancora simula un aspetto vagamente antropomorfo, non ha piú storia, la sua è una frantumazione che sulla pagina si manifesta nell'impiego di ogni possibile forma di espressione: citazioni, lettere, dialoghi, racconti, necrologi, ecc. Sembra, questa, la maniera piú propria con cui Burdin tenta di dar voce ai suoi ormai impossibili eroi, se egli la riprende in *Davenport* (Spirali, 1983), con l'aggiunta di note, commenti, inserti, rinvii, critiche e autocritiche, ma con un tono questa volta di piú scoperta ironia il cui oggetto è lo stesso Burdin mimetizzato nelle iniziali del protagonista; poiché questa è null'altro che l'apoteosi postuma dello scrittore F. B. incompreso in vita e finalmente celebrato *post mortem*, è la compensazione mediante un'ipotesi inverificabile della condizione sgradevole di uno scrittore difficile e senza successo, la gratificazione di un sogno proibito cui il sarcasmo toglie il sospetto della nota patetica.

La presenza di Giuliana Morandini tocca anche il terreno dell'impegno femminista, soprattutto nel particolare settore della «condizione di manicomio» femminile con il suo codice di stranezze e di perversioni frutto del «sistema maschiocentrico» (*... E allora mi hanno rinchiusa*, Bompiani, 1977). Il metodo dell'indagine è quello della «scrittura di verità» che registra le voci delle recluse nella loro nudità biografica ed espressiva, ma l'immediatezza dei dati raccolti non va scompagnata dalla complessità delle motivazioni dell'opera, la quale si allarga alla misura del saggio antroposociologico giungendo ad assimilare la condizione delle manicomiate a quella delle culture popolari e subalterne egualmente amputate e ridotte al silenzio: «Le pazienti relegate in un manicomio — scrive infatti l'autrice — sono donne emarginate non tanto per la pazzia ma, ben piú duramente, per la povertà, per l'abbandono, per un pregiudizio che si esercita su di loro come atto di dominazione politica»[26].

L'attività di Giuliana Morandini si è esercitata anche con non minore rilievo nel campo della narrativa con due romanzi (*I cristalli di Vienna*, ivi, 1978 e *Caffè Specchi*, ivi, 1983) ambientati tra la patria friulana e Trieste. Le indicazioni geografiche, implicite o meno, non hanno tuttavia un particolare rilievo perché a dominare sono gli spazi e i tempi della memoria o della psicologia; della memoria nel primo romanzo che rievoca gli anni intatti dell'infanzia infranti dalla violenza della guerra e dell'invasione; della psicologia nel secondo, deteriorata, frantumata, incapace ormai di comunicare. Quel che appare costante nella scrittura della Morandini è la continua apertura di varchi nella linea narrativa, che scompigliano la trama drammatizzandola in un movimento a vortice in cui i personaggi sembrano affondare ma per riemergere, forse, fino alla salvazione finale di una vita che ricomincia oltre i frantumi dei «cristalli» o in una fuga nei mari lontani.

Anche la narrativa di Stelio Mattioni ha un andamento duplice tra il realistico e il simbolico, tra la topografia triestina e le vie di fuga, tra il grottesco e il tragico, dove si insinuano l'assurdo o il morboso. Cosí già nei primi racconti di *Il sosia* (1962) con misteriose apparizioni o sostituzioni, e ancor meglio nel primo romanzo *Il re ne comanda una* (Adelphi, 1968) in cui il quotidiano si deforma nell'abnorme dell'imperio dell'eros, e in *Palla avvelenata* (ivi, 1971) dominato dalla figura di Narciso, ipersessuato capro espiatorio, e in *Vita col mare* (ivi, 1973) con la forza malefica di un amore soggiogante fino al suicidio. Forse il momento piú convincente di questa tematica che mitizza la quotidianità Mattioni l'ha raggiunto con il *Il richiamo di Alma* (ivi, 1980) in cui è possibile rintracciare manniani disordini e dolori precoci o musiliani turbamenti di giovani o soltanto qualche fiancheggiamento buzzatiano; fatto sta che il protagonista appare chiuso entro un cerchio magico di cui possiede la chiave l'inafferrabile Alma, e vive fino in fondo il suo sconcerto e la sua tenerezza. Mattioni raggiunge qui una tensione anche stilistica che ci pare in parte perduta

---

[26] La presenza della Morandini nel mondo dell'impegno femminile è visibile anche nel campo strettamente letterario con la sua ricerca sulle scrittrici dell'800, *La voce che è in lei*, Bompiani, 1980.

nel successivo *Dove* (Spirali, 1984), in cui lo schema (di tipo *Rasho-mon*) finisce per usurpare la credibilità del narrare che resta impiglia-to in una lingua meno credibile.

6. *Scrittori cattolici e cattolici scrittori*

Mario Pomilio può considerarsi il capofila di una narrativa cattoli-ca impegnata sul doppio versante delle questioni teologiche e degli impegni etico-politici. Attivo fin dagli anni cinquanta, aveva alter-nato i due segni in *L'uccello nella cupola* (1954), *Il testimone* (1956), *Il nuovo corso* (1959), approdando nel 1965 con *La compromissione* (Vallecchi) a un romanzo decisamente centrato nell'ambito politico italiano colto in una città di provincia all'indomani del 18 aprile del '48 che segnò l'inizio dell'egemonia democristiana. Il quadro che ne fornisce Pomilio è sconfortante e sgradevole coinvolgendo uomini po-litici di parte cattolica come di parte socialista e, in sostanza, l'intera media borghesia italiana velleitaria e compromissionaria, e i suoi rap-presentanti untuosi e arroganti o parolai e disponibili.

Ma il testo piú importante della narrativa di Pomilio è certamente *Il quinto Evangelio* (Rusconi, 1974), dove lo scrittore riprendeva la sua tematica religiosa portandola al piú alto grado di tensione spiri-tuale e di invenzione letteraria. Architettato entro una storia dei giorni nostri — un ufficiale americano che tra le macerie della Germania mette le mani sulle tracce di uno sconosciuto quinto vangelo — il ro-manzo viene poi costruito attraverso la documentazione nei secoli di questo estremo messaggio attribuito a san Giovanni. Pomilio ha re-datto, per questo, una serie di "falsi" che spaziano dall'epistola alla leggenda, dalla cronaca al trattatello, dal racconto al dramma adeguan-do il suo linguaggio ai moduli che di volta in volta intendeva seguire e giungendo a dare una stupefacente sensazione di autenticità, la quale cancella ogni fastidio che potrebbe nascere dalla lunga successione di apocrifi. I quali, autonomi nelle loro singole e concluse testimo-nianze, sono saldamente legati dal filo che tutti li congiunge: la pre-senza continuamente riaffiorante e perduta del testo che integra e perfeziona la parola cristiana. L'ideologia che sostiene l'opera sta perciò nel senso che Pomilio attribuisce a questo ipotetico testo, a questa speranza che è tutta una finzione letteraria ma è insieme una realtà interiore, cioè un modo di intendere e di vivere il cristianesimo oltre il semplice rispetto delle regole; il quinto evangelio nulla altro è, in-fatti, se non il desiderio di una reale adeguazione della vita all'inse-gnamento del Cristo e in questo senso non va considerato come un testo a parte, ma come una riscoperta vivente dell'infinita ricchezza, non mai finora del tutto operante, dei quattro canonici.

La stessa tecnica dell'"apocrifo" è stata adottata da Pomilio in *Il Natale del 1833* (Rusconi, 1983) con la stesura di un'ipotetica lettera di Giulia Beccaria sulle condizioni di spirito del suo grande figlio dopo la morte di Enrichetta Blondel, ma anche con l'invenzione di alcuni progetti di opere manzoniane in realtà inesistenti. La finzione ancora una volta regge per la discrezione con cui l'autore compie i suoi "falsi", e anche se il suo è un Manzoni possibile e non reale, l'esperimento non appare del tutto arbitrario, perché la figura dello scrittore è poco piú che un pretesto per affrontare un tema generale strettamente teologico, la presenza del dolore nel mondo nonostante Dio. Tutto il personale travaglio del Manzoni dopo i lutti familiari, la sua contesa con Dio, la sua ricerca di un Dio che non si chiuda nei suoi «crudeli giochi» allorché l'uomo nel dolore lo implora, sembrano approdare a un'*impasse* insuperabile: la Provvidenza o va negata o va accettata, a meno che non si voglia risolutamente affermare che quella dell'uomo è «una storia senza Dio»; sarebbe un estremo tentativo di liberazione dall'assedio divino, realmente infranto solo all'ultima pagina dal Manzoni-Pomilio: «La storia delle vittime è di per sé la storia di Dio... la croce di Dio ha voluto essere il dolore di ciascuno; e il dolore di ciascuno è la croce di Dio». È cosí che Pomilio supera la sua «crisi di fede entro la fede».

La doppia tematica politico-religiosa è presente anche in altri scrittori cattolici, in particolare Gino Montesanto e Rodolfo Doni, in entrambi i quali prevale però l'interesse per il primo tasto. Montesanto, dopo due romanzi ambientati nella Resistenza (*Sta in noi la giustizia* e *Cielo chiuso*) aveva poi delineato con *La cupola* (Mondadori, 1966) il venir meno delle stupende speranze che avevano segnato il ritorno della democrazia in Italia; il suo discorso era continuato in *Prima parte* (Roma, De Luca, 1973), *Il figlio* (Rusconi, 1975; particolarmente vivo per il quadro che fornisce dei problemi giovanili agli inizi degli anni settanta) e *Le impronte* (ivi, 1980), fino a giungere in *Cosí non sia* (ivi, 1985) a narrare quasi in modo spietato la vicenda di un prete arrivista e faccendiere.

Ancor piú legati alla tematica politica cattolica, cioè al mondo democristiano, sono i romanzi di Rodolfo Doni, dal lontano *Sezione Santo Spirito* (1958), attraverso *Fuori gioco* (1962), *La provocazione* (Vallecchi, 1967) e *I numeri* (ivi, 1969) fino a *La doppia vita* (Rusconi, 1980) che è quasi una summa dell'opera narrativa di Doni sull'argomento (altre volte ha prevalso invece l'interesse per i rapporti familiari, come in *Muro d'ombra*, Rusconi, 1974, o per questioni inerenti alla fede come in *Mediugorje*, ivi, 1985). Nell'uno e nell'altro scrittore l'accento dominante è quello della delusione espressa in termini inequivoci e straordinariamente paralleli: «È colpa mia se le cose sono andate come tu, io e tanti altri speravamo, anzi eravamo sicuri che andassero?» (Montesanto); «Incredibile, soprattutto per i democratici cristiani sorti per attuare la moralità evangelica nel campo sociale, trovarsi di fronte ad una "questione morale"» (Doni). Tra i due quello che sembra trovare miglior rifugio è forse Doni che può ancora avanzare l'auspicio del «santo politico» chiaramente ispirato a Giorgio La Pira (*Le strade della città*, Vallecchi, 1973), anche se in lui particolarmente pressante è l'amarezza per la segregazione in cui opera lo scrittore cattolico, chiuso, egli dice, in una doppia solitudine perché relegato quasi in un ghetto dalla cultura laicistica imperante, e poco considerato da certa cultura cattolica che ritiene strumento migliore la saggistica e considera il romanzo un sottoprodotto.

Anche se giunto alla narrativa in anni assai piú recenti, a questa schiera di scrittori cattolici va aggiunto Ferruccio Ulivi, «cattolico per disperazione», secondo un'autodefinizione, un uomo cioè che di fronte all'enigma della vita non sa o non vuole trovare altra soluzione che quella religiosa e confessionale. Ulivi è giunto alla prosa creativa dopo una lunga carriera di critico letterario[27], e il suo approdo al racconto e al romanzo non solo non smentisce quella provenienza ma se ne giova direttamente. Questo accadeva con evidenza nel suo primo volume, *E le ceneri al vento* (Mondadori, 1977), che vedeva protagonisti dei quattro racconti Leopardi, Manzoni, Oscar Wilde e Tasso, ma sapientemente mimetizzati dietro personaggi che li schermano o figure che li riflettono. Era un gesto di buon gusto che allontanava qualunque sospetto di biografia[28] romanzata e che trovava il suo strumento nella lingua raffinata e musicale di uno scrittore che aveva fatto le sue prime prove negli anni della prosa d'arte.

Nei volumi successivi, Ulivi ha continuato ad affrontare grandi eventi e personaggi storici, meno impegnato però a rintracciare le verità di fatto che a indagarne i sensi e i motivi profondi. Cosí, in *Le mani pure* (Rizzoli, 1979) protagonista non è Cesare, vittima passiva della congiura, ma Bruto, strumento di un fato che ha le sue irresistibili ragioni culturali e filosofiche prima ancora che politiche; e la figura di Francesco d'Assisi in *Le mura del cielo* (ivi, 1981) non ripete lo stereotipo del fraticello serafico, ma dà vita a un personaggio drammatico che tenzona con un dio tiranno, e la cui santità è un eroismo

[27] Si possono ricordare, fra gli altri, i suoi studi su Tozzi, Manzoni, Tasso, ecc.
[28] Ulivi ha dedicato in seguito un'ampia e ottima biografia al Manzoni nel volume *Manzoni* (Rusconi, 1985).

crudele che non avrà la sanzione del trionfo, se la pietra che ne risigilla la tomba vuol significare uno schermo invalicabile alla sua parola. E lo stesso può dirsi dei sei capitoli di *La notte di Toledo* (Rusconi, 1983), in cui tornano a comparire figure della storia o della letteratura ma in un'azione narrativa piú complessa e ambiziosa che articola nel tempo le verifiche di un'ideologia del destino la quale funge da filo conduttore nella trama dell'opera. E alla fine c'è solo una «disperata» risoluzione religiosa non come punto di quiete ma come una diversa drammatizzazione della condizione umana.

All'ideologia cattolica ci riportano anche due nomi diversissimi fra loro come scrittori, Raffaele Crovi e Italo Alighiero Chiusano. Crovi ha una scrittura scandita e concentrata con una naturale inclinazione alla poesia, nella quale si è frequentemente impegnato, mentre la struttura romanzesca sembra estranea alle sue misure, dagli esordi sino al suo ultimo volume *La convivenza* (Edizioni Paoline, 1985); Chiusano al contrario, ha un respiro narrativo generalmente assai ampio, che ha toccato il suo momento piú alto con *L'ordalia* (Rusconi, 1979) cui sono seguiti *La derrota* (ivi, 1982) e *Preludio e piccola fuga* (Edizioni Paoline, 1985). Ma lo scrittore che ha seguito piú da vicino una tematica ortodossa in questi ultimi anni è stato Luigi Santucci che nel 1969 ha scritto anche una vita di Cristo, *Volete andarvene anche voi?* (Mondadori) alla quale sono seguiti altri numerosi titoli da *Non sparate sui narcisi* (ivi, 1971) in cui appare il tema della contestazione studentesca a *Come se* (ivi, 1973), *Il mandragolo* (ivi, 1979), *Il bambino della strega* (ivi, 1981) che tornano ai suoi piú congeniali argomenti della fede, fino a *Il ballo della sposa* (Edizioni Paoline, 1985) sulla famosa crociata dei fanciulli ma contestata in nome di una convivenza di pace, e *L'almanacco di Adamo* (ivi, 1985), una sorta di calendario dei pensieri e della prassi cristiani scanditi lungo i mesi dell'anno e le quattro stagioni. Infine, tra gli scrittori piú giovani il nome piú interessante è quello di Ferruccio Parazzoli, nella cui narrativa ricompare la figura del prete tormentato, anzi un «mezzo prete», nel suo complesso rapporto con Dio e con la vita (*Il giro del mondo*, Bompiani, 1977) e in *Carolina dei miracoli* (Rusconi, 1979) la figura dell'innocente portatrice di bene che fu già di Lisi e di Santucci ma che ha perduto un po' dell'angelica grazia del primo e dello *humour* del secondo. Parazzoli ha poi continuato a frequentare la sua tematica etico-religiosa fino al recentissimo *Il giardino delle rose* (Rizzoli, 1985) scritto con quella presa diretta sul lettore, che è virtú e limite dell'autore, per narrare un'accorata vicenda sentimentale a tre.

Intermezzo n. 2

Il momento delle antologie

Realizzare nel massimo dell'arbitrio
il massimo del rigore. *M. Lunetta*

Questa confusa galassia che è il sesso
femminile nella poesia. *B. Frabotta*

Una situazione come quella che si è tentato di analizzare non è casuale che abbondi di antologie come ripetuto tentativo di fare il punto, di selezionare, di sbrogliare una troppo complicata matassa di presenze. Il gesto, necessario e sempre un poco arbitrario, della scelta funge in una contingenza siffatta da atto critico iniziale, e la disposizione dei nomi è già il principio di un possibile ordine; naturalmente può anche accadere — anzi, è accaduto — che le stesse antologie finiscano per entrare nella mischia, soggetti letterari anch'esse come opere d'autore e perciò coinvolti nel generale pluralismo delle proposte e sottoposti alle medesime critiche e talvolta a un dibattito interno.

Questa vocazione ad antologizzare aveva avuto un antefatto nel 1968 con il grosso volume di Gianfranco Contini, *Letteratura dell'Italia unita 1861-1968* (Sansoni) comprendente testi poetici e in prosa a partire dal De Sanctis, dai filologi dell'ultimo Ottocento e dal Carducci per giungere fino ai giorni nostri. Dato l'intento panoramico, l'opera accoglieva, pur nella personale valutazione critica, i nomi già consolidati nella tradizione otto-novecentesca[1]; questo criterio valeva anche per gli autori piú recenti sí che l'antologia, nonostante l'indicazione finale di Gadda e Pizzuto che poteva essere la segnalazione di una preferenza, appariva piuttosto opera di ricapitolazione e sistemazione che non di militanza.

Ma occorreva ormai gettarsi, per cosí dire, nella mischia e compromettersi nel tentativo di affrontare una situazione caotica e mutevole per cercare di fissarla, pur in un suo momento probabilmente poco duraturo, con un'operazione snervante nella selezione e rischiosa nei risultati. A questo primo tentativo di orientamento e sistemazio-

---

[1] Gli autori erano accompagnati da brevi profili introduttivi, ripresi poi nel volume *Schedario di scrittori italiani moderni e contemporanei*, cit. da cui, quando ci è occorso, li abbiamo attinti.

ne provvedeva *Il pubblico della poesia* di Alfonso Berardinelli e Franco Cordelli, uscito nel 1975 (Lerici)[2], che comprendeva venti poeti antologizzati e quarantaquattro schedati in un breve profilo, con una discriminazione che forse sottolineava troppo l'arbitrarietà dell'operazione, ma a tutto vantaggio dell'assunzione di responsabilità da parte dei curatori. Alla base del lavoro, che fermava lo sguardo sul breve periodo 1968-75, c'era poi quanto Berardinelli dichiarava nell'Introduzione, e cioè la constatazione fondamentale dell'«ilare convivenza» di tutti i possibili generi poetici, nella mancanza di una prospettiva unitaria e nella disgregazione del campo letterario[3] («Disgregati e centrifugati tanto il luogo di emissione dei messaggi poetici che il contesto in cui questi messaggi vanno a cadere») come conseguenza del «Rifiuto della Letteratura» operato nel biennio '67-68 ma con radici storiche ben piú complesse: «Ad essere scandalosamente e drammaticamente "aperta" e caotica oggi non è tanto l'opera quanto la storia e la società in cui essa naviga». Ma di fronte ad una situazione cosí compromessa, con un gesto assai diffuso in questi anni, anche Berardinelli non solo constatava i segni — sia pure non sempre positivi — della «ricomposizione graduale del sistema letterario», ma dichiarava la risorta e definitiva indistruttibilità della poesia e della letteratura. Si trattava con evidenza di un vero e proprio capovólgimento delle posizioni sessantottesche, che se non giungeva alla esplicita celebrazione dell'estetico sul politico, certo prendeva atto del rapido mutarsi della condizione della letteratura nel giro di pochissimi anni con il venir meno, anzi con il crollo, degli ideali degli anni sessanta.

Sulla via della «ricomposizione», Berardinelli e Cordelli non intendevano indicare una tendenza soggettivamente preferibile o oggettivamente già trionfante, ma suggerire alcune presenze piú in vista articolandole in quattro settori giudiziosamente intitolati a temi assai poco rigidi («i selvaggi, i postneoavanguardisti, i fumisti e pop, i realisti, iperrealisti e metafisici») come ulteriore riconoscimento della duttilità delle proposte e del margine d'errore che poteva accompagnarle.

[2] «il primo segnale di un'attenzione nuova al problema della poesia dentro la società» la definirà A. Porta nell'Introduzione alla sua antologia.

[3] M. Lunetta, nell'Introduzione a *Poesia italiana d'oggi* rifiuterà decisamente questo giudizio: «Alfonso Berardinelli e Franco Cordelli giocavano sull'assoluta indistinzione dei codici e dei livelli espressivi in una sorta di "qualunquismo" babelico e neutralistico, assumevano il principio (inverificato) che "il *campo* è ... ormai disgregato, mettevano in *epoché* il giudizio critico e l'analisi testuale per l'impossibilità a loro dire storicamente determinata, di emetterlo con qualche legittimità». Cordelli, riprendendo il discorso di *Il pubblico della poesia*, sottolineava qualche anno dopo come la poesia si fosse mossa «contro l'oppressione degli anni sessanta e della nostra giovinezza un po' torturata dal fantasma dell'impossibilità di superare i maestri»; dava poi un "pettegolo" e "rancoroso" rendiconto degli incontri poetici tenutisi a Roma al Beat 72 che fu, alla metà degli anni settanta, uno degli episodi piú vivaci della vita letteraria romana.

Se Berardinelli e Cordelli avevano scartato l'ipotesi di un'antologia di tendenza, tre anni dopo la situazione poteva essere già cosí evoluta da permettere a Giancarlo Pontiggia e Enzo Di Mauro di optare, con *La parola innamorata, I poeti nuovi. 1976-1978* (Feltrinelli)[4], per una decisa intenzionalità nella direzione del massimo del disimpegno etico-sociale e della celebrazione totale della parola come veicolo misterioso e mantico toccato dallo spirito. Per questo l'Introduzione era in aperta e dichiarata polemica contro i «progressisti» che continuerebbero a fare della parola uno strumento, e contro la critica storicistica e sociologica e, sia pure con qualche precisazione, contro la critica semiologica. Si rivendicava, al contrario, la gratuità e la verità del «canto che è dono», della parola poetica che è «innamorata», «colorata», «rapinosa», vale a dire impertinente, beffarda, pericolosa e tale da trasformare le cose «nell'altro che è la lingua dell'origine». Naturalmente i due curatori polemizzavano anche contro tutti gli organizzatori di dibattiti e di seminari di poesia che hanno la pretesa di «capire» e di «chiarire», se è vero invece che «la parola chiara» — essi dicevano — è «il sogno immobile del giardinetto pulito, della camera d'ospedale sterilizzata, dell'acquario dalle pareti blindate; è il segno di morte che ha orrore di tutto ciò che rimanda alla liquidità, alla disseminazione, alla fuga, cioè alla vita. È l'universo tautologico del niente». *His freti*, vale a dire sul fondamento di questa concezione a dir poco sorprendente della "chiarezza", Pontiggia e Di Mauro finivano per toccare le rive inevitabilmente nebulose del linguaggio misterico: la poesia è fascino e abisso, non enigma ma paradosso dell'enigma, è sirena, monstrum e prodigio, è desiderio infinito e crudele, è fiume travolgente e impietoso che conduce alla verticalità di un orizzonte enorme, alla dismisura di uno spazio che non ha ragione... Il tutto per dire che il poeta, o almeno il poeta della parola innamorata, non vuole nemmeno essere decifrato.

Si trattava, dunque, dell'abbozzo di un'estetica misticheggiante, e sia pure di un misticismo laico, che poteva trovare discreto ascolto in una situazione letteraria che continuava a riflettere tutte le laceranti scontentezze, i dubbi, le evasioni di una società insoddisfatta, sempre in procinto di imboccare l'ultimo piano inclinato o della disgregazione o della rassegnazione al male storico vissuto come male metafisico.

---

[4] Oltre a quelli dei due curatori, l'antologia comprendeva testi di Mario Baudino, Nanni Cagnone, Enrico Casaccia, Giuseppe Conte, Michelangelo Coviello, Maurizio Cucchi, Milo De Angelis, Tomaso Kemeny, Angelo Lumelli, Valerio Magrelli, Angelo Maugeri, Mario Santagostini, Gregorio Scalise, Gino Scartaghiande, Cesare Viviani.

Ancora un anno ed un'altra assai consistente antologia viene proposta da Antonio Porta, *Poesia degli anni settanta* (Feltrinelli, 1979) con una Prefazione di Enzo Siciliano carica di tutte le preoccupazioni e le angosce proprie di chi ha vissuto «un decennio di lutti, di terrore, di sangue, — e con ridotte speranze che esso sia concluso». Ma la sua era anche e soprattutto una requisitoria contro lo stato della letteratura in Italia, con il paradossale contrasto — come si è visto — tra il «pullulare di nomi» e «il *vuoto* letterario». Ma c'era poi, nello scritto di Siciliano, un particolare paradosso che poteva indicare meglio di molti discorsi la mutata temperie culturale: nella sua polemica contro l'ideologismo in letteratura e contro tutte le menzogne e le schizofrenie che avevano contraddistinto le opere degli anni appena trascorsi, Siciliano faceva esplicito riferimento ad autori (p. es. Balestrini e Leonetti) di Feltrinelli, cioè della stessa casa editrice che ora pubblicava questa palinodia, rovesciando in tal modo abbastanza clamorosamente la funzione che essa si era riservata quasi istituzionalmente per tutto il periodo della «contestazione» e della letteratura che o la esprimeva o ne era espressa.

Antonio Porta, invece, si occupava degli aspetti poetici e dei criteri sui quali aveva costruito la sua antologia; «una struttura basata sulle opere e non sui poeti, sulle voci e non sui personaggi, una mappa di percorsi». Porta non sconfessava il '68 e la sua richiesta di una razionalità nuova, ma prendeva atto della crisi profonda che ne era seguita e dell'eredità che se ne poteva dedurre, «l'affermarsi di un concetto fondamentale, anche per la poesia e che la poesia ha forse precorso: quello di immaginario». Nella sua mappa a Porta premeva di individuare il punto d'aggancio tra la riaffermazione della forza linguistica dell'io e la nuova incidenza della poesia sulla società che cambia, e lo trovava nella polivalenza delle funzioni che la poesia era ora in grado di assumersi, attribuendosi in tal modo anche un senso politico: dopo il '68, «la poesia è presente in tutti i passaggi e le contraddizioni dei nostri anni recenti, può farsi invettiva e può affidarsi a visioni, recuperare le utopie, diventare satira di costume e interpretare la cronaca, ma soprattutto assolve alla fondamentale funzione di raccontare l'esistenza nel tentativo di scoprirvi tracce di senso, di far rinascere quell'io effimero» al di fuori delle precostituzioni ideologiche[5].

Ancora alla fine degli anni settanta, due robusti volumi curati da Antonio Motta e dal titolo di sapore leviano *Oltre Eboli. La Poesia*

---

[5] Il criterio di antologizzazione anno per anno portava però a registrare accostamenti un po' sorprendenti: nel '68 Pagliarani accanto a Sergio Solmi, Balestrini accanto alla Morante, ecc.; nel '70 soltanto Risi; nel '71 Porta accanto a Montale, ecc.

(Lacaita, 1979) assumevano a criterio la classica distinzione della letteratura meridionale, sia pure cercando di rinnovarla, annoverando ben novanta nomi dei quali si intendeva cogliere non la sola «condizione» («il precario scrivere in rapporto al precario vivere») ma il suo svolgimento, il superamento delle matrici naturalistiche e la rottura degli schemi neorealisti.

Il sopraggiungere degli anni ottanta non ha interrotto il lavoro di antologizzazione, anzi lo ha piuttosto incrementato quasi piú necessario ed urgente si fosse fatto il compito di organizzare il materiale e di capirne il senso al di là della sua fuggevole apparizione in raccolte sempre di molto scarsa diffusione.

La *Poesia italiana oggi* (Newton Compton, 1981) di Mario Lunetta era la piú ideologicamente orientata e di conseguenza la piú polemica ma anche tra le piú generose includendo oltre ottanta poeti spesso con testi inediti e tutti appartenenti all'ultima generazione[6] e neutramente messi in ordine alfabetico all'interno di quattro settori[7]. Si sono già visti i giudizi negativi che Lunetta dava della raccolta di Berardinelli-Cordelli (nonché di Pontiggia-Di Mauro); altrettanto severa era la condanna della ritornata «decrepita illusione neoromantico-idealistica che la poesia consti di un'invariante specifica (l'alone, il mistero, ecc.) di per se stessa eterna», della riesumazione della «autonomia assoluta della scrittura, della improvvisazione spontaneistica fondata sull'autobiografismo anzi sul "vissuto"». A tutto questo Lunetta opponeva un'idea della poesia consapevole della teoria critica del proprio prodursi e riassumibile nella formula: «optare per la *professionalità* (che non è puro e semplice professionismo), realizzando nel massimo dell'arbitrio il massimo del rigore».

L'«antologia di poeti contemporanei» *Gli avventoviri* (Rebellato, 1980) di Silvana Folliero rinunciava invece alla panoramica puntando su pochi nomi[8] per i quali si coniava un titolo, coraggioso quanto compromettente, che li segnalava a guida dell'avvento, o dell'avventura, della nuova poesia italiana. Il senso che ne scaturiva era, ancora una volta, di una molteplicità di provenienze e di soluzioni, rac-

---

[6] Lunetta è disposto ad accettare l'appunto «di (onesta) tendenziosità ma non di settarismo» e a sottolineare «la compresenza di diversi (e anche contrastanti) filoni di ricerca».

[7] Anche in questo caso le intitolazioni volevano dare un'indicazione molto generale: La tensione della struttura, I veleni del giocoso, Tra intimismo e parola innamorata, La metafora narrante.

[8] Antonio Agriesti, Lino Angiuli, Giorgio Barberi Squarotti, Anna Borra, Bruno Cera, Rodolfo Di Biasio, Mario Lunetta, Leonardo Mancino, Silvio Ramat, Cesare Ruffato, Luciano Troisio.

colte non in una serie tendenziosa ma come suggerimento di energie e di forze d'urto possibili o, come diceva la curatrice, di «deiscenza totale».

Scettica parodia delle ridondanti antologie poetiche degli ultimi anni (spesso «celebrative di fasti personali e di protesici interessi editoriali») ma insieme seria proposta che si rifaceva all'ipotesi foucaultiana «di un mormorio di fondo anonimo, che disimpegna, destabilisce la funzione autore rendendone talvolta superflua persino l'esistenza», era l'antologia di «testi poetici italiani inediti degli anni ottanta» curata da Cesare Ruffato e Luciano Troisio, *Folia sine nomine. Il nome taciuto* (Bologna, Seledizioni, 1981). Il volume raccoglieva ben centotrentacinque proposte di differenti autori contrassegnati ciascuno da un numero, puri modelli di *poesia in sé*, deprivati di ragioni personali e dati in lettura in una nudità anagrafica che avrebbe dovuto garantire la lealtà di giudizio da parte del lettore[9].

L'antologia di Pier Vincenzo Mengaldo, *Poeti italiani del Novecento* (Mondadori, 1981) non introduceva tagli settoriali — gruppi o correnti, linee o filoni[10] — né una ricostruzione storica che, si diceva, potrebbe comportare il pericolo di dissolvere il lavoro poetico nel quadro della storia degli intellettuali, e che poteva lasciarsi «leggere in filigrana». Il punto di partenza erano i poeti dell'area crepuscolare vista come presenza dei «primi veri decadenti italiani» e come «un'iniziale rottura profonda, destinata subito dopo ad allargarsi coi futuristi, con l'avanguardia, coi frammentisti, ecc.». Ma per venire a tempi piú vicini e per noi di maggiore interesse, anche le considerazioni di Mengaldo riflettevano, per gli anni settanta, il disagio di fronte a una «produzione in buona parte dispersa, semiclandestina», difficile da caratterizzare rispetto alla produzione precedente, e non chiaramente scandita dal '68. Alcuni tratti essenziali o piú diffusi pareva all'autore di poter rintracciare nella prevalenza per la scrittura «informale» o nella identificazione tendenziale «della lingua poetica col *registro del privato*, del vissuto-quotidiano personale», con il pericolo di scivolamenti verso l'intimismo neocrepuscolare e della perdita della specificità del linguaggio poetico. Ne veniva fuori un giudizio apertamente riduttivo nei confronti dell'ultimissima generazione (che non veniva antologizzata) sulla quale Mengaldo si interrogava — ed era chiara la risposta negativa — domandandosi «quali e quante opere

---

[9] In realtà, nella quarta di copertina viene riportato l'elenco alfabetico dei poeti, sicché il lettore si può sbizzarrire ad accoppiare testo e autore sottolineando l'aspetto ludico, che certo non manca, dell'operazione. All'antologia è seguito il volume di giustificazioni critiche *La trasparenza dello scriba*, Vallardi, 1982.

[10] Viene rifiutata anche «l'etichetta-ghetto di "poesia dialettale"», alla quale pure viene riservato largo spazio.

di poeti piú giovani possano stare alla pari, per qualità, di ciò che hanno prodotto e pubblicato nell'ultimo quindicennio i maggiori delle generazioni piú anziane» (e citava opere di Sereni, Luzi, Caproni, Zanzotto, Montale, Fortini, Bertolucci).

Ancora alla metà degli anni ottanta nuove antologie continuano la loro opera di selezione e proposizione, partendo dal giudizio ormai sempre piú acquisito che «esiste oggi in Italia una poesia nuova, dalle mille facce e dai mille percorsi». Cosí scriveva Marco Marchi introducendo il volume ottimisticamente intitolato *W la Poesia!* (Vallecchi, 1985) che raccoglieva testi, tutti molto recenti, di quindici poeti accompagnati da brevi dichiarazioni autocritiche. Piú articolato il volume *Letteratura degli anni ottanta* (Bastogi, 1985) curato da F. Bettini, M. Lunetta e F. Muzzioli che, nato all'interno dell'attività scolastica, contiene anche battute di dialogo fra autori e allievi e antologizza con grande abbondanza poesie e prose. È nelle tre introduzioni che si chiarisce il senso dell'intervento e si ribadiscono i caratteri di una situazione storico-letteraria che pare vada cronicizzandosi: dallo «sconcertante vuoto di teoria» come punto di partenza, alla sensazione che alcune cose stiano cambiando tanto da rendere possibile l'indicazione di «percorsi di uscita dal blocco dominante dei prodotti di consumo»; pur partendo dalla constatazione, d'altra parte largamente diffusa, che «ciascuno procede per proprio conto», il movimento che veniva indicato era nella direzione della «lotta contro l'io lirico», del «lavoro sul corpo delle parole» e delle «pratiche di irriverenza», in un'auspicabile «consapevolezza degli strumenti da usare, che crede nel metodo di *verifica delle emozioni* e nel linguaggio come sistema aperto capace di mettere costantemente in discussione se stesso».

Fanno parte a sé le antologie poetiche di autori femminili, perché in questo caso non si tratta soltanto di fare il punto nella complessa situazione della poesia italiana degli anni nostri ma di proporre testi che hanno alle spalle profonde motivazioni socio-politiche, antiche rivendicazioni che investono ogni campo del vivere e nei confronti delle quali l'esercizio dell'attività letteraria costituisce un momento di verifica tutto particolare ma certamente non primario, se non per il fatto che esso può presentarsi come la voce piú autorizzata o piú qualificata per dire le cose che vanno dette. Ma esistono poi problemi specifici che nascono nell'istante stesso in cui quell'esercizio viene avviato nel clima, in questo campo fortemente rinnovato, degli anni settanta, quando era ormai in atto da tempo un combattivo movimento femminista[11] che pone premesse ma insieme impone distinzioni per le «donne in poesia». Era proprio questo il titolo dell'antologia della poesia femminile in Italia curata nel '76 (ed. Savelli) da Biancamaria Frabotta, con una nota critica di Dacia Maraini, che raccoglieva testi di venticinque poeti. La prima questione che si poneva era la possibilità stessa di aggettivare la poesia la quale per sua natura non sembrerebbe sopportare aggettivi, e una volta accettata quella possibilità, la difficoltà di scegliere tra «femminile» e «femminista»; ma su questo punto la curatrice non pareva aver dubbi, anzi correggeva la stessa piú accettabile definizione di «poesia femminile» in quella di «poesia di donne»[12] senza per questo nascondersi altri problemi, a cominciare dal rischio di istituzionalizzare la «separatezza» (come si è cominciato a dire in quegli anni con inelegante neologismo), di continuare cioè a circoscrivere la donna in un ghetto sia pure diverso; ma la Frabotta intendeva rovesciare dialetticamente la separatezza rivendicandola come «punto di forza, come tappa non di un'esclusione culturale, ma di un'ambivalenza, di una sospensione fra storia e metastoria dolorosa, ambigua, sfuggente ma necessaria». Ma infine: esiste una omogeneità letteraria fra le varie poesie antologizzate, in quanto e perché prodotte da donne? la curatrice lo negava, e a dimostrarlo stava la visibile differenza fra i testi prescelti nonché l'evidente risalto delle singole personalità; e tuttavia è possibile — si diceva pure — «creare un filo rosso che unisce le diverse posizioni delle singole poetesse, senza voler distruggere la loro univocità»[13].

Due anni dopo Laura Di Nola curava un'altra antologia raccogliendo questa volta il messaggio del femminismo (*Poesia femminile italiana*,

[11] Per un'indicazione su alcuni problemi di fondo, si veda C. Ravaioli, *La questione femminile. Intervista col Pci*, Bompiani, 1976.

[12] Anche Dacia Maraini riconosceva «solo pochissime delle poetesse raccolte in questo volume sono femministe» e che «la maggioranza rifiuta decisamente ogni separazione fra maschile e femminile in letteratura»; ma questa separazione c'è — continuava — perché le parole sono strumenti serviti finora a esprimere il punto di vista dell'uomo, e citava Simone De Beauvoir: «La donna si conosce e si sceglie non in quanto esiste di per sé, ma in quanto definita dall'uomo».

[13] Il processo di acquisizione di una personalità poetica femminile appare oggettivamente complesso e soggetto a crisi di identità. La stessa Frabotta nota come nelle poesie raccolte tornino le tipiche tematiche femminili che cosí vengono riassunte: «La maternità accarezzata e respinta, l'*horror vacui* del matrimonio, la nevrosi del lavoro casalingo e l'esaurimento del lavoro fuori di casa; l'esasperazione della solitudine fino alla perdita della ragione o al suicidio; il favoleggiamento mitico dell'origine della propria oppressione e gli oroscopi; la temibile vecchiaia e il complesso di Penelope; l'amore-odio per la madre e la ribellione al padre; l'autoproclamarsi identità naturale e la conchiglia con le sue cavità, paurose se infeconde; l'estraniazione dal maschio-guerriero e la sofferenza della parità; l'emancipazione culturale e l'aborto, il parto, l'allattamento, le mestruazioni; la disperata volontà di entrare nella storia e la fatica che costa restarci dentro. Timidissimi infine i cenni all'amore, al sesso, all'omosessualità, all'autoerotismo».

ed. Savelli), scavalcando pregiudizialmente ogni questione di estetica e puntando esclusivamente sulla conquista di un'espressione che avesse superato gli stereotipi maschili, cioè l'io femminile inautentico, e prendesse coscienza della «tragedia dell'Io sottratto», dell'«estraneazione dal sé» con il conseguente «rifiuto del consueto, della parola falsata e falsante, dell'ottica del maschio padrone». Questo spiega perché dei trentuno nomi antologizzati, soltanto tre (Rosselli, Bettarini, Batisti) coincidessero con quelli della raccolta di Biancamaria Frabotta[14].

[14] All'incirca lo stesso può dirsi per l'antologia di inediti di autrici italiane contemporanee *Versi d'amore* (Venezia, Corbo e Fiore) a cura di M. Giovanna Maioli Loperfido, che essendo dell'82, viene presentata — dice la curatrice — «in tempi che appaiono di femministico riflusso».

Parte quinta
Una letteratura per gli anni ottanta

I. Il decennio cambia, la situazione no

Un concerto indifferenziato. *R. Luperini*

Ognuno, senza trionfalismi e con i mezzi
a disposizione, se ne va per la sua
strada. *A. Berardinelli*

Il problema numero uno resta quello di
sopravvivere. *G. Majorino*

Nulla è sicuro ma scrivi. *F. Fortini*

1. *La situazione*

La situazione che abbiamo visto caratteristica della generazione degli anni settanta non sembra mutare visibilmente col sopraggiungere del nuovo decennio, ma se mai cronicizzare i suoi segni polivalenti ed eclettici, distinguendosi piuttosto per un diuturno e parcellizzato lavorio di ricerca teorica e di proposta pratica che non per la produzione di opere al di sopra della medietà dei valori. Testimonianza di questa continuità di modi sono ancora le antologie che abbiamo visto allungare i tentativi di fare il punto, di vagliare e selezionare, di indicare qualche giusta via su cui procedere per uscire da un'*impasse* che rischia di assomigliare sempre piú alla confusione o alla paralisi. Ma ancor piú significative sono le innumerevoli riviste di maggiore o minor mole e incidenza e durata, nelle quali tendono a prevalere, sullo scambio polemico, la capacità e la volontà di addizionare testi, di esibire il prodotto piuttosto che il progetto. Forse non si è lontani dal vero nell'individuare in questo fenomeno un'ulteriore riprova di quanto abbiamo cercato finora di dire: la sovrabbondanza delle opere e la non sufficiente coscienza dell'idea letteraria e storica che le dirige; e insieme la convinzione che l'opera sia l'atto folgorante che attinge il suo traguardo scavalcando le mediazioni e gli schermi dell'ideologia, della critica, della cultura. È un implicito e inconscio rapporto mistico quello che sembra spesso venir sottinteso nell'atto in cui si producono e si esibiscono i testi, che dovrebbero sprizzare da una nuda relazione tra l'autore e la pagina, un dialogo a due, una rivelazione personale; o, per dirla con parole che si leggono nel primo numero di *Verso* (dic. '82), si ha la sensazione di essere di fronte ad «autori in cui la riflessione sulla categoria della letteratura si trovi risolta nel testo, diventi linguaggio e dimentichi le proprie intenzioni e occasioni».

333

Rientra in un panorama di questo genere la sterzata che subisce anche qualche settore della cultura «di sinistra». Un documento probante di questo mutamento di clima nonché delle basi teoriche e delle prospettive per la fondazione di una nuova cultura veniva offerto nel 1982 dalla comparsa del primo voume della *Letteratura italiana* (*Il letterato e le istituzioni*) (Einaudi) diretta da Alberto Asor Rosa, il quale vi premetteva un capitolo introduttivo, *Letteratura, testo, società*, fondamentale per intendere i binari sui quali l'opera sarebbe avanzata. L'impostazione era dichiaratamente in polemica col De Sanctis e con Gramsci (almeno col «desanctisiano Gramsci») dei quali respingeva le due premesse capitali: la letteratura italiana *associata* alla storia etica e civile, e la nascita della grande letteratura da una grande vita morale. Asor Rosa naturalmente non negava che esistessero rapporti tra letteratura e storia etico-civile e riteneva «piuttosto sbagliato» pensare che la letteratura nasca per partenogenesi (e qui pareva d'accordo con Gramsci), che «il letterario tragga alimento solo dal letterario», ma rifiutava decisamente quella cultura storicista che aveva dominato cosí a lungo in Italia producendo gravi inconvenienti[1], pur se non intendeva adottare i nuovi orientamenti strutturalistici e semiotici causa di inconvenienti opposti ma altrettanto gravi. Intendeva, dunque, assumere una posizione complessa se non eclettica[2], che affrontasse i tre temi del discorso critico, il testo («punto di partenza e d'arrivo»); lo specifico letterario o «letterarietà» cui tuttavia preferiva dare il nome di «sistema»; il rapporto fra letteratura e storia, che non era piú, marxianamente, la struttura fondante anche se Asor Rosa salvata in *extremis* un accento marx-engelsiano: «È inevitabile che se si parla di dialettica fra un testo letterario e una determinata formazione storico-sociale, l'elemento primario e decisivo torna ad essere la formazione storico-sociale»; ma subito, quasi a correzione, aggiungeva: «Noi preferiremmo parlare oggi di ''processi osmotici''». La conclusione ultima, il succo del discorso, che tornava ad avvicinarlo alquanto a posizioni formalistiche, era «che una buona teoria della letteratura... serve a spiegare le cose *come* sono, mai *perché* sono come sono» — con l'implicita rinuncia, ancora una volta antimarxiana, a pervenire al giudizio di valore se non per vie esterne e sostanzialmente empiriche[3].

---

[1] «tra i piú gravi, la perdita d'identità del fenomeno letterario, la sua dissoluzione nel flusso indistinto ed eterogeneo degli avvenimenti storici, la quasi totale trascuranza dei suoi aspetti piú specificamente segnico-formali» (pp. 18-19).

[2] Poiché «la letteratura è un fenomeno complesso», si deve dismettere «la vecchia credenza dogmatica che un *solo* metodo, contrapposto a tutti gli altri, sia capace» di predisporre il «piano di volo» della critica, che va sostituito con «un'incessante, paziente e inesauribile ''correzione di percorso''» (pp. 5-7).

[3] «Diciamo semplicemente che la moltiplicazione degli strumenti di lettura non coincide

Un consuntivo sul decennio che si chiudeva e un possibile preventivo su quello che si stava aprendo veniva avanzato nel 1979 da Alfonso Berardinelli nel capitolo *Trasformazione dell'idea di letteratura nel corso del decennio '70* (in *Il critico senza mestiere*, Il Saggiatore, 1983): «Il decennio '70 — scriveva — si è concluso in Italia nella peggiore delle confusioni», derivata dal fatto che al decennio sessanta caratterizzato dall'avanguardia culturale e politica non era succeduto, come era da attendersi, il decennio della restaurazione (che probabilmente è ancora da venire) ma «quello della distruzione dosata e razionata di una speranza» vissuta nella condizione di una prolungata agonia delle avanguardie. Nei confronti delle quali il giudizio di Berardinelli suonava ripetutamente severo per l'«azzeramento della letteratura» che esse avevano compiuto, per la deviazione dalle funzioni proprie («Costruire messaggi, organizzare la fruizione, gestire i canali della comunicazione culturale è diventato l'orizzonte del discorso sulla letteratura»), per la rapida obsolescenza in cui è caduta, per la trasformazione della rivoluzione avanguardistica in autoaffermazione di coloro che l'hanno promossa; infine, per l'eredità lasciata, che nel campo della poesia aveva prodotto da uno stato di clandestinità e di latenza una indiscriminata e famelica riappropriazione, e nel campo culturale una cultura generica fatta di «opere generali, di storie, antologie, nuovi strumenti didattici, manuali e enciclopedie» (alle quali, come si è visto, lo stesso Berardinelli non si era del tutto sottratto). Sicché, la conclusione del capitolo non poteva che ribadire il concetto espresso in principio: «Uno strato della generazione del '68 si riconosce e si ricostruisce come ceto... e affoga ormai, ancora una volta, nel mare della propria chiacchiera. Sembra avere di nuovo un gran bisogno di letteratura, dopo averla rinnegata e sbeffeggiata per anni». Ma forse proprio da qui Berardinelli traeva auspici meno disastrosi rovesciando in positivo tutti gli aspetti apparentemente deboli della letteratura alla fine degli anni settanta: «La letteratura non può che riacquistare spicco. La sua fragilità, la sua inafferrabile essenza, l'incertezza del suo statuto, la sua mancanza di funzione e il suo carattere inoffensivo non possono che far guardare alla letteratura con qualche speranza». Era un augurio per il decennio ai suoi inizi che gli anni ottanta hanno finora — se il nostro giudizio non pecca per eccesso di vicinanza — solo assai parzialmente realizzato.

sempre in questo caso con una migliore percezione dei valori connessi con un'esperienza formale piuttosto che con un'altra. A questa percezione si arriva compiendo un percorso piú lungo e piú complesso di quello disegnato dalla "scienza della letteratura": c'entrano problemi di gusto e di estetica, un'ampia pratica di letture, e anche quell'"esperienza delle umane cose", che cosí spesso fa difetto ai critici letterari e agli specialisti del settore» (p. 21).

2. Le riviste

Alfabeta usciva nel maggio 1979 con un comitato di direzione[4] legato per diversi nomi alle *équipes* neoavanguardiste; ma il programma dichiarava esplicitamente che il giornale avrebbe espresso opinioni personali, e di collettivo avrebbe avuto solo la discussione dei temi e la scelta dei collaboratori. Subito dopo si aveva l'incriminazione di Balestrini e un articolo redazionale prendeva immediatamente posizione a suo favore[5], definendo una sorta di *pastiche* letterario quello cui era stato sottomesso lo scrittore, e rivendicando in ogni caso agli uomini di *Alfabeta* la loro natura di soggetti politici, la cui non facile collocazione poteva già essere ambivalentemente allusa dal titolo di uno scritto di Leonetti: *Per Negri criticando Negri*.

In realtà, *Alfabeta* dedicherà sempre molto spazio alla situazione politica italiana e mondiale e al tema del rapporto con il potere politico, e nel febbraio dell'80 avvierà un dibattito su «La cultura dell'estremismo» che conterrà, per bocca ancora di Leonetti, se non un'aperta sconfessione, certo una decisa analisi negativa del terrorismo e della sua «fuga in avanti»: «Il terrorismo ha pietrificato il suo discorso... ora ripete un rituale» — si diceva — e si è comportato come se l'imperialismo fosse ovunque il medesimo, in Italia come in America centrale. Ma negativa era anche la diagnosi — come costantemente in *Alfabeta* se si eccettuano certi interventi di Mario Spinella[6] — nei confronti dei partiti comunisti storici, per il loro verbalismo, la loro sconnessione del politico dall'economico e dal sociale, il loro esplicito appoggio allo Stato repressivo[7].

Alfabeta continuò, comunque, non soltanto a lasciare il nome di Ba-

[4] Nanni Balestrini, Omar Calabrese, Maria Corti, Gino di Maggio, Umberto Eco, Francesco Leonetti, Antonio Porta, Pier Aldo Rovatti, Gianni Sassi, Mario Spinella, Paolo Volponi.

[5] Nel marzo dell'82, sia pure per un'implicita sollecitazione di Giorgio Bocca sull'*Espresso*, *Alfabeta* lanciò un appello per Balestrini, in occasione della pubblicazione della requisitoria, parlando apertamente di «persecuzione giudiziaria» e di «attuale corso repressivo della libertà di opinione in Italia». Nell'agosto dell'80 Balestrini aveva rimproverato agli intellettuali italiani di non fare tutto il possibile, salvo poche eccezioni, per impedire gli attentati alla libertà di espressione delle idee.

[6] Si veda quanto Spinella, pur giudicando discutibile la scelta dei modi della lotta, scriveva nel gennaio dell'83: «La lotta a fondo al terrorismo non è solo necessaria ma sacrosanta; e sembrano per fortuna ben lontani i tempi in cui qualcuno poteva pensare — e affermare — di non voler essere né con il terrorismo né con *questo* Stato». E riteneva che il nocciolo delle idee del '68 fosse stato recepito dal Pci.

[7] Parole ancora più dure riservava al Pci Lapo Berti intervenendo nel giugno 1980 nel dibattito su *La cultura dell'estremismo*; Berti disapprovava Leonetti per la fretta con cui aveva espunto dal marxismo storico l'esito terroristico, e si scagliava contro «la furia cieca con cui il partito comunista ha menato colpi su tutte le forme di dissenso per esorcizzare lo spettro del terrorismo». Anche Pier Aldo Rovatti (marzo '80) non condivideva la condanna di Leonetti sui fatti del '77 considerati come un'insorgenza di istanze irrazionalistiche.

lestrini nel comitato di direzione, ma a pubblicargli frequentemente testi, cosí come continuò a pubblicare testi di Toni Negri. E proprio a Toni Negri si deve la piú decisa presa di posizione polemica nei confronti dell'avanguardia[8], laddove altri autori piú interni alla vicenda di *Alfabeta*, come Antonio Porta, conducevano sull'argomento un discorso piú sfumato e piú abile: «È improprio parlare di *scacco* a proposito della neoavanguardia italiana degli anni sessanta, — diceva, — perché ogni momento e periodo di attività di avanguardia prevede e progetta la propria inevitabile fine» (febbraio 1980).

Ma *Alfabeta* diede spazio anche ad Angelo Guglielmi che continuava ad essere il piú tenace assertore di quella particolare ala delle neoavanguardie che dal Gruppo 63 a *Quindici* aveva sempre difeso a spada tratta la piú assoluta e inconciliabile autonomia della letteratura. Guglielmi ora ribadiva, ancora agli inizi degli anni ottanta, che «uno scrittore è uno scrittore e un politico è un politico e non vi è passaggio dall'uno all'altro», e aggiungeva che uno scrittore fa politica con lo strumento, anzi con l'esperienza della scrittura; e intendeva una scrittura — come egli reputava fosse stata negli anni sessanta — quale «forza trainante del rinnovamento culturale della nostra cultura».

Tenendo fede al suo programma, certamente liberale ma non privo di esiti eclettici, *Alfabeta* dava spazio anche alla replica di Luperini che, riprendendo Benjamin, affermava altrettanto perentoriamente che «ogni scelta stilistica è una scelta politica», e che quando tutto diventa letteratura o «testo» o «scrittura», nulla è piú letteratura e dunque non esiste nemmeno piú l'autonomia della letteratura. In conclusione, Luperini proclamava la fine della «separatezza» sia della letteratura che della politica e rivolgeva l'ultimo violento strale contro quei letterati italiani che dopo aver tentato nel '68 con *Quindici* di salire sul tram della rivoluzione, ora ci sputavano sopra. Il risultato di queste variazioni di opinioni ad angolo piatto poteva essere la pessimistica conclusione di Leonetti agli inizi dell'82: «Non sappiamo piú con certezza che cosa la letteratura è».

Piú che in proclamazioni teoriche o in asserzioni dogmatiche, piú che nei risultati dei dibattiti (oltre quello sull'estremismo, si ha quel-

---

[8] «Viva la retroguardia. Non scherzo: da un po' di tempo non capisco piú che cosa sia l'avanguardia, i suoi valori sperimentali, la sua istanza costruttivistica. Mi sembra completamente astratta, svuotata in ogni significato innovativo. Formale. Senti parlare l'avanguardista e, al piú, ti stupisce il suono imbecille della voce di una scimmia, senza neppure la tragedia di chi la scimmia la tiene sulla spalla. Un francobollo per coprire un buco. Codici per spingere avanti l'incomprensione, la dissimulazione della realtà. Una incomunicabilità che non ha nulla a che vedere con le sfere della realtà alienata, che non è in alcun caso riflessione sulla difficoltà di comunicare: ma sfizio, eccentricità televisiva».

lo sul *Linguaggio e contenuto* nel febbraio '80, uno su *Crisi della ragione* nel gennaio '80, due su *Il senso della letteratura* nel 1984) la linea di un progetto letterario sufficientemente coerente potrebbe forse essere cercata nei testi, soprattutto poetici, e nella scelta degli autori presi in considerazione critica (Calvino, Zanzotto, Malerba, Gadda, ecc.). Tra i poeti, oltre i redattori Balestrini, Leonetti e Porta, si potranno ricordare alcuni giovani o giovanissimi o addirittura esordienti come Paolo Valesio, Tommaso Ottonieri, Valentino Zeichen, Patrizia Imperiali, ecc. Va tuttavia tenuto presente che, proprio in base alle polivalenze teoriche di cui si è detto e sotto l'incalzare delle pressioni politiche, non si può dire che la letteratura sia la protagonista di *Alfabeta*, pur se non vi mancano frequenti richiami. In realtà, gli interessi si indirizzano su un ventaglio piú ampio che va dal teatro, dall'arte[9], dal cinema, dalle culture straniere, alla psicanalisi, all'esistenzialismo, alla semiotica, all'urbanistica fino alla legge sui manicomi, e insomma a tutti i settori dove piú intensamente vive il dibattito della società, e dunque in particolare alla politica, cui veniva dedicata, a partire dalla primavera dell'81, una specifica rubrica definita «delicata» — *Blackout* — e cosí delicata che per essa veniva riconfermata la disponibilità del giornale a raccogliere anche scritti che esso non condivideva. In ogni caso, l'atteggiamento polemico nei riguardi del potere restava una costante e veniva sottolineato a proposito della questione «7 aprile» sulla quale era riassuntivo il giudizio di Antonio Porta: «Tra lo Stato e il cittadino rimane spalancato un abisso» (maggio 1983)[10].

Solo molto tardi, invece, nell'estate dell'83, *Alfabeta* cominciò a dedicare un supplemento esclusivamente alla letteratura, inserendovi testi sia creativi che critici, e solo nel febbraio dell'84, come si è visto, accolse un dibattito su *Il senso della letteratura*. Ad aprirlo fu Leonetti, forse per superare quella «perdita di certezza nell'opera letteraria e artistica» che abbiamo ricordato, e il disagio per l'uso generico dei termini «sperimentalismo» e «avanguardia». Porta, partito come già Leonetti da Heidegger (il linguaggio come «casa dell'essere») e posti in un rapporto reciproco moderno e postmoderno assegnando al primo la forma e al secondo il sentimento, giungeva, con un imprevedibile e forse inconscio crocianesimo, ad una definizione: «Il senso della letteratura è dare oggi forma al sentimento». Mentre

[9] Un segnale particolare dell'attenzione di *Alfabeta* alle arti figurative è dato dalle illustrazioni scelte organicamente per ciascun numero con una premessa che ne spiega i criteri.

[10] E Volponi: «La nostra politica si sta sempre piú staccando dalla realtà, dal sociale, dal dibattito... uno Stato borghese che rifiuta il confronto con il sociale»; e lo stesso Spinella non poteva non parlare di un «atteggiamento corrivo — a dir poco — dei partiti di sinistra, della cultura di sinistra».

Giancarlo Ferretti, messa in dubbio la validità della distinzione fra letteratura *di consumo* e letteratura *di ricerca* (visto che «il consumo riguarda anche la letteratura di ricerca, cosí come la ricerca riguarda anche la letteratura di consumo»), e piú in generale ogni distinzione fra alta e bassa letteratura secondo i canoni piú correnti, trovava il vero criterio discriminante nella durata del consumo, nella consumabilità dell'opera che può coprire un arco che va dall'immediato all'inesauribile. Il discorso veniva ripreso e allargato da Guglielmi che alla diade «letteratura d'avanguardia» e «paraletteratura» — «i due fenomeni piú significativi della nostra storia letteraria piú recente. Nascono entrambe da uno stesso impulso, che è l'urgenza di corrispondere a una nuova società di lettori» — aggiunge la «letteratura-istituzione» che, attardandosi in pratiche e esercizi esauriti, non essendosi resa conto della curva operata dalla Storia fra Ottocento e Novecento, ha «il triste destino di non esistere come letteratura»[11].

Nel numero di marzo Raboni impostava storicamente il suo discorso proponendo uno schema accettabile[12] e giungendo poi alla constatazione, d'altra parte largamente in circolazione, che «il decennio appena trascorso appare come un decennio sostanzialmente vuoto», ma non vuoto di opere, «vuoto di intenzioni e di attese, di consonanza-risonanza fra intenzioni e attese» e pertanto «indescrivibile». Ma Raboni restava anche convinto che quel vuoto stava per essere colmato con una nuova attribuzione di senso alla letteratura, che sarà «l'incontro tra un'attesa di chiarezza comunicativa e una sperimentazione», reso possibile anche dal recupero in positivo del fervore linguistico degli anni sessanta[13]. E una posizione non molto dissimile era quella di Marco Forti, per il quale gli anni settanta sono stati anni «di piombo» con l'«affievolirsi e quasi prostrarsi della discussione»; ma dopo quel «terremoto nichilistico», dopo il divorzio assoluto dal reale, il senso della letteratura anche per lui aveva ricominciato a muoversi e a produrre una generazione emergente di poeti. Infine, Roberto Carifi e Giuliano Gramigna partivano entrambi da Blanchot (il senso della letteratura è «vegliare sul senso assente», «ogni libro

[11] Poiché il dibattito cadeva poco dopo il ricordo dei vent'anni del Gruppo 63, nello stesso numero di marzo Francesco Muzzioli ricapitolava tutti gli interventi che la stampa italiana aveva riserbato all'argomento, naturalmente con accenti e giudizi assai diversificati.

[12] «Molto schematicamente, credo che si siano succedute (occupando posizioni a volte egemoni, a volte fortemente contrastate) un'idea di letteratura come resistenza e alternativa al reale (anni trenta, cultura dell'ermetismo), un'idea di letteratura come giudizio e intervento sul reale (anni del dopoguerra, cultura del neorealismo), un'idea di letteratura come mimesi delle articolazioni schizofreniche del reale e del sentimento dell'"esserci" (anni sessanta, cultura della neoavanguardia).»

[13] I nomi degli scrittori addotti come esempio della letteratura-istituzione sono Bevilacqua, Pomilio, Citati, Sgorlon. Per la paraletteratura, Fruttero e Lucentini, che dunque godono di un giudizio assai piú favorevole dei precedenti.

decide assolutamente della letteratura») ma l'uno per restarvi piú vicino, l'altro per superarlo nell'affermazione che la letteratura certamente produce senso, ma all'inizio dell'atto letterario mancano le parole per dirlo tutto, e questo vuol dire insieme riconoscere che la letteratura è il posto dove le parole possono prodursi: «Dare un senso alla letteratura sarà dunque metterla là dove ci si adopera perché qualcosa avvenga».

Un tentativo di consuntivo fu avviato da Luperini nel maggio '84 con la constatazione di un impaccio diffuso negli interventi, come se mancasse una direzione e ci si dovesse rifugiare nelle dichiarazioni personali di poetica. Ma Luperini si allargava poi su un arco di tempo piú vasto e il suo giudizio continuava a suonare decisamente negativo: «Siamo in un momento di inerzia opaca: a un punto morto, o a un grado zero. C'è stato il 1963, poi il 1968, poi la reazione a entrambi, e i poeti innamorati e le letture pubbliche di poesia... Oggi, piú nulla: non ci sono né spinte né controspinte. Ogni voce suona alternata ad altre di segno diverso (non opposto); e insieme formano un concerto indifferenziato, ove tutto è permesso, niente è proibito, e ogni accento viene eliso da un altro, in una grande innocua equivalenza». Ma poi anche per Luperini, che rivendica i caratteri culturali e socialmente istituzionalizzati della letteratura, qualcosa sta morendo e molto sta cambiando e nasce l'ipotesi dell'inserimento del «letterario scritto» nella contraddizione odierna tra ruolo e funzione, cioè tra la funzione che può spettare alla letteratura e il ruolo cui viene schiacciata dalla divisione sociale del lavoro e dalla specializzazione che ne deriva.

Le conclusioni che si possono trarre dai molti interventi ci pare possano essere avanzate su due piani; uno, immediato, riguarda le posizioni di *Alfabeta* che piú di sempre si presenta come punto di incontro-scontro e non come luogo delle decisioni, come terreno sin troppo generosamente neutro e non come stimolo e provocazione; il secondo si allarga a considerazioni piú ampie che investono anche ciò che ha preceduto la vita della rivista. Da piú di un intervento appaiono infatti chiari due motivi: un giudizio risolutamente negativo sugli anni settanta, e la convinzione che quel periodo «vuoto» o di «inerzia opaca» non sia affatto smaltito ma si perpetui negli anni ottanta.

Probabilmente da questa impressione sconfortante nasce il progetto di approfondire l'indagine e la ricerca avviate nel dibattito in un Convegno letterario col medesimo titolo — «Il senso della letteratura» — preannunciato nel «Supplemento letterario 3» con alcune indicazioni sintomatiche che, richiamata l'attenzione sui problemi posti dalle attività editoriali e dei media, ma riconosciuto insieme che il periodo «è di alta e intensa attività» degli autori, si dichiara l'attuale incertezza sulla validità e la funzione dell'opera letteraria e la mancanza di chiarezza sugli indirizzi di lavoro nelle correnti, nelle riviste e nei modi operativi.

Fin dalla metà degli anni settanta alcune riviste avevano provveduto a raccogliere con generosità testi poetici da portare a conoscenza di un lettore forse ipotetico o forse ristretto alla cerchia degli addetti ai lavori. Giungevano dal Lussemburgo i bei volumetti della «rivista di poesia» *Origine* (diretta da Franco Prete) a proporre nella loro discreta eleganza un misurato accostamento di classici (Luzi, De Libero, Valeri, Sinisgalli, ecc.) a nomi nuovi, come a tentare l'aggancio fra due, o tre, generazioni sotto il segno delle buone lettere, e non senza la presenza di autori d'area francese. E un lungo prologo inglese aveva avuto *Lettera*[14], che solo nel maggio '82 approdava in Italia, a La Spezia, con una nuova serie[15] sempre sotto la direzione di Spartaco Gamberini. Il trasferimento comportava una larga rinuncia dell'esemplificazione internazionale e delle proposte di poesia visiva; restava invece la vocazione antologica con prevalente spazio per i nomi nuovi; ma in questa operazione non sempre risultava chiaro il criterio di selezione e di scelta che accostava presenze inedite a vecchie firme, sperimentazioni brachimetriche a una poesia discorsiva o narrante, aure mitologiche a esempi residui di «poesia grafica», in una sommatoria piú generosa che critica, anche perché non sufficientemente corredata da un esplicito e organico progetto letterario (se si eccettuano gli specifici interessi linguistici del direttore). Non molto dissimile il criterio con cui Mario Gorini aveva avviato a Padova il bimestrale di poesia e arte *Contrappunto* che ha accompagnato fino ad oggi un ampio tratto di strada della nostra poesia dando voce ad una grande quantità di autori sino a presentare, dopo un decennio, un panorama se non esauriente certo assai vasto della situazione letteraria. Il carattere quasi anagrafico della rivistina lascia tutta al lettore la responsabilità delle preferenze e del giudizio, e forse è proprio questa sovrabbondanza un po' indiscriminata dell'offerta che finisce per riflettere, quasi per un'inconscia fedeltà, la condizione oggettiva di un fare letteratura tra folle di produttori e inafferrabili pluralità di prodotti.

[14] Dal febbraio 1974 all'ottobre 1980 (nn. 1-21) la rivista fu pubblicata nell'ambito dell'University College di Cardiff.
[15] Nel marzo dell'84 aveva inizio una «terza serie» in cui si concede maggiore spazio anche a testi critici.

Da un prologo negli anni settanta, la rivista veneta *Discorso diretto* era giunta agli anni ottanta pur essa con l'intento di far spazio sia ad autori affermati che a quelli meno noti o appena emergenti, con la tendenza a mantenere sospeso il giudizio nei loro confronti sia con una semplice collocazione alfabetica sia fornendo schematiche informazioni biobibliografiche sia soprattutto affidando le scelte ad una forse ipotetica democrazia letteraria[16]. La rivista si proponeva cosí come «semplice contenitore» senza linee di scuola o di tendenza, ma superando presto questi limiti per i frequenti accenti polemici che distinguono i suoi editoriali. *Discorso diretto* interviene infatti con decisione nel «balletto» della poesia, nella «situazione purgatoriale» in cui essa vegeta, per denunciare il «disastro presente» che vive e in cui vive la poesia, e il moltiplicarsi dei poeti e delle poetiche tra l'indifferenza e la disattenzione di inesistenti lettori. E per denunciare ancora il venir meno dell'autonomia del testo di fronte all'immagine dell'autore, il «personaggio» di sottobosco impegnato nel «*self-management*», nelle frequentazioni produttive[17]: è tutta una «folla di scrivani che, soldi in mano, ha fatto la fortuna di piccoli taglieggiatori, pseudoeditori della carta straccia, del verbo delirante... E in quest'aria generale da operetta, gli editori piú grandi... stanno a guardare»[18].

Alla metà del '79 aveva preso vita ad Acireale *Lunario nuovo*[19] diretto da Mario Grasso senza padrinati editoriali o politici, un bimestrale — si diceva apertamente — con tendenza alle proposte antolo-

[16] Il sistema di reperimento dei testi si affida a un referendum tra circa duemila giovani abbonati e amici cui vengono inviate schede con un centinaio di nominativi di poeti tra i quali ciascuno ne sceglie dodici, una dose sufficiente — si ritiene — «a rappresentare compiutamente una personalità e un'esperienza». In calce ai singoli numeri della rivista si trovano spesso indicazioni bibliografiche generali (collane, riviste, antologie poetiche, contributi critici) di utilità per un'informazione anagrafica.

[17] «La poesia... aspira a celebrarsi come parola eterna, salvifica e rifondante la realtà; sogna segretamente di ricostituirsi come teologia. Ma, intanto, si accontenta dei microfoni, dei tavolati, dei tubi di metallo nei piccoli paesi pilotati dalle Pro-loco nei centri termali e balneari, nei quartieri guidati da assessori in sintonia coi tempi, in centri decentrati e alternativi. È un rifiorire del "vatismo", ma sotto specie nuova, di gatte morte, di papere, di vecchie lagne, di tromboni, di scolaretti da saggio-fine-anno, di cornacchie, di istrioni. Ed è, al contempo, un neofiorire di conti, di calcoli, di sconosciuta e promettente ragioneria: gettoni di presenza, rimborsi spese, assegni di milioni (riservati, questi ultimi, ai "maestri" e ai giovani leoni). Per circhi e per teatri, per piazze e per contrade, urlata, la poesia vive il delirio della retorica.»

[18] E ancora, «aspettano, rispolverando i loro minimi parnasi consacrati o abbandonandosi, di tanto in tanto per far vedere che sono attenti a ciò che accade, all'estro di un'amicizia o di un discepolato».

[19] La rivista intendeva riallacciarsi nel nome al periodico letterario *Lunario siciliano* che si pubblicò a Roma nel 1929. Nel n. 4 (1980), Grasso pubblicava tre pezzi di quell'antica testata, di Brancati, Nino Savarese e Vittorini, del quale veniva riprodotta la poesia *Ritorno* datata da Torino; nel n. 12 (maggio-giugno 1981) veniva pubblicata una lettera di Vittorini alla moglie Rosa Quasimodo dello stesso periodo.

giche e con qualche preferenza (in verità non sempre rispettata) per i contributi dialettali e per autori stranieri nuovi in Italia, un luogo d'incontro, insomma, puntuale e dignitoso di autori tra i piú interessanti e i meno reclamizzati. Pur concedendo forse qualche maggior posto agli scrittori di Sicilia[20], *Lunario nuovo* rimane caratterizzato da una sigla non provinciale, dal tentativo di allacciare una fitta rete di rapporti fra poeti e scrittori puntando piú sulla bontà dei testi che sul rispetto di presupposti teorici d'altronde mai esplicitati, e ha realizzato cosí un buon esempio di quella generosità di proposte e pluridirezionalità di intenti che perpetua il motivo piú tipico della nostra recente tradizione letteraria.

Piú ambiziosa è stata *Tabula* diretta, anch'essa dal '79, da Aldo Rosselli con la ripresa del tema del «vuoto letterario» e della de-ideologizzazione che lascia scrittori e lettori in una crescente povertà di chiavi di lettura. Riunendo intorno a sé un gruppo di intellettuali provenienti da origini diverse[21], *Tabula* intendeva abitare dentro quel vuoto, vivere «all'interno della sua assenza rovente» per conoscerne ed esorcizzarne tutti i limiti e i vizi, la feticizzazione del consenso, i vecchi psicologismi, le alienazioni di riporto, gli abusi di sociologia e psicanalisi, i compromessi provinciali; e per usufruire dell'unico vantaggio, la possibilità di «inventare dal grado zero il discorso letterario». Un'idea che affascinava Giuseppe Conte per il quale il «vuoto» creava sí le condizioni della solitudine e dello sbandamento, ma rompeva anche le incrostazioni, tagliava con i manierismi e gli ossequi formali e rimetteva in gioco l'esistenza rivendicando il «vissuto» e il «vivente» nel movimento del linguaggio: «Il vuoto — concludeva Conte — si è man mano popolato».

Altre riviste ancora erano ricche di esemplificazioni letterarie e in specie poetiche; a cominciare dai bollettini del *Laboratorio di poesia* di Elio Pagliarani che all'alba degli anni ottanta si aggiungono al «confuso proliferare di testi poetici, di riviste e rivistine, di antologie, di iniziative collegate in vario modo alla poesia, di gruppi e annuali (o quasi) cambiamenti di rotta». Nell'81 usciva a Pescara *Tracce*, «trimestrale di scrittura multimediale» diretto da Domenico Cara, in cui la multimedialità è da intendersi in diversi modi, dalla inclusione di almeno due generazioni letterarie all'affiancamento di poeti stranieri

---

[20] Si veda in particolare il n. 11 (marzo-aprile 1981) dedicato alla poesia siciliana. Ma non è il solo numero monografico: il n. 10 era stato scritto interamente da donne, tuttavia senza un accento femminista.

[21] Nel comitato di redazione c'erano Alberto Boatto, Renzo Paris, Giuseppe Pontiggia, Antonio Porta, Giovanni Raboni, Antonio Tabucchi, Stefano Secchi, Amelia Rosselli. Grande attenzione fu dedicata nella rivista alla ricognizione del panorama letterario e in primo luogo delle riviste circolate in Italia a partire dal '68.

agli italiani, dall'alternanza di testi fortemente sperimentali a testi dal linguaggio ormai pacificato, alle esemplificazioni visive, in un'operazione complessa che trova il suo completamento nelle edizioni di volumetti poetici. E ancora «rivista di inediti di poesia e prosa» è *L'ozio letterario* fatta a Treviso e diretta da Antonio Facchin, che raccoglie ottimi nomi di giovani e meno giovani in una selezionata esemplificazione di quello sterminato «popolo di scriventi» di cui parla Cucchi (n. 7), che sono poi scriventi non leggenti[22].

E ancora alla fine del '79 era nato a Roma l'almanacco di prosa e poesia *Prato pagano*, «una costellazione di nomi e di fiori» dove gli abitanti dei villaggi si affacciavano ad ascoltarsi, si diceva con un'immagine sin troppo arcaica e poetica ma che trovava subito un aggancio all'attualità nel doppio rifiuto della «nostalgia dell'ordine e del caos» per «avventurarsi nel labirinto e ritrovare il senso». Era un'indicazione che trovava qualche maggiore fondamento teorico all'inizio di una nuova serie (estate-autunno 1985) per mano di Gabriella Sica: la rivendicazione della «parola innocente», quella che sa riprodurre la natura nella sua semplicità originaria, come accadeva nella poesia degli antichi la quale ignorava un mondo artificiale, ma che può essere riprodotta dal «candore infantile» del poeta cui spetta il compito di ritrovare quell'ultima scheggia della natura non mutilata che è l'infanzia. Era uno spazio in cui potevano inserirsi i testi dei collaboratori, tutti dell'ultima generazione, nei loro atteggiamenti diversi, il tragico, la follia, il sogno, tra «l'eclissi del desiderio di sopravvivere» (Prestigiacomo), i «capricci capricci ansiosi affanni» (Coviello), «lo spavento di sentirsi viva» (Sica), «la pendenza dell'anima» (Magrelli), «l'amore mondo» (Lamarque).

Poteva essere un sintomo il fatto che gli anni ottanta si fossero aperti con un invito all'ordine estetico condotto con un rigore che non lasciava sospetti di nostalgici *rappels* mentre suggeriva una linea di stile, di discrezione, di densità non volgare. A trasmetterlo era *In forma di parole* (uscita nel marzo 1980 nelle edizioni Elitropia di Reggio Emilia), una rivista (se il termine è qui ancora usato con esattezza) di carattere «centonario» — un elegante eufemismo per antologico — che appariva in primo luogo come un atto di fede nel «libro» e nella «scrittura» rivendicati di fronte alle tecniche nuove di informazione e di commercializzazione, ma un atto condotto senza intenzioni di retro-

---

[22] Le parole di Cucchi venivano riprese nel n. 9 da Paolo Badini che sottolineava il problema del «pubblico che è, per la maggior parte dei casi, impreparato a ricevere il messaggio» dei poeti, «diseducato e frastornato da mille altre iniziative di tutti i generi».

guardia, se mai di un'accorta e strenua difesa del buon gusto, del piacere di costruire anche l'oggetto-libro in modo inusitato e gradevole e di riempirlo di un contenuto un po' prezioso e talora sorprendente. Cosí, se particolare era l'attenzione alle letterature classiche e a quelle straniere piú note, veniva riprodotto anche un testo originale in lingua quechua, e due testi, uno gnostico greco e uno arabo, nei loro caratteri originali, dove appariva evidente il maggiore interesse per l'eleganza della grafia e la sua funzione quasi magica che per il testo in sé. Ma pur se questi aspetti esteriori potevano finire talvolta per impressionare il lettore, c'era nella rivista anche un progetto letterario o piuttosto un appello per la salvezza dell'uomo e della sua cultura che Gianni Scalia, protagonista dell'impresa, aveva chiarito sin dalla sua presentazione; in polemica con la società industriale, tecnologica e cibernetica, con la chiacchiera o il silenzio imposti dall'industria della cultura, con l'opinione pubblica manipolata e il marketing politico, ci affascinano — egli scriveva — «le domande senza risposta, lo scivolare dei significati, lunga carezza senza fine, senza un fine. Ci seducono gli intervalli e le riprese; le differenze; il silenzio, il sonno, il sogno. Le voci singole e il loro peculiar charm, piuttosto che il coro; le parole combinate nella trama insensata del desiderio, nella tessitura amorosa, nell'unica traccia, ormai, della libertà». Di tutto ciò erano verifica molti dei testi che *In forma di parole* veniva pubblicando, di cui *Pensosità* di Hans Blumenberg (sett. 1981) era l'esempio piú probante.

Sempre nell'81 usciva ad Ascoli Piceno *Marka*, diretta da Mario Paoletti, che si rivelerà tra le piú attente e puntuali nel piccolo oceano delle rivistine letterarie del periodo. Impegnatasi presto nella ricerca sul post-moderno, le conclusioni cui arrivava erano ricche piú di perplessità che di certezze; preso atto dell'«istanza catartica» che l'aveva accompagnato, il punto d'approdo del post-moderno sembrava ora essere una «tendenza all'effimero» (L. Marziano) o addirittura un «carrozzone» in cui tutti si imbarcano e in cui prevalgono citazioni, grotteschi e sberleffi su vedute già viste (L. Pignotti)[23].

[23] Al post-moderno dedicava la sua attenzione anche *Altri Termini*, in una sua terza serie (giugno-settembre 1985), ad opera di Marcello Carlino: «una letteratura dalle quotazioni in rialzo e in odore di santità, uno stile indefettibilmente "alto", — egli scriveva: — dietro la maschera di indeterminazioni anagrafiche, che contrabbandano rivendicazioni di astoricità, sotto il trucco di ontologismi ambiziosi e di filosofemi alla moda è questo, in soldoni, lo slogan del post-moderno... Ma io continuo a preferire al sacro il profano (o la contraddizione di sacro e profano); al paradiso del linguaggio come dimora dell'essere l'inferno della sua storicità, la condizione provvisoria della scrittura; alla sua inerte eternità una vitale epocalità; all'ascesi della separatezza la scommessa di un coinvolgimento attivo, armato di giusta qualità e giusta tendenza, nell'orrore del presente». Entro la medesima scelta di fondo poteva rientrare l'interesse di M. Lunetta per il «neosperimentalismo materialistico», il fervore intellettuale e la pro-

Ma il maggiore interesse di *Marka* è rivolto alla individuazione dei sensi, delle direzioni e dei modi della poesia italiana degli anni settanta-ottanta, con qualche tentativo di storicizzazione. Cominciò Alfonso Berardinelli alla fine dell'83 (n. 9) con la sottolineatura della problematicità che accompagna ormai da decenni l'esistenza stessa della poesia, e i diversi usi che essa fa della lingua[24]. Gli pareva tuttavia rintracciabile un passaggio da una tendenza — negli anni sessanta — «a portare le possibilità della lingua fino all'estremo, fino alla fluidità di un caos linguistico in cui l'immissione incondizionata della lingua d'uso nega la comunicazione invece di incrementarla» (Zanzotto, Sanguineti, Rosselli, e anche Majorino e Pagliarani), ad una decisa inversione di tendenza nel decennio successivo, lungo la quale «il linguaggio poetico cerca di stabilire un nuovo rapporto con il pubblico», conferendo da una parte alla poesia degli anni settanta l'aspetto di una «tradizione interrotta», offrendole dall'altra «una gamma molto alta di possibilità». Una considerazione quest'ultima accentuata e drammatizzata da Gilberto Finzi che traguardava l'attività poetica e letteraria sull'orizzonte del terrore planetario, della follia collettiva, dell'autentico «irrazionale» della nostra epoca; ma quando constatava che, in queste condizioni, la poesia oggi rispecchia tutte le tendenze, perfino Finzi giungeva ad una conclusione aperta, duplice, per la quale si poteva vedere la poesia degli anni settanta «come una libertaria, anonima globale festa di verso e struttura ''aperta''» o, al contrario, come «vocazione babelica, dove il tutto-possibile è in realtà diabolica confusione delle lingue».

Il dibattito sui «segnali dell'attuale poesia» continuava nell'84 e '85. Cucchi constatava l'ormai remota lontananza degli anni settanta: la poesia non è piú chiuso oggetto misterioso e indecifrabile, ma campo aperto dove il soggetto riacquista i suoi diritti e, se ne ha la forza, può misurarsi. Fabio Doplicher e Umberto Piersanti riprendevano il loro progetto di «poesia della metamorfosi» che prenda atto dei cambiamenti del reale e del linguaggio e anche del «generale decadimento etico della nostra vita letteraria»; e tuttavia non senza una nota di ottimismo che dovrebbe portare ad un «recupero del reale anche quando quest'ultimo sia il piú irreale, magico e fantastico», e dunque ad una poesia che si riempia di vicende, fatti, immagini e fu-

---

duzione poetica sufficientemente omogenei dell'area centro-meridionale, indicata come possibile momento di resistenza contro l'egemonia dei media elettronici; Lunetta riprendeva qui una sua tipica mossa teorica e polemica che rivendica la Grammatica contro la Patetica a significare la decisa opposizione ad ogni procedura intimistica della letteratura.

[24] «Si potrebbe dire che i poeti fanno un uso molto funzionale, efficiente e accorto delle risorse della lingua: mettendo a frutto le sfumature di suono e di senso, giocando a diradare e a condensare il messaggio... D'altro lato si potrebbe affermare il contrario: e cioè che i poeti... creano un sovrappiú, una specie di ingorgo o groviglio di significati e di tensioni linguistiche.»

ghe — beninteso, escludendo ogni vetero-realismo. E ancora un augurio formulava — dopo l'ennesima denuncia di un panorama sfocato per l'estrema mobilità delle forme poetiche operanti — Roberto Bugliani: che «la poesia tardonovecentesca riesca a dare una sintesi storica del variegato gioco delle sue forme poetiche, sintesi che la parola frammentaria è in grado, e non poi cosí paradossalmente come potrebbe sembrare, di dare, prima di esaurire la propria, peculiare, funzione». Una poesia che doveva nascere dal sereniano «nero di anni»[25] della storia (piú che dalla recinzione individuale che pareva suggerita da Cucchi) vissuto sotto l'intimazione fortiniana: «Nulla è sicuro, ma scrivi».

Nella logica dell'antologizzazione, la proposta piú suggestiva venne in quel momento da Einaudi che fra il 1980 e il 1984 pubblicò nella sua «Collezione di poesia» tre volumi di *Nuovi poeti italiani*. La dignità della sigla editoriale, l'esordio non nelle consuete rivistine ma in volume, sia pure a piú voci, la responsabilità assunta nominativamente dai curatori[26] dovevano garantire agli autori un positivo inserimento nel campo frequentatissimo e un po' babelico della patria poesia. La prima cosa però che stupiva non era che questi poeti fossero davvero (troppo) nuovi[27], ma che si aggirassero su un'età che oscillava tra i quaranta e cinquanta anni, quasi a siglare quel salto di generazione da piú parti e da piú tempo lamentato (in verità, l'età media si abbassava alquanto nel secondo e nel terzo volume). Le forti disparità di scrittura erano poi addirittura sottolineate e quasi assunte a criterio nelle tre introduzioni. La prima (anonima) non pareva gradire l'eventuale accusa di «gioviale eclettismo», ma, preso atto della «moltiplicazione dei versi nella seconda metà dei settanta» (tuttavia, si aggiungeva, non peggiore di quella di altri periodi) dichiarava apertamente che le esperienze riportate «rispecchiano piú una psicologia che una scuola stilistica... e dunque in nessun modo fanno gruppo né affiancano alcuna linea se non a titolo privato».

[25] L'intervento di Bugliani si apriva con la citazione della poesia *I versi* di Vittorio Sereni: «Se ne scrivono ancora», ma «solo in negativo / dentro un nero di anni» e «non è piú facile l'esercizio». Era poi riportata la citazione di Fortini.

[26] Curatori del primo volume furono Emilio Faccioli, Franco Fortini, Paolo Fossati, Natalia Ginzburg, Camillo Pennati, Marco Vallora; del secondo, Alfonso Berardinelli; del terzo Walter Siti. I poeti antologizzati sono, n. 1: Giancarlo Albisola, Nella Audisio, Anna Cascella, Gianfranco Ciabatti, Gabriella Leto, Attilio Zanichelli; n. 2: Stefano Coletta, Giuseppe Goffredo, Massimo Lippi, Marina Mariani; n. 3: Cristina Annino, Alida Airaghi, Pietro G. Beltrami, Francesco Serrao, Rocco Brindisi.

[27] Cosí *Lettera* (maggio 1982) accoglieva, a firma Stefano Verdino, il primo volume: «Mai poeti sono davvero stati piú nuovi... Sono davvero sconosciuti, fuori dall'area sperimentale, fuori dall'area "parola innamorata"»; si parlava perciò della «fiera dell'ibrido».

Le divergenze della recente poesia italiana erano assunte anche da Berardinelli non solo come oggetto di giudizio ma come inevitabile criterio-base di valutazione: «Ognuno, senza trionfalismi e con i mezzi a disposizione, se ne va per la sua strada» sia non badando a chi potrebbe camminargli accanto sia deviando dalla tradizione e dai «luoghi consacrati della poesia contemporanea», dai quali i poeti presentati si terrebbero lontani e dai quali non avrebbero appreso il loro repertorio di mezzi espressivi (anche se Berardinelli lasciava intravedere la possibilità di una convergenza delle molte strade). Siti era in grado infine di raccogliere i risultati di un'esperienza che giungeva con lui alla terza formulazione e non poteva non ribadire una constatazione che aveva una doppia ragione, nelle cose che si scrivono e nelle scelte dei curatori: «Ognuno dei sedici poeti sta poi soprattutto per sé, nessuna linea o tendenza».

Ma alcuni punti in comune tra loro Siti li ritrovava, sia pure in negativo: l'assenza degli «sperimentali» («i poeti che hanno come principale interesse il gioco sul proprio materiale verbale») e degli «innamorati» («i poeti che si comportano come se l'immediato fosse l'autentico, misticamente a contatto con le emozioni e pronti a tradurre ogni emozione in mistica»); e la ricerca di un «vero» che non si confonda con quello misurato e diffuso dai mass-media, e perciò condotta in aree marginali, fuori dai centri di moda: «Nel centro sono troppo forti e numerosi gli inganni». Siti coglieva cosí due aspetti essenziali della situazione della poesia negli anni ottanta, uno storico-stilistico che denunciava il tramonto e il superamento delle proposte nate o seguite negli anni settanta; l'altro sociologico, il permanere e l'aggravarsi delle condizioni oggettive della società dei produttori di linguaggio e la conseguente necessità di sottrarvisi, non per fuggire il mondo ma per starci dentro con mente vigile e critica.

Naturalmente, non tutto il terreno è coperto da operazioni collocabili sotto la sigla dell'antologizzazione eclettica, che pur restando indicativa di uno stato che è insieme di ricerca e di disagio, non esaurisce la fisionomia di una situazione che ha anche nelle sue interne contraddizioni un aspetto primario. Le fondamentali opposte posizioni che per brevità di schema continueremo a chiamare dell'impegno (anche) nel sociale e, al contrario, dell'evasione formale (o, se si preferisce, dell'impegno esclusivamente letterario) permangono ancora sia pure sfumate o rinnovate e perfino talvolta tendenti al difficile equilibrio del sincretismo.

Stazione di posta, ad esempio, riprende e affianca a Firenze, dal 1984, il discorso impegnato di *Collettivo r*; e il «giornale di poesia» *Le Porte*, trimestrale bolognese dal 1981 a cura di Roberto Roversi e Gianni Scalia, pur privo di dichiarazioni programmatiche, è in evidente polemica con l'editoria ufficiale e le «convenzioni (individuali e sociali) della produzione di segni». Ad esse si contrappone una poesia fra il sociale e il lirico che sappia — per dirla con le parole di Roversi — «dissacrare il ritualismo... un po' farneticante e chiacchierone con cui oggi si cerca da varie parti di ricomporre la poesia dentro al giuoco consunto della lingua o dentro al traballante oracolo del cuore».

Ma la formulazione piú organica di una nozione della letteratura legata ad un'ideologia marxista fu offerta al principio degli anni ottanta dal gruppo di *Quaderni di critica* di cui si è già visto il confronto storico con le neoavanguardie. I sette collaboratori[28] avviavano la loro proposta su un triplice piano, teorico, critico e di programmazione militante (*Per un'ipotesi di «scrittura materialistica»*, Bastogi, 1981) in vista di una ridefinizione del realismo inteso al di fuori della sua accezione storicamente determinata, come subito comprovava la decisa adesione al punto di vista benjaminiano in polemica antilukácsiana. Si ribadiva perciò il carattere sovrastrutturale dell'arte e della letteratura, ma si sottolineava con forza il nesso di struttura e sovrastruttura, vero punto nodale della riproposta materialistica con cui si negava e si superava la nozione di una coincidenza speculare fra i due termini: «l'essenza di materialità inerisce tanto alla struttura quanto alla sovrastruttura, anche a quella che ha nome letteratura»[29]. Su questa base si riaffermava, ma rinnovandola, l'interazione fra materia e ragione (la quale ha la sua matrice nella materia ma insieme la assume come proprio oggetto di conoscenza e di trasformazione) da cui derivavano gli altri binomi dialettici politicità-specificità e innovazione-senso comune: una concezione completamente materialistica, storica e scientifica del reale comporta — si diceva — la «conoscenza-denuncia nel presente dell'orrore capitalistico. È qui che il momento dell'innovazione, come forma di critica del senso comune, riassume ed invera in sé l'esigenza dell'impegno politico e quella dell'intervento nello specifico». Il punto d'approdo, ancora in chiave benjaminiana, era la riaffermazione della funzione dell'allegoria, la quale incanala «verso un modo specifico di produzione letteraria che

[28] A quelli citati a p. 190, si aggiungevano ora i nomi di Mirko Bevilacqua e Mauro Ponzi.

[29] E si precisava: «Materiali sono le circostanze da cui nascono e con cui si confrontano le idee letterarie; materiale è la genesi stessa della loro istituzione; materiali i canali attraverso i quali si diffonde e si riproduce; materiale è, infine, la traduzione fattuale del suo impiego; l'esistenza del tempo libero e degli oggetti di scrittura, garantiti solo dalla produzione economica del plus-valore. Dunque l'identità costitutiva del fatto letterario, nel suo spessore materico, contraddice la visione idealistica della sua origine spirituale, psicologica e metastorica».

deluda il committente borghese e rescinda il pacificante mandato sociale affidato all'intellettuale dalla classe al potere. È il tradimento della propria estrazione ideologica e sociale operato dall'autore-produttore».

L'intenzione del gruppo non era, evidentemente, di lanciare o rilanciare una mera teoria, ma di avanzarla come momento di un'azione *in re*, come presa di posizione concreta, militante e già produttiva, alla quale si richiedevano subito due verifiche, l'una sul terreno della polemica — *contro chi* veniva proposta l'ipotesi? — l'altra su quello della effettiva produzione di testi. Era abbastanza facile individuare l'avversario: la poesia mistica e neoromantica dei poeti «postumi» e «innamorati», la narrativa selvaggia dei «franchi narratori», la paraletteratura consumistica e salottiera, nonché tutte le vecchie figure del «poeta vate e fanciullo», del narratore di protesta «testimone» e «cronista» di fatti oggettivi, del romanziere «di cassetta». Demoliti questi bersagli, la *pars construens* veniva fissata in una sorta di decalogo a firma di Filippo Bettini in cui si rivendicava l'incremento dello sviluppo gnoseologico e progettuale dell'indagine critica, la valorizzazione delle proprietà ironiche, polemiche, dissacranti, autocritiche, il rilancio delle funzioni conoscitive e razionali dell'atto creativo, il riconoscimento della parità assiologica dei generi letterari, il potenziamento del rapporto dialettico e conflittuale tra il momento della letteratura e quello dell'esterno, la scoperta e l'espansione di tutti i possibili procedimenti linguistici e strutturali; infine, l'assunzione di un comportamento pubblico e culturale che si richiami all'imperativo dell'intransigenza, della determinazione, della tendenziosità consapevole, della disponibilità dialettica, dell'onestà senza travestimenti.

Nonostante tanta precettistica, era la seconda verifica a rivelarsi difficile e forse impossibile, tanto da portare alla non citazione di esemplari italiani proponibili nel campo della «scrittura materialistica»[30]. In mancanza di questo, le indicazioni andavano allora ricercate non tanto nel preannuncio della scomparsa dell'autore e dell'avvento di una scrittura collettiva (che restavano su un terreno astratto e teorico) quanto, forse, nelle pagine di Francesco Muzzioli che non si limitava a vedere nel dialogo la forma propria di una scrittura antiautoritaria capace di autocriticarsi, e a suggerire di mettere in scena la stessa disputa teorica, ma ce la metteva veramente nel suo intervento chiu-

---

[30] Forse era questo che faceva dire a Sanguineti: «Per essere un'"ipotesi" che si qualifica da "materialistica", è, secondo me, un'"ipotesi" eccessivamente ipotetica»; ma poi aggiunge: «La "scrittura materialistica" non si materializza con referenti tangibili, non già perché è troppo ipotetica, ma perché, anzi, è già stata». La conclusione è che piú di un'ipotesi si tratti di una «diagnosi *post eventum*» della situazione dopo le neoavanguardie (*Paese Sera*, 24 agosto 1981).

so tra una citazione di Brecht e una di Nietzsche, *La partita a croquet, ovvero: di alcuni movimenti negativi, all'interno del linguaggio*; ma questo era chiaro che non poteva bastare a verificare l'«ipotesi»[31].

Meno drastiche nelle formulazioni teoriche "di sinistra" furono *Autobus* e *Verso*. *Autobus* uscí a Roma nel 1979 diretta da Giuseppe Conte e Giorgio Manacorda e fu tra le piú esplicite non solo nel chiudere definitivamente i conti con le neoavanguardie, ma a non accettarne l'eredità: «Le posizioni delle generazioni precedenti erano sparite dalla scena». Si trattava, ancora una volta, di rifiutare ogni avanguardismo come ogni *engagement* per condurre «un sereno dibattito all'interno del "movimento della poesia degli anni settanta"»[32]. Il contributo che *Autobus* intendeva dare, almeno per bocca di uno dei suoi direttori (Manacorda), si fondava su un «materialismo irriducibile e, chissà, "volgare"» e, in ogni caso, filtrato da Lacan, che impedisse riflussi, parole innamorate, felicità vaticinanti del verseggiare, e permettesse di giungere a «una verità elementare: l'anima è il corpo e come il corpo funziona»; da questa unità antropologica consegue che «parlare e quindi scrivere è un po' espellere i prodotti "secondi" della nostra vita affettiva» e «proprio in questo senso specifico e materiale scrivere è un bisogno e l'afasia è mortale». Da queste posizioni "volgarmente" materialistiche usciva però, imprevedutamente, una figura smaterializzata di poeta-vate ultraromantico e quasi allucinato nel suo spencolarsi nella solitudine del vuoto (*Spaltung*), pura «voce di chi parla», di chi ha bruciato tutto ed è solo in mezzo al fiume «mentre il vento scende dalla gola del paesaggio, passa per la sua, e prosegue il suo cauto frusciare», la voce del «non-io del poeta sonnambulo che parla dalla soglia».

Verso, diretta dalla fine dell'82 da Guido Garufi e Remo Pagnanelli, intendeva specializzarsi soprattutto sul problema delle traduzioni poetiche, ma avanzava anche un'idea della poesia che si inseriva nella ricerca degli accenti propri della poesia anni ottanta. Di fronte ad una «situazione caratterizzata dalla tendenza neoromantica all'orfismo e da un crepuscolarismo di ritorno», la proposta era di ripartire da una «poesia che ha una sua responsabilità semantica e vive anche di significati». Questa angolazione, certamente valida ma che resta parziale all'interno dell'intero panorama, veniva tuttavia ribadita nei

[31] Muzzioli ha continuato il suo tentativo nel *Dialogo tra il Creativo e il Critico* nel volume *Teoria e critica...*, cit.

[32] Era questa l'intestazione di un convegno indetto a Milano dal Circolo Turati, del quale nel settembre del '79 *Autobus* riproduceva le varie posizioni. Nel luglio '80 riproduceva invece testi e testimonianze sul primo festival internazionale dei poeti tenutosi a Castelporziano, del quale la cronaca di *Autobus* resta forse la documentazione e l'interpretazione piú articolata e interessante.

Codici della poesia e dello scriba (n. 2) dove tornava a riproporsi il problema dell'«avvenuta formazione di una koiné neoorfica e/o neoromantica».

Altre riviste si mossero invece su una via di prosecuzione del discorso neoavanguardistico o, come nel caso della palermitana *Per approssimazione* di Roberto Di Marco e Gaetano Testa, per occuparvi una posizione di «estrema sinistra»; o per puntare su accenti rinnovati in una particolare direzione, come accadeva con *Il cavallo di Troia* nata nell'81 e diretta da Paolo Mauri e da un comitato in cui si ritrovano diversi dei nomi presenti in *Alfabeta*. La rivista non aveva un programma se non quello già alluso dal titolo di mettere al suo interno «interventi di tutti i tipi e di tutte le età», con uno spazio riservato a epigrammi, paradossi, *nonsenses*, giochi di parole, ecc. lungo una «colonna continua» che ha finito per caratterizzare fin troppo la rivista sino a renderla ricettacolo anche di quisquilie non sempre accettabili pur se poste entro «l'universo dell'astuzia». La linea cui *Il cavallo di Troia* poteva riallacciarsi era quella segnata negli anni cinquanta da *Il Caffè* di G. B. Vicari con sullo sfondo Palazzeschi, ma mantenuta ancora sul terreno del discorso non chiuso dei rapporti con le neoavanguardie, sul quale tornava A. Guglielmi che di quella esperienza restava il piú convinto difensore[33]. Né venivano trascurati interessanti recuperi da Debenedetti a Barthes a Benedetta Marinetti e persino Mussolini, di cui veniva preso in non malevola considerazione il romanzo *Claudia Particella, l'amante del cardinale* (n. 3).

Su una linea anceschiana o verriana si colloca *L'altro versante* uscito a Rimini al principio degli anni ottanta con la redazione di Roberto Carifi, Rosita Copioli e Roberto Ferigolli. Il sottotitolo era «rivista di poetica e poesia», ma se si esclude il riferimento a Blanchot posto in epigrafe anche a giustificazione del titolo[34], era l'esemplificazione poetica e critica (Campana, Pascoli) a prevalere sull'enunciazione di poetica. Alla quale cominciava a provvedere il n. 2 aperto da un saggio di Anceschi che, posto il problema se il vero scrittore

---

[33] «Ma qualcuno mi ha chiesto, con l'aria di rimproverarmi, se sia proprio vero che gli anni sessanta siano stati anni di semina o non piuttosto anni di raccolto. Credo che cosí impostato il problema sia mal posto. Nelle grandi rivoluzioni, e gli anni sessanta per la nostra povera letteratura sono stati una grande rivoluzione... La letteratura degli anni settanta, dopo il momento eroico e fin troppo prodigo degli anni sessanta.» (n. 2)

[34] «Grazie alla morte gli occhi si rivolgono, e questo rivolgimento costituisce l'altro versante, e l'altro versante è il fatto di vivere non piú distolti ma rivolti, introdotti nell'intimità di una conversione, non già privi di coscienza, ma, grazie alla coscienza, collocati fuori di essa, gettati nell'estasi di questo movimento.»

debba scrivere degli uomini o se debba attardarsi a «scrivere dello scrivere», negava la perentoria e pretesa legittimità della prima ipotesi. E Anceschi ancora veniva tenuto a modello in una noterella della Copioli che sosteneva, in senso esplicitamente anticrociano, lo stretto e giusto legame tra pensiero e arte, e dunque tra poetica e poesia, se questa non vuol nascere acefala e se non si vuol contestare al poeta il diritto di parlare del suo lavoro («qualcosa come proibire al cuoco di scrivere le sue ricette»). E ancora Anceschi e Banfi venivano richiamati da Luciano Nanni per i rapporti fra poetica e critica; e Giuseppe Conte con la sua «poetica del desiderio, della danza e della gioia» quasi come esorcismo contro l'«odierna civiltà della morte, meccanica e onnivora». Nonostante questa rintracciabile unità di intendimenti, parve però anche a *L'altro versante* di aver combinato «interessi eterogenei» e «differenti tendenze», sia pure entro un determinato ambito di non ben chiarite ricerche sulla *forma*; ma questo — si diceva — non per disorientamento della redazione ma per l'oggettiva condizione della produzione poetica. Ma disorientamento poteva nascere da molte dichiarazioni di collaboratori in cui si tendeva a transvolare in definizioni incontrollabili comunicate in quel linguaggio inevitabilmente aforistico e apodittico che nega in partenza l'uso di legami logici; cosí, per Cesare Viviani «la poetica è la ragione della poesia. Ma la poesia non ha ragione: ha necessità» e «la necessità della poesia è la sua cosa indefinibile»; e «la poesia è allucinazione... è la visione inafferrabile... è il punto oscuro di confine tra presenza e assenza... è la luce», ecc.; e per Giancarlo Pontiggia, «se la poesia esiste, è confronto con la morte, gli dei, l'acqua, il fuoco... la poesia è il caldo... è rovina... è la terra deserta», ecc.

Formule almeno in parte apparentabili a queste ritroviamo in *Steve* (diretta da Carlo A. Sitta, nasce a Modena nell'aprile dell'81) che tenta la definizione di un diverso statuto della poesia troppo legata ancora, pur dopo il superamento o la negazione delle neoavanguardie, alla mimesi del mondo con conseguente perdita di incidenza o, al contrario, accusata di essersi perduta dietro i sogni di vetro di una fenomenologia dell'impossibile o dietro «il perfido piacere del testo». Si opponeva ora, dunque, una «poesia barbara» non piú destinata a nominare l'abisso o il fondamento ma solo la «dicibilità delle cose» e a considerare il mondo senza meraviglia o repugnanza; una linea araldica — si concludeva — una poesia meandrica, lussuosa e penetrante con un'espansione morbida e rara «immediatamente alle spalle dell'assurdo». Come sempre, difficilmente si potrebbe rintracciare nell'esemplificazione antologica la verifica puntuale del progetto, già di per sé dai confini abbastanza incerti e fumosi, ma che acquistava maggiore concretezza e chiarezza quando si rinunciava alle formule teoricamente troppo generiche e si badava a fronteggiare una situazione reale; allora *Steve* respingeva la poesia anni settanta nata nei recinti dei sotterranei e delle cantine magari «a spese del corpo» o obbediente alle committenze pubbliche, e rifiutava col medesimo gesto tanto il pubblico di massa quanto il «vuoto»: è la pulizia degli intenti e delle forme ciò che conta, scriveva, e «importante è cominciare a pensare in termini di civiltà e non di diffusione della poesia, e senza gerarchie di luoghi e di date».

Infine, altre riviste, si mossero su interessi monografici. *La Rivista* diretta dal 1978 da Walter Pedullà sposterà di volta in volta la sua attenzione sull'antropologia, la letteratura della nuova Africa, la musica contemporanea, ma il contributo piú interessante è per noi quello che riguarda la letteratura emarginata suddivisa nelle sue due possibili condizioni: «Alcuni scrittori — scrive Pedullà — sono esclusi dal centro, ma altri invece sono loro ad essersi scelto di vivere ai margini. Ci sono cioè gli emarginati coatti e gli emarginati volontari o autoemarginati» che rifiutano la «saggezza» del potere e della società — «i sottoproletari, gli operai "selvaggi", i carcerati, i ragazzi di borgata, i meridionali, i "dialettali", nonché gli omosessuali e tutte le donne dal punto di vista delle femministe»[35].

Il semestrale di poesia e letteratura *Lengua*, diretto a Pesaro da Gianni D'Elia, si è invece particolarmente interessato a testi dialettali (ma non nel senso dell'emarginazione); ha voluto però in primo luogo denunciare il vuoto di lingua di questi anni o, come esso scrive, «il "tra" che ogni autore che *non* voglia scrivere per l'accademia o per i fotoromanzi dovrebbe affrontare e risolvere».

L'ultimissima generazione delle riviste (siamo ormai all'anagrafe dell'84) non sembra modificare profondamente i connotati della situazione. L'eclettismo sembra ancora la bussola che guida *Titus* (stampato ad Arezzo e diretto da Filippo Nibbi) dichiaratamente aperto

---

[35] A puro titolo di esempio, si ricordino i nomi di Emilio Isgrò, Vincenzo Bonazza, Domenico Cuppari, Massimo Ferretti, Maria Paola Cantele, Toni Maraini, ecc. Ma soprattutto di Gavino Ledda autore del fortunato volume *Padre padrone* (Feltrinelli, 1975), prezioso resoconto non solo di un particolare rapporto familiare ma di un iter assolutamente inedito dall'analfabetismo di un pastore sardo ad una cultura qualificata (seguito due anni dopo da *Falce di luna*, ivi); e di Vincenzo Guerrazzi, il piú tenacemente impegnato in una letteratura di rivendicazione operaia (si vedano i due volumi del 1974, *Nord e sud uniti nella lotta*, Marsilio, e *Le ferie di un operaio*, Savelli). Per una poesia aggettivabile come operaia il nome piú interessante è quello di Ferruccio Brugnaro, fedelissimo ai ciclostilati (poi raccolti in volumetti dell'editore veronese Bertani o della Cooperativa di Bergamo Punti di mutamento) che testimoniavano polemicamente dall'interno della fabbrica.

alle collaborazioni senza scelte di tendenza. E cosí, sia pure a piú raffinato livello, l'*Arsenale* romano diretto da Gianfranco Palmery, che non vuole essere espressione di una tendenza ma di un confronto — con la tradizione e con la contemporaneità — e che perciò raccoglie i nomi consacrati della nostra poesia a metà del secolo con accanto le proposte dei giovani. A fondamento dell'operazione di *Arsenale* c'erano tre punti dichiarati, l'impegno a ristabilire rapporti fra letteratura e arti figurative, il postulato che afferma la poesia come forma di conoscenza, la convinzione che nel mondo di oggi (o di sempre?) tutto è, o sembra essere, segnato dal mutamento, un mutamento che coinvolge gli stessi redattori della rivista e che sconsiglia o impedisce qualunque rigidità di programma.

Symbola (Roma, diretta da Gian Paolo Andreoli) è invece alla ricerca di un testo meta-poetico, «una riflessione in versi sulla scrittura», non per ricavarne un modello di poesia ma «un aggregato di possibilità, di proposte, di ombre»; e i risultati erano, alla metà del 1985, la constatazione del forte e decisivo coinvolgimento esistenziale nella materia poetica e il suo valore conoscitivo e la sua possibilità di collocarsi come ancora di salvezza tra il «precipitare nella retorica dell'inesprimibile e dell'ineffabile» e l'«insensato e semplice rispecchiamento della prassi nell'esistente»; insomma, l'eterno bilanciarsi e sfuggire ai consueti corni del dilemma impegno-evasione, realtà-testo, ecc.

A differenza di tante riviste ricordate, *Testuale* (fatta a Milano con Gio Ferri, Gilberto Finzi e Giuliano Gramigna in redazione) non pensava ad una divulgazione antologica quanto ad una «critica della poesia contemporanea», e non solo in area italiana, con un approccio interdisciplinare per una «ricerca sulle origini, premesse, casualità di quanto *oggi* sta avvenendo». La sensazione è che produzione del testo e sua critica procedano di pari passo quasi per reciprocamente giustificarsi, con un'indagine che si fa sempre piú incalzante e turbata, quasi rabbiosa e disperata. Lo scritto d'apertura di Gramigna, che può assumersi come indicatore di un programma di massima, riprende in esame la coppia oppositiva e complementare «leggibile/illeggibile» riportando la leggibilità del testo al suo carattere di oggetto di consumo («Leggibile è un libro che si percorre con *una* lettura che non lascia dietro di sé nessun residuo») mentre «l'illeggibile è ciò che obbliga a raddoppiare, a ricominciare senza fine la lettura... e si connette fatalmente con il problema della ricerca letteraria»: «l'illeggibilità, che sarebbe meglio chiamare l'infinito delle letture, ha un rapporto abbastanza stretto con la verità, e il falso». Ma Gramigna abbandona poi momentaneamente il terreno delle definizioni generali che lo riallacciano a dispute risalenti ancora agli anni sessanta, per scendere anche lui nel campo del giudizio, rapido quanto negativo, del momento culturale: «Questi anni segnati dalla pratica dell'equivoca leggibilità»[36]. La rivista proseguiva nel suo sforzo di avvicinamento al testo con la volontà di «regolare il tiro» mantenendo aperto il ventaglio delle presenze entro il quale potevano ancora cadere esempi di scrittura visuale; ma il punto di riferimento piú diretto pareva ormai diventare Zanzotto, e non solo per l'ampio saggio che gli dedicava Mario Lunetta, ma per la sua presenza nello scritto di Remo Pagnanelli su Sereni e nella vasta ricognizione (apparsa postuma) di Gino Baratta contenente un lucido esame critico della situazione della poesia italiana degli anni ottanta.

Una rivistina di soli testi era *Braci*, stampata in proprio a Roma da un gruppo di giovani, forse davvero la nuova generazione che comincia ad affacciarsi con timidezza tipografica ma piglio sicuro, se all'auspicato editore o mecenate si promette di «essere il giornale della nuova letteratura» ancora una volta affidata all'eloquenza immediata della scrittura piú che a una programmata elaborazione teorica o a una riflessione o alla sfrontatezza di un manifesto. E tuttavia un terreno comunque, un'aura in cui riconoscersi ciascuno nel proprio personale lavoro potevano essere rintracciati nel *Discorso sulla poesia* di Arnaldo Colasanti: «Io credo che la natura della poesia sia una inesauribile temporalità e che il fare poetico trattenga una ragione, un capire possibile nei confronti del mondo», dove per «temporalità» si intendeva «l'essenziale relazione fra arte e mondo, fra lingua dell'io e lingua dell'altro» e dunque, in ultima istanza, «una relazione morale», «un farsi continuo, inesausto alla realtà dell'altro», «l'essere il mondo e insieme sostenerlo».

In un paesaggio letterario cosí variato e indeciso nell'individuare «il senso della letteratura», lo sforzo maggiore per un chiarimento teorico e storico fu forse il convegno ispirato proprio alla ricerca di quel «senso», tenuto a Palermo nel novembre 1984 e organizzato da *Alfabeta*. La coscienza di vivere in una condizione storico-letteraria profondamente mutata rispetto a quella di vent'anni prima escludeva sia

---

[36] Alla poesia italiana di questi anni è dedicata (n. 3) la ricognizione di Gualtiero De Santi su *La poesia d'amore in Italia (1966-83)*. Ci domandiamo, ma non sappiamo darci risposta, quale senso — non letterario — possa avere il fatto che in un'antologia critica di poesia d'amore vengano esemplificati in pari numero (salvo nostra insufficiente informazione) poeti omo e eterosessuali.

che questa nuova assise potesse considerarsi una ripresa dell'analoga palermitana del '63 sia che si intendesse formare un nuovo Gruppo; e di gruppo certamente sarebbe difficile parlare a leggere la disparità delle voci levate, che tuttavia gli organizzatori, Leonetti, Porta e Gianni Sassi[37] ridussero a due tendenze maggiori, degli «espressionisti» o allegorici e dei «neoromantici»; per non parlare di altre «con le quali non si dà il confronto ma la polemica stretta»: la rinascita della vecchia narratività o il permanere del gusto ermetizzante «nominalistico».

In realtà, nella folla degli interventi e delle denunce (forse piú che delle proposte) e nel calore della loro discussione, gli argomenti accennati o messi a fuoco erano stati assai differenziati. Aveva cominciato Malerba parlando del disorientamento in cui vivono molti scrittori per l'impossibilità di approdare alla realtà, immersi come sono «nel ronzio della grande comunicazione», ed enunciando come personale risarcimento una forma di nuova soggettività in grado di rimodellare a immagine e somiglianza dell'autore i frammenti di realtà di cui abbia esperienza; aveva continuato Antonio Tabucchi cogliendo il diffuso «senso del relativo e del precario o del frammentario... come un sintomo del generale smarrimento che contraddistingue la nostra epoca» (tuttavia, aggiungeva, migliore delle consapevolezze preventive); e ripetuti erano venuti gli attacchi contro l'«azienda letteraria» che si è sostituita alla letteratura (Di Marco), contro il trionfo della distribuzione sulla produzione (Coviello) e il restringimento dello spazio letterario e editoriale (Arbasino, che aveva basato il suo intervento prevalentemente su interrogativi senza risposta). Di fronte a queste proposizioni, le risposte assumevano talvolta l'aspetto di formule un po' stereotipe e difficilmente ancora operanti (Di Marco: «Il senso della letteratura è il non avere senso»; Sanguineti: «il senso della letteratura è l'antiletteratura», cioè il «sabotaggio della letteratura», o magari del «letteraturese», ma operato con astuzia») o si era tentato di battere qualche via piú imprevista (Sassi, ad esempio, puntava su «una risorsa scarsa e preziosa: il dilettantismo», che lo portava a definire «la letteratura come la specializzazione dell'antispecializzazione»). Ma probabilmente il senso ultimo che veniva fuori da tante testimonianze e che, nonostante qualche accusa di assenza di reale dibattito e di eccesso di metaletteratura, aveva alimentato alcune punte di piú aspra polemica, era la riproposizione in termini aggiornati di una disputa a quanto pare ineludibile e perciò puntualmente riemer-

---

[37] Direttore della rivista palermitana *Acquario* organizzatrice, insieme con *Alfabeta*, del convegno. Il n. 69 di *Alfabeta* (febbr. 1985), oltre gli interventi e la discussione, contiene una lettera di protesta di Balestrini per la mancata concessione del passaporto che gli impediva di partecipare al convegno e di svolgere attività culturale in Italia; la lettera è seguita dalle firme di adesione dei partecipanti.

gente, quella — come si diceva in tempi piú semplici nelle premesse culturali e piú ingenui nel linguaggio, — fra i sostenitori di una letteratura dell'impegno e i sostenitori della letteratura-letteratura, — e insomma il problema, come diceva allora Majorino, dei rapporti fra il letterario e l'extraletterario.

Giuseppe Conte, ad esempio, aveva dichiarato ormai impensabile parlare di senso della letteratura soltanto con i termini della linguistica, dell'ideologia, della psicanalisi: «credo — diceva — che occorre parlarne attraverso il mito, l'energia, il sogno... tutto quell'insieme di forze creanti in cui l'anima dell'uomo insegue dall'inizio dei tempi il senso di se stessa e dell'universo». Filippo Bettini, invece, riprendendo ancora il suo discorso sulla letteratura materialistica, aveva affermato la necessità di «una radicale rimessa in discussione della figura stessa dello scrittore, dello statuto della sua collocazione ideologica e culturale e quindi anche ovviamente del rinascente mito della figura assoluta e separata del poeta come depositario di verità» ; e Luperini e Ferretti si erano mossi sullo stesso campo, denunciando l'uno il molto elitarismo e il molto spirito consolatorio che c'è nella disperazione senza tragedia e nella depressione senza vera angoscia di tanti scrittori (e ne riceveva aspra rampogna da Conte e De Angelis); e l'altro l'impossibilità ormai di distinguere a priori tra letteratura di consumo interna all'universo multimediale e letteratura di ricerca esterna ad esso.

Lungo la via che congiunge o divide questi poli estremi (ma Conte aveva precisato: «Non è che il mito vuol dire evadere, il mito vuol dire essere veramente eversivi») non solo era possibile collocare la varietà delle risposte che venivano date a Palermo, ma l'intero agitarsi di una produzione ormai stabilizzata in un accavallarsi di tentativi e di tentazioni, polivalente e policentrica, soggetta ad ogni possibile spinta. Ascoltati i testi di giovani poeti, a Cucchi, ad esempio, pareva di aver ascoltato «molto semplicemente un linguaggio medio semiespressivo sotto-poetico di ascendenza essenzialmente canzonettistica (cantautoristica, per dire meglio), con venature (probabilmente indirette) da beat-generation».

Nella discussione si era poi venuto inserendo il tema del postmoderno, e questa volta i partecipanti finirono per trovarsi abbastanza d'accordo nella valutazione negativa dell'oggetto (forse un poco misterioso) [38] che aveva trovato le prime indicazioni nelle parole di An-

[38] John Bart, uno degli scrittori americani piú frequentemente etichettato come «postmoderno», ha cercato di sapere che cosa fosse dopo aver constatato che «l'attività principale dei critici postmoderni consiste nel litigare su cosa sia o debba essere il postmodernismo» (si veda, per tutto, il volume a cura di Peter Carravetta e Paolo Spedicato, *Postmoderno e letteratura. Percorsi e visioni della critica in America*, Bompiani, 1984).

gelo Guglielmi, il quale preferiva però parlare di «letteratura del giorno dopo» per indicare un'utilizzazione del passato non come riproposta ma come prova dell'identità attuale dello scrittore nel suo sforzo di ridare un nome alle cose. Ma già Arbasino ne degradava il concetto a «spazzatura del riuso», e Cucchi all'«estremo rantolo del moderno»; e Sassi, in un'ormai classica distinzione, aveva collocato i postmoderni fra gli «integrati». Un suggerimento meno polemico e che poteva avviare un discorso piú attinente alla realtà era infine quello avanzato da Francesco Muzzioli che vedeva due possibilità del «riuso» in letteratura, quella «critico ironica» (storicamente esemplificabile in Gozzano) e quella «esorcistico-sublimante» (storicamente esemplificabile in Saba).

Le probabili conclusioni prevalenti nel convegno potevano essere quelle che riportavano i molti discorsi a quell'unico che, espresso o meno, ci pare domini oggi il campo della letteratura e delle arti nel tentativo di dare una ragione della e alla polivalenza e quasi indecifrabilità delle presenze: la difficoltà di mantenere i contatti con una realtà sempre piú complessa, mutevole e drammatica fino a rendersi ormai indicibile nei suoi autentici connotati. È quella che Majorino chiamava «la latitanza della letteratura» ponendosi esplicitamente la domanda fondamentale: «Se è vero che vivere è diventato ancora piú faticoso di un tempo, e una tensione violenta domina il reale, tanto che il problema numero uno risulta quello di sopravvivere, perché i libri che leggiamo, di tali fatica, tensione, sopravvivenza, recano cosí labili tracce?». E la risposta, o piuttosto la parallela constatazione, starebbe nel fatto che da almeno un secolo il corso della letteratura si è troppo lasciato caricare nell'ideologico e si è mosso con distanza e scontrosità nei confronti delle reali problematiche comuni. Da questa constatazione può discendere l'altra possibile indicazione del convegno, l'esigenza sempre piú emergente di ripristinare, senza rinunciare alla letteratura, il rapporto autore-lettore o, per dirla con le parole di Antonio Porta, di condurre la «ricerca di una cinghia di trasmissione tra l'operare poetico e il lettore, considerato un coautore». Anzi, Porta dava già per avvenuta, e ci sembra non senza qualche forzatura e una discreta dose di ottimismo, la svolta risolutiva: «Nessuno si rifugia nello sperimentalismo puro, nella ricerca fine a se stessa, nell'incomprensibilità, nessuno si rinchiude nell'antica torre d'avorio dell'avanguardia».

La realtà letteraria italiana, in questa metà del nono decennio, sembra a noi piú complesssa e contraddittoria: molti — o non pochi — si rifugiano e si rinchiudono in quelle fortezze della letteratura, ma nello stesso momento in cui altri continuano ad abbandonarle e altri ancora navigano incerti in una terra di nessuno o in un mare senza bussola, dove la cosa piú apprezzabile resta la sincerità della passione che li muove, nonché gli esiti letterari non sempre inferiori a quelli di chi ha, o crede di avere, fedi piú solide e prospettive piú lucide.

II. Narratori degli anni ottanta

> Si poteva avere un romanzo non consolatorio,
> abbastanza problematico, e tuttavia piacevole?
> U. Eco

Il punto piú alto del rinnovato interesse per la storia è stato toccato nel 1980 con *Il nome della rosa* (Bompiani) da Umberto Eco, che
costruiva il libro nella doppia struttura del romanzo storico e del romanzo giallo[1]. Romanzo storico certamente lo era per la natura di
opera mista di storia e di invenzione, con tanto di rinvio ad uno scritto
memorialistico della fine del secolo XIV, del quale il romanzo non
sarebbe che la trascrizione, e di precisa datazione dei fatti, una breve quanto travagliata settimana del novembre 1327. Ma in questo
tempo ristrettissimo si affollano, presenti sulla pagina o coinvolti nelle
drammatiche lotte tra il papato avignonese e i suoi avversari, Giovanni XXII, Ludovico il Bavaro, Bertrando del Poggetto, Michele
da Cesena, Fra Dolcino, e poi Duns Scoto, Guglielmo di Occam, Marsilio da Padova e una lunga schiera di abati e cardinali, al fianco dei
quali opera, vive — e muore — un'altra schiera di religiosi, catari,
flagellanti, fraticelli, ecc. prodotti invece dalla fantasia dell'autore.
Sicché documentazione storica e giustificazione ideologica, spesso tra-
scritte dalle fonti, e libera invenzione convivono, come vuole la formula, e si amalgamano in una credibilità letteraria per la virtú che
riesce a far combaciare senza iati o stridori le due componenti dell'e-
sibizione culturale e del concatenamento fantastico.

[1] La complessità della struttura dell'opera può trovare una spiegazione anche in sede sociologica, come afferma G.C. Ferretti: «L'indicazione di "tre modi" di leggere *Il nome della
rosa* contenuta nel risvolto... di "tre categorie" di lettori ben distinte... e al tempo stesso la
dichiarata compresenza di vari sottogeneri in un romanzo "difficile da definire (gothic novel,
cronaca medioevale, romanzo poliziesco, racconto ideologico a chiave, allegoria)", tutto questo può sottintendere dietro la tenue cautela del "forse" ben maggiori ambizioni: la ricerca
e aspirazione, cioè, a piú numerosi e differenziati livelli di lettura, dai piú tradizionali ai piú
moderni, dai piú passivi ai piú "cooperanti", dai piú disinteressati ai piú specialistici. Che può
significare poi, a questo punto, una programmata conciliazione di quegli opposti, nella prospettiva di un assai articolato successo», secondo una strategia «che tende a realizzarsi contemporaneamente al livello del testo e del mercato» (*Il best seller all'italiana*, Laterza, 1983, pp. 68-69).

Già tutta inventata è, in quella esattissima collocazione temporale, la collocazione spaziale, un'abbazia tra Piemonte, Liguria e Francia, dotata di una chiesa con una splendida facciata e di una biblioteca che, oltre ad essere vanto della cultura dell'epoca, è l'invenzione piú strabiliante di Eco, certamente memore della letteratura labirintica e borgesiana ma in grado di funzionalizzarla senza residui mimetici al suo giallo macabro e goticizzante.

Anche la struttura gialla segue con rigore i canoni del genere: l'assassinio, l'arrivo del detective con il suo aiutante, il ripetersi di altri assassinii, la creazione di suspense, infine la scoperta del colpevole nel personaggio meno sospettabile. E il detective, un frate anche lui, ma un inglese che ha studiato la natura a Oxford, segue il meglio della tradizione in materia, ed è ora un po' Sherlock Holmes (nella ricerca empirica degli elementi e nella semiseria sentenziosità con cui l'accompagna) ora un po' Nero Wolfe (nelle catene di deduzioni per la ricostruzione dei fatti), e da francescano del secolo XIV, ora è invischiato nella formulazione di ipotesi astratte di sapore scolastico, ora, come buon discepolo di Ruggero Bacone e di Occam[2], rifiuta gli *ipse dixit* e la rigidità dei sillogismi, indaga sul concreto, ragiona con la sua testa, consulta piú le cose e gli uomini che i testi, a meno che non contengano la chiave per arrivare alla soluzione del problema. Nel groviglio degli eventi e delle loro motivazioni, Eco procede sicuro grazie a due strumenti sapientemente impiegati, una prosa limpida che sa arrivare fino all'eleganza e allo squarcio da antologia, ma conosce anche le vie dell'ironia e dello *humour*, e una precisa idea del senso che può darsi ad un romanzo giallo del secolo XIV senza cadere nel trabocchetto del falso, e cioè senza attribuire al detective mezzi conoscitivi in possesso degli investigatori posteriori di secoli a Guglielmo da Baskerville e alla sua cultura. L'invenzione di Eco dovrà perciò escogitare un iter logico e sperimentale che assolva a tre condizioni, il rispetto degli strumenti medioevali, la soluzione del giallo nonostante la loro evidente insufficienza, il prestigio dell'investigatore, mai disdetto dall'autore per la modernità delle sue idee e che dunque deve pervenire non soltanto "per sbaglio" alle conclusioni giuste. Al di là della bravura nella descrizione della vita nel microcosmo dell'abbazia, della struttura della biblioteca, dei processi e dei tormenti contro gli eretici, dei conflitti teologici, persino di una scena d'amore, l'originalità prima del romanzo sta in questa lucida scel-

---

[2] Del quale cita il famoso «rasoio»: «"Perché dite che è una soluzione meno dispendiosa per la nostra mente?" "Caro Adso, non occorre moltiplicare le spiegazioni e le cause senza che se ne abbia una stretta necessità» (p. 99).

ta, che è di natura culturale, ma che ne determina l'intero andamento e le stesse scelte letterarie.

Guglielmo non può, secondo verità storico-filosofica, se non costruire uno schema falso — «mi ero convinto che la serie dei delitti seguisse il ritmo delle sette trombe dell'apocalisse» — che tuttavia si va sfaldando a mano a mano che procede l'inquisizione (proprio come, potremmo dire, si va sfaldando la cultura scolastica a mano a mano che avanza una cultura laica e naturalistica) e subentra la considerazione realistica degli indizi pur nella impossibilità culturale di collegarli correttamente: «Non ho mai dubitato della verità dei segni, sono la sola cosa di cui l'uomo dispone per orientarsi nel mondo» — conclude molto echianamente il nominalista Guglielmo; ma poi aggiunge: «Ciò che io non ho capito è stata la relazione tra i segni», poiché non vi era alcuno schema né apocalittico né razionale, nessun disegno criminoso di un unico autore di molti delitti o se disegno c'era, è stato sopraffatto dalla serie delle cause e delle concause, perché «non vi è un ordine nell'universo».

Potrebbe essere questa conclusione fenomenologica ed empiristica[3] il messaggio dell'opera, se essa non ne contenesse un altro egualmente moderno ma di ordine etico, non teoretico. Il diabolico istigatore della tragica sequenza è un fanatico sostenitore dell'immobilismo ideologico minacciato dalla possibile scoperta di un testo aristotelico, un tetro assertore di una svisata concezione della serietà del vivere, un cieco avversario della conquista umana del mondo; — di fronte a lui si profila ormai, e Guglielmo ne è il primo testimone, un'età in cui si farà l'elogio della pazzia e si porrà il dubbio piú in alto della certezza: «Forse il compito di chi ama gli uomini è di far ridere della verità, *far ridere la verità*, — dichiara questo francescano sempre sull'orlo dell'eresia, — perché l'unica verità è imparare a liberarci dalla passione insana per la verità»[4].

---

[3] Non senza, nel corso dell'opera, qualche puntata di marxismo: «Penso che l'errore sia di credere che prima venga l'eresia, poi i semplici che vi si danno (e vi si dannano). In verità prima viene la condizione dei semplici, poi l'eresia» (p. 203). Ma la frase che conclude il romanzo, e gli dà il titolo, è «*nomina nuda tenemus*».

[4] Nel 1984, in una ristampa economica del romanzo, Eco pubblicava le *Postille a Il nome della rosa* (apparse precedentemente in *Alfabeta*, n. 49, giugno 1983), nelle quali affrontava alcuni problemi di carattere generale e molti relativi all'opera in questione. Vale la pena di segnalare la confessata preoccupazione di non far pensare o parlare i suoi personaggi in maniera diversa da come sarebbe stato loro concesso dal secolo XIV, e in conseguenza la necessità di avere un investigatore che venisse dopo Ruggiero Bacone e Occam per poter disporre di un personaggio, Guglielmo, il piú moderno possibile e «che avesse un grande senso dell'osservazione e una particolare sensibilità per l'interpretazione degli indizi», anche se egli li registra tutti ma non li capisce. Il che ha costituito un altro problema: «Far capire tutto attraverso le parole di qualcuno che non capisce nulla», di un «detective sconfitto». Ed Eco aggiunge: «Questo è uno degli aspetti del romanzo che ha meno impressionato i lettori colti, o almeno,

Una "sorpresa" nel campo della narrativa fu nel 1981 *Diceria dell'untore* (Sellerio) di Gesualdo Bufalino, un nome pressoché sconosciuto[5] giunto repentinamente alla notorietà e ai riconoscimenti ufficiali della società letteraria grazie a un testo che univa al tema drammatico una scelta linguistica composita e sapiente. La «diceria» racconta in prima persona la permanenza nel periodo dell'immediato dopoguerra, in un sanatorio siciliano, con il continuo spettacolo della degradazione e della morte, e l'indeprecabile approssimarsi alla fine — *Gradus ad Avernum* — cui sfuggirà solo il narratore per farsi testimone di questo modo patetico e repellente di non vivere. E patetica e repellente fra tutte è la storia del suo amore per la piú sicura candidata alla morte, una storia fatta di slanci e di menzogne, ma non di inganni se quella passione è la scelta per entrambi necessaria a ricrearsi una parvenza di vita. Bufalino la racconta forse con qualche compiacimento per l'abbondanza e l'eleganza del suo dire, ora arricchito di volute barocche ora teso in un freddo illuminismo; ma a trattenerlo al di qua di eventuali eccessi c'è, per un verso, una solida cultura che traspare di frequente ma senza mai eccedere e, per un altro, una presenza del protagonista a se stesso, un sapersi guardare anche con ironia che non stempera ma di certo allenta di quando in quando il senso della pena e dell'orrore. Del resto, che la vena di Bufalino sia nostalgica senza languori e critica sino ad accenti polemici lo si è visto appena l'anno dopo con *Museo d'ombre* (ivi), un accorato ma lucidissimo ritorno al «paese», riscoperto rifugio per tutte le delusioni di un mondo ormai insopportabile. Cosciente «profeta irritato» contro un'aberrante modernità, Bufalino va a ricercare nelle «minuzie del ricordo» una forse ormai impossibile serenità e riscopre i mille mestieri di un tempo, facce e luoghi scomparsi, antiche espressioni quasi del tutto cadute, nell'illusione di «ritrovare, in guerra col tempo, la *sua* dilapidata immortalità di bambino». E un ritorno è anche *Argo il cieco ovvero I sogni della memoria* (ivi, 1984), un ritorno ai primi amori, ma anche in questo caso Bufalino riesce a sfuggire al doppio rischio — o lo sfiora soltanto — del meridionalismo paesano e del sentimentalismo crepuscolare, grazie sempre alla sua scrittura ironica e sapiente e alla capacità, che gli è particolarmente congeniale, di trasferire il dato biografico e lo stesso atto dello scrivere a meno estem-

direi, che nessuno lo ha rilevato, o quasi». Ci permettiamo di aggiungere che le nostre pagine, scritte prima che uscissero le *Postille*, sottolineavano proprio questo aspetto, anche se giungevano a conclusioni piú positive nei confronti di Guglielmo; le lasciamo cosí come furono scritte quale segno di una lettura che ci pare conservi una sua validità.

5 Bufalino aveva collaborato nel 1946 alla rivista cattolica *L'Uomo* con alcune poesie riconducibili all'area ermetica o a una generica influenza montaliana (si veda la ristampa della rivista nelle edizioni Otto-Novecento, 1981).

poranee considerazioni: «raccontare per non morire», almeno finché questo inganno regge.

Carmelo Samonà pubblicava nel 1981 *Fratelli* (Einaudi), un romanzo tutto compreso nella ricerca di un rapporto fra due fratelli, l'uno sano — che è l'io narrante — l'altro malato, chiusi fuori del tempo in un appartamento spettrale e labirintico; la *fabula* è perciò affidata alle parole scambiate fra i due — cui solo in un secondo momento si aggiunge una terza figura — ma anche ai silenzi e ai gesti che le accompagnano nella vana ricerca se non di una guarigione almeno di una relazione irrimediabilmente condannata allo scacco. Ma nella lunga schermaglia si profila il possibile scambio dei ruoli per cui il personaggio che «organizza con cura i meccanismi del gioco» si trova a poco a poco preso e invischiato nella inesistente dialettica, rischia di passare alle dipendenze del fratello, discretamente rivelando cosí forse il senso ultimo del romanzo, che non sta solo nella descrizione sottile, meticolosa, snervante di una patologia individuale ma nella possibile allusione a un piú generale male di vivere, all'incomunicabilità come destino dell'uomo, al rovesciamento della pretesa sanità. *Fratelli* era comunque un lungo e sia pur fallimentare dialogo fra due personaggi reali, in *Il custode* (ivi, 1983) Samonà imposta ancora la sua narrazione in un rapporto a due, ma questa volta il colloquio si è fatto disperato soliloquio fra un prigioniero e il suo carceriere che egli appena intravede o crede di scorgere in una mano che porge il cibo, ma che non partecipa allo scambio. La situazione narrativa si è fatta dunque piú ardua per l'astrattezza e l'unilateralità della condizione, e Samonà può superarla grazie alle sue grandi risorse della parola, che riescono a trasmettere le innumerevoli e minime varianti e sfumature che distinguono le giornate del recluso, le sue attese, le speranze, le delusioni; e grazie anche a due possibili, e opposti, punti di riferimento che possono sottrarre il testo alla scommessa dell'alta esercitazione: la clausura del personaggio come metafora dell'universale condanna del vivere o, al contrario, come memoria e denuncia di orrende prigioni di cui tanto parlavano le cronache di quegli anni e qui riprese non nella loro verità di fatto ma nel loro tragico e offensivo modello di distruzione della persona.

Si è cominciato a parlare negli anni ottanta di una nuova narrativa italiana, o meglio di una giovane generazione di narratori che starebbero rilanciandola anche come presenza internazionale; la posizione storica che essi si sarebbero trovati ad affrontare non poteva essere se non quella di restituire dignità al settore sfuggendo alla triplice *impasse* che lo condizionava, l'illeggibilità della narrativa neoavanguardistica o sperimentale, l'ovvietà della narrativa realistica comunque rispolverata, la grevezza o la nullità della narrativa di puro consumo. Sarebbe impossibile ricondurre ad organicità la progettazione del nuovo (o piuttosto, progettazione non ce n'è stata affatto) ma, ad opere compiute e pubblicate si può forse rintracciare *a posteriori* qualche termine comune, almeno tra alcuni narratori, che potrebbe dare un senso meno estemporaneo alle loro opere: il rifarsi a biografie individuali, con una connotazione ludica o ironica e l'affrancamento da schemi morali, e una scrittura che comunica, quando non scelga la lucidità del linguaggio scientifico, mediante lo *shock* della parola imprevedibile sono forse già alcuni dei segni riconoscibili nelle opere di questa pattuglia di scrittori, il cui valore è tuttavia ancora in gran parte da verificare.

Sono i segni che ritroviamo già nei romanzi di Gianni Celati che fin dal '71 aveva pubblicato da Einaudi, con il patrocinio di Calvino, le sue *Comiche*, dichiarandovi in calce l'intenzione di riuscire a tradurre sulla pagina le smorfie dell'attore — Stan Laurel o Tati o i fratelli Marx — mediante l'invenzione di una lingua «che non si parla con nessuno», suggeritagli dalle incredibili soluzioni dei ragazzini di una scuola media di campagna capace di un «effetto piacevolmente anarchico» e provvidenzialmente disadattata «al mondo cartaceo-paranoico-verbodelirante». Il delirio verbale di Celati assume cosí la veste paradossale di un ristabilimento dell'unica lingua possibile, quella «che si sente nell'orecchio come la voce di un fantasma dell'al di là, come una voce di qualcosa (un "mondo") che non c'è; solo i morti parlano una lingua parlata». Il "comico" di Celati, allora, nel suo primo libro come nel successivo *Le avventure di Guizzardi* (ivi, 1973), è affidato soprattutto a un parlato rotto, schizofrenico, imprevedibile, irregolare in ogni sua componente lessicale o grammaticale o sintattica o fraseologica[6], che lascia imprecise le verità di fatto, luoghi o persone, ma porta in primo piano il groviglio del loro sfiorarsi e non intendersi e snocciolarsi in nuove «avventure» portate il piú delle volte al limite del *nonsense*. Senza rinunciare a qualche salto sintattico o ad anacoluti e sgrammaticature, la lingua si è poi un po' calmata nei romanzi successivi, *La banda dei sospiri* (ivi, 1976) e *Lunario del paradiso* (ivi, 1978). Ora Celati sembra puntare piú che sulla sregolatezza dello scrivere, che era stata finora la vera generatrice delle situazio-

---

[6] Si veda per la teorizzazione del comico da parte dello stesso Celati il suo volume di saggi *Finzioni occidentali; Fabulazione, comicità e scrittura*, Einaudi, 1975.

ni, sulle situazioni in sé e il loro succedersi, che dà luogo a qualcosa di somigliante a una storia con i personaggi che ne portano il peso: la storia di un'infanzia e di un'educazione *sui generis* nel primo caso, la storia dell'amore di «Ciofanni» per una ragazza tedesca nel secondo, e sempre raccontate nella prima persona secondo una costante della scrittura di Celati.

Andrea De Carlo ha raccontato in due versioni non molto dissimili (*Treno di panna*, Einaudi, 1981; *Uccelli da gabbia e da voliera*, ivi, 1982) le miniodissee di qualche giovin signore che ha scelto la vita randagia tra California e Italia. Appare evidente il tentativo di rispecchiare, sia pure in quelle inusuali coordinate geografiche, una generazione che ha sentito franare sotto i piedi l'*ubi consistam* dei vecchi valori e ha optato per una dilapidazione delle proprie giornate l'una dopo l'altra frantumata in un insensato succedersi di momenti. Un'ottica ravvicinatissima e meticolosa che non tralascia alcun particolare è lo strumento con cui De Carlo segue punto per punto lo svolgersi tutto in superficie di itinerari senza approdi, registrati nel martellante tempo presente di una cronaca in prima persona. Se era possibile già scorgere nel secondo titolo un movimento dalla cronaca al romanzo, questo si accentua in *Macno* (Bompiani, 1984), storia intessuta di motivi politici e d'amore che lascia maggiori concessioni ad uno stile meno frenetico.

Accostiamo a questi primi nomi Pier Vittorio Tondelli, esordiente nel 1980 con *Altri libertini* (Feltrinelli) che «in un ritmo di parlata un po' ossessa e balorda» (Giuliani) racconta tutte le possibili esperienze di una gioventú che un tempo si sarebbe detta «bruciata» ma che ormai pare al di sotto di qualunque definizione, scassata e tribolata com'è nelle sue inutili giornate. Né le cose vanno meglio in *Pao Pao* (ivi, 1983) e *Rimini* (ivi, 1984), anzi tutte le "inversioni" si accentuano e si compiacciono quando questi giovani «gayosi» si trovano a fare il servizio militare; Stefano Benni (*Terra!*, Feltrinelli, 1983; *Comici spaventati guerrieri*, ivi, 1986) la cui irrefrenabile fantasia pare incline al comico ma piú ancora ad una troppo abbondante scrittura da romanzo di consumo; Aldo Busi (*Seminaro sulla gioventú*, Adelphi, 1984; *Vita standard di un venditore provvisorio di collant*, Mondadori, 1985) che porta forse al limite estremo della sopportabilità la forma di un autobiografismo tradotto in torrenti di parole, esibito come affrancamento da ogni patto etico-sociale e sfogo di umori accumulati e affastellati senza parsimonia su una pagina che sarebbe ricca se non fosse prolissa e sarebbe avvincente se non fosse scostante.

Franco Cordelli, tra i piú attivi organizzatori culturali degli ultimi anni, aveva esordito come narratore nel 1973 con un romanzo, *Procida* (Garzanti) costruito in forma di un monologo in cui potevano entrare registri diversi di scrittura, ora brevi e scattanti ora piú placati o contorti, ma il senso generale era quello di un'autoanalisi — anzi, «lo spregevole vizio dell'analisi» — di uno stato d'inerzia o addirittura di un'«esperienza del puro nulla», o della vana ricerca di una felicità perduta, di una fuga dal mondo e del suo certo scacco. Cordelli pagava cosí il tributo a una tematica della nevrosi largamente diffusa e abusata e poteva passare con *Le forze in campo* (ivi, 1979) a dare un'ulteriore caratterizzazione alla sua scrittura continuamente in movimento o in bilico tra la prosa diaristica in prima persona, i riferimenti realistici *ad personam*, la tendenza al referto (in particolare dell'attività sportiva), le allusioni culturali, in uno «sperpero» di frasi che costruiscono e demoliscono di continuo il racconto. Era un tentativo di rinnovamento dall'interno del modo di narrare che si ripeteva in *I puri spiriti* (Rizzoli, 1982), forse il romanzo piú ambizioso in questo progetto composito, con spunti di metaromanzo e cenni di autocritica e con un'articolazione in quattro parti fra le quali si allacciano e si capovolgono i legami fra i personaggi. Ma un senso meno estemporaneo ha in questo caso l'ambiente che viene descritto, poiché qui Cordelli è immerso nella sua reale esistenza di scrittore e di organizzatore culturale sicché il quadro che ci dà del mondo intellettuale romano alla fine degli anni settanta, con le sue presenze reali trasparentemente alluse dalle sigle, assume l'aspetto di una cronaca possibile, di una piccola verità colta nelle sue movenze largamente credibili.

Anche la narrativa di Antonio Tabucchi ha avuto inizio alla metà degli anni settanta per cominciare ad emergere nel decennio successivo. Nei suoi due primi romanzi, *Piazza d'Italia* (Bompiani, 1975) e *Il piccolo naviglio* (Mondadori, 1978) lo scrittore appare interessato alla storia d'Italia recente o meno, ma la sua, piú che ricostruzione di ormai lunghe vicende, ne appare una distorsione sarcastica, una frantumazione favolosa, in una lingua di cui Cesare Segre, presentando il primo volume, sottolineava i continui «passaggi brachilogici, accostamenti abrupti, scambi stupefacenti di registro». Tabucchi apparteneva insomma anche lui alla schiera dei nuovi narratori che puntavano soprattutto sulla reinvenzione ironica e stupefacente del linguaggio ma senza per questo dimenticare — anzi, con ciò volendo piú credibilmente testimoniare — i concreti problemi politici e sociali di un paese reale. Ma poi la vena fiabesca o avventurosa ha cominciato a prendere il sopravvento in concordanza con una pacificazione delle strutture stilistiche, e ne sono usciti *Donna di Porto Pim* (Sellerio, 1983) e *Notturno indiano* (ivi, 1984) in cui (a parte gli aspetti riferibili alle competenze lusitanistiche dell'autore) quel che piú si nota è una qualità sognante o vagamente misteriosa che devia visibilmente dalle premesse dei primi romanzi giungendo ad una piú accorta costruzione del racconto, ma anche ponendo il non facile problema della effettiva personalità del narratore.

Qualcosa di analogo si può dire per Luca Desiato, il quale ama impegnarsi in grosse questioni storiche o ideologiche ma senza costruirne un corpo intellettuale organico e mutando piú volte gli strumenti per svolgerle in forma di racconto. Desiato aveva iniziato nel 1974 con *Il sogno di papa Asdrubale* (Marsilio) affrontando il problema, certo assai arduo, della crisi della Chiesa sia pure guardata attraverso una doppia lente positiva, la sincera aspirazione al rinnovamento e la sua garanzia nell'atto finale del papa rimasto nell'assoluta solitudine; ma due anni dopo, con *Benito e il mostro* (Mondadori) tutto pareva mutare nel trasferimento cronologico sin quasi alla cronaca degli anni nostri con alcuni loro drammatici problemi (quello, ad esempio, del rapporto tra il fascismo e gli ebrei), se poi l'interesse del testo non si spostasse con evidente stridore sul mistero di un personaggio che appare un «mostro» perché inafferrabile e diverso, allusivo non tanto dei mali della storia quanto delle angosce della vita. Il registro cambiava ancora nei due romanzi successivi, *Il marchese del Grillo* (ivi, 1981) e *Galileo mio padre* (ivi, 1983), anche se restava costante la disposizione a radicare le trame nella storia; ma poteva sorprendere, nel primo titolo, l'ibridismo della soluzione stilistica arieggiante una lingua antiquata forse non sufficientemente documentata; e nel romanzo galileiano una scelta linguistica trovata fuori della scrittura d'autore, nelle lettere di suor Maria Celeste che costituiscono l'impalcatura e la trama dell'opera intera.

Anche Giorgio Montefoschi aveva cominciato appena trentenne alla metà dei settanta con un romanzo, *Ginevra* (Rizzoli, 1974) cui era seguito due anni dopo *Il museo africano* (ivi), l'uno e l'altro caratterizzati da un modo di raccontare disperso tra realtà, sogno, trascrizione cinematografica, trasmissione epistolare, che celava uomini e cose in una dimensione del tempo sempre provvisoria e inafferrabile. Il tema che piú frequentemente emergeva era quello del viaggio, ma spesso piú annunciato che vissuto, piú programmato che realizzato, o ricordato in brevi frammenti della memoria, sicché, se si eccettuano alcuni felici squarci di un'esatta topografia romana, il risultato generale è quello di un mondo privo di sicurezze, incerto nella sua stessa fisionomia, vagamente angosciato, che potrebbe rispondere credibilmente a quello in cui i personaggi sono portati a vivere. Le caratteristiche della narrativa di Montefoschi, la meticolosa indagine dei sentimenti, il trasferimento della realtà in una dimensione vagamente sognante pur nel rispetto dell'esatta dimensione dello spazio che continua ad essere preferibilmente Roma, una scrittura attenta alle descrizioni del foro interiore dei personaggi ma con frequente ricorso a un dialogo che mantiene piú agevolmente il contatto con il lettore, tornano anche nella successiva produzione giunta già al suo quinto titolo (*L'amore borghese*, Rizzoli, 1978, *La felicità coniugale*, ivi, 1982; *La terza donna*, Garzanti, 1984).

La prosa di Daniele Del Giudice procede invece su tutt'altri registri, definibili in lato senso calviniani per un tendenziale doppio nitore scientifico che, per un verso, si alimenta dal contatto con le scienze fisiche, per un altro, si manifesta in un'espressione che cela emozioni ed angosce dietro una lingua imperturbabile nel suo descrittivismo meticoloso, quasi da *école du regard*. Del resto, era stato proprio Calvino ad avallare l'esordio del giovane scrittore avvenuto nel 1983 con *Lo stadio di Wimbledon* (Einaudi), un romanzo-indagine sulle ragioni per cui un intellettuale di altissimo livello — si tratta di Bobi Bazlen — ha rinunciato alla funzione che gli sarebbe stata propria, lo scrivere, per optare a favore di un'influenza diretta sulle persone che frequentò. Il racconto è, perciò, anche una ricognizione storico-culturale della Trieste fra le due guerre con i suoi caffè fumosi e la comparsa di personaggi o reali o vivi dalle pagine della letteratura; ma al di là di questo motivo in primo piano che si muove in un calendario e in una topografia concreti, la ricerca si approfondisce in un'altra dimensione tutta interiore all'animo del giovane esploratore letterario, nella quale egli vive in una leggera sensazione di improbabilità, in una sospensione strana, un'ansia che dilata le cose, allenta le curiosità, si fissa negli interstizi del tempo — nel «frattempo» — in attesa che le cose accadano. Siamo già al clima del secondo romanzo, *Atlante occidentale* (ivi, 1985), storia di un'amicizia tra un anziano scrittore sul punto di una crisi di scrittura e un giovane fisico che, lavorando all'acceleratore di Ginevra, sta arrivando ad una nuova equazione dell'atomo: due uomini in una situazione-limite, dove lo spirito ormai si confonde con una materia fattasi infinitesima, dove il tempo, lo spazio, la luce, il continuo e il discontinuo, la realtà fisica e l'ipotesi metafisica, la legge e l'immaginazione possono avvicinarsi fino a confondersi, dove infine l'energia delle particelle e la tensione contenuta nelle parole che esprimono le cose sono pur esse assimilabili. Sicché la posizione dei due protagonisti non è se non quella in cui si riassume il problema e il dramma dell'uomo d'oggi: la sua assunzione di responsabilità, una volta portato di fronte alle scelte ultime dalle quali dipende il suo futuro e, insieme, la possibilità di dargli una voce.

Nota bibliografica

Ajello Nello, *Lo scrittore e il potere*, Bari, Laterza, 1974.
Amoroso Giuseppe, *Narrativa italiana 1975-1983*, Milano, Mursia, 1983.
Asor Rosa Alberto, *Storia d'Italia*, 4, 2, Torino, Einaudi, 1975.
  Letteratura italiana, 1, ivi, 1982.
Barbuto Antonio, *Le fedeltà precarie*, Roma, Ateneo, 1983.
Berardinelli Alfonso, *Il critico senza mestiere*, Milano, Il Saggiatore, 1983.
Borghello Giampaolo, *Linea rossa*, Venezia, Marsilio, 1982.
  Il simbolo e la passione, Milano, Mursia, 1986.
Camon Ferdinando, *Il mestiere di scrittore*, Milano, Garzanti, 1973.
  Letteratura e classi subalterne, Padova, Marsilio, 1974.
  Il mestiere di poeta, ivi, 1982.
Carifi Roberto, *Il gesto di Callicle*, Milano, Società di poesia, 1982.
Contini Gianfranco, *Schedario di scrittori italiani moderni e contemporanei*, Firenze, Sansoni, 1978.
Cordelli Franco, *Il poeta postumo*, Cosenza, Lerici, 1978.
D'Ambrosio Matteo (a cura di), *Perverso controverso*, Napoli, Shakespeare and Company, 1981.
De Tommaso Piero, *Altri scrittori e critici contemporanei*, Lanciano, Itinerari, 1970.
Ferretti Giancarlo, *L'autocritica dell'intellettuale*, Padova, Marsilio, 1970.
  Il mercato delle lettere, Torino, Einaudi, 1979.
  La letteratura del rifiuto e altri saggi, Milano, Mursia, 1981.
  Il best seller all'italiana, Bari, Laterza, 1983.
Ferrucci Carlo, *La letteratura dell'utopia*, Milano, Mursia, 1984.
Finzi Gilberto, *Poesia in Italia. Montale, novissimi, postnovissimi 1959-1978*, Milano, Mursia, 1979.
Forti Marco, *Prosatori e narratori nel Novecento italiano*, Milano, Mursia, 1984.
Giuliani Alfredo, *Autunno del Novecento*, Milano, Feltrinelli, 1984.
Golino Enzo, *Cultura e mutamento sociale*, Milano, Comunità, 1969.
  La distanza culturale, Bologna, Cappelli, 1980.
Jacobbi Ruggiero, *L'avventura del Novecento*, Milano, Garzanti, 1984.

Kemeny Tomaso e Viviani Cesare (a cura di), *I percorsi della nuova poesia italiana*, Napoli, Guida, 1980.

Il movimento della poesia italiana negli anni Sessanta, Bari, Dedalo, 1979.

Lanuzza Stefano, *L'apprendista sciamano*, Messina-Firenze, D'Anna, 1979.

Cartografie del negativo, ivi, 1982.

Lombardi Olga, *Narratori italiani del secondo '900*, Ravenna, Longo, 1981.

Lunetta Mario, *Sintassi dell'altrove*, Poggibonsi, Lalli, 1978.

Da Lemberg a Cracovia, Siena, Quaderni di Messapo, 1984.

Luperini Romano, *Marxismo e intellettuali*, Padova, Marsilio, 1974.

Il Novecento, 2, Torino, Loescher, 1981.

Luti Giorgio, *Sul filo della corrente*, Milano, Longanesi, 1975.

(con Paolo Rossi), *Le idee e le lettere*, ivi, 1976.

Poeti italiani del Novecento, Roma, La Nuova Italia Scientifica, 1985.

Narratori italiani del secondo Novecento, ivi, 1985.

Critici, movimenti e riviste del '900 letterario italiano, ivi, 1986.

Maier Bruno, *Saggi sulla letteratura triestina del Novecento*, Milano, Mursia, 1972.

Majorino Giancarlo, *Poesia e realtà*, Roma, Savelli, 1977.

Marabini Claudio, *Le città dei poeti*, Torino, SEI, 1976.

Marchi Marco, *Riviste di poesia a Firenze 1958-1985*, Stazione di posta, gennaio-agosto 1985.

Marianacci Dante, *La cultura degli anni 80*, Foggia, Bastogi, 1984.

Mauro Walter, *Realtà mito e favola nella narrativa italiana del Novecento*, Milano, SugarCo, 1974.

Mondello Elisabetta, *Gli anni delle riviste*, Lecce, Milella, 1985.

Muzzioli Francesco, *Teoria e critica della letteratura nelle avanguardie italiane degli anni sessanta*, Roma, Istituto Enciclopedia Italiana, 1982.

Nozzoli Anna, *Tabú e coscienza. La condizione femminile nella letteratura italiana del Novecento*, Firenze, La Nuova Italia, 1978.

Occhipinti Giovanni, *Uno splendido medioevo. Poesia anni Sessanta*, Poggibonsi, Lalli, 1978.

Pasolini Pier Paolo, *Descrizioni di descrizioni*, Torino, Einaudi, 1979.

Pautasso Sergio, *Anni di letteratura*, Milano, Rizzoli, 1979.

Pedullà Walter, *La letteratura del benessere*, Napoli, Libreria Scientifica Editrice, 1968.

La rivoluzione della letteratura, Roma, ennesse, 1970.

L'estrema funzione, Padova, Marsilio, 1975.

Miti, finzioni e buone maniere di fine millennio, Milano, Rusconi, 1983.

Petrollo Concetta (a cura di), *Poesia in Italia 1945-1980*, Roma, Biblioteca Nazionale Centrale, 1982.

Petrucciani Mario, *Idoli e domande della poesia*, Milano, Mursia, 1969.

Segnali e archetipi della poesia, ivi, 1974.

Scienza e letteratura nel secondo Novecento, ivi, 1978.

Piemontese Felice, *Dopo l'avanguardia*, Napoli, Guida, 1981.

Piromalli Antonio, *La letteratura calabrese*, Napoli, Guida, 1977.

Pullini Giorgio, *Volti e risvolti del romanzo italiano contemporaneo*, Milano, Mursia, 1971.

Raboni Giovanni, *Poesia degli anni Sessanta*, Roma, Editori Riuniti, 1976.
Ramat Silvio, *Storia della poesia italiana del Novecento*, Milano, Mursia, 1976.
Rinaldi Rinaldo, *Il romanzo come deformazione*, Milano, Mursia, 1985.
Romano Massimo, *Gli stregoni della fantacultura*, Torino, Paravia, 1977.
Ruggiero Corrado, *Verso dove*, Napoli, Glaux, 1984.
Segre Sergio, *I segni e la critica*, Torino, Einaudi, 1969.
Spagnoletti Giacinto, *Scrittori di un secolo*, 2 vv., Milano, Marzorati, 1974.
   La letteratura italiana del nostro secolo, 3, Milano, Mondadori, 1985.
Spinazzola Vittorio (a cura di), *Pubblico*, 1978, 1979, Milano, Il Saggiatore.
   Il successo letterario, Milano, Unicopli, 1985.
Vitiello Ciro, *Teoria e analisi del linguaggio poetico*, Napoli, Guida, 1984.
   La logica letteraria, Napoli, Glaux, 1984.
   Teoria e tecnica dell'avanguardia, Milano, Mursia, 1984.
Zagarrio Giuseppe, *Poesia fra editoria e anti*, Firenze, Il Ponte, 1970.
   Febbre, furore e fiele, Milano, Mursia, 1983.
Zappulla Muscarà Sarah, *Letteratura siciliana al femminile*, Caltanissetta-Roma, Sciascia, 1984.

   Si vedano inoltre i dieci volumi di 900, Milano, Marzorati, a cura di Gianni Grana.

Indice dei nomi

381

Finito di stampare nel marzo 1987
dalla Tipografia C. Salemi - Roma
per conto degli Editori Riuniti
Via Serchio, 9/11 - Roma